Élisabeth d'Autriche

Brigitte Hamann

ÉLISABETH D'AUTRICHE

Traduit de l'allemand par Jean-Baptiste Grasset,
avec la collaboration de Bernard Marion

FAYARD

AVANT-PROPOS

La femme dont cette biographie fait l'objet fut quelqu'un qui, refusant le plus consciemment du monde de se comporter selon son rang, sut viser et atteindre un but auquel seul le mouvement des femmes devait de nos jours donner un nom : la « réalisation de soi ».

Élisabeth d'Autriche ne joua aucun des rôles qui lui étaient impartis par la tradition de son milieu : ni celui d'épouse aimante et dévouée, ni celui de mère de famille, ni celui de première figure représentative d'un gigantesque empire. Elle revendiqua et parvint à faire prévaloir ses droits comme individu. Que cette « réalisation de soi » ne lui ait pas apporté le bonheur, c'est bien ce qui constitue le tragique de son histoire personnelle — pour ne rien dire des tragédies que ses refus entraînèrent dans son entourage familial le plus proche.

Impératrice d'Autriche, reine de Hongrie et de Bohême — encore n'étaient-ce là que ses titres principaux —, Élisabeth était républicaine dans l'âme ; elle qualifiait l'antique monarchie de « fossile des splendeurs passées », et la comparait à un chêne appelé à tomber après avoir « fait son temps ». Fustigeant les abus du système aristocratique et raillant les rois et les princes, à l'exemple de son vénéré « maître » Henri Heine, elle était dépourvue de toute « conscience de classe », à tel point que l'impératrice et reine finit par apparaître, à la Cour de Vienne, comme un corps étranger, comme une véritable provocation envers cette haute société dont toute l'existence obéissait à des règles consacrées par les siècles — et c'était bien là ce que cherchait Élisabeth.

Cette impératrice gagnée à la démocratie constitue par elle-même une singularité, voire une curiosité et d'autre part, son cas fait bien apparaître toute la force qu'avaient acquise les idées antimonarchiques à la fin du XIXᵉ siècle : elles atteignaient les princes eux-mêmes, qui commençaient à s'interroger sur la légitimité de leur position privilégiée, héritée et non point acquise. L'observation du comte Alexandre Hübner dans son Journal, *en date du 18 novembre 1884, est tout à fait pertinente :* « Le fait est que personne n'accorde plus aucune foi aux rois, et je ne sais s'ils ont encore foi en eux-mêmes. » *Et la poétesse Carmen Sylva (en fait la reine Élisabeth de Roumanie), amie d'Élisabeth d'Autriche, exprimait les choses plus carrément encore :* « La forme républicaine de l'État est seule rationnelle ; je ne parviens toujours pas à comprendre ces peuples insensés qui nous supportent encore. »

De telles conceptions ne pouvaient que conduire à de redoutables conflits au sein de la société. En effet, la conscience de leur « individualité » *poussait les aristocrates gagnés aux idées modernes à vouloir s'affirmer face à leurs semblables, essentiellement par ces vertus bourgeoises qu'étaient l'efficacité et la culture. Mais il leur fallait alors bien souvent se reconnaître incapables de soutenir la concurrence sur ce plan, du moins avec tout le succès qu'eût exigé leur origine ; ils devaient admettre, par conséquent, puisque leur valeur personnelle n'était pas en rapport avec leur position sociale, qu'ils ne représentaient en définitive qu'un titre qu'ils n'avaient rien fait pour acquérir et une fonction à laquelle ils n'attachaient plus aucune valeur. Ce fut le drame d'Élisabeth puis de son fils Rodolphe.*

Le destin d'Élisabeth est tout empli de cette tension, de cet acharnement à se définir comme individu. Sa première tentative — la mieux réussie d'ailleurs — fut d'acquérir la beauté ; car cette légendaire beauté, loin d'être un don de la nature, résultait de la discipline de fer qu'elle s'imposa tout au long de son existence et qui confinait parfois à la torture physique. C'est d'une façon tout à fait analogue qu'elle acquit sa réputation de sportive de premier plan, de meilleure écuyère à courre de l'Europe des années 1870. Au fil des années, certes, cette réputation de beauté et de forme physique s'estompa, et nulle discipline n'y pouvait rien. Mais sa plus grande célébrité, Élisabeth l'attendait de la postérité, qui reconnaîtrait en elle une poétesse supérieurement douée. Ce sont les fruits de cette tentative (plus de cinq cents pages de poèmes jusqu'ici inconnus, datant des années 1880) qui constituent la base du présent ouvrage *. Elle y livre les

---

* En accord avec l'auteur, une part de ces matériaux ont été supprimés dans la présente traduction, comme moins intéressants pour un lecteur *confidences les plus intimes sur elle-même, son milieu, son époque. Mais ils prouvent aussi l'échec de ces ambitions à une gloire littéraire posthume ; leur qualité ne relève à l'évidence que d'un dilettantisme nourri de l'œuvre de Heine et ces vers ne mériteraient guère de retenir l'attention, s'ils ne représentaient une source précieuse à la fois pour l'histoire de la monarchie habsbourgeoise et de cette aristocrate « éclairée », de cette femme cultivée du XIX⁰ siècle. Ils illustrent à merveille ce que fut ce « siècle de nervo-sisme », où la vie affective franchissait souvent les bornes du réel.*

Je dois ici adresser l'expression de ma plus profonde gratitude au Conseil fédéral helvétique et à la direction de ses Archives, pour m'avoir accordé l'autorisation de consulter ces sources, qui jusque-là étaient restées soumises au plus étroit secret ; ainsi qu'au professeur Jean-Rudolph von Salis, qui a bien voulu intervenir pour que cette autorisation me soit délivrée.

Que l'impératrice ait préféré accorder sa confiance précisément à une république qu'elle considérait sans nul doute comme un modèle et un idéal, pour conserver ce qui lui semblait constituer son legs le plus précieux — son œuvre littéraire —, voilà qui symbolise mieux que tout son attitude non seulement vis-à-vis de la monarchie austro-hongroise, mais encore de la dynastie des Habsbourg.

Les nombreuses autres sources inédites que j'ai également mises à profit font apparaître Élisabeth d'Autriche sous un jour souvent bien différent de l'image traditionnelle présentée en 1934 par la biographie du comte Egon César Corti * et les ouvrages ultérieurs qui s'en inspirent. Sans

---

français. Quelques autres coupures viennent alléger l'appareil d'érudition — ainsi, dès le présent Avant-propos, la liste (impressionnante) des sources nouvelles auxquelles a puisé Brigitte Hamann. *(N.d.T.)*

* Traduction française de Marguerite Diehl, *Élisabeth d'Autriche*, Payot, 1936 (réédition en 1982, sans changement par rapport à l'original, chez le même éditeur). La plus récente biographie d'Élisabeth parue en français est celle de Jean des Cars : *Élisabeth d'Autriche, ou la fatalité*, Librairie Académique Perrin, 1983. Cet auteur porte un jugement très négatif (p. 469) sur le présent ouvrage, auquel il reproche surtout de se montrer « volontiers critique, voire hostile » — reproche dont cet Avant-propos suffit à faire justice. Le fond de l'affaire est clairement décrit par Brigitte Hamann : faut-il à tout prix, et malgré la découverte de sources inédites, préserver l'image idéalisée qui se dégage du travail, par ailleurs remarquable en son temps, du comte Corti ? *(N.d.T.)*

doute maintes sensibilités se sentiront-elles ainsi heurtées, car c'est un bien beau mythe qui se trouve ainsi non seulement remis en question, mais proprement détruit.

Soulignons cependant que plus Élisabeth cherchait à se poser en personne privée, moins elle l'était en fait. La nature même de sa fonction d'impératrice était publique et historique. Refuser d'en remplir tous les devoirs, c'était certes une décision personnelle, mais ses conséquences avaient une portée publique, puisqu'il ne demeurait qu'une place vide là où, traditionnellement, l'impératrice avait un rôle à jouer tant dans la haute société que dans la société en général, et même dans la vie de la famille impériale (laquelle n'était précisément pas, en principe, d'ordre privé).

Particulièrement lourde de conséquences fut l'attitude d'Élisabeth à l'égard de son époux et de son fils — lesquels restaient en tout état de cause l'empereur et le prince héritier du plus grand État européen après la Russie. C'est de ma réflexion sur ce problème qu'est issue la conclusion de ce livre. On ne saurait porter un jugement équitable sur la personne — nullement « privée » — de l'empereur François-Joseph sans prendre aussi en considération, avec toute la vérité possible et en rejetant les clichés douceâtres, cette autre personnalité dont on ne peut méconnaître la place dans sa vie : son Élisabeth adorée, son « angélique Sissi ». Cela vaut également, quoique à un moindre degré, pour le prince impérial Rodolphe, unique et infortuné fils d'Élisabeth. Ce ne serait pas rendre justice à ces deux hommes, si importants dans l'histoire de l'Autriche, que de préserver à toute force de l'impératrice l'image qui a prévalu jusqu'ici en raison d'un choix timoré, voire d'une certaine dissimulation des sources disponibles.

Pour ma part, je m'estime tenue par une exigence scientifique ; je considère, en outre, la figure d'Élisabeth — avec tout ce qu'elle comporte de problématique, de tout à fait singulier et d'étonnamment « moderne » — comme très caractéristique du déclin de la monarchie austro-hongroise. François-Joseph, prosaïque « fonctionnaire » et homme de devoir, et l'impératrice Élisabeth, anticonformiste et d'une haute intelligence, prompte à s'égarer dans ses rêveries : ces deux êtres sont comme le Plus et le Moins, comme le Jour et la Nuit, ils s'opposent et s'appellent à la fois, pour leur malheur mutuel. Tragédie privée, tout au sommet de cet empire que la fin de siècle * *vit s'écrouler.*

Vienne, été 1981.

* En français dans le texte. (*N.d.T.*)

LIBERTY

par l'impératrice Élisabeth (1887).

Oui, un vaisseau je me bâtirai !
Jamais de plus beau ne verrez
Sillonner la mer immense.
« Liberté » claquant au mât,
« Liberté » scintillant en proue,
Ivre de liberté, fier il voguera.

« Liberté » ! Ton nom aux lettres d'or
Glorieusement brave l'intempérie,
Flottant à la flèche effilée.
Liberté que je hume à longs traits,
Liberté que la houle acclame,
Liberté ! Tu n'es plus un songe !

Télégraphes, cherchez donc mon navire
Pour me ramener en fête à la Cour
Et m'emprisonner au château !
En eau claire, en eau trouble pêchez,
Piégez tant que voudrez les mouettes !
Hourra ! Libres sommes et volons !

Du bout des doigts je vous adresse,
O mes chers et vieux amis
Qui m'avez tant jadis tourmentée,
Un baiser et ma bénédiction.
Plus jamais ne vous souciez de moi,
Me voilà libre en haute mer !

(*Winterlieder* — « Chansons d'hiver », p. 152 *sq.*)

CHAPITRE PREMIER

LES FIANÇAILLES À ISCHL

Le dimanche 18 août 1843, le jour même du vingt-troisième anniversaire de l'empereur François-Joseph, fit son entrée dans l'histoire de l'Autriche une jeune campagnarde de quinze ans, du village bavarois de Possenhofen : l'empereur demandait, et, bien entendu obtenait, la main de sa cousine Élisabeth, duchesse en Bavière *.

La fiancée n'avait jamais, jusque-là, retenu particulièrement l'attention. A peine formée, bien éloignée encore de l'âge adulte, c'était une enfant timide aux longues nattes blond foncé, à la silhouette étonnamment déliée, aux yeux marron clair empreints d'une sorte de retenue mélancolique. Troisième de huit enfants pleins de tempérament, elle avait grandi, un peu en sauvageonne, à l'écart de toutes les contraintes de la Cour. Elle excellait à la natation, à la pêche, à l'équitation, à l'escalade. De sa Bavière natale, elle aimait surtout la partie montagneuse et le lac de Starnberg, sur les rives duquel se trouvait le petit château de Possenhofen, résidence estivale de la famille ducale. Elle parlait le dialecte bavarois et comptait de bons amis parmi les petits paysans du

---

* Le titre de « ducs *en* Bavière » avait été conféré en 1799 à la branche cadette de la Maison de Wittelsbach ; celui de « ducs *de* Bavière » restait réservé à la branche aînée — devenue lignée royale à partir de 1805, par la grâce de Napoléon Ier. *(N.d.T.)*

voisinage. Ne brillant ni par son instruction ni par ses manières, elle ne faisait pas plus grand cas que son père ou que ses
frères et sœurs de tout ce qui relevait du cérémonial, du
protocole ; cela d'ailleurs importait peu à la Cour de
Munich : la branche cadette des Wittelsbach n'y détenait
aucune fonction officielle et pouvait donc mener sa vie privée comme elle l'entendait.

Sa mère, la duchesse Ludovica, recherchait, depuis quelque temps déjà, un parti convenable pour sa seconde fille
Élisabeth. Ce n'est que prudemment qu'elle s'était tournée
vers la Saxe : « Je tiendrais certes pour un grand bonheur de
voir Sissi parmi vous, mais cela est hélas peu envisageable car
le seul parti auquel on pourrait songer [*certainement le prince
Georges, second fils du roi Jean*] ne lui prêtera sans doute guère
d'attention ; il faudrait tout d'abord qu'elle lui plaise, et il
considérera aussi, bien entendu, l'état de sa fortune [...].
Jolie, elle l'est certes, en raison de sa grande fraîcheur ; mais
aucun de ses traits n'est en lui-même d'une remarquable
joliesse [1]. » Au printemps de 1853, Sissi était revenue de
Dresde sans y avoir trouvé de fiancé.

Elle vivait entièrement dans l'ombre de sa sœur aînée
Hélène, beaucoup plus belle, plus cultivée, plus sérieuse et
plus admirée qu'elle ; on tenait celle-ci pour promise aux
plus hautes destinées, à savoir épouser l'empereur d'Autriche. En comparaison, Sissi était le « vilain petit canard » de la
famille. Et nulle ne fut plus surprise que la jeune fille,
lorsqu'elle devint le plus brillant parti du XIXe siècle.

Son fiancé, l'empereur François-Joseph, était quant à lui
d'une remarquable beauté avec ses cheveux blonds, son
visage plein de douceur, son allure fine et élancée que mettait si bien en valeur l'uniforme de général, étroitement
ajusté, qu'il portait en permanence. Il n'était guère étonnant
qu'il fût la coqueluche des comtesses viennoises, d'autant
qu'il se montrait, dans les bals de la haute aristocratie, le
meilleur et le plus fougueux des danseurs.

Ce beau jeune homme aux excellentes manières était un
des hommes les plus puissants de son époque. Sa titulature

complète n'était rien de moins que : François-Joseph Ier, par la grâce de Dieu empereur d'Autriche ; roi de Hongrie et de Bohême ; roi de Lombardie et de Venise, de Dalmatie, de Croatie, de Slavonie, de Galicie, de Lodomélie et d'Illyrie ; roi de Jérusalem, etc. ; archiduc d'Autriche ; grand-duc de Toscane et de Cracovie ; duc de Lorraine, de Salzbourg, de Styrie, de Carinthie, de Kraina et de Bukovine ; grand-prince de Transylvanie, marquis de Moravie ; duc de Haute et de Basse Silésie, de Modène, de Parme, de Plaisance, de Guastalla, d'Auschwitz et de Zator, de Teschen, du Frioul, de Raguse et de Zara ; comte princier du Habsbourg et du Tyrol, de Kybourg, de Görz et de Gradiska ; prince de Trente et de Brixen ; margrave de Haute et de Basse Lusace, margrave en Istrie ; comte de Haute Ems, de Feldkirch, de Bregenz, de Sonneberg, etc. ; seigneur de Trieste, de Cattaro et de la Marche de Windisch ; grand voïvode de la voïvodie de Serbie, etc.

Il était monté sur le trône en 1848, l'année des révolutions, à l'âge de dix-huit ans, après l'abdication de son oncle Ferdinand, atteint de troubles mentaux, et la renonciation du trop peu énergique archiduc François-Charles, son propre père, à la succession. Tranchant sur l'image lamentable qu'avait laissée son prédécesseur, le jeune empereur eut tôt fait de se gagner des sympathies, même celle de Bismarck qui, ayant fait sa connaissance en 1852, écrivait à son propos : « Le jeune souverain de ce pays m'a produit une impression des meilleures : à la fougue de ses vingt ans s'allient la dignité et la fermeté propres à l'âge mûr ; il a un beau regard, surtout lorsqu'il s'anime, et une plaisante expression de loyauté, notamment dans le sourire. S'il n'était empereur, je le trouverais un peu trop sérieux pour son âge [2]. »

François-Joseph détenait un pouvoir absolu : chef suprême des armées, il gouvernait sans Constitution ni Parlement ni même Premier ministre. Ses ministres n'étaient guère plus que des conseillers, le souverain restant seul et unique responsable de sa politique. Il n'est pas faux de dire que le jeune empereur dirigeait une monarchie militaire — « par la grâce de Dieu », bien évidemment.

Grâce à de puissantes forces armées et policières, il parvenait à maintenir l'unité de ses États, réprimant les aspirations démocratiques et nationalistes. La vieille plaisanterie qui courait sous Metternich valait aussi bien pour les débuts de son règne : le pouvoir s'appuyait sur une armée de soldats debout, une armée de fonctionnaires assis, une armée de prêtres à genoux et une armée d'indicateurs rampants...

En 1853, l'Autriche était le plus vaste des États européens après la Russie : environ 40 millions d'habitants, compte non tenu de ses 600 000 soldats. De multiples nationalités — 8,5 millions d'Allemands, 16 millions de Slaves, 6 millions d'Italiens, 5 millions de Magyars, 2,7 millions de Roumains, 1 million peut-être de Juifs et quelque 100 000 Tziganes. L'extrémité septentrionale de l'Empire était à Hilgersdorf, en Bohême du Nord (aujourd'hui en Tchécoslovaquie), son extrémité méridionale au mont Ostrawizza, en Dalmatie (aujourd'hui en Yougoslavie), son extrémité occidentale près de Rocca d'Angera, sur le lac Majeur en Lombardie (aujourd'hui en Italie), et son extrémité orientale non loin de Chilischeny, en Bukovine (aujourd'hui en Union soviétique)[3].

La plus grande partie des habitants de l'État austro-hongrois — 29 millions — vivaient de l'agriculture et de l'élevage, qui formaient la plus importante source de revenus de l'Empire : l'Autriche venait ainsi au premier rang mondial pour la culture du lin et du chanvre, au second rang (après la France) pour la viticulture. Ces activités se pratiquaient encore selon un mode ancestral, le degré d'évolution technique restant bien inférieur à celui des États occidentaux.

Grâce à la qualité de ses généraux, l'Autriche traversa la Révolution de 1848 sans y perdre de territoires. L'Assemblée constituante de Kremsier — une élite intellectuelle de « quarante-huitards » — fut dispersée par la force des armes. Nombre de ses députés purent s'enfuir à l'étranger, mais beaucoup d'autres furent emprisonnés. Ainsi le jeune empereur viola-t-il la parole, qu'il avait lui-même solennellement donnée, de doter enfin le pays d'une Constitution.

Cependant, malgré le maintien de l'état de siège et une

forte présence militaire, l'horizon politique de l'année 1853 restait menacé par des foyers d'incendie, principalement en Hongrie et en Italie du Nord. Au début de février, le révolutionnaire Giuseppe Mazzini tenta de fomenter une émeute à Milan pendant le carnaval : les nationalistes italiens attaquèrent au poignard des soldats autrichiens, en tuèrent dix, en blessèrent cinquante-neuf et en clouèrent plusieurs vifs aux portes des maisons, en guise d'avertissement au gouvernement de Vienne. L'insurrection ayant été matée en quelques heures, seize Italiens furent exécutés et quarante-huit condamnés à de lourdes peines de prison aux fers.

A Vienne même, le calme était trompeur. Pendant que ces troubles éclataient à Milan, le jeune empereur fut victime d'un dangereux attentat alors qu'il se promenait sur les bastions : un jeune garçon tailleur hongrois, nommé Janos Libenyi, le frappa à la gorge avec un couteau à double tranchant, le blessant grièvement. Jusqu'en ces circonstances, François-Joseph fit preuve d'un courage et d'un sang-froid extraordinaires. Les premiers mots qu'il adressa à sa mère furent : « Me voici blessé tout comme mes soldats, cela me fait plaisir [4]. »

Libenyi se considérait comme un agitateur politique ; lorsqu'on l'arrêta, il cria très fort en hongrois : « *Eljen Kossuth !* », acclamant par ce vivat l'ennemi mortel des Habsbourg, le révolutionnaire qui avait proclamé la République hongroise en 1849 et qui poursuivait depuis lors, en exil, sa propagande en faveur de l'indépendance hongroise. Libenyi fut exécuté. Mais son geste démontrait au jeune empereur que le trône n'était pas aussi fermement assuré qu'il y semblait.

Si le respect dû à sa majesté élevait l'empereur au-dessus du reste de l'humanité, quelqu'un cependant continuait de représenter à ses yeux l'autorité : sa propre mère, l'archiduchesse Sophie, à laquelle il était profondément attaché.

Celle-ci était arrivée à la Cour en 1824, lorsque Metternich était ministre ; elle n'était guère qu'une princesse bavaroise de dix-neuf ans. L'empereur François Ier était alors fort âgé et son fils aîné Ferdinand, appelé à lui succéder, malade et faible d'esprit. La jeune femme, ambitieuse et intéressée par la politique, trouva donc à Vienne un vide que sa forte personnalité eut tôt fait de combler. Metternich lui-même se vit bientôt contraint de compter avec cette femme qui, au milieu de l'apathie générale de la Cour, se tailla la réputation d'être « le seul homme véritable ». Ce fut elle qui, en 1848, contribua le plus énergiquement à la chute de Metternich, coupable, à ses yeux, de « vouloir une chose impossible : diriger la monarchie sans empereur, avec un imbécile pour représenter la Couronne [5] » — claire allusion à son beau-frère Ferdinand, dit « le Débonnaire », débile mental et épileptique.

Sophie détourna également son époux de la succession, renonçant de ce fait elle-même à devenir impératrice et à gouverner par l'intermédiaire d'un homme qui lui était entièrement dévoué. Elle préféra manœuvrer pour faire accéder au trône, en décembre 1848 à Olmütz, son fils aîné « Franzi » : son orgueil maternel était sans bornes. Elle ne cessait de répéter que « c'était un grand bienfait de ne plus voir ainsi baguenauder à sa guise l'excellent, mais fragile petit être qu'il nous a fallu reconnaître comme empereur pendant près de quatorze ans, et qu'il ait cédé la place à la charmante figure de notre cher jeune empereur, qui faisait l'enchantement de chacun [6] ».

Sa vie durant, François-Joseph resta reconnaissant à sa mère des services qu'elle lui avait rendus et se laissa guider par sa main assurée, alors même que Sophie déclarait avec ferveur : « [J'ai pris] la ferme résolution, lorsque mon fils a accédé au trône, de ne me mêler en aucune façon des affaires de l'État : je ne m'en sens pas le droit, et je sais en outre qu'elles sont en excellentes mains, après les treize années de carence de l'autorité que nous avons connues. Et je suis profondément heureuse de pouvoir, après cette terrible année 1848, considérer avec confiance et tranquillité ce qui se passe aujourd'hui [7]. » Mais Sophie ne respecta guère ces excellentes résolutions. Les verdicts impitoyables des juridictions criminelles à l'égard des révolutionnaires, l'annulation illégale de la Constitution promise et effectivement entrée en vigueur pendant un bref laps de temps, l'étroite alliance avec l'Église (qui aboutit au Concordat de 1855), tout cela fut considéré par l'opinion publique bien moins comme l'œuvre du jeune empereur, encore inexpérimenté, que de l'archiduchesse Sophie, la « vraie impératrice » de l'Autriche pendant les années 1850.

On conçoit aisément, dans un tel contexte, que Sophie ait été soucieuse de savoir qui son fils prendrait pour épouse — bien moins eu égard aux sentiments du jeune empereur qu'en vertu de considérations politiques. Après la révolution de 1848, l'Autriche avait résolument orienté sa politique en direction de l'Allemagne, s'efforçant de demeurer la puissance dirigeante au sein de la Confédération germanique — c'est-à-dire avant tout de préserver et de renforcer, face à la Prusse, une importance qui n'avait cessé de décroître. Tel était le grand but, directement opposé aux conceptions prussiennes, auquel Sophie entendait faire servir aussi le jeu des alliances.

On parlait beaucoup, à la Cour, d'un possible mariage de l'empereur avec l'archiduchesse Élisabeth, qui appartenait à la branche hongroise de la Maison de Habsbourg [8]. Mais un tel projet n'avait aucune chance d'aboutir, compte tenu de la forte répugnance de Sophie vis-à-vis de tout ce qui se rapportait à la Hongrie. Elle préférait nettement une union tournée vers l'Allemagne et songea d'abord à la Maison de Hohenzollern, espérant améliorer par ce moyen les délicates relations entre l'Autriche et la Prusse, et réaffirmer l'hégémonie autrichienne en Allemagne. Pour atteindre cet objectif politique, elle aurait même consenti à accueillir une bru protestante — laquelle, bien entendu, aurait dû se convertir avant le mariage.

C'est ainsi qu'à l'hiver 1852 le jeune empereur se rendit à Berlin, sous divers prétextes politiques et familiaux bien évidemment ; il s'y éprit promptement d'une nièce du roi de Prusse, la princesse Anna, qui avait le même âge que lui. Certes, la jeune fille était déjà fiancée ; mais Sophie n'était pas femme à renoncer pour si peu. Elle demanda à sa sœur, la reine Élise de Prusse, « s'il n'était aucun espoir que le triste mariage que l'on imposait à cette ravissante Anna, et qui ne lui ouvrait aucune perspective de bonheur, pût être évité ». Sophie ajoutait franchement que le jeune empereur était d'ores et déjà fort épris. Elle évoquait « le bonheur qui lui est apparu comme un rêve fugitif et qui a — *hélas* * —impressionné son jeune cœur de manière beaucoup plus forte et profonde que je ne l'ai cru tout d'abord. [...] Tu le connais suffisamment pour savoir que l'on ne satisfait pas si facilement à ses goûts et que la première venue ne saurait lui suffire ; il faut qu'il puisse aimer l'être qui deviendra sa compagne, qu'elle lui plaise vraiment, lui inspire une profonde sympathie. Il semble que votre chère petite réponde à toutes ces exigences. Juge toi-même combien je puis, dès lors, souhaiter son alliance avec mon fils, qui a tant besoin de bonheur après avoir dû si tôt renoncer à l'insouciance et aux illusions de la jeunesse [9] ».

Mais la reine Élise ne put imposer ses vues aux hommes politiques de son pays ; une alliance matrimoniale avec l'Autriche ne faisait en aucune manière l'affaire des Prussiens. Aussi le jeune empereur essuya-t-il un échec personnel ; en outre, sa visite à Berlin donna lieu à des commentaires peu flatteurs, tel celui du prince Guillaume, le futur Guillaume Ier : « Comme Prussiens, nous nous félicitons de voir que l'Autriche a laissé paraître dans notre capitale sa position subordonnée, sans que nous-mêmes ayons dû reculer d'un seul pas sur le terrain politique [10]. »

Sophie déploya également vers Dresde ses manœuvres en vue d'un mariage impérial propre à renforcer l'influence autrichienne en Allemagne. Il s'agissait ici de la jeune Sidonie, princesse de Saxe ; mais celle-ci, de tempérament maladif, ne plut aucunement à l'empereur. L'opiniâtreté de Sophie à introduire à la Cour de Vienne une princesse allemande apparaît clairement dans son troisième projet, qui engageait cette fois sa sœur Ludovica, duchesse en Bavière ;

---

* En français dans le texte. *(N.d.T.)*

l'aînée des filles de celle-ci, Hélène, pouvait convenir à l'empereur quant à l'âge, bien qu'elle fût un parti beaucoup moins avantageux que les deux premières jeunes filles envisagées : elle n'appartenait en effet qu'à la branche cadette de la Maison de Bavière, et non à la branche aînée comme Sophie elle-même. La Bavière n'en étant pas moins, avec la Saxe, le plus fidèle allié de l'Autriche au sein de la Confédération germanique, un tel renforcement de leurs liens serait politiquement de la plus grande utilité.

On ne comptait pas moins de vingt et une alliances déjà entre les Maisons de Bavière et d'Autriche. Le mariage le plus notable, dans les années récentes, avait été celui de l'empereur François avec Caroline-Augusta, la sœur aînée de Sophie. (En épousant le second fils, en premières noces, de l'empereur François — l'archiduc François-Charles —, Sophie était donc devenue la bru de sa propre sœur Caroline-Augusta.)

La duchesse Ludovica était pour ainsi dire la parente pauvre de sa puissante aînée. Des neuf filles du roi Maximilien Ier, elle était la seule à n'avoir trouvé qu'un parti modeste en la personne de son cousin au second degré le duc en Bavière Maximilien, qui ne se vit accorder qu'en 1845 le titre d'Altesse Royale. Leur union fut d'ailleurs malheureuse, même s'il en naquit huit enfants, bien constitués mais d'un tempérament des plus difficiles.

Ludovica portait à sa sœur Sophie, de trois ans plus âgée, une affection pleine d'humilité, voire de servilité ; elle ne cessait de la donner en exemple à ses propres enfants et suivait ses conseils de la façon la plus scrupuleuse, à seule fin de rester dans ses bonnes grâces. La perspective de voir sa première fille épouser le plus convoité de tous les partis possibles acheva de faire d'elle la docile servante de son énergique aînée.

Les deux sœurs n'avaient pas grand-chose en commun. Ludovica devait par la suite avouer qu'au moment des fiançailles d'Ischl, elle-même était entièrement « empaysannée ». Elle aimait la terre, la libre nature, et n'avait cure de se vêtir ni de choisir son entourage conformément à son rang.

La Cour viennoise lui faisait peur, et celle de Munich lui restait aussi assez étrangère : certes, le souverain en était son neveu Maximilien II, mais la branche ducale des Wittelsbach n'y détenait aucune fonction officielle ; Ludovica n'y était donc nullement une figure représentative, mais une simple personne privée. Elle ne vivait en fait que pour ses enfants qu'elle élevait elle-même, contrairement à tous les usages de l'aristocratie.

Contrairement à Sophie — catholique de stricte observance, pour ne pas dire bigote —, Ludovica n'avait guère la fibre religieuse. Elle évoquait avec fierté l'éducation libérale qu'elle avait reçue à la Maison royale de Bavière : « Dans notre jeunesse, on nous a " protestantisés " ! » En guise de passe-temps, elle collectionnait les montres et s'adonnait à la géographie — tirant surtout, à vrai dire, ses connaissances, la raillait son époux, des almanachs de missionnaires. Quant aux affaires politiques, elle n'en avait pas la moindre notion [11].

Le père de la fiancée — le duc Max en Bavière — n'était guère du goût de Sophie. Il apparaissait certes à l'époque comme le plus populaire des Wittelsbach. Mais la popularité n'était pas le meilleur moyen de gagner l'estime de Sophie, qui ne pensait qu'en termes dynastiques. Max avait beaucoup voyagé et beaucoup lu (sa bibliothèque comptait quelque 27 000 volumes, la plupart de caractère historique). Quant à sa formation, elle était bien peu aristocratique, puisqu'il avait fréquenté pendant sept ans un établissement scolaire de Munich, au lieu d'étudier seul avec un précepteur comme il était de règle dans la noblesse, puis suivi des cours à l'université de cette ville, principalement d'histoire et de sciences naturelles.

Max resta toute sa vie fidèle à ses goûts d'alors : ne tenant nul compte de l'étiquette, il s'entoura toujours d'une pléiade de savants et d'artistes d'extraction roturière — cercle fameux, dont il était le roi Arthur ; on y buvait beaucoup tout en faisant des vers, en chantant, en composant de la musique et en tenant aussi des discussions de haut niveau. Il n'en allait guère autrement que dans les fameux « symposiums » du roi Maximilien II de Bavière — lequel marquait, il est vrai, une préférence pour les savants du nord de l'Allemagne, les « Lumières du Nord * », alors que le duc rassemblait autour de lui des Bavarois de vieille souche.

Le nouveau palais du duc Max, situé sur la Ludwigstrasse (du nom du roi Louis Ier de Bavière) et où naquit la petite Élisabeth, possédait des attractions telles qu'un *café chantant* ** à l'imitation de ceux de Paris, et une salle de danse ornée d'une *Frise à Bacchus* du peintre Schwanthaler, de proportions immenses puisqu'elle était longue de quarante-quatre mètres, et fort libre quant à sa composition. Dans la cour du palais était installé un véritable cirque, avec loges et fauteuils d'orchestre, où la société munichoise pouvait admirer le duc Max dans ses propres numéros d'équitation, qu'il présentait avec fierté parmi toutes sortes de pantomimes, clowneries osées et divertissements troupiers. Un autre de ses passe-temps était de jouer de la cithare, instrument qu'il emportait en voyage et il ne se priva pas de jouer ses airs favoris, des *Schnadahüpfl* *** bavarois, jusqu'au sommet de la pyramide de Chéops, à la plus grande surprise de son escorte égyptienne. Il publia même en 1846 un *Florilège de chansons et mélodies populaires de Haute Bavière.*

Comme bon nombre de Wittelsbach, le duc Max souffrait aussi d'accès de neurasthénie et de misanthropie, comme en témoigne ce poème intitulé *Ma Cithare :*

> *Si je ne me sens bien qu'avec elle,*
> *C'est qu'elle est seule à me comprendre.*
> *Je laisse les gens à leurs affaires*
> *Pour en jouer du matin au soir.*
> *Les hommes jouent eux aussi leur jeu,*

---

* Jeu de mots : *Nordlicht* signifie « aurore boréale » mais aussi, littéralement, « lumière du Nord ». *(N.d.T.)*

** En français dans le texte. *(N.d.T.)*

*** Terme de patois bavarois désignant des quatrains satiriques destinés à être chantés. *(N.d.T.)*

Mais sur un instrument différent ;
Ce dont ils se jouent tant, c'est de l'homme
Qui ne sait rien de leur perfidie [12].

La similitude est frappante entre ces vers et ceux que devait écrire Élisabeth trente ans plus tard.

Le duc Max, qui n'était guère gourmet, ne faisait pas non plus grand cas de la vie familiale. Le seul horaire qu'il respectât rigoureusement concernait le repas de midi, pendant lequel il n'était jamais visible, même pour son épouse et ses huit enfants légitimes : il déjeunait dans ses appartements avec ses deux filles naturelles, auxquelles il portait une profonde affection [13].

Il faisait volontiers étalage d'opinions démocratiques, ne fût-ce que pour irriter son entourage. « Cela ne l'empêchait pas, s'il lui semblait que l'on foulait aux pieds sa dignité, d'entrer dans des colères infernales », notait pourtant un de ses proches parents.

L'état d'esprit qui régnait dans la Maison ducale se manifesta clairement pendant la Révolution de 1848, quand, fuyant les troubles et les émeutes qui agitaient Munich, la famille royale se réfugia dans le palais du duc Max où, grâce à la popularité de celui-ci, elle semblait moins exposée à une irruption populaire. On rapporte qu'au plus fort des désordres, la petite Hélène, alors âgée de quatorze ans, aurait tenté de calmer les insurgés en s'exclamant, ce qui fit beaucoup rire : « Quoi, frères contre frères ! » — formule bien digne d'une fille du duc Max [14]. Au cours des cinq années qui suivirent, elle devint cependant une jeune fille sérieuse et pieuse : dans la perspective d'une union possible avec François-Joseph, on apporta à son éducation des soins supérieurs à ceux que recevaient ses frères et sœurs.

Max manifestait également son libéralisme dans les nombreux articles historiques qu'il faisait paraître anonymement dans la presse. Il fit même preuve d'un indéniable humour en intercalant çà et là, dans son *Voyage en Orient* publié à Munich en 1839, quelques lignes blanches avec la mention : « Censuré. » De telles plaisanteries n'étaient guère de nature à lui attirer la faveur de sa belle-sœur Sophie ; et celle-ci, pendant toute la première période des négociations pour le mariage, agit à peu près comme s'il n'existait pas, redoutant que ses lubies et son hostilité aux usages de la Cour n'en vinssent à compromettre la famille de l'éventuelle fiancée et à tout faire échouer.

Il était prévu que le couple — François-Joseph et Hélène — fît connaissance à Ischl, lieu de villégiature estivale de la famille impériale, où seraient alors annoncées leurs fiançailles : ainsi en étaient convenues les deux mères, l'atmosphère détendue et familière d'Ischl leur semblant devoir favoriser l'entreprise. Au cours de cet important voyage au Salzkammergut, Ludovica emmena aussi sa fille cadette, Élisabeth, âgée de quinze ans, qui lui causait alors bien du souci, car elle s'était éprise d'un homme avec lequel toute perspective d'avenir était exclue : un certain comte Richard S., qui servait sous les ordres du duc. On avait sans tarder interrompu cette idylle en écartant le jeune homme de la Cour, sous prétexte d'une mission. Lorsqu'il revint enfin, il avait contracté une maladie dont il mourut peu de temps après. Sissi s'en montrait inconsolable :

> *Les dés en sont jetés,*
> *Richard, hélas ! n'est plus.*
> *C'est le glas que l'on sonne —*
> *Ô, Seigneur, prends pitié !*
> *La fille aux blondes boucles*
> *Se tient à sa fenêtre.*
> *Il n'est pas jusqu'aux ombres*
> *Que sa douleur n'émeuve* [15].

Son chagrin d'amour tournait à la mélancolie aiguë. Elle s'enfermait des heures durant dans sa chambre, pour y pleurer ou faire des vers. (Le petit cahier relié où elle écrivit de nombreux poèmes d'amour pendant l'hiver de 1852-1853 figure toujours dans le fonds familial.) En l'emmenant à Ischl, Ludovica espérait tirer l'adolescente de sa tristesse, et, de plus, favoriser un rapprochement entre elle et le frère cadet de François-Joseph, l'archiduc Charles-Louis. Cette idée n'était pas tout à fait chimérique car, depuis déjà plusieurs années, les jeunes gens échangeaient des lettres et s'adressaient des présents, y compris de petites bagues. Charles-Louis était manifestement amoureux de sa cousine, et Ludovica en concevait quelque espoir.

Sur un autre plan, cependant, la situation internationale particulièrement critique d'août 1853 n'était guère propice à ces romantiques projets. La guerre de Crimée avait éclaté, et mettait notamment en jeu d'importants intérêts politiques et économiques dans une Turquie en pleine désagrégation. En juillet 1853, des troupes russes avaient occupé les principautés danubiennes (c'est-à-dire le cœur de la future Roumanie). Le tsar Nicolas Ier comptait sur le soutien de l'Autriche, en contrepartie de l'aide qu'il lui avait apportée en 1849, lors de l'insurrection hongroise. Il lui proposait les provinces turques de Bosnie et d'Herzégovine et son appui face à toute nouvelle tentative révolutionnaire, y compris une intervention militaire le cas échéant, tout comme en Hongrie en 1849.

Les conseillers du jeune empereur n'étaient pas tous d'accord entre eux : le vieux Radetzky souhaitait se battre aux côtés de la Russie, sans toutefois s'opposer à une position de stricte neutralité ; le ministre des Affaires étrangères, Buol, ainsi qu'une large fraction des milieux économiques, préféraient s'appuyer sur la Grande-Bretagne et la France contre la Russie. Le jeune François-Joseph, lui, guère préparé à cette difficile situation, restait indécis et se lamentait auprès de sa mère « de ces complications orientales, qui deviennent chaque jour plus compliquées encore [16] » ; il continua, certes, à se tenir informé de la situation pendant le voyage vers Ischl, mais, une fois là-bas, ne se laissa plus guère troubler par ces questions de haute politique. Ces longs mois d'hésitation et d'irrésolution d'un empereur inexpérimenté, par surcroît distrait par le problème de ses fiançailles, devaient se révéler des plus funestes pour l'Autriche.

La duchesse Ludovica avait d'autres soucis quand, le 16 août 1853, elle arriva à Ischl avec ses deux filles. Une migraine l'avait contrainte à interrompre le voyage, et ce retard perturba sensiblement la première journée de son séjour. Elle avait bien avec elle ses deux enfants, mais point de femmes de chambre, ni de bagages. Or, par suite du décès d'une tante, les trois voyageuses étaient en tenue de deuil ; la voiture qui transportait leur garde-robe ayant plus de retard encore, elles ne pouvaient se changer avant la rencontre décisive. L'archiduchesse Sophie dut leur envoyer une femme de chambre à leur hôtel.

Cependant qu'on s'affairait à coiffer parfaitement Hélène, future fiancée, pensait-on — ce qui était bien le moins, puisqu'elle allait déjà devoir paraître devant l'empereur dans ses vêtements noirs et empoussiérés —, la petite Sissi arrangeait elle-même sa chevelure, qu'elle tressa simplement en longues nattes. Elle ne s'aperçut nullement que l'archiduchesse Sophie n'observait pas seulement sa sœur mais aussi elle-même. Lorsque, par la suite, Sophie décrivit en détail cette séance de coiffure à sa sœur Marie de Saxe, elle ne manqua pas de souligner « le charme et la grâce » dont étaient empreints tous les gestes de la cadette, d'autant qu'elle n'avait aucunement conscience de produire une si plaisante impression. Malgré sa tenue de deuil, une robe noire montante toute simple, [...] Sissi était ravissante [17]. Comparée à cette sœur candide et ingénue, Hélène paraissait soudain bien austère. Le noir ne lui seyait guère, et peut-être ce simple fait décida-t-il, comme on le prétendit souvent par la suite, réellement de son existence.

Sophie invita sa sœur Ludovica à prendre le thé, avec les deux jeunes filles, et c'est là qu'elles rencontrèrent l'empereur. Étaient également là la reine Élise de Prusse, deux frères cadets de l'empereur et divers autres parents. Personne, dans l'assistance, n'était bien capable de mener une conversation détendue. Aussi régnait-il une atmosphère d'autant plus contrainte et guindée que chacun savait fort bien ce qui était en jeu.

Ce fut le coup de foudre immédiat, du moins pour François-Joseph. Son jeune frère, l'archiduc Charles-Louis, qui observait la scène avec attention et jalousie, rapporta à sa mère que « dès l'instant où l'empereur aperçut Sissi, il laissa transparaître une telle expression de satisfaction qu'il était impossible de douter sur qui se porterait son choix ». De son côté, Sophie écrivit à Marie de Saxe : « Il était rayonnant, et tu sais combien ses traits peuvent s'illuminer lorsqu'il éprouve une joie. La chère petite ne se doutait nullement de l'impression profonde qu'elle avait provoquée chez Franzi. C'est seulement lorsque sa mère lui en parla qu'elle sortit de la timidité craintive que lui avait inspirée cette nombreuse assemblée. » Sissi se sentait en effet si nerveuse qu'elle ne pouvait rien avaler, expliquant à la femme de chambre : « Néné [*tel était le surnom d'Hélène*] s'en tire bien, parce qu'elle a déjà rencontré beaucoup de monde dans sa vie. Mais pas moi. Et je me sens si mal à l'aise que je n'arrive absolument pas à manger. » Dans son trouble, pas un instant elle ne remarqua que l'empereur déployait bien plus de prévenances à son égard qu'à celui de son aînée.

Le lendemain matin, 17 août, François-Joseph se présenta à la première heure chez sa mère. Dans la même lettre à Marie de Saxe, elle rapporte : « Il me déclara, le visage rayonnant, qu'il trouvait Sissi ravissante. Je le priai de ne rien précipiter en cette affaire, d'y réfléchir soigneusement ; mais il considérait pour sa part qu'il ne fallait pas non plus laisser traîner les choses. » Dans son Journal, elle donne de cette matinée une description plus précise encore. L'empereur était transporté : « Vraiment, comme cette Sissi est charmante ! disait-il. Elle est fraîche comme une amande à peine ouverte. Et cette magnifique couronne de cheveux autour de son visage ! La beauté et la douceur de son regard ! Et ses lèvres, comme les plus belles fraises ! » Sophie tenta bien de le ramener vers la jeune fille qu'elle avait souhaitée pour lui : « Mais ne trouves-tu pas qu'Hélène est intelligente, et qu'elle a une belle silhouette, svelte ? — Certes, elle est très sérieuse, discrète, et sans aucun doute gentille et fort agréable ; mais Sissi ! Sissi, son charme, cette exubérance de petite fille encore, et pourtant cette douceur [18] ! » Rien n'y ferait. François-Joseph renonça même ce jour-là à la chasse, plaisir que d'ordinaire il ne laissait jamais passer. Élise de Prusse, apprenant la chose, fit sur-le-champ à sa sœur un signe d'intelligence signifiant : « Le voilà tout feu tout flamme [19] ! » La reine Élise était parfaitement satisfaite de voir les choses prendre cette tournure : la petite Élisabeth n'était-elle pas sa filleule ? Mais la confusion était générale, et les deux jeunes filles bouleversées.

Seul l'empereur rayonnait. La veille de son anniversaire, fut donné un bal où Hélène parut vêtue d'une somptueuse robe de soie blanche et le front orné de rameaux de lierre conférant à son aspect hautain, voire un peu sévère, un petit air romantique, très *Biedermeier* *. Dès le début de ses préparatifs à Munich, elle avait consacré le plus grand soin aux préparatifs de cette soirée-là. Quant à la petite Sissi, elle était vêtue plus modestement d'une petite robe rose pâle toute simple, et semblait une enfant face à sa sœur à l'allure si fière.

L'empereur ne prit point part à la première danse — non plus que les deux princesses bavaroises. A la deuxième, une polka, Sophie pria l'aide de camp de François-Joseph, Hugo von Weckbecker, « d'avoir l'amabilité de faire danser la princesse Élisabeth, qui jusqu'alors n'avait jamais fait que suivre des cours et avait donc besoin pour ce tout premier début d'un cavalier vraiment sûr ». « Elle me présenta alors, raconte Weckbecker, à la ravissante princesse, plongée dans un profond embarras et qui me dit timidement qu'elle ne savait si elle pourrait s'en tirer sans maître à danser, ni quel serait le résultat. » L'officier rassura la petite, mais se sentait lui-même « quelque peu inquiet, sachant qu'en général, malgré les efforts des maîtres à danser — les princesses bavaroises ne dansaient pas très bien [...]. Par bonheur, la princesse Élisabeth avait le sens de la musique et sut au moins rester dans le rythme ». Par ailleurs, Weckbecker observa avec surprise que l'empereur, contrairement à son habitude, ne par-

---

* Le style *Biedermeier*, contemporain de notre style Louis-Philippe, s'épanouit tout particulièrement en Autriche et en Allemagne du Sud, avec un certain retour au rococo à partir de 1830. *(N.d.T.)*

ticipait pas non plus à cette deuxième danse, se contentant d'observer Sissi, la regardant « virevolter devant lui à mon bras, telle une sylphide ». Une fois le morceau terminé, l'aide de camp glissa à l'un de ses amis : « A ce qu'il me semble, je viens de danser avec notre future impératrice [20]. »

Quand vint le cotillon, l'empereur le dansa avec la petite Sissi, et à la fin lui tendit son bouquet, ce qui signifiait, ainsi le voulait la tradition, qu'il avait porté son choix sur elle. Toute l'assistance le comprit, à l'exception de Sissi elle-même. Quand on lui demanda si cette attention ne lui avait point fait plaisir, elle répondit : « Non, je me suis seulement sentie gênée. »

Sophie envoya un portrait détaillé de Sissi à sa sœur Marie : « Elle avait planté dans sa belle chevelure un grand peigne qui maintenait ses nattes en arrière — elle se coiffe, comme c'est la mode, de manière à dégager le visage. Je ne saurais te dire combien le maintien de la petite, quand elle dansait avec l'empereur, était charmant, réservé, irréprochable, à la fois gracieux et presque humble. Assise auprès de lui pendant le cotillon, elle semblait un bouton de rose qui s'épanouit aux rayons du soleil. Elle m'a paru si attirante dans sa modestie enfantine, et si naturelle pourtant face à lui ! Seule la foule l'intimidait. » Le 18 août, on célébra l'anniversaire de François-Joseph dans l'intimité, certes élargie. L'archiduchesse Sophie rapporte, toujours à Marie de Saxe : « Pendant le déjeuner de famille, l'empereur s'est montré si fier que Sissi, qui avait eu droit à prendre place à ses côtés, ait mangé de fort bon appétit ! L'après-midi, nous avons fait une excursion à Wolfgang. Nous avons marché un peu à pied. J'étais dans ma calèche avec les deux petites et l'empereur. Il doit vraiment bien les aimer, pour être demeuré si longtemps dans cette voiture couverte ! Hélène a beaucoup parlé et de manière fort agréable, je trouve à cette jeune fille beaucoup de charme... »

Après la promenade, l'empereur pria sa mère de pressentir celle de Sissi pour savoir « si elle voulait de lui », sans que ni l'une ni l'autre n'exercent de pressions : « Ma charge est si lourde que, Dieu m'en est témoin, ce n'est pas un plaisir de la partager avec moi. — Mais, mon cher enfant, comment ne vois-tu pas qu'une femme ne sera que trop heureuse de t'aider justement à supporter cette charge, par son charme et sa gaieté ? » Puis elle informa très officiellement sa sœur Ludovica du vœu de François-Joseph : Ludovica, dit-elle, « me pressa la main avec émotion, car dans sa grande modestie elle avait toujours douté que l'empereur pût vraiment envisager de s'allier à l'une de ses filles ». Quant à Sissi, lorsque sa mère lui demanda si elle pourrait aimer l'empereur, elle aurait répondu, toujours selon l'archiduchesse Sophie : « Lui, mais comment pourrait-on ne pas l'aimer ? » Et de fondre en larmes, assurant qu'elle ferait tout pour rendre l'empereur heureux et se montrer « la plus tendre des filles » à l'égard de sa tante Sophie. Puis elle ajouta : « Mais lui, comment peut-il seulement songer à moi ? Je suis si insignifiante ! » Et, peu après : « Oh, j'aime tant l'empereur ! Si seulement il n'était pas empereur ! » « C'est cela qui l'effarouche, cette position qui l'attend, commente Sophie. L'empereur fut littéralement ravi lorsque je lui rapportai cet émouvant propos, qui reflétait une compréhension si profonde et désintéressée à son égard. » La question reste ouverte de savoir comment se déroula réellement l'entretien entre la mère et la fille, et si tout doit être tenu pour exact dans les comptes rendus de Ludovica et de Sophie. Par la suite, lorsqu'on demandait à Ludovica si les sentiments de la jeune fille avaient vraiment été pris en considération dans la décision, elle répondait invariablement : « On n'envoie pas promener un empereur d'Autriche [21]. »

Parmi les neuf sœurs de la Maison royale de Bavière, chacune avait vécu sa propre tragédie sentimentale, sachant que leur qualité de princesses en âge de prendre époux faisait d'elles des pièces sur l'échiquier politique et qu'elles devraient accepter les unions qu'on déciderait pour elles. Pour éviter que ces jeunes filles ne fussent perturbées par cette incertitude, la lecture d'histoires d'amour leur était sévèrement interdite ; même les grands classiques allemands étaient vus d'un fort mauvais œil.

Ludovica avait été dans sa jeunesse d'une extraordinaire beauté : plus encore, selon certains, que toutes ses filles, même Élisabeth. Elle avait eu une intrigue avec le prince Michel de Bragance, futur roi du Portugal, mais des raisons politiques avaient empêché le mariage et sa famille avait décidé qu'elle épouserait son cousin Max, lequel lui déclara franchement qu'il n'était pas amoureux d'elle et ne consentit au mariage que par crainte de son grand-père, un homme de tempérament énergique. Il entretenait d'ailleurs une liaison malheureuse avec une femme de la bourgeoisie, que son rang lui interdisait évidemment d'épouser.

L'union de Ludovica et de Max fut dès les premiers jours un désastre. Plus tard, Ludovica raconta à ses enfants qu'elle avait passé le jour de leur premier anniversaire de mariage à pleurer du matin jusqu'au soir. Elle n'apprit que peu à peu à supporter l'instabilité et les nombreuses aventures de son époux, et à rester seule avec ses enfants, toujours plus nombreux. Devenue veuve, elle confia à ses petits-enfants que Max n'avait commencé à se montrer bon envers elle qu'après leurs noces d'or ; auparavant, ç'avaient été cinquante années d'amertume et d'infortune conjugale. Comme ses frères et sœurs, Élisabeth avait été élevée au milieu des récriminations de sa mère, qui répétait sans cesse : « Quand on est mariée, on se sent tellement abandonnée ! »

L'archiduchesse Sophie n'avait guère eu plus de chance : elle avait dû épouser le « faible de corps et d'esprit », l'archiduc François-Charles, frère de l'empereur Ferdinand — atteint pour sa part d'une grave maladie. On racontait, en Bavière, que Sophie avait passé des nuits entières en larmes, désespérée à la perspective de ce mariage. Lorsque sa gouvernante en fit part à la mère de la jeune fille, celle-ci répondit imperturbablement : « Que voulez-vous, la chose a été décidée au Congrès de Vienne ! » Voyant que son destin était irrévocablement scellé, Sophie avait courageusement déclaré qu'elle entendait trouver le bonheur, même avec l'archiduc, et qu'elle y parviendrait. L'empereur François Ier lui dit que « compte tenu de l'état de son fils, il lui faudrait tout prendre en main elle-même ». Ce qu'elle fit en effet, en devenant une femme indépendante et énergique qui aimait son brave homme de mari « comme un enfant dont il faut s'occuper » et élevait fort bien ses quatre fils. Jeune encore, elle se lia d'intime amitié avec le fils de Napoléon, le duc de Reichstadt, qu'elle soigna de manière émouvante pendant la maladie qui devait finalement l'emporter. Les potins viennois attribuèrent à ce jeune homme la paternité de son deuxième fils, l'archiduc Ferdinand-Max : rumeur probablement sans fondement, mais qui montre que l'on estimait la jolie archiduchesse capable d'avoir des aventures.

Ainsi les mères des deux fiancés avaient-elles dû, comme la plupart des princesse de leur temps, renoncer à l'amour. Elles avaient accompli leur devoir, fût-ce avec force pleurs. Et ces fiançailles d'Ischl durent leur paraître un grand et rare bonheur ; car il était clair pour tout le monde que François-Joseph aimait sa fiancée. Il était jeune, bien de sa personne, nullement faible d'esprit comme son père et son oncle — et empereur d'Autriche. La petite allait donc se trouver d'emblée dans une situation des plus enviables en comparaison de ce qu'avaient connu sa mère ou celle de François-Joseph. Non, décidément, « on n'envoie pas promener un empereur d'Autriche » !

L'archiduchesse Sophie était encore tout à fait prévenue contre l'esprit du XVIIIe siècle. A ses yeux, l'individualisme et les sentiments n'avaient aucun rapport avec les affaires politiques, ce qui n'était pas la conception de sa jeune bru. Sophie écrivit ainsi un jour à la princesse Metternich qu'il fallait en rien croire « que les individualités eussent la moindre importance ». Elle avait toujours observé « que l'on pouvait remplacer un homme par un autre, sans qu'il en résultât au monde la moindre différence [22] ». Aussi, peu lui importait que la future impératrice s'appelât Hélène ou Élisabeth : l'une et l'autre étaient ses nièces, issues de la même famille, de condition égale, et catholiques. En définitive, c'était là tout ce qui comptait.

Ludovica fit tenir par écrit à sa sœur le consentement de Sissi. Le 19 août, à huit heures du matin, l'empereur apparut chez sa fiancée à l'hôtel d'Ischl, resplendissant de bonheur. Ludovica écrivit à ce propos à l'une de ses parentes : « Je le laissai seul avec Sissi, car il désirait lui parler lui-même ; et lorsqu'il revint me voir, il paraissait rempli de satisfaction et de gaieté, et elle de même, comme il convient à une heureuse fiancée [23]. »

L'émotion de Ludovica n'avait d'égale que sa reconnaissance à l'égard de Sophie : « C'est une chance si incroyable, et cependant une situation si grave et importante, que j'en suis extrêmement troublée à tous égards. Elle est si jeune, elle a si peu d'expérience ! Mais j'espère que l'on saura se montrer indulgent, compte tenu de son âge [...]. Tante Sophie est si bonne et si gentille pour elle ! Et quel réconfort, pour moi, que de pouvoir la confier à une sœur que j'aime tant, comme à une seconde mère ! »

Élisabeth, quant à elle, devait plus tard revenir sur cet épisode avec beaucoup d'amertume : « Le mariage est une institution absurde. On n'est encore qu'une enfant de quinze ans et l'on se voit cédée à autrui, on s'engage par un serment que l'on ne comprend pas, mais que l'on regrettera ensuite pendant trente ans ou davantage, sans pouvoir le délier [24]. »

Il n'en reste pas moins, qu'en août 1853 les témoins oculaires virent dans les fiançailles impériales — comme l'écrivait le comte Hübner — « une idylle toute simple, pleine de charme et de noblesse [25] ». Bras dessus, bras dessous, le jeune couple quitta alors l'hôtel pour aller prendre son petit déjeuner chez l'archiduchesse, où bien entendu tout le cercle de famille les observa d'un œil curieux et bienveillant — hormis l'archiduc Charles-Louis, qui voyait lui échapper son amour de jeunesse. François-Joseph présenta également l'adolescente à ses aides de camp, en particulier au comte Grünne, dont il prisait fort le jugement — y compris en matière de femmes. A onze heures, on se rendit en groupe à l'église paroissiale. L'assemblée considéra avec respect l'archiduchesse Sophie, qui se tenait devant l'entrée en attendant que sa jeune nièce l'eût franchie : Sissi, fiancée de l'empereur, avait désormais la préséance sur la propre mère de celui-ci. Par cette noble attitude, Sophie manifestait sa révérence à l'égard de la hiérarchie impériale. Sissi ne comprit guère la portée de ce geste, et pénétra dans l'église timide et embarrassée, désagréablement impressionnée par l'intérêt dont elle se sentait l'objet. Sophie écrit : « Le curé nous accueillit en nous aspergeant d'eau bénite ; lui-même avait les larmes aux yeux ! Lorsque nous pénétrâmes dans l'église, l'assistance entonna l'hymne national. » Après la bénédiction finale, l'empereur François-Joseph prit délicatement la jeune fille par la main pour la mener vers le prêtre, et lui demanda : « Mon père, je vous prie de nous bénir ; voici ma fiancée. »

A la bénédiction du curé succédèrent les vœux de tous ceux qui assistaient à cet instant historique [26]. Le comte Grünne tint alors au jeune couple un petit discours que Weckbecker évoque : « La princesse était si touchée et si confuse que c'est à peine si elle put trouver quelque chose à répondre [27]. » L'émotion était générale, et l'empereur eut quelque peine à extraire sa fiancée de la multitude enthousiaste.

La duchesse Ludovica, cependant, se faisait un tel souci pour l'avenir de sa fille qu'elle s'ouvrit le jour même à quelqu'un de parfaitement étranger, l'aide de camp Weckbecker, « de la lourde tâche qu'allait être pour sa fille Élisabeth de monter sur le trône en respectant les formes prescrites, alors qu'elle sortait à peine de l'enfance ; et aussi du jugement sévère que pourraient porter sur elle les dames de l'aristocratie viennoise ». Il devait bientôt apparaître que ces craintes n'étaient que trop justifiées.

On alla déjeuner à Hallstatt, puis on fit une promenade en voiture. S'il avait plu les jours précédents, cet après-midi-là la vue était magnifique. Le soleil, déjà déclinant, illuminait les montagnes et les rochers et faisait scintiller les eaux du lac. L'empereur, prenant la main de sa fiancée, lui donna quelques explications sur la région. La reine Élise de Prusse était aux anges : « *C'est pourtant beau, un si jeune bonheur dans une si belle contrée* * [28] ! » Sophie écrivit à sa sœur Marie, en Saxe, avec quelles précautions l'empereur avait recouvert sa fiancée de sa capote militaire, lui disant qu'il craignait qu'elle ne prît froid et lui avouant en même temps : « Je ne saurais te dire à quel point je suis heureux ! »

Dans la soirée, Ischl fut illuminé par des dizaines de milliers de bougies et de lampions aux couleurs de l'Autriche et de la Bavière ; sur le flanc du Siriuskogel avait été tracé, comme en plein ciel, un temple classique portant les initiales F J et E entourées d'une couronne nuptiale. Et, pour la première fois, la petite Sissi suscita l'allégresse de la population qui, loyale et bienveillante, s'était rassemblée le long des rues pour saluer sa future impératrice. La journée s'acheva dans une atmosphère rayonnante, quoique encore un peu agitée.

La joie de l'empereur ressort clairement de toutes les relations qui nous sont parvenues de ces journées à Ischl. Pour ce qui est des réactions de la fiancée, nous n'en savons, hélas, pas grand-chose, si ce n'est qu'elle se montrait très gênée, très silencieuse, et avait toujours les larmes aux yeux. Commentaire de Sophie à sa sœur : « Tu n'imagines pas comme Sissi est ravissante lorsqu'elle pleure ! » Les festivités se succédaient sans relâche. L'adolescente recevait de toute part des présents ; l'empereur lui-même lui offrit de nombreux bijoux et joyaux, notamment une superbe guirlande de diamants et d'émeraudes pour parer sa chevelure. Sissi, qui devenait plus élégante à vue d'œil, était au centre de la vie sociale. Chacun s'étonnait de sa transformation et célébrait son charme.

Plein de délicate sollicitude et de générosité, le jeune

---

* La vogue du français dans les Cours de l'époque explique que maint extrait de Journal ou de correspondance cité dans le présent ouvrage ait été écrit directement dans notre langue — avec un bonheur inégal quant à la correction syntaxique ou à l'emploi des mots. Brigitte Hamann a bien voulu collationner pour l'édition française les textes originaux, que nous restituons dans ce cas *en italiques* sans autre indication, mais en rectifiant légèrement ici ou là ces phrases, notamment quant à la ponctuation. (*N.d.T.*)

empereur s'occupait de son enfantine fiancée. Pour lui faire plaisir, il fit même installer dans le jardin de la villa d'été une escarpolette, qu'elle utilisait avec entrain. Ayant vu combien Sissi s'effarouchait de découvrir sans cesse des visages nouveaux, il demanda à son aide de camp général, le comte Carl Grünne, de conduire leur magnifique carrosse attelé de cinq chevaux pie et non pas à un quelconque cocher [29] ; il avait en effet observé que Sissi s'était accoutumée à cet homme, qui se trouvait justement être son confident le plus intime, et qu'elle l'appréciait.

Grünne, alors âgé de quarante-cinq ans, l'une des personnalités les plus influentes de la monarchie, était un membre important de la « camarilla » si décriée à la Cour viennoise. En tant que président de la Chancellerie militaire, il avait le premier rang — après l'empereur — dans l'armée. Il l'accompagnait dans tous ses voyages, il était son conseiller politique le plus proche, mais aussi l'homme le mieux au fait de sa vie privée. On raconte aujourd'hui encore, dans la haute société viennoise, que Grünne organisait les aventures amoureuses du jeune empereur (François-Joseph n'était nullement un jeunot dépourvu d'expérience lorsqu'il se fiança.) La confiance spontanée de Sissi à l'égard de Grünne fut une joie pour l'empereur, et c'est avec plaisir qu'il fit de son aide de camp, lors de ces randonnées à trois dans les environs d'Ischl, le protecteur de son jeune amour.

Trois bals devaient encore avoir lieu à Ischl. Selon le Journal de Sophie, Sissi continuait à se montrer d'une adorable timidité. Comme la comtesse Sophie Esterházy (qui devait peu après devenir sa première dame d'honneur) lui présentait ses hommages en ces termes : « Nous sommes si reconnaissants à Votre Altesse Royale d'apporter un tel bonheur à l'empereur », Sissi lui répondit : « Au début, il faudra encore m'accorder beaucoup d'indulgence [30] ! »

Les autres jeunes gens de la famille impériale étaient, au contraire de la fiancée, d'humeur fort exubérante. Un soir, par exemple, ils lancèrent au moment du cotillon des pétards et des feux de Bengale. La pauvre Ludovica, dont les nerfs avaient déjà été très éprouvés pendant ces journées, s'enfuit tout effrayée dans la chambre à coucher de sa sœur. Ludovica ne savait toujours pas si elle devait se réjouir du grand honneur fait à sa fille de quinze ans, ou plutôt s'inquiéter des épreuves morales qui l'attendaient. De plus, Hélène lui causait elle aussi de grands soucis, car elle se sentait troublée et malheureuse. A dix-huit ans, elle était déjà un peu trop âgée pour qu'on se mît en quête d'un autre parti. Même le somptueux présent que lui avait offert Sophie (une croix de diamants et de turquoises) et la certitude que sa tante la trouvait toujours extraordinairement ravissante, ne parvenaient pas à la consoler. Elle aspirait à rentrer en Bavière, tout comme sa mère Ludovica, qui écrivait à sa famille : « On mène ici une vie très animée. Sissi, en particulier, ne s'y est toujours pas habituée, notamment pour ce qui est des heures tardives où l'on va se coucher. Je suis agréablement surprise de voir comme elle s'accoutume à parler avec tant de personnes inconnues et, malgré sa gêne, conserve tout son calme [31]. »

Max, père de la fiancée, fut informé de l'événement par télégramme, tout comme le roi de Bavière qui, en tant que chef de la Maison de Wittelsbach, devait donner officiellement son accord. François-Joseph l'en remercia « avec la plus grande satisfaction au fond du cœur. Je suis doublement heureux, car, pour choisir la compagne de ma vie, j'ai pu suivre aussi mes sentiments les plus profonds. Et je m'abandonne sans réserve au joyeux espoir que les remarquables qualités de ma fiancée feront le bonheur de mon existence. Inutile d'ajouter que je me sens encore plus proche maintenant de la Maison qui est la tienne, dont sont issues non seulement la personne qui m'était la plus chère jusqu'ici, à savoir ma mère, mais encore celle qui le sera désormais : ma future épouse. Je ne puis qu'espérer que cette alliance rendra plus durables et solides encore, s'il est possible, les liens entre nos familles [32]. »

La lettre que François-Joseph adressa au tsar Nicolas Ier n'est pas moins remarquable, tant elle traduit la familiarité et la sympathie qui unissaient les deux souverains ; on comprend mieux quelle déception allait bientôt provoquer chez le tsar l'attitude de François-Joseph pendant la guerre de

Crimée : « Submergé de bonheur, je m'empresse de te faire savoir, mon très cher et précieux ami, quelle chance est la mienne. Si je parle de chance, c'est que je suis persuadé que ma fiancée possède toutes les vertus, toutes les qualités du cœur et de l'esprit capables de me rendre heureux [33]. »

Il restait encore à solliciter la dispense pontificale nécessaire à la célébration du mariage, car les fiancés étaient bel et bien cousins germains. Personne, semble-t-il, ne s'était inquiété de cette question. Déjà les parents d'Élisabeth, Wittelsbach tous les deux, et cousins au second degré, étaient fort proches par le sang. Le fait que les enfants attendus de ce mariage impérial, et particulièrement le prince héritier, dussent, en raison de cette accumulation de mariages consanguins, porter tout le poids de l'hérédité des Wittelsbach, n'était pas clairement perçu, en l'état des connaissances médicales d'alors.

Les Wittelsbach ne constituaient pas une lignée bien saine. On comptait parmi eux plusieurs cas de maladies mentales. Ainsi, le propre père du duc Max (c'est-à-dire le grand-père de Sissi), était débile et infirme. Il mena à diverses époques une vie déréglée, échoua un jour dans les locaux de la police après une bagarre, et termina sa triste existence dans une solitude totale [34]. (On ignorait encore en 1853 que les deux fils du roi de Bavière, le prince héritier Louis et son frère Otto, encore enfants, n'étaient pas non plus très sains d'esprit. Du reste, cette tare serait par la suite davantage imputée à l'ascendance de leur mère, avec laquelle la branche ducale n'avait aucun lien de parenté.)

Le 24 août parut officiellement dans la *Wiener Zeitung* * l'annonce suivante : « Sa Majesté Impériale, Royale et Apostolique, notre très gracieux souverain et empereur François-Joseph Ier, a demandé, pendant son sérénissime séjour à Ischl, la main de Son Altesse la princesse Élisabeth, Amélie, Eugénie, duchesse en Bavière, fille de Leurs Altesses Royales le duc Maximilien-Joseph et la duchesse Ludovica, née prin-

---

* Principal quotidien viennois, proche de la Cour et des milieux officiels. *(N.d.T.)*

cesse royale de Bavière, avec le consentement de Sa Majesté le roi Maximilien II de Bavière, ainsi que de Leurs Altesses parents de la princesse, fiancée impériale. Puisse la bénédiction du Tout-Puissant sanctifier cet événement qui comble de bonheur et de joie la Sérénissime Maison impériale et tout l'Empire. »

La nouvelle fit sensation. Depuis longtemps déjà, dans la haute société surtout, on se cassait la tête pour savoir qui serait la prochaine impératrice. Nombre de princesses répondant aux conditions nécessaires pour un tel mariage avaient été évoquées, mais jamais la petite Élisabeth. C'est avec impatience que l'on attendit le premier portrait de la fiancée. Pendant les longues séances de pose pour les dessinateurs et les peintres, l'empereur tenait amoureusement compagnie à la petite Sissi, restant assis des heures à ses côtés et la contemplant avec fierté.

Comme on ne savait pas grand-chose encore d'elle à Vienne, les commérages allaient bon train. La première épreuve que devait subir tout nouveau venu à la Cour était l'examen de sa position dans le Gotha. Or, sur ce point, la fiancée n'était nullement irréprochable. Parmi ses ascendants figurait certes une princesse Arenberg, sa grand-mère paternelle, et les Arenberg étaient sans nul doute une Maison de haute noblesse — mais non souveraine, de sorte qu'elle ne pouvait en principe s'allier à celle des Habsbourg. Cette grand-mère Arenberg était elle-même apparentée à toute sorte de Maisons fort nobles, mais guère plus souveraines : Schwartzenberg, Windischgrätz, Lobkowitz, Schönburg, Neipperg, Esterházy. La future impératrice n'était donc pas en situation de supériorité vis-à-vis de la société aristocratique : elle en faisait simplement partie grâce à de multiples relations de parenté avec diverses Maisons, dont aucune n'était souveraine. La condition absolument primordiale pour être reçue sans réticence à la Cour de Vienne, un arbre généalogique pouvant résister à l'examen le plus minutieux, Élisabeth ne la remplissait pas, et elle n'allait pas tarder à sentir le poids de cette carence.

D'autre part, le duc Max donnait largement prise aux

rumeurs. Son goût pour l'équitation de cirque, ses fréquentations par trop amicales parmi les bourgeois et les paysans, son dédain pour la société aristocratique, le manque de raffinement des fêtes qu'il donnait, tant à Possenhofen qu'à Munich, firent l'objet de commentaires sans fin, ainsi que l'éducation négligée de ses enfants, qui savaient certes monter comme de vrais petits écuyers de cirque, mais étaient incapables de prononcer la moindre phrase cohérente en français, ou même de soutenir une « conversation ». Ce n'est pas sans raison que les parquets de la Cour impériale étaient réputés fort glissants... Bien entendu, les mauvaises langues passèrent également en revue les châteaux du duc Max. Le nouveau palais de la Ludwigstrasse, œuvre du célèbre architecte Klenze, convenait parfaitement à son rang. Mais sa petite résidence estivale de Possenhofen avait beaucoup moins d'allure. Bientôt, on entendit courir à Vienne, pour désigner l'extraction de la future impératrice, l'expression : « un train de gueux ».

Vingt ans plus tard, la comtesse Marie Festetics, dame d'honneur d'Élisabeth, s'irritait encore de ces médisances. Pour sa part, elle aimait bien Possenhofen : « C'est une demeure simple, mais bien tenue, propre, jolie ; la cuisine y est bonne ; on n'y trouve aucun faste, tout y est plaisamment démodé, mais de bon goût — rien à voir avec ce " train de gueux " dont mes compagnes parlaient à l'époque, et encore maintenant. »

La comtesse s'enchantait surtout de la situation du petit château, sur le lac de Starnberg. Elle vantait le clair de lune se reflétant dans les eaux paisibles et les gazouillis d'oiseaux qui l'éveillaient le matin : « Ils exultaient, comme si c'eût été le printemps — je bondissais à la fenêtre —, la vue est ravissante, superbe — les flots d'un bleu profond — un paradis d'arbres, rien que verdure *all over* * — et les belles montagnes tout là-bas, par-dessus le lac — tout est grâce et lumière — le jardin plein de fleurs — la vieille bâtisse recouverte de vigne vierge et de lierre — tout cela si poétique, si beau. » Et elle

---

* En anglais dans le texte. *(N.d.T.)*

poursuivait, pleine d'amour pour l'impératrice : « Oui, telle devait être sa terre natale, pour nourrir une telle inclination à la rêverie et un tel goût de la nature [35] ! »

Cette inclination à la rêverie, ce goût de la nature, Élisabeth les possédait depuis son enfance. Toutes les histoires romantiques sur les étés que, petite fille encore, elle avait passés à Possenhofen, résistent fort bien à un examen critique. Et cet amour de la nature était l'un des rares traits communs qui pouvaient la rapprocher de François-Joseph.

Ce « divin *séjour* * à Ischl » (selon les propres termes de François-Joseph) dura jusqu'au 31 août. Puis on prit congé — « très tendrement », note Sophie dans son Journal — en la ville de Salzbourg, toute pavoisée pour l'occasion. En souvenir de ces fiançailles, l'archiduchesse Sophie résolut d'acquérir la maison de campagne où le jeune couple avait fait connaissance et de l'aménager en « résidence impériale » pour la villégiature annuelle de la famille impériale à Ischl. A cette fin, on construisit deux ailes nouvelles qui donnaient à la villa la forme d'un E — comme Élisabeth.

Le bonheur de François-Joseph persista même lorsqu'il eut replongé « dans l'existence de pupitre et de paperasse que je mène ici, avec ses tracas et ses fatigues ». Il allait jusqu'à prendre plaisir à ses séances de pose devant le peintre Schwager : « Autant je trouve en général ennuyeux de poser pour un peintre, autant je me réjouis maintenant de chacune de ces séances, car elles me rappellent celles de Sissi à Ischl ; en outre, Schwager ne manque jamais d'apporter avec lui le portrait qu'il a fait d'elle. » Il confessa à sa mère que son esprit « se portait vers l'ouest avec une nostalgie infinie [36] ». Ce bonheur dans lequel baignait le jeune empereur se traduisit jusque dans la politique intérieure : l'état de siège, resté en vigueur depuis la Révolution de 1848, fut levé dans les trois villes de Vienne, Graz et Prague .

On considéra comme un heureux présage le fait que, peu

---

* En français dans l'expression de l'empereur. *(N.d.T.)*

de temps après l'entrée d'Élisabeth dans l'histoire de l'Autriche, on retrouva la couronne de saint Étienne * qui avait été enterrée sur ordre de Kossuth. C'était la plus précieuse relique de la nation hongroise, et on la rapporta à Ofen ** en grande pompe ; beaucoup virent là un signe annonçant la réconciliation de l'Autriche et de la Hongrie — laquelle ne pouvait être scellée que si l'empereur d'Autriche était également couronné de cet emblème. Élisabeth atteindra cet objectif en 1867, et ce sera le seul et unique acte politique de sa vie.

Sissi devait maintenant mener à bien un vaste programme d'études, et surtout apprendre aussi vite que possible le français et l'italien. Tout ce qui avait été négligé pendant des années dans son éducation, il fallait le rattraper au cours des quelques mois qui allaient s'écouler avant les noces. La duchesse Ludovica s'en montrait fort préoccupée, car les choses étaient loin d'aller d'elles-mêmes : « Malheureusement, mes enfants ne sont guère doués pour les langues ; et, dans la haute société de chez nous, il est frappant de constater combien la pratique du français perd du terrain [37]. »

De toutes les matières que Sissi devait assimiler, la plus importante était l'histoire de l'Autriche. Aussi recevait-elle, trois fois par semaine, le comte Jean Majláth, un historien qui lui faisait des exposés sur son grand ouvrage, l'*Histoire de l'État impérial autrichien*. Majláth, qui approchait de ses soixante-dix ans, était un petit homme fort vif et des plus divertissants. Il vivait à Munich, de ses seuls droits d'auteur — c'est-à-dire dans une situation véritablement misérable. Un an plus tard, d'ailleurs, financièrement acculé, il se suicida par noyade, précisément dans le lac de Starnberg. Comme historien, il comptait plus d'un adversaire : certains jugeaient son mode d'exposition lyrique et insuffisamment critique ; et les Hongrois libéraux, de leur côté, n'appréciaient guère ses positions nettement favorables à l'Autriche.

* Saint Étienne (977 env.-1038), premier roi de Hongrie, de 997 jusqu'à sa mort. *(N.d.T.)*
** Autre nom de la colline de Buda. *(N.d.T.)*

Mais la petite Sissi l'aimait bien. Ces cours d'histoire se prolongeaient le plus souvent jusque dans la soirée, devant un auditoire toujours plus nombreux où figuraient Hélène, la sœur de Sissi, son frère Charles-Théodore, dit « Gakkel » (« le petit coq »), sa mère Ludovica et certains de ses autres précepteurs. Pourtant, Majláth ne donnait ses leçons que « *pour les beaux yeux de Sissi* [38] ». Des dizaines d'années plus tard, Élisabeth parlait encore de lui avec la plus grande reconnaissance. Bien qu'entièrement loyal vis-à-vis du gouvernement de Vienne, Majláth n'en restait pas moins hongrois et fier de l'être ; aussi présentait-il à la future reine de Hongrie une conception bien hongroise de l'histoire autrichienne, plaidant pour les privilèges de son pays et parlant à la jeune fille de l'ancienne Constitution hongroise, abrogée en 1849, précisément par François-Joseph. Cet homme, qui passait auprès des quarante-huitards pour un vieux conservateur, alla jusqu'à exposer à sa jeune élève les avantages du régime républicain — si bien que, plus tard, Élisabeth se réclamait de lui pour déclarer, au grand scandale de la Cour : « On m'a dit que la forme de gouvernement la plus efficace était la République [39]. » C'est bien de ces cours d'histoires reçus à Possenhofen, dans le cercle de la famille ducale, alors qu'elle n'avait que quinze ans, que la fiancée impériale tira les fondements de ses conceptions politiques. En ce sens, on ne saurait sous-estimer leur importance.

Une correspondance s'engagea entre Vienne et Munich, au sujet de la dot et du « *trousseau* * » de la fiancée qu'il fallait maintenant confectionner tambour battant. On mit au travail, du matin au soir, des douzaines de couturières, de brodeuses, de cordonniers et de modistes de Bavière ; l'archiduchesse Sophie envoyait par écrit divers conseils, recommandant, par exemple, que Sissi se brossât mieux les dents : il fallait à toute force transformer la petite campagnarde bavaroise et lui donner un maintien conforme à son rang.

---

* En français dans le texte, mais de tels gallicismes étaient courants à l'époque. Nous nous dispenserons souvent de les indiquer dans la suite du livre. *(N.d.T.)*

La jeune fille redoutait de plus en plus la Hofburg, le palais impérial, et la luxueuse existence qui l'y attendait. Elle prêtait peu d'attention à toutes ses nouvelles toilettes, détestait les innombrables séances d'essayage et restait insensible aux bijoux qu'elle recevait. C'était vraiment encore une enfant, et aucun des somptueux cadeaux qui lui parvenaient ne l'emplit d'autant de joie qu'un perroquet envoyé par l'empereur.

Sissi n'était pas accoutumée à voir ses journées entières enserrées dans un programme rigide. Sa famille observait avec inquiétude que la jeune fille, quoique flattée par son succès et l'extraordinaire considération dont elle faisait soudain l'objet, devenait malgré tout de plus en plus silencieuse et mélancolique. Elle écrivait des vers élégiaques sur son cher Possenhofen, ou bien pour déplorer la perte de son ancien amour et redouter le nouveau :

> *Adieu, salles de silence,*
> *Adieu, ô vieux château,*
> *Et vous, premiers rêves d'amour,*
> *Dans le sein du lac doucement reposez !*
>
> *Adieu, les arbres chenus,*
> *Et les arbustes petits et grands.*
> *Quand vous viendrez à reverdir,*
> *Je serai loin de ce château* [40].

Les soucis de Ludovica n'étaient que trop fondés — et d'ailleurs bien connus. L'ambassadeur de Belgique écrivit ainsi à Bruxelles : « *La mère de la future impératrice désirerait même que [le mariage] fût retardé jusqu'au mois de juin, pour éviter à sa fille les fatigues qui résulteraient pour elle des fêtes qui seront données à cette occasion et dont on pourrait se dispenser, si la cérémonie avait lieu dans une saison plus avancée et lorsque la plus grande partie de l'aristocratie aura déjà quitté Vienne* [41]. » Mais ce souhait, qui allait à l'encontre des usages viennois, ne fut point exaucé. Un empereur d'Autriche pouvait-il se marier dans l'intimité, simplement parce que la future impératrice redoutait l'aristocratie ?

Le choix de la ville où se tiendrait la cérémonie — Vienne ou Munich — fit également l'objet de longues négociations. « Il n'est pas question d'un mariage par procuration, et l'empereur ne peut malheureusement pas venir ici, écrit Ludovica. Il est bien dommage que les noces ne puissent avoir lieu chez nous, ce qui aurait tout de même été beaucoup plus agréable ! Je le regrette beaucoup, car accompagner Sissi à Vienne sera toute une affaire — une Cour si considérable, le rassemblement d'une famille si nombreuse, la société viennoise, les fêtes, etc., je ne me sens guère prête à tout cela [...]. Je préfère vraiment ne pas y penser et je ne conçois pas encore bien moi-même ce que cela représente. C'est surtout l'idée de l'éloignement de Sissi qui m'affecte, et je voudrais en différer indéfiniment le moment [42]. »

Sans égard pour la passion de l'empereur, la crise d'Orient se compliquait de plus en plus. Le 1er novembre, la Turquie déclara la guerre à la Russie. La question des Balkans entrait dans une phase décisive. A Vienne, on ne se rendait guère compte de l'importance de ce conflit pour l'Autriche elle-même. Pourtant, en octobre, on imposa à l'armée des réductions drastiques, parce que l'argent manquait. Pendant ces quelques mois, la politique autrichienne fut d'une extraordinaire confusion. Il semble bien que le jeune empereur, dépourvu d'expérience politique mais tout-puissant, ne mesurait absolument pas les conséquences de ses hésitations. Ses ministres, notamment celui des Affaires étrangères, Buol, étaient faibles et restaient de simples conseillers sans véritables responsabilités. Comme leurs opinions étaient partagées, ainsi d'ailleurs que celles de la Cour, François-Joseph, abandonné à son seul jugement, ne cessait de balancer ; il ne voulait pas, cependant, s'en remettre à des hommes politiques expérimentés, trop imbu qu'il était de sa propre majesté impériale.

Ses pensées allaient d'ailleurs moins à la politique qu'à sa jeune fiancée. Il se souciait surtout de lui adresser toujours plus de cadeaux, et toujours plus somptueux, ainsi que de faire avancer les travaux tant à Vienne qu'à Ischl — tout en recommandant à sa mère, chargée de surveiller les chantiers de la villa d'Ischl, « que l'ensemble, autant que possible, ne dépasse pas le budget prévu, car je me trouve dans une situation financière très serrée [43] ».

Les fréquentes lamentations de François-Joseph sur ses problèmes d'argent semblent surprenantes, vu la puissance de l'empire sur lequel il régnait. Il est cependant de fait que la famille impériale disposait d'un budget relativement limité. En effet, si l'empereur Ferdinand le Débonnaire avait renoncé au trône en 1848 pour se retirer au Hradschin de Prague, il avait cependant conservé tous ses biens ; de sorte que les immenses domaines impériaux, qui rapportaient annuellement des millions et des millions de florins, n'appartenaient pas à l'empereur régnant mais à son prédécesseur, bien qu'il eût abdiqué. C'est seulement à la mort de Ferdinand, en 1875, que cette fortune passa entre les mains de François-Joseph. Entre-temps, la famille impériale, bien loin de pouvoir dépenser sans compter, devait faire preuve de circonspection même pour acheter et aménager une résidence d'été...

De plus, l'économie autrichienne allait alors de crise en crise, à cause des dépenses militaires extraordinairement élevées entraînées pendant des années par le maintien de l'état de siège. Mais l'empereur, amoureux, pouvait oublier tous ces motifs de préoccupation, écrivant par exemple à sa mère : « Je n'en puis plus d'attendre l'instant où il me sera possible de retourner à Possenhofen et d'y revoir Sissi, dont la pensée ne cesse de me hanter [44]. »

Comme il n'existait pas encore de liaison ferroviaire directe entre Vienne et Munich, il fallait passer par Prague, Dresde, Leipzig et Hof, et l'on mettait largement plus d'une journée. Tel est cependant l'itinéraire que l'empereur emprunta à trois reprises pendant la période des fiançailles.

La princesse Ludovica craignait que François-Joseph ne s'ennuyât quelque peu dans le cercle familial bavarois [45]. Mais l'empereur n'avait d'yeux que pour la petite Sissi et, plein de gratitude, écrivait de Munich à sa mère restée à Vienne : « Jamais, ma chère maman, je ne vous remercierai assez d'avoir posé les bases d'un si profond bonheur. J'aime Sissi davantage encore chaque jour, et je suis de plus en plus convaincu qu'aucune autre n'aurait pu mieux me convenir. »

Se souvenant des conseils de Sophie, François-Joseph ajoutait : « Parmi bien d'autres qualités plus importantes, Sissi est une charmante cavalière. Cependant, conformément à vos souhaits, je ne m'en suis assuré qu'une seule fois et, toujours selon vos conseils, j'ai prié ma belle-mère de ne pas la laisser monter trop souvent à cheval. Cela ne sera pas facile à obtenir, il me semble qu'elle n'y renoncera pas volontiers. Quant au reste, tout va pour le mieux : elle a encore fait bien des progrès depuis Ischl ; ainsi n'a-t-elle plus jamais maintenant mauvaise mine ; ses dents même sont devenues tout à fait blanches, grâce à vos recommandations ; elle est vraiment aussi adorable qu'on peut l'être [46]. »

Pour ce qui est des apparitions en public, les choses, en revanche, ne s'étaient pas encore améliorées. Ainsi l'empereur écrivait-il à sa mère que l'accueil frénétique qu'ils avaient reçu au théâtre de Munich « avait beaucoup embarrassé Sissi ». Mais il la rassurait ensuite en lui disant qu'au bal de la Cour, que lui-même avait trouvé « vraiment brillant » et « très animé », les choses s'étaient mieux passées : « La pauvre Sissi s'est vu présenter le corps diplomatique au grand complet, mais elle a su faire cercle de la façon la plus charmante et s'entretenir avec chacun [47]. »

Les fiançailles de Sissi avaient redonné du lustre à la famille ducale. Le roi de Bavière était lui aussi fier de voir à nouveau une Wittelsbach s'allier à un Habsbourg régnant. Après des décennies de discorde, la branche royale des Wittelsbach cultivait maintenant ostensiblement la branche ducale. La petite Élisabeth, au centre de toutes les attentions, n'en était pourtant nullement éblouie, laissant au contraire paraître de plus en plus clairement les craintes que lui inspirait l'avenir : « Ah, s'il n'était qu'un simple tailleur ! » disait-elle plaintivement à sa mère, non moins anxieuse qu'elle [48].

Son inclination pour François-Joseph allait croissant, bien qu'elle ne comprît pas les soucis qui assaillaient celui-ci. Même lorsqu'il se trouvait à Munich, un courrier arrivait quotidiennement de Vienne, porteur des toutes dernières nouvelles. L'ambassadeur de Belgique rapporte : « *Sa Majesté [...] est fort préoccupée de la situation politique [...]. La gravité des circonstances a engagé l'empereur à hâter son retour à Vienne* [49]. » Ce départ précipité de François-Joseph fit tant pleurer Sissi qu'elle en avait « le visage tout boursouflé ».

Pour le jour de Noël, qui était en même temps le seizième anniversaire de Sissi, l'empereur lui apporta à Munich les bijoux qu'il se devait maintenant de lui offrir et qu'il avait lui-même choisis ; y ajoutant un portrait de lui, un service de voyage en argent pour le petit déjeuner, gravé d'un « E » sommé de la couronne impériale [50] ; ainsi que, présents de l'archiduchesse Sophie, un chapelet et un bouquet de roses fraîches « qui fera beaucoup d'effet ici, où l'on ne peut trouver de telles fleurs » (en plein hiver, s'entend). L'empereur écrivit à sa mère qu'il avait retrouvé Sissi « épanouie et en très bonne forme. Elle est toujours aussi gentille et séduisante, et elle étudie maintenant beaucoup, sur différents sujets [51] ».

La fiancée avait, entre autres choses, à apprendre l'art de la correspondance, surtout pour écrire à sa tante et belle-mère Sophie, qu'elle devait bien entendu vouvoyer. On peut supposer que François-Joseph avait aidé sa petite Sissi à rédiger cette lettre de remerciements, où transparaît un ton mal assuré et un peu forcé. « Recevez aussi, chère tante, mes vœux les meilleurs et les plus sincères pour la nouvelle année, qui m'apportera le bonheur d'aller vivre près de vous. Croyez bien, chère tante, que mon souhait le plus ardent sera toujours de me rendre digne de tout l'amour que vous me témoignez constamment, et que je me fais une joie de me conduire à votre égard en fille affectionnée et de chercher, dans toute la mesure de mes forces, à contribuer au bonheur de votre existence. Puissiez-vous toujours conserver, chère tante, votre indulgente affection à votre nièce toute dévouée, Sissi [52]. »

Ludovica se demandait cependant toujours dans quelle mesure Sissi saurait se plier aux sévères exigences de la vie qui l'attendait à Vienne. Ainsi écrivait-elle à Marie de Saxe : « Mais enfin, si dans l'ensemble elle convient à l'empereur, je suis très heureuse de son amour pour elle ; et il paraît en effet l'aimer très sincèrement [53]. » Pour clore la visite de l'empereur à Munich, on donna le *Faust* de Goethe — bien entendu, Ludovica estima que cette pièce « n'était pas faite pour les jeunes personnes ».

Cette fois encore, la visite de l'empereur fut écourtée en raison des persistantes difficultés politiques qui régnaient en Orient. « J'ai constamment dû partager mon temps entre mon amour et ces maudites affaires, qui viennent me tourmenter jusqu'ici [54] », se plaignait-il amèrement.

Peu de jours après le retour de François-Joseph à Vienne, on apprit que la flotte franco-britannique se dirigeait vers la mer Noire. La Bourse de Vienne eut une réaction de panique. La position de l'Autriche dans ce conflit n'était toujours pas claire. L'empereur, en laissant dans l'incertitude son « cher et précieux ami » le tsar, l'offensait très profondément.

Il est surprenant de constater à quel point la société de Cour restait indifférente aux développements de la situation militaire. Hormis les hommes politiques et ceux qui avaient des intérêts personnels dans les Balkans, personne n'attachait autrement d'importance à ces événements : c'étaient les préparatifs des noces impériales qui retenaient surtout l'attention.

Les comtesses viennoises, pour lesquelles le principal attrait du carnaval avait toujours été jusque-là l'espoir de danser avec leur jeune et fringant empereur, subirent cet hiver-là une amère déception : François-Joseph ne dansa pas, « ce qui traduit bien son tempérament chevaleresque », commentèrent-elles d'abord ; mais pour se plaindre bientôt après : « Le carnaval reste encore bien terne. Le fait que l'empereur ne danse pas lui a ôté son principal intérêt. Il n'y a eu jusqu'à présent que trois bals, qui n'avaient rien de particulièrement brillant. Tout semble suspendu aux festivités du mariage. » On lit aussi : « Les comtesses ne cessent de regretter le plus remarquable et prestigieux danseur de la Cour [55] ! » Il faut dire que si François-Joseph ne dansait pas, cela tenait certes à sa passion, mais aussi à une raison plus concrète : « Il souffrait à nouveau de troubles cérébraux et visuels, consécutifs à l'attentat [56] », ce qui le contraignait à se ménager davantage.

Au début de mars le contrat de mariage fut signé. Le duc Max y assurait à « Son Altesse, Madame sa fille » une dot de 50 000 florins « qui sera remise, à Munich et dès avant le mariage, au mandataire spécialement désigné à cet effet par Sa Majesté Impériale, contre reçu en bonne et due forme ». Élisabeth devait également être pourvue « de tout le nécessaire en matière de bijoux, vêtements, parures et tous ornements d'or et d'argent convenant à l'élévation de son rang ». L'empereur s'engageait pour sa part à « compenser » cette dot avec 100 000 florins, accroissant ainsi substantiellement la fortune privée de l'impératrice. Il promettait, d'autre part, à celle-ci 12 000 ducats « comme présent de noces, après consommation de l'union conjugale » : c'était la *Morgengabe* ou « offrande du matin », en usage dans la Maison impériale depuis des temps immémoriaux. L'impératrice devait également recevoir — même au cas où elle deviendrait veuve — une rente annuelle de 100 000 florins, exclusivement destinée aux frais de « toilettes, parures, bonnes œuvres et menues dépenses », car tout le reste (« dépenses de table et de lingerie, frais d'écuries, solde et entretien de la domesticité, train de maison ») était naturellement à la charge de l'empereur [57].

Cette rente était cinq fois plus élevée que celle de l'archiduchesse Sophie, laquelle ne percevait que 20 000 florins par an. Cependant, trois jours avant son mariage, l'empereur accrut les revenus annuels de sa mère de 50 000 florins [58]. (Précisons qu'à cette époque un ouvrier gagnait tout au plus 200 à 300 florins par an, pour 12 à 14 heures de travail quotidien, une femme environ la moitié et un enfant bien moins encore ; la solde d'un lieutenant se montait à 24 florins par mois.)

Lors de sa dernière visite à Munich, un mois avant le mariage, l'empereur apporta un somptueux diadème de diamants orné de grosses opales, avec le collier et les boucles d'oreilles assortis. C'était le cadeau de noces de l'archiduchesse Sophie, qui avait jadis porté pour ses propres noces ces bijoux dont la valeur dépassait 60 000 florins, soit une somme considérable, même pour l'empereur. François-Joseph écrivit à Vienne que sa mère ne devait avoir aucune inquiétude : cette parure « ferait l'objet des plus grands soins et serait immédiatement mise en lieu sûr [59] ». De toute évidence, Sophie n'avait pas une confiance illimitée dans l'ordre qui pouvait régner chez sa sœur...

La lettre de remerciements que Sissi adressa à Sophie est encore d'un ton extrêmement embarrassé : « [...] Mais soyez assurée, chère tante, que je ressens très profondément votre bonté à mon égard et que c'est pour moi une pensée bien réconfortante que celle de pouvoir toujours, dans toutes les circonstances de ma vie, m'en remettre en toute confiance à votre maternelle affection [60]. »

Élisabeth n'avait alors guère de motifs de se plaindre de sa belle-mère, tout au plus de son attitude un peu trop protectrice et de ses conseils souvent indiscrets. Sophie s'occupait des transformations de la villa impériale d'Ischl, elle comblait la jeune fille de bijoux et d'objets précieux de toutes sortes. Et, dans les lettres qu'elle écrivait à sa sœur Marie de Saxe, elle ne critiquait jamais Sissi, faisant au contraire son éloge pour le moindre détail, revenant surtout sur sa modestie et sa timidité. Elle consacra aussi des mois entiers à installer les appartements du couple à la Hofburg avec tout le goût possible. Ceux-ci se composaient d'une antichambre, d'une salle à manger, d'une salle des glaces, d'un salon, d'un cabinet de travail et d'une chambre à coucher — soit, mis à part la décoration somptueuse et les proportions du salon, un logement assez comparable à ceux de la grande bourgeoisie ; il était même dépourvu de salle de bains et de toilettes (à la Hofburg, on en était encore aux chaises percées), ainsi que de cuisines particulières, car les repas seraient pris en famille. Il n'était pas venu à l'idée de l'archiduchesse qu'une jeune mariée préférerait peut-être avoir son propre train de maison. Sophie choisit elle-même tentures et rideaux, meubles et tapis, s'efforçant de tout se procurer dans le pays même, afin d'encourager les affaires.

Pour Sissi, elle voulait en toutes choses le meilleur et le plus cher. Ainsi ses ustensiles de toilette étaient-ils en or massif [61]. Sophie fit aussi transporter dans les appartements impériaux maints objets précieux, tableaux, pièces d'argenterie, porcelaines de Chine, statues, horloges, etc., provenant des collections de la Maison impériale, ainsi que du Trésor et de la collection Ambraser. (Les registres d'inventaire en ont été conservés [62], y compris celui de la très abondante garde-robe de l'empereur. Sophie savait bien que la fiancée n'apportait pas un trousseau d'une richesse comparable.)

Sophie ne dissimulait pas les efforts qu'elle déployait. Ses sœurs admiraient son énergie ; ainsi la reine Marie de Saxe disait-elle : « Ma bonne Sophie est [...] comme toujours l'abnégation personnifiée, prête à tout donner, à se priver de tout pour sa future bru ; elle ne laisse au hasard aucun détail susceptible de contribuer au bonheur et au confort du jeune couple. Louise [*Ludovica*] m'écrivait elle aussi récemment, à juste titre, que jamais encore on n'avait pris soin d'une fiancée avec autant d'affection qu'on le faisait en ce moment pour sa fille [63]. »

Un mois avant le mariage eut lieu solennellement à Munich l'« acte de renonciation », par lequel Sissi abandonnait toute prétention à la succession au trône de Bavière. Les membres de la Maison royale comme de la Maison ducale, les dignitaires de la Cour et les ministres d'État virent cette jeune fille de seize ans, assise pour la première fois de sa vie auprès du roi sous le baldaquin surélevé de la salle du trône, « après avoir fait ses révérences devant Leurs Majestés et devant Leurs Altesses ses parents, s'avancer vers la table où reposait l'Évangile, qui fut présenté à Son Altesse Royale par Monseigneur l'archevêque [64] ». On donna lecture de la déclaration de renonciation, puis Sissi prêta serment et signa le document. Cette morne cérémonie donnait comme un avant-goût de la vie d'étiquette qui l'attendait à Vienne.

Le trousseau de la jeune fille, qui remplissait vingt-cinq malles, arriva à Vienne tout juste avant elle. La liste exacte en a été conservée et montre clairement que la fiancée de l'empereur n'était pas vraiment « un bon parti ». Y figurent certes des bijoux pour une valeur totale de quelque 100 000 florins, mais un examen plus attentif montre qu'il s'agissait en fait, pour plus des neuf dixièmes, des cadeaux offerts par l'empereur ou par l'archiduchesse Sophie pendant les fiançailles. L'apport en argenterie, orgueil en ce temps-là de toute fiancée vraiment bien dotée, était pour le moins modeste et ne dépassait guère 700 florins environ, sans omettre dans cette estimation le moindre broc, assiette, miroir ou cafetière.

On ne pouvait véritablement parler d'un trousseau « convenant à l'élévation de son rang », comme il était prévu dans le contrat de mariage. Lorsque l'on songe avec quelle fierté à l'époque les fiancées, même de la haute bourgeoisie, déployaient les objets composant leur dot devant les regards de leur belle-famille (comme devait encore le faire plus tard la propre belle-fille de Sissi, Stéphanie, avec la plus grande satisfaction), on comprend mieux le dédain dont firent preuve les dames de la Cour de Vienne, et le jugement défavorable porté par la richissime aristocratie autrichienne, qui accordait une extrême importance à la fortune et à la propriété (la généalogie irréprochable sans laquelle on ne pouvait entrer à la Cour étant évidemment supposée acquise).

La garde-robe de Sissi atteignait une valeur considérable — 50 000 florins —, mais ici encore la pièce la plus précieuse (un manteau de velours avec garniture et manchon de zibeline) était, bien entendu, un cadeau de l'empereur. La future impératrice possédait quatre robes de bal (deux blanches, une rose, une bleu ciel ornée de roses blanches), dix-sept robes de cérémonie, c'est-à-dire des robes à traîne pour les occasions solennelles (parmi lesquelles sa robe de fiançailles avec cape de moire argentée, puis des robes de tulle et de satin blanches et roses, les deux couleurs en faveur, mais aussi bien sûr une noire, en cas de deuil à la Cour), quatorze robes de soie et dix-neuf robes d'été plaisamment ornées, selon la mode du temps, de fleurs brodées ou encore de garnitures figurant roses, violettes, brins de paille ou épis de blé. C'était encore alors le temps des crinolines ; Sissi en possédait trois. Largement déployées, elles se portaient très serrées à la taille — à l'aide, même pour des filles d'âge aussi tendre que la petite Sissi, de solides lacets et de corsets (Sissi en avait quatre, plus trois spécialement destinés à l'équitation : même pour faire du sport, une femme se devait d'avoir la taille étroitement lacée).

A ces robes s'ajoutaient des articles de mode assortis, à savoir douze « coiffures » faites de plumes, pétales de roses, fleurs de pommier, dentelles, rubans et perles, mais aussi des garnitures ou des couronnes de fleurs que les dames portaient à la main pour compléter l'ornementation de leurs toilettes. On comptait aussi seize chapeaux : à plumes blancs et roses, en dentelle et en paille, et même un chapeau de jardin avec une guirlande de fleurs des champs : celui-là même que Sissi avait porté à Ischl, au grand ravissement de l'empereur.

La lingerie fut également inventoriée de façon précise : douze douzaines de chemises, la plupart en batiste avec des valenciennes, et trois douzaines de chemises de nuit. On comptait également quatorze douzaines de bas de soie ou de coton, dix petites camisoles de nuit en mousseline et en soie, douze bonnets de nuit brodés, trois autres plus petits, « négligés », en mousseline brodée, vingt-quatre châles de nuit, six douzaines de jupons en piqué, en soie et en flanelle, cinq douzaines de « culottes longues », vingt-quatre peignoirs et trois sorties de bain. La quantité de chaussures aussi était impressionnante. Mais il n'y avait que six paires de bottines de cuir. Tous les autres souliers — 113 paires au total ! — étaient de velours, de satin, de soie ou d'autre tissu, donc guère destinés à durer. Il semble que sous cet aspect précisément Sissi n'ait pas été des mieux équipées, car à peine fut-elle arrivée à Vienne qu'il fallut déjà lui acheter de nouveaux souliers, pour la somme étonnamment élevée de

700 florins. C'est que l'impératrice d'Autriche ne pouvait porter chaque paire de souliers qu'un seul jour, après quoi celle-ci était offerte en cadeau — coutume à laquelle Élisabeth ne parvint jamais à s'habituer, et qu'elle devait abolir par la suite.

Dans la dernière rubrique de l'inventaire, celle des « objets divers », figuraient deux éventails, deux parapluies, six ombrelles — trois grandes et trois petites —, trois paires de caoutchoucs. On trouve même répertoriés des peignes en écaille, des brosses — à habits, à cheveux, à ongles, à dents —, des chausse-pieds, et jusqu'à un nécessaire contenant épingles de toilette, épingles à cheveux, rubans et boutons.

On devine, à l'examen de cette liste, avec quelle hâte et quelle agitation avait été rassemblé ce trousseau. Pour Hélène, qui aurait dû épouser l'empereur, Ludovica avait pris longtemps à l'avance ses dispositions. Mais, pour Sissi, il avait fallu improviser, et donc pourvoir d'abord à l'essentiel : les toilettes de cérémonie pour les occasions officielles. Tout le reste était accessoire.

Pour cette enfant de seize ans, pareil trousseau représentait un luxe sans précédent. Elle dut se sentir extraordinairement riche avec tous ces habits neufs, elle qui avait des habitudes autrement modestes et n'imaginait pas combien tout cela était peu de chose au regard des usages de Vienne, à tel point que l'on ne tarderait pas à l'en railler. Même l'empereur, malgré tout son amour, écrivait de Munich à sa mère, en octobre : « Il me semble que les choses n'avancent guère pour ce qui est du trousseau, et je ne vois guère comment on pourra aboutir à un résultat bien fameux [65]. »

On conçoit dès lors que la sage Ludovica, qui aimait tant ses enfants, se soit inquiétée pour l'avenir de Sissi. Elle connaissait bien sa fille et sa propension à s'isoler du monde extérieur ; et elle connaissait aussi la Cour viennoise, surtout préoccupée des apparences, des questions de rang, mais également d'argent.

Toutefois, la famille faisait confiance à la « bonne étoile » d'Élisabeth, qui était née le jour de Noël (lequel en outre était tombé un dimanche cette année-là) et avec déjà une dent, « la dent de la chance », comme on disait en Bavière. Élisabeth elle-même écrivait :

Je suis une enfant du dimanche, une enfant du soleil ;
Ses rayons d'or au trône m'ont conduite,
De sa splendeur fut tressée ma couronne
Et c'est en sa lumière que je demeure [66].

CHAPITRE II

LES NOCES À VIENNE

L'accueil de la fiancée impériale à Vienne donna lieu à des centaines de poèmes d'amateurs, dont beaucoup témoignent des grandes espérances que suscitait cette jeune fille de seize ans. Ainsi celui-ci :

L'humanité se brise, elle vole en éclats,
Pour un combat mortel le monde se prépare,
L'Ouest est contre l'Est dressé pour la bataille,
Les peuples sont armés et l'Europe frémit,
Écrasés sont les cœurs et comblés d'amertume.
Pour un bonheur futur ne luit-il pas d'étoile,
Nulle étoile de paix aux ténèbres du temps,
Comme étoile d'espoir quand viendra l'accalmie ?
Une étoile scintille : et l'amour et la foi
Des peuples saluant dans l'ivresse et la joie
La Souveraine aimée enfin qui leur échoit,
Des peuples qui ont vu la force et la douceur,
En une noble et double image réunies,
Et qui lui rendent grâce à ses pieds prosternés [1].

La guerre de Crimée risquait fortement d'entraîner l'Autriche dans un conflit. L'année 1853 avait connu de fort mauvaises récoltes. A la disette s'ajoutaient le chômage, une misère dont on a peine aujourd'hui à imaginer l'ampleur et le manque de libertés politiques. Le lustre des noces impériales devait faire oublier quelque temps ces fléaux et alimenter l'espoir d'un adoucissement du mode de gouvernement. De nombreux textes d'hommage à la jeune impératrice sont de vibrants appels à une intercession entre le peuple et son souverain, par exemple celui-ci, qui fait clairement allusion aux événements de 1848 : « C'est à Toi que le Ciel a donné mission de couronner la réconciliation du prince et de son peuple, d'attacher à jamais ensemble ces deux amants séparés. Là où échoue l'homme qui manie le glaive de la Justice, la femme réussit qui porte la palme de la Miséricorde. » Ou encore : « En ces temps d'errance et de tempête, Toi et Ta Maison devez être le phare qui sauve du désespoir le marin en détresse, l'autel où pleins de foi nous viendrons nous agenouiller pour y trouver secours [2]. » Le peuple de l'empire, toutes nationalités réunies, espérait en une souveraine éprise de justice et de charité, face au dénuement et à la misère dont il était affligé : « Nous croyons en Toi, Tu interviendras entre Lui et nous, Tu Lui diras ce que nous n'avons pas l'audace de Lui faire connaître, et de Ta douce main tu tourneras bien des choses vers le mieux [3]. »

Au cours des mois précédents, Sissi avait appris « beaucoup de choses de toute sorte » : le langage de la société distinguée, des questions de protocole, un peu d'histoire autrichienne. Elle savait maintenant s'habiller suivant les règles, elle dansait mieux, elle se lavait les dents avec plus de soin qu'auparavant. Mais elle ignorait entièrement comment vivaient les gens dans l'empire hors du cercle de la Cour ; s'ils avaient ou non du travail, si les enfants pouvaient manger à leur faim. A peine soupçonnait-elle que la guerre menaçait à l'est.

Élisabeth était d'un naturel chaleureux et sensible à l'injustice. Depuis son plus jeune âge on l'avait incitée, de même que ses frères et sœurs, à se soucier des pauvres et des malades. Elle était dépourvue de toute arrogance de caste et connaissait les maisons des pauvres gens aux alentours de Possenhofen. Surtout, elle n'était pas superficielle ; tout au contraire, elle avait très tôt manifesté un penchant pour la réflexion et la recherche, derrière l'aspect formel des choses, de leur « nature », de leur « vérité » — sur un mode encore enfantin, certes — et elle devait conserver toute sa vie ce trait de caractère précoce.

Toutes ces qualités, qu'elle devait à une enfance marquée par la tendresse plus que par la discipline, ainsi qu'à son tempérament sensible, n'étaient plus ici d'aucune utilité et apparurent même négatives. Son absence de hauteur aristocratique n'avait rien, à Vienne, de méritoire, mais était plutôt blâmable, tout comme le mépris vis-à-vis des formes. Car tout, à la Cour, en particulier la majesté impériale et le prestige de la dynastie, reposait pour une large part sur le protocole et le cérémonial. De vérité, d'authenticité, il n'était en aucune façon question. Tout ce que Sissi considérait comme de pures formalités revêtait, en ces années d'après 1848, une grande signification politique : il fallait situer la famille régnante résolument au-dessus de l'humanité « ordinaire », la rendre inaccessible, inattaquable, manifester de manière concrète la grâce divine dont elle tirait son pouvoir.

Dès le lendemain des fiançailles, on entreprit donc de transformer cet être chaleureux, qui était tel que l'avaient espéré les peuples de l'empire, en un personnage de représentation, le plus magnifique que l'Autriche eût jamais connu, mais fait pour la seule Cour. Tous les conflits futurs étaient déjà là en germe pendant les mois qui précédèrent les noces, en raison de cette distorsion entre une personnalité sincère et sensible, et la façon dont la Cour tenterait de l'accaparer.

Le 20 avril 1854, la duchesse Élisabeth quitta Munich, sa ville natale. Que ce fût précisément ce jour-là que fut prise une importante décision à propos de la guerre de Crimée, la future impératrice n'en sut rien. L'Autriche et la Prusse avaient conclu un pacte pour contraindre les Russes à abandonner les principautés danubiennes. François-Joseph adoptait donc une attitude d'opposition à la Russie, mais sans s'allier pour autant aux puissances occidentales et il s'attirait de la sorte l'hostilité des deux parties. Des troupes autrichiennes furent bientôt transférées sur la frontière russe.

Après une messe célébrée dans la chapelle du palais ducal, à Munich, Sissi fit ses adieux aux gens de maison. Elle avait préparé un cadeau pour chacun et leur serra la main à tous : devenue impératrice, il ne lui serait plus jamais permis d'agir de la sorte. Et elle n'allait pas tarder à regretter, dans l'atmosphère confinée de la Cour de Vienne, ces rapports familiers qu'elle entretenait avec tout son entourage, jusqu'aux paysans et aux servantes. Désormais, elle ne pourrait jamais plus qu'« offrir sa main à baiser » à certains membres choisis de l'aristocratie dont c'était là un privilège : il serait hors de question qu'elle tende la main à n'importe qui à son gré, comme elle avait coutume de faire en Bavière. Ces premiers adieux déjà firent couler bien des larmes de part et d'autre.

Apparurent alors Maximilien II, roi de Bavière, et son prédécesseur Louis Ier (qui avait dû abdiquer en 1848, à la suite du scandale causé par ses rapports avec Lola Montez), tous deux en uniforme de régiments autrichiens, accompagnés de leurs épouses et de proches membres de la branche royale des Wittelsbach. Sur la Ludwigstrasse, devant le palais ducal, une foule immense s'était rassemblée pour venir faire ses adieux. Émue par les bruyantes acclamations des Munichois, Sissi se dressa dans la berline découverte, le visage inondé de larmes, et agita son mouchoir vers la multitude.

Le voyage dura trois pleines journées, coupées de deux étapes. Un premier équipage mène le cortège de Munich à Straubing, où l'attend un vapeur pour la descente du Danube. Là se déroule une première réception, avec les notables du lieu, des orchestres, des jeunes filles en robes blanches : vœux de bonheur et discours officiels, drapeaux et remise de bouquets de fleurs — cette scène devait se répéter à chaque étape du voyage.

Le 21 avril, vers deux heures de l'après-midi, le vapeur atteignit Passau. A la frontière bavaroise avait été dressé un arc triomphal, et une délégation impériale vint accueillir la future impératrice. A partir de la frontière, deux vapeurs somptueusement décorés escortèrent la fiancée de l'empereur à travers la Haute Autriche. Aux alentours de six heures du soir, les bateaux atteignirent Linz, première étape en terre autrichienne. Une magnifique réception avait été organisée, avec le gouverneur, le maire, l'armée, les corporations, les écoles, le clergé, la noblesse... Mais ce que l'on n'avait point prévu, c'était que l'empereur en personne se trouverait là pour souhaiter la bienvenue à la jeune fille dès son arrivée. Sans souci du protocole, il avait pris à l'aube le vapeur de Vienne à Linz pour lui faire cette surprise. Ce soir-là eut lieu une représentation de gala, au théâtre de Linz, d'une pièce intitulée *Les roses d'Élisabeth,* suivie d'une illumination de la ville avec défilé aux flambeaux et chœurs dans les rues. L'empereur quitta la ville à quatre heures et demie du matin, le 22 avril, afin de précéder sa fiancée pour l'accueillir, cette fois officiellement, à Vienne.

Le grand vapeur à aubes *François-Joseph,* avec à son bord toute la compagnie qui devait assister aux noces, quitta Linz à huit heures du matin. C'était sans nul doute le plus splendide bateau qui eût jamais navigué sur le Danube. Ses puissantes machines, fabriquées à Londres, atteignaient 140 chevaux-vapeur et obtinrent dans les journaux de l'époque toutes les louanges qu'elles méritaient. Sa décoration n'était pas en reste : la cabine de Sissi avait été tapissée de velours pourpre et le pont transformé en jardin fleuri, avec une tonnelle de rosiers sous laquelle elle pouvait se retirer. Les flancs étaient couverts de guirlandes de roses descendant jusqu'à la ligne de flottaison. Les couleurs, bleu et blanc, de la Bavière ondoyaient aux côtés de celles, rouge, blanc, rouge, de l'Autriche, et de celles, jaune et noir, des Habsbourg. Toute autre circulation sur le Danube avait été interdite pendant cette journée solennelle. Ce voyage peut sembler fort rapide aujourd'hui, mais en 1854 n'existaient pas encore les grandes écluses des centrales hydroélectriques, qui retardent le passage des bateaux.

L'abbaye baroque de Melk, le château de Dürnstein, les cités de la Wachau — Stein, Krems, Tulln, enfin Klosterneuburg —, tous ces paysages idylliques et chargés d'histoire avaient été splendidement décorés pour la jeune « rose de Bavière ». Partout on avait cessé le travail. Le long des rives du fleuve se massaient les écoliers, les paysans et les ouvriers. Sur chaque appontement étaient rassemblés les notables locaux — maires, instituteurs, curés — et retentissait l'hymne impérial, couvert par les salves des canons. Ces dizaines de milliers de personnes attroupées voulaient toutes apercevoir la fiancée.

C'était le troisième jour du voyage, et Sissi était épuisée. Mais elle n'en continuait pas moins, vaillamment, à agiter en souriant son mouchoir de dentelle. Elle avait encore à ses côtés sa mère pour lui apporter soutien et réconfort, ainsi que ses frères et sœurs dont les nombreuses plaisanteries s'efforçaient de calmer sa nervosité. Sissi n'en restait pas moins très pâle, très silencieuse, très anxieuse.

Avant l'arrivée à Nussdorf, près de Vienne, toute la compagnie s'en fut changer de tenue en vue du pompeux accueil qui l'attendait : les dignitaires de l'Empire, la Maison de Habsbourg-Lorraine au grand complet, l'aristocratie, les représentants de la ville, tous se tenaient déjà prêts, sous un magnifique arc triomphal, à recevoir comme il convenait la future impératrice. Sissi revêtit une de ses tenues d'apparat, une vaporeuse robe de soie rose avec une ample crinoline, complétée d'une mantille de dentelle et d'un petit chapeau blancs.

Un tonnerre de canonnades ainsi que les carillons de toutes les églises de Vienne annoncèrent, ce 22 avril, vers quatre heures de l'après-midi, l'arrivée à Nussdorf de la fiancée de l'empereur. Celui-ci, avant même que le bateau n'eût encore accosté, bondit sur le pont pour souhaiter la bienvenue à sa chère Sissi. Il avait belle prestance dans son uniforme de maréchal, orné du grand ruban de l'ordre bavarois de Saint-Hubert. Des dizaines de milliers de spectateurs le virent saisir Élisabeth entre ses bras et l'embrasser avec ardeur.

Jamais la fiancée d'un Habsbourg ne reçut accueil aussi solennel et aussi affectueux. Devant cette scène, beaucoup songèrent à la parfaite union, devenue en Autriche proverbiale, de Marie-Thérèse et de son « Franzl ». Les chroniqueurs, en tout cas, ne manquèrent pas de rapporter que « le bienveillant esprit de Marie-Thérèse planait en cet instant au-dessus de son illustre petit-fils [4] ». Tout cela suscita une joie sincère, non moins que l'unanime émerveillement qui se manifesta quand apparut la juvénile fiancée, malgré son air un peu pâle.

Cela faisait bien longtemps que les Viennois espéraient une souveraine jeune et capable de les représenter dignement. L'année précédente, Napoléon III avait épousé la belle Eugénie, faisant de Paris le centre des élégances européennes. Enfin Vienne allait pouvoir, espérait-on, combler son retard. Par sa fraîcheur et sa grâce, la nouvelle impératrice ranimerait la vie de la haute société, depuis longtemps languissante, et exercerait un véritable pouvoir d'attraction auprès des étrangers. Peut-être Vienne deviendrait-elle ainsi le second centre de la mode, ce qui relancerait le commerce et l'artisanat autrichiens, alors en crise.

La future impératrice ne pouvait pas se plaindre d'avoir été froidement reçue par le petit peuple. Tous ces braves gens qui avaient afflué sur les rives du Danube, jusque sur les hauteurs du Leopoldsberg, pour l'apercevoir, étaient emplis de confiance. Le tendre amour que lui portait l'empereur renforçait en eux l'espoir de temps meilleurs, d'une plus grande bienveillance du souverain, qui échapperait à l'influence « réactionnaire » que l'archiduchesse Sophie exerçait sur lui : peut-être la jeune impératrice saurait-elle faire prévaloir des tendances plus libérales...

L'archiduchesse Sophie — qu'on appelait « la vraie impératrice » — monta à bord du bateau immédiatement après François-Joseph, marquant le début de l'accueil officiel. La fiancée baisa la main de sa tante et future belle-mère, puis salua les autres membres de la famille : les frères de l'empereur et d'innombrables oncles, tantes, cousins et cousines qui seraient bientôt les siens. Elle quitta ensuite le bateau au bras de son fiancé, sous un tonnerre d'acclamations, de salves de canons, mêlé au son des fanfares et au claquement des drapeaux. On s'arrêta un instant dans la salle du triomphe, toute en dorures et « magnifiquement ornée de parois de glaces, de fleurs, de draperies, un vrai palais des merveilles ». Un siège entouré de fleurs avait été disposé pour la très auguste fiancée, entre les tribunes réservées à droite aux représentants des États étrangers avec leurs épouses, à gauche au conseil municipal de Vienne, à l'élite du clergé, de la noblesse, de l'armée, aux ministres et aux gouverneurs des provinces. Le cardinal Rauscher, prince-archevêque de Vienne, prononça un discours, puis le fiancé présenta un par un à la jeune fille « les autres Messieurs, selon leurs fonctions ».

Ensuite se constitua le cortège qui devait se rendre de Nussdorf à Schönbrunn : dans le premier carrosse se trouvaient l'empereur et le duc Max, dans le second Sissi et Sophie, dans le troisième Ludovica et l'archiduc François-Charles, père de l'empereur ; venaient ensuite les autres « membres éminents de la famille ». Passant sous plusieurs arcs de triomphe dressés pour l'occasion, la petite colonne traversa Döbling, Währing, Hernals, franchit la rivière Schmelz et gagna la Mariahilferstrasse. A Schönbrunn, François-Joseph alla en personne ouvrir la portière à Sissi avant de la conduire dans ce superbe château baroque bâti par Marie-Thérèse et comptant plus de 1 400 pièces décorées avec la plus grande splendeur.

C'est dans le Grand Salon que commença le cérémonial, passablement compliqué : Sophie présenta d'abord à la petite Sissi les archiduchesses, puis l'empereur fit de même pour les hommes de la Maison de Habsbourg — Sophie nota dans son Journal, non sans fierté, qu'outre son époux et ses trois fils cadets, on comptait encore quinze archiducs. L'archiduc Ferdinand-Maximilien, le plus jeune frère de l'empereur, se chargea des présentations respectives entre les parentèles des Wittelsbach et des Habsbourg. Vint ensuite le tour des principaux officiers de la Cour. Tout cela prit évidemment un certain temps.

L'empereur procéda ensuite, avec une grande solennité, à la remise des cadeaux de mariage, commençant par le sien propre : une couronne de diamants avec des broches assorties, un magnifique travail d'orfèvrerie ancienne serti d'émeraudes, dont la seule restauration n'avait pas coûté moins de 100 000 florins [5]. (Quelques jours avant l'arrivée de Sissi, cette couronne était tombée à terre par suite d'une maladresse — ce que beaucoup avaient considéré comme de mauvais augure — et il avait fallu la réparer en toute hâte.) Un autre diadème de diamants venait de Prague, présent de l'ex-empereur Ferdinand. La veuve de l'empereur François Ier, qui se trouvait être la tante de l'un et l'autre des fiancés, offrit également des diamants, dignes de son rang.

Les deux « dames » bavaroises de Sissi, dont on n'utiliserait plus les services à Vienne, reçurent de splendides cadeaux d'adieu. Elles devaient être remplacées, à la Cour de Vienne, par la suite personnelle de l'impératrice, dont la première dame d'honneur était la comtesse Esterházy, née princesse Liechtenstein, confidente intime de Sophie. Cette femme âgée de cinquante-six ans — six ans de plus que Sophie —, cérémonieuse et de mœurs austères, était pratiquement chargée de jouer le rôle de gouvernante. Sissi conçut dès le premier instant une profonde aversion à son égard ; la comtesse était d'ailleurs critiquée par plusieurs de ses contemporains, tel Weckbecker, aide de camp de l'empereur : « En effet, d'une part elle traitait un peu trop la jeune impératrice à la façon d'une gouvernante, d'autre part elle considérait comme l'une de ses principales tâches d'informer la nouvelle souveraine de tous les potins concernant les grandes familles de l'aristocratie, ce qui n'éveillait naturellement chez la princesse bavaroise qu'un intérêt fort limité [6]. »

Élisabeth se sentit plus en confiance avec son grand chambellan, le prince Lobkowitz, et ses deux jeunes dames d'honneur, les comtesses Bellegarde et Lamberg, ne lui parurent pas non plus antipathiques. Mais d'emblée Sophie lui fit clairement comprendre qu'elle ne pouvait, en tant qu'impératrice, établir des relations personnelles avec ces jeunes personnes. La suite de Sissi comportait encore un secrétaire, une camériste, deux femmes de chambre, deux filles de chambre, un valet de chambre, un portier, quatre laquais, un valet et une soubrette. L'empereur gardait, quant à lui, sa propre suite, de loin plus nombreuse, et strictement distincte de celle de sa femme.

Les chroniqueurs rapportent que ce soir-là « la ravissante princesse, avec une complaisance et une amabilité charmantes, daigna se montrer au public, qui clamait son allégresse », sur le grand balcon du château de Schönbrunn. Ensuite se tint un grand dîner de gala, avec tout le faste de la Cour impériale.

De son arrivée jusque tard dans la nuit, cette jeune fille de seize ans, déjà épuisée par le voyage, dut se laisser scruter sans trêve par des étrangers qui n'étaient pas tous bien disposés à son égard. A l'affection que lui avaient témoignée les foules rassemblées sur les rives du Danube, succédait une curiosité passablement teintée de scepticisme. Il est vrai que Sissi n'avait pas encore toute la beauté que devaient lui apporter les années ; maladroite et craintive, elle n'était pas du tout conforme à l'image que la Cour se faisait d'une future impératrice. Encore les épreuves de cette journée n'étaient-elles que les premières !

Dès le lendemain 23 avril devait avoir lieu la traditionnelle entrée solennelle dans Vienne — non point depuis Schönbrunn, mais depuis l'ancien palais de Marie-Thérèse, ce Favorita que la famille impériale n'utilisait pratiquement plus, l'actuel Theresianum. La toilette de cérémonie exigea plusieurs heures — à cela aussi il fallait désormais que Sissi s'habituât. Au matin, de nombreuses voitures emmenèrent de Schönbrunn au Theresianum la famille des fiancés et les hauts fonctionnaires de la Cour qui se rassemblèrent en vue de l'entrée solennelle, régie par un cérémonial extrêmement compliqué.

Lorsque, tard dans l'après-midi, Élisabeth monta avec sa mère dans le carrosse d'apparat tiré par huit lipizzans, à nouveau vêtue d'une de ses robes de cérémonie — rose, lamée d'argent, avec une traîne et des guirlandes de roses — et ceinte de son diadème de diamants, tout le monde put voir combien elle était épuisée. Dans son carrosse de verre, elle ne cessait de pleurer et, au lieu d'une rayonnante fiancée impériale, les Viennois qui faisaient la haie ne saluèrent qu'une jeune fille en sanglots, accompagnée de sa mère, guère moins angoissée.

Les crinières des chevaux blancs étaient tressées d'aigrettes rouge et or, leurs têtes ornées de panaches blancs et tout leur harnachement rehaussé de dorures. A côté des portières, ainsi que des chevaux, marchaient des laquais en grande tenue coiffés de perruques blanches. Derrière le carrosse de la fiancée venaient, attelés de six chevaux, ceux du grand chambellan, des caméristes, des dames d'honneur, des conseillers privés — tous accompagnés de serviteurs marchant au-devant et aux flancs des voitures. Six trompettes « royaux et impériaux » à cheval, des fourriers et des pages de la Cour, les gens d'armes de la Garde, les autres gardes du corps « portant le drapeau et musique en tête », les grenadiers, les cuirassiers, les carabiniers de la Cour, accompagnaient l'auguste fiancée — qui se rendait à peine compte de toute la magnificence dont on l'entourait.

A peine entrée dans Vienne, Sissi inaugura un nouveau pont sur la rivière Wien (dont le cours n'était pas encore régularisé à l'époque), l'Elisabethbrücke, devant la Karlskirche, pont qui ne fut démoli qu'après la mort de l'impératrice en 1898.

Lorsque le cortège approcha des remparts, les salves d'artillerie cessèrent, cependant que toutes les cloches de la ville se mettaient à sonner. Toutes les maisons de la Kärntnerstrasse, du Stock im Eisen, du Graben, du Kohlmarkt, de la Michaelerplatz étaient ornées de draperies et de fleurs ; tout au long du parcours, on avait dressé des tribunes pour ceux qui voulaient jouir du spectacle. Remarquable était surtout, au sein du cortège, l'élégance des magnats hongrois en costume national, tout chamarrés d'or et de pierres précieuses ; la livrée de leurs laquais elle-même tranchait sur toutes les autres, ainsi que leurs carrosses d'apparat tirés par six chevaux. Le représentant de la Suisse, Tschudi, écrivit que jamais la capitale autrichienne, « si ce n'est à l'occasion du Congrès [de 1814-1815], n'avait connu pareil déploiement de faste [7] ».

Cinq années ne s'étaient pas encore écoulées depuis la

Révolution, qui avait vu se dresser des barricades aux endroits mêmes où se trouvaient maintenant des tribunes pour le public. Le jeune empereur n'avait pas fait droit aux revendications des révolutionnaires — liberté de la presse, promulgation d'une Constitution —, et ceux qui n'avaient pu s'accommoder du régime absolutiste avaient été exécutés, emprisonnés ou exilés. Le temps était loin où l'on pouvait lire sur la Hofburg cette pancarte comminatoire : « Propriété de la Nation ». La pompe du mariage impérial célébrait aussi le triomphe de l'absolutisme.

François-Joseph mit toutefois à profit cette heureuse circonstance pour tenter une certaine réconciliation avec les révolutionnaires de 1848. Dans la *Wiener Zeitung* du 23 avril parut un communiqué officiel qui graciait plus de deux cents « détenus condamnés à des peines de forteresse pour délits politiques » ; une centaine d'autres bénéficiaient d'une remise de peine égale à la moitié de leur temps ; à ces dispositions s'ajoutait une amnistie générale « pour tous les crimes de lèse-majesté et atteintes à l'ordre public », ainsi que pour les « menées de haute trahison » liés aux événements de 1848 en Galicie comme à l'insurrection de Lemberg en novembre de la même année ; enfin, l'état de siège était levé en Hongrie, en Lombardie et en Vénétie.

Mais le plus précieux cadeau de l'empereur à son peuple fut encore l'allocation de 200 000 florins qu'il décida pour « soulager le dénuement existant ». Ainsi donna-t-il 25 000 florins pour la Bohême — spécialement pour les habitants de l'Erzgebirge et du Riesengebirge, ainsi que pour les pauvres de Prague —, 6 000 pour les districts industriels de Moravie et les pauvres de Brünn, 4 000 pour les pauvres de Silésie, 25 000 pour ceux de Galicie. Le Tyrol se vit attribuer 50 000 florins pour acheter des céréales et dédommager les viticulteurs touchés par le phylloxéra dans le sud de la région. La Croatie, la Dalmatie et les pays côtiers reçurent 15 000 florins. Et Vienne, « ma capitale et résidence principale », 50 000 florins, pour venir en aide « à la classe des travailleurs et à ceux qui souffrent le plus d'une humiliante pauvreté, en un temps de renchérissement de la vie ». Rien ne fut accordé à ces provinces turbulentes qu'étaient la Hongrie et l'Italie du Nord. Une véritable pluie de décorations fondit aussi sur les fonctionnaires qui avaient bien mérité de la monarchie.

Il est plus que douteux, assurément, que Sissi eût été tenue au courant de ces mesures. C'est en sanglots qu'elle arriva devant sa nouvelle demeure, la Hofburg. Elle trébucha en descendant du carrosse, son diadème s'étant accroché à l'encadrement de la portière. Cet incident se produisit sous les yeux mêmes de la famille impériale, solennellement rassemblée pour la recevoir. L'archiduchesse Sophie n'en trouva pas moins la petite Sissi « ravissante » — telle est l'épithète française qu'elle lui accorde dans son Journal, ajoutant : « La conduite de cette chère enfant a été parfaite, d'une dignité toute de douceur et de grâce. » Dans l'appartement dit de l'Amalienhof attendaient « les généraux et le corps des officiers, puis les hommes de la Cour et ensuite les dames » venus rendre leurs devoirs à leur très noble souveraine. Ainsi s'achevèrent les cérémonies de la journée.

Sissi devait maintenant se préparer à la célébration du mariage, le lendemain à sept heures du soir, à l'Augustinerkirche (église des Augustins).

Dans toutes les églises de la monarchie furent célébrés des offices solennels à l'occasion des épousailles impériales. En la cathédrale de Vienne — le Stephansdom, du nom de saint Étienne, premier roi de Hongrie —, dès le matin de ce grand jour, une messe rassembla en grande pompe « l'élite de toutes les classes ». La quête fut si fructueuse que quarante couples dont le mariage avait lieu le même jour reçurent chacun 500 florins — environ le double du salaire annuel d'un ouvrier. Dans nombre de villes et de communes, on fournit des vêtements aux enfants nécessiteux, on servit à manger aux pauvres, on distribua du bois de chauffage et du pain.

Cette période connut une surabondante production poétique célébrant la beauté de la nouvelle impératrice et son « angélique perfection ». Outre les milliers de feuillets officiels en différentes langues, on publia en 1854 rien de moins que 83 textes d'hommage à Élisabeth, dont 61 en allemand, 11 en italien, 2 en hongrois, 4 en tchèque, 2 en polonais, 1 en serbo-croate, 1 en latin et 1 en anglais [8].

Le théâtre de la Hofburg donna une représentation de gala où, après un long prologue d'hommages à la nouvelle impératrice, venait une transposition scénique d'un poème de Schiller, glorifiant la félicité conjugale.

C'est un couple d'une rare beauté qui se trouva réuni dans l'Augustinerkirche ; l'église était illuminée *a giorno* par 15 000 flambeaux et toute drapée de velours rouge. Les chroniqueurs se surpassèrent pour décrire ce déploiement de faste : « Tout ce que peut offrir le comble du luxe, allié à la plus grande richesse et à un apparat véritablement impérial, frappait l'œil jusqu'à l'aveuglement. Quant aux bijoux, on peut dire qu'un océan de gemmes et de perles ondoyait sous le regard ébahi de l'assistance. Les diamants surtout, dans cet éclairage éclatant, semblaient se multiplier par milliers, et leurs magnifiques irisations faisaient une impression magique [9]. » Le ministre de Belgique écrivit, de son côté, à Bruxelles, un peu pincé : « Il n'était pas inutile de rappeler toutes les splendeurs monarchiques dans une capitale où l'esprit révolutionnaire a fait naguère tant de ravages [10]. »

C'est le cardinal Rauscher qui célébra le mariage, assisté de plus de soixante-dix évêques et autres prélats. À l'instant où furent échangées les alliances, un bataillon de grenadiers posté sur le bastion des Augustins tira une première salve, à laquelle succéda un véritable tonnerre de canonnades, annonçant qu'Élisabeth, duchesse en Bavière, était désormais impératrice d'Autriche. Rauscher prononça un sermon si incroyablement long et fleuri qu'il en garda le sobriquet de « cardinal Plauscher » (« bavard »). L'amour de l'impératrice, dit-il, devait être pour l'empereur, « assailli par tous les soucis d'un souverain, comme une île qui, même au plus fort de la tempête, demeure là, paisible et verdoyante, laissant éclore la rose souriante et la gracieuse violette [...]. Aux côtés de François-Joseph, héros et sauveur de l'Autriche, législateur sage et novateur, universel défenseur de la gloire de Dieu comme du salut du genre humain, son impériale compagne resplendira comme la première entre toutes les femmes, non point seulement par la couronne ornant son front, mais surtout par les vertus qui, du haut de son trône, répandront sur les peuples leur douce et attirante lumière ».

Même en pareille occasion, le cardinal Rauscher — un familier de l'archiduchesse Sophie — ne put se retenir d'évoquer avec aversion l'année 1848 : « Encore dans la fleur de sa jeunesse, [*François-Joseph*] s'est hardiment opposé à ces forces démoniaques qui menaçaient de destruction tout ce que l'humanité possède de plus sacré : cette victoire reste attachée à ses pas. » Et, pareillement, l'empereur devait maintenant fournir un modèle de vie familiale réellement chrétienne [11].

Achevées enfin les cérémonies religieuses, le cortège officiel ramena le jeune couple à la Hofburg, où se mit en route le mécanisme protocolaire de la Cour. Les premiers à obtenir audience auprès du couple impérial furent les généraux victorieux de 1848 : Rádetzky, Windischgrätz, Nugent, Jellatchich. Dans la salle d'audience attendaient les ambassadeurs et les émissaires. C'est au ministre des Affaires étrangères Buol que revint le grand honneur de présenter chacun d'eux à la nouvelle impératrice. Une fois terminée cette longue séance, Leurs Majestés se rendirent à la galerie des glaces, où déjà les épouses des diplomates, en grande tenue de gala, attendaient pour être à leur tour présentées à l'impératrice. « Ensuite, Leurs Majestés, accompagnées de la famille impériale et du personnel attaché à leur service, se rendirent à la salle de cérémonies pour y recevoir les félicitations d'usage. » Elles « daignèrent s'entretenir avec l'assistance. La première dame d'honneur leur présenta les dames attachées au palais et aux appartements, puis les grands chambellans impériaux et royaux, et les chevaliers de la Cour ». « Les dames furent alors admises au baisemain [12]. »

A la vue de tous ces inconnus, la jeune impératrice fut prise de panique et se réfugia dans un salon attenant, où elle fondit en larmes. On imagine sans peine les chuchotements des dames en habits de cérémonie qui l'attendaient dans la salle des audiences [13]. Lorsque Sissi commença enfin son *cercle* *, les yeux gonflés, épuisée et peu rassurée, de nouveaux cancans circulèrent. Elle était trop timide pour engager la conversation avec aucune des dames qu'on lui présentait ; or, selon le protocole, nul ne pouvait s'adresser à l'impératrice, si ce n'est pour répondre à ses questions. Situation si embarrassante que la comtesse Esterházy dut se résoudre à prier ces dames de dire quelques mots à la jeune impératrice. Mais il y eut pis encore : lorsque Sissi reconnut ses deux cousines bavaroises Aldegunde et Hildegarde, elle ne les laissa pas lui faire le baisemain de rigueur, mais voulut les embrasser. Voyant, aux mines horrifiées de l'assistance, qu'elle avait encore commis un impair, elle essaya de se justifier en disant : « Mais ce sont mes cousines ! » L'archiduchesse Sophie refusa d'admettre que ce fût une bonne raison, rappela à Sissi la position élevée qu'elle occupait désormais et insista pour qu'elle respectât le protocole — en l'occurrence, le baisemain dû à l'impératrice [14].

Les premiers sujets de conflits au sein de la famille impériale étaient déjà considérables. Trop différents étaient les modes de vie antérieurs des deux jeunes gens. Pour François-Joseph comme pour sa mère, la rigidité du cérémonial était chose quotidienne, indispensable à la manifestation du pouvoir. Bien des jeunes filles se seraient, d'ailleurs, volontiers accommodées, voire délectées de ce brillant fardeau !

Pour sa part, Élisabeth avait hérité au plus haut point du tempérament des Wittelsbach : une vive intelligence, jointe à une excessive sensibilité et à un extrême besoin de liberté. Elle avait pu, jusqu'alors, donner libre cours à ses penchants, pratiquement sans contrainte d'aucune sorte. En fait, hormis le personnel de service, elle n'avait jamais vraiment vu personne travailler. Car son père Max, quoique général de l'armée bavaroise, n'était guère absorbé par cette charge. Il vivait sur une confortable rente annuelle de 250 000 florins, négligeait ses devoirs d'époux et de père, et ne faisait jamais rien d'autre que ce qui pouvait le divertir.

---

* En français (entre guillemets) dans le texte. *(N.d.T.)*

Comment reprocher à une jeune fille de seize ans, élevée dans de telles conditions, de n'avoir guère le sens du devoir ?

« Je l'aime vraiment beaucoup ; mais s'il pouvait n'être qu'un simple tailleur ! » Ce soupir venu du fond du cœur décrit parfaitement sa situation. Les titres, les honneurs, la fortune : autant de notions qui la laissaient indifférente. Elle n'était que sentiment et, qu'il s'agît de sa vie conjugale ou du reste de son existence, ne nourrissait son imagination juvénile que d'attentes purement « sentimentales ». Il était trop prévisible qu'elle subirait à Vienne un réveil sans douceur.

Les corvées protocolaires de cette journée de noces prirent fin avec les illuminations, indispensables lors des plus grandes fêtes, de la « capitale et résidence » impériale. De grandes masses de gens accoururent des faubourgs vers le centre pour participer à cette festivité populaire. Un chroniqueur rapporte qu'« aux abords des portes, d'épais nuages de poussière étaient soulevés en permanence par le mouvement de tant de milliers de personnes ». C'étaient le Kohlmarkt et la Michaelerplatz qui étaient le plus magnifiquement éclairés et, dans la soirée, on y vit apparaître le jeune couple dans un carrosse découvert tiré par deux chevaux. « On aurait cru que la rue tout entière avait été transformée en salle de bal [15]. »

Certes, dès le jour du mariage, ceux qui connaissaient le mieux les usages de la Cour remarquèrent que tout n'était pas aussi rose qu'il y paraissait. Ainsi le baron Kübeck, témoin oculaire, écrivait-il le 24 avril dans son Journal : « Sur la tribune et dans le public, jubilation, allégresse pleine d'espérance. Mais derrière la scène se profilent de sombres, très sombres présages [16]. » De dix à onze heures du soir se tint pour finir un dîner solennel, après lequel seulement les festivités furent closes. Sophie écrit : « *Nous conduisîmes, Louise [Ludovica] et moi, la jeune mariée dans ses chambres. Je la laissai avec sa mère et m'établis dans le cabinet à côté de la chambre à coucher jusqu'à ce qu'elle fût au lit, et je cherchai mon fils et l'emmenai près de sa jeune femme, que je trouvai, en lui disant bonne nuit, cachant son joli visage inondé de la profusion de ses beaux cheveux dans son oreiller, comme un oiseau effrayé se cache dans son nid [17].* »

Cette scène de la « mise au lit », d'habitude entourée d'un grand déploiement de cérémonies, conserva cette fois un caractère délibérément intime. Dans les Cours européennes, maints jeunes couples durent supporter un protocole bien plus strict. Le roi Jean de Saxe décrit ainsi sa nuit de noces avec Amélie — la tante de Sissi — : « Toutes les princesses mariées de la Cour, suivies de leurs premières dames d'honneur, accompagnèrent la fiancée chez elle, assistèrent à sa toilette et récitèrent une prière, puis elle fut mise au lit. C'est seulement ensuite que la première dame d'honneur de la fiancée devait m'annoncer que je pouvais venir. J'entrai alors dans la chambre à coucher, accompagné de tous les princes mariés, et dus me mettre au lit en la présence de toute cette assistance, princes, princesses et dames d'honneur. Quand les familles et leur suite se furent retirées, je pus me relever pour faire aussi ma toilette du soir [18]. » Pour François-Joseph et Sissi, leurs deux mères leur évitèrent une cérémonie aussi pénible. Mais le peu qui restait était encore trop pour la sensible jeune fille, après cette éprouvante journée...

Le lendemain matin, les jeunes époux ne restèrent pas longtemps seuls. Dès le petit déjeuner, ils furent dérangés par l'archiduchesse Sophie, accompagnée de la duchesse Ludovica. « Nous avons trouvé le jeune couple en train de déjeuner dans son joli petit cabinet de travail, note Sophie dans son Journal. Mon fils était rayonnant, l'image même du bonheur le plus doux (Dieu soit loué !), et Sissi paraissait tout émue quand sa mère la prit dans ses bras. Nous voulûmes alors nous retirer, mais l'empereur, avec un empressement touchant, nous retint. »

Passons sur la crédibilité d'un tel récit : les deux mères — pour qui l'empereur éprouvait le plus grand respect — étaient en fait venues surprendre le couple au cours de son premier petit déjeuner en tête-à-tête pour scruter avec curiosité leurs physionomies ; si elles avaient ensuite soudain déclaré, par politesse, qu'elles se retiraient, comment l'empereur aurait-il pu éviter de les prier de rester ? Pour qui connaît les usages viennois, la situation n'était que trop évidente. Dans le Journal de Sophie figure ensuite cette phrase révélatrice : « Chacun des jeunes époux s'entretint alors en particulier avec sa mère. » Cela signifie tout bonnement que, dès le petit déjeuner, Sophie avait posé à son fils des questions précises. C'est ainsi qu'elle apprit que le mariage n'avait pas encore été consommé, ce dont toute la Cour se trouva informée le jour même : on pouvait compter sur les laquais et les filles de chambre pour faire circuler les informations !

La chambre à coucher impériale elle-même n'était pas un lieu de véritable intimité. Tout le monde sut, de la même façon, quand — au cours de la troisième nuit — Sissi était devenue femme. Et la jeune impératrice dut ce matin-là paraître chez sa belle-mère pour le petit déjeuner en commun, bien que, pleine de confusion, elle s'y refusât. Selon le Journal de Sophie, l'empereur monta seul « *en attendant que sa chère Sissi fût levée* [19] » les marches conduisant aux appartements de ses parents, sans comprendre pourquoi sa jeune épouse préférait rester seule et ne pas paraître devant cette assemblée qui, depuis plusieurs jours, scrutait les moindres gestes du jeune couple.

Élisabeth expliqua par la suite à sa dame d'honneur, la comtesse Festetics, tout le pénible de la situation : « L'empereur était si accoutumé à obéir qu'il se soumit là encore. Mais, pour moi, c'était épouvantable. C'est seulement par amour pour lui que je montai également [20]. » Elle reparla souvent encore de cette fameuse matinée.

Elle dut ensuite, tout au long de la journée, recevoir les délégations de Basse et de Haute Autriche, de Styrie, de Carinthie, de Carniole et de Bukovine, debout entre son mari et sa belle-mère. Sophie elle-même trouva tous ces entretiens si fatigants que, selon ses propres termes, « elle n'en pouvait plus » et avait besoin de se restaurer de temps à autre. Or tous les repas étaient des cérémonies officielles impliquant un changement de tenue.

Pour accueillir la délégation de Hongrie, Sissi revêtit pour la première fois un costume de ce pays : une robe rose avec gilet de velours noir et magnifique garniture de dentelle qui lui avait été offerte par sa belle-mère, ce qui ne manque pas de piquant. Et l'archiduchesse Sophie, qui pourtant n'était vraiment pas des mieux disposées à l'égard des Hongrois, admira tout particulièrement dans ce costume la beauté de sa bru : « Elle formait, avec l'empereur en costume de hussard, un couple si beau et si gracieux ! » écrit-elle dans son Journal.

Le 27 avril au soir eut lieu le grand bal de la Cour. Sissi dut soutenir les regards curieux de la noblesse « admise à la Cour » parmi laquelle la nouvelle de la consommation du mariage s'était déjà répandue. Sa Majesté l'Impératrice, tout en blanc cette fois, avec sa ceinture de diamants, un diadème et une guirlande de roses blanches, était assise avec Sa Majesté l'Empereur sous un baldaquin de velours rouge, et écoutait « Maître Strauss * faire exécuter ses compositions ». Chacun des époux impériaux dansa plusieurs fois : non point l'un avec l'autre, mais avec les partenaires que prévoyait expressément le protocole. L'archiduchesse Sophie ne manqua pas d'observer dans son Journal que l'empereur avait dû « souffler » les figures à sa jeune épouse, qui ne dansait pas encore comme il convenait [21]. Au point culminant du bal, le cotillon, retentirent pour la première fois les fameux *Elisabethklänge,* morceau dans lequel Strauss, en hommage aux jeunes mariés, avait entremêlé des passages de l'hymne impérial et du *Bayernlied,* le « chant des Bavarois ».

La duchesse Ludovica conserva un étonnant sang-froid devant tout ce faste : « Le bal d'hier à la Cour était très beau, très brillant, avec un monde fou ; mais les locaux sont trop petits pour cet usage, on s'écrasait presque dans cette cohue. Beaucoup de jolies femmes, beaucoup de bijoux : cela suffit à donner de l'éclat à n'importe quelle fête. » Elle avait bien compris que, pour sa fille, toute cette magnificence n'était que corvée : « Je vois peu Sissi, elle est très sollicitée ; et je ne voudrais pas non plus importuner l'empereur ; un jeune couple devrait être laissé en paix [22]. » Effectivement, celui-ci ne

---

* Il s'agit bien entendu de Johann Strauss fils, qui avait succédé, auprès de la Cour, à son père décédé en 1849. *(N.d.T.)*

pouvait jamais trouver une seule minute de tranquillité, tout au long de la journée.

L'empereur, toujours aussi conscient de ses devoirs et discipliné, continuait, malgré les festivités, à étudier ses dossiers et à donner des audiences. Ce même jour, par exemple, il s'était entretenu pendant plus d'une heure de la question d'Orient avec l'ambassadeur d'Autriche à Paris, le comte Hübner, qui trouva son souverain « mûri physiquement et moralement » et nota dans son Journal : « Comme il semblait serein et heureux, laissant paraître son amour sans la moindre gêne ! C'était une joie que de le voir ainsi. Que Dieu le garde [23] ! » L'archiduchesse Sophie s'exprime en termes tout à fait similaires, répétant sans cesse combien son « Franzi » était amoureux et respirait le bonheur.

Ce que le bal de la Cour avait été pour « la société », la fête donnée le lendemain le fut pour le peuple. Les familles des mariés traversèrent en voitures découvertes le Prater en remontant l'allée principale tout ornée de lampions et le « Wurstelprater * », pour gagner la place des feux d'artifice, où le cirque Renz donnait une représentation de gala. Le plaisir que ressentait cette fois l'impératrice fut perçu de tous. Elle s'enchanta des tours des acrobates et surtout des numéros de dressage (où les cavaliers portaient des costumes du Moyen Age), ainsi que des chevaux mêmes, réputés pour leur beauté, de la famille Renz. Depuis cette soirée, Élisabeth conserva sa vie durant une grande affection pour le cirque Renz.

Quatre jours après les noces, Élisabeth était à ce point épuisée par toutes ces festivités que l'empereur eut la délicate attention de décommander toutes les réceptions prévues pour la journée et de l'emmener à midi au Prater, en conduisant lui-même leur phaéton.

Mais son plus grand réconfort, Sissi le trouvait auprès de ses frères et sœurs, restés à Vienne pour quelques jours

---

* L'immense parc du Prater, séparé de la ville ancienne par le Danube, comportait déjà un secteur de baraques foraines (aujourd'hui dominé par la célèbre « grande roue »), dont le nom de *Wurstelprater* dérive de celui du *Wurstelmann,* sorte de Guignol viennois. *(N.d.T.)*

encore, et surtout de sa sœur aînée Hélène avec qui elle pouvait s'épancher librement. Ludovica écrivait à Marie de Saxe : « Tout le temps que les sœurs [*Sissi et Hélène*] sont restées réunies, on les a vues constamment fourrées ensemble ; et elles ne parlaient qu'en anglais, sans du tout participer à nos conversations, ce qui n'était vraiment pas aimable [...], alors même qu'elles s'attiraient par là bien des ennuis [24]. »

L'anglais leur servait quasiment de langage secret, car on ne le pratiquait guère à la Cour de Vienne : ni l'empereur ni l'archiduchesse Sophie ne le connaissaient. L'agacement suscité par les mystérieuses conversations des deux sœurs était donc parfaitement normal. Du moins apparaissait-il aux yeux de tous qu'une inébranlable affection subsistait entre elles, même après cette affaire des fiançailles d'Ischl qui s'était achevée de manière si désastreuse pour Hélène.

Pour clore cette semaine de festivités, un bal fut donné par la municipalité au Manège d'Hiver et à la Redoutensaal, reliés spécialement pour l'occasion par des ouvertures pratiquées dans les murs. A nouveau, Johann Strauss dirigeait la musique. Et, à nouveau, Sissi dut accepter de sentir des milliers de regards converger vers elle : il était nécessaire que la nouvelle impératrice fût aperçue par le plus de monde possible, le plus rapidement possible.

Le cérémonial n'épargna pas non plus la « lune de miel » que le jeune couple alla passer ensuite au château de Laxenburg, non loin de Vienne. Comme l'empereur partait ponctuellement chaque matin pour la capitale où l'attendait son bureau de la Hofburg, la jeune femme passait toute la journée dans la solitude — ou plutôt dans l'isolement, mais parmi tout un cercle de personnes préposées à son service et à son éducation ; l'archiduchesse Sophie venait en outre, chaque jour, « tenir compagnie » à sa belle-fille. Ses frères et sœurs, y compris Hélène, étaient rentrés en Bavière. Sissi avait le mal du pays et, pendant ces semaines de lune de miel, écrivit des poèmes tristes, tel celui-ci intitulé *Nostalgie* :

> *C'est le jeune printemps qui revient*
> *Et reverdit l'arbre d'une fraîche parure,*

Enseigne à l'oiseau de nouveaux chants,
Fait éclore plus belles les fleurs.

Mais que m'importe l'ivresse du printemps
En cette terre étrangère et lointaine ?
Je me languis du soleil de ma patrie,
Je me languis des rives de l'Isar [25].

Son thème constant était désormais celui de l'oiseau mis
en cage, ou encore celui du papillon qui, envolé vers des
contrées étrangères, n'y trouve que malheur et servitude. Cet
appel désespéré à la liberté court à travers tous les vers
qu'écrivit alors la jeune impératrice. Quinze jours après le
mariage, le 8 mai 1854, elle écrivait :

Oh, puissé-je n'avoir jamais quitté le sentier
Qui m'eût conduite à la liberté !
Oh, sur la grand-route des vanités,
Puissé-je ne m'être jamais égarée !

Je me suis réveillée en prison,
La main prise dans les fers,
Et plus que jamais nostalgique :
Toi, ma liberté, tu m'as été ravie !

Je me suis réveillée d'une ivresse
Qui tenait mon exprit captif.
En vain je maudis cet échange
Et le jour, liberté, où je t'ai perdue [26].

Elle ne pleurait pas seulement sa patrie et sa liberté, mais
également son premier amour et ce, en pleine lune de miel
avec François-Joseph ; sans doute y avait-il certains autres
problèmes encore, sur lesquels on ne peut guère qu'émettre
des hypothèses :

Une seule fois j'ai pu vraiment aimer
Et c'était la première.
Rien ne pouvait troubler mes délices
Quand Dieu me ravit mon bonheur.

Mais brèves furent ces heures si belles,
Bref fut le moment le plus beau.
Maintenant tout espoir m'a quittée,
Mais lui, éternellement me sera proche [27].

Sissi commençait à contrecœur à observer les règles de la Cour ; mais jamais elle n'estimera fondée une étiquette aussi rigide. Plus tard, elle racontera à sa dame d'honneur « quelle angoisse elle avait ressentie dans ce monde d'étrangers, de grandes personnes, comme tout lui paraissait différent, combien lui manquaient sa patrie, ses frères et sœurs, toute l'existence insouciante et innocente qu'elle menait à Possenhofen. Le naturel et la simplicité avaient dû céder sous le poids d'une étiquette contre nature, et qui, en un mot, ne se souciait que du " paraître ", non de l' " être " ; tout cela lui avait souvent paru bien dur [28] ».

A Vienne, la santé de Sissi devint très instable. Elle souffrit pendant des mois de fortes quintes de toux, et des crises d'angoisse la prenaient quand elle devait descendre des escaliers étroits [29]. Il est tout à fait probable que ces constants petits malaises tenaient à des causes psychiques.

Quinze jours seulement après le mariage, Sissi ressentait un tel désir de revoir ses frères et sœurs qu'elle implora l'empereur d'inviter pour quelques jours son frère préféré, Charles-Théodore. Elle versa des pleurs de joie lorsque l'empereur accéda à sa demande.

Elle se sentait comme enfermée dans une cage dorée. Les bijoux, les belles robes, tout cela n'était pour elle qu'un fardeau impliquant des essayages, des choix, d'incessants changements de tenue. On se querellait sur des détails. Ainsi se refusait-elle à faire présent de ses souliers après les avoir portés une seule fois. Les chambrières faisaient la moue : la nouvelle impératrice ignorait donc les plus élémentaires des règles en usage depuis si longtemps à la Cour ! Elle n'aimait guère non plus se laisser habiller par les femmes de chambre, étant habituée à l'indépendance et, de plus, fort timide, alors que ces femmes de chambre étaient encore pour elle des inconnues. Sur ce point non plus, elle ne parvint pas à avoir gain de cause.

Ses conflits avec « la vraie impératrice », l'archiduchesse Sophie, concernaient surtout, pensait Sissi, des mesquineries de cette sorte, ce qui ne l'en blessait que davantage. Ainsi, par exemple, le jeune couple prenait plaisir à parcourir sans escorte le dédale des salles et couloirs de la Hofburg, jusqu'à aboutir à l'ancien Burgtheater, donnant sur la Michaelerplatz et qui était, en effet, une partie du château. Cet innocent divertissement leur fut immédiatement interdit par Sophie : il ne convenait, pour l'empereur et l'impératrice, de se rendre au Burgtheater que sous la conduite de certains officiers de la Cour [30]. En toutes choses, seule importait aux yeux de l'archiduchesse le maintien de la dignité impériale. François-Joseph n'osa point émettre d'objections, ce qui blessa plus encore Sissi, déjà extrêmement agacée.

Sophie était accoutumée à décider, tant dans les affaires familiales que politiques, et à ce qu'on lui obéît. Son époux était, intellectuellement, dans son entière dépendance. Leurs quatre fils — François-Joseph, Ferdinand-Maximilien, Charles-Louis et Louis-Victor — avaient, depuis leur plus tendre enfance, reconnu son autorité comme supérieure à toute autre et n'osaient la contredire en rien ; c'était à elle que le premier devait son trône, puisqu'elle avait convaincu son mari, à qui il revenait régulièrement, d'y renoncer. Et elle seule également avait fait de son fils un jeune homme parfaitement éduqué, conscient de ses devoirs et travailleur, d'une totale intégrité sur le plan personnel et fidèle à la ligne politique qu'elle lui avait tracée : monarchie de droit divin, absolue souveraineté du monarque, écrasement de toute « volonté populaire », refus du parlementarisme, étroites relations de l'État avec l'Église. Maintenant, Sophie s'estimait tenue également de faire de sa nièce et belle-fille une impératrice conforme à ses propres conceptions.

Au fil des années, Élisabeth devait se rendre compte que Sophie n'agissait nullement par méchanceté. Elle expliquera à une de ses dames d'honneur : « L'archiduchesse Sophie était sans aucun doute animée des meilleures intentions, mais avait de pénibles façons de faire, des manières abruptes ; l'empereur lui-même en souffrait, tant elle voulait toujours tout diriger [...]. » Elle avait été dès le premier jour un obstacle à leur tranquillité et à leur bonheur, se mêlant de tout et leur rendant difficile de mener en paix une réelle vie commune [31]. Toute sa vie, l'archiduchesse avait aspiré à la position, qu'occupait maintenant sa nièce, dès l'âge de seize ans. Elle ne pouvait que se sentir froissée, et même indignée, de voir la jeune impératrice ne considérer son rang que comme un fardeau la privant de liberté. Sophie, uniquement sensible à l'expression rayonnante que l'amour donnait à son « Franzl », ne tenait aucun compte des états très manifestement dépressifs de Sissi, elle ne les prenait pas même au sérieux.

La reine Marie de Saxe pouvait ainsi affirmer : « Les nouvelles que je reçois de Vienne ont d'indescriptibles accents de bonheur, qui me ravissent moi aussi [...]. L'une comme l'autre des deux heureuses mères m'ont écrit à ce propos de quoi faire de véritables livres [32]. » Dans les lettres qu'elle envoyait en Bavière, Sophie parlait aussi de « notre cher jeune couple », qui, « dans l'isolement champêtre » de Laxenburg, « passait la plus heureuse des lunes de miel. On se sent le cœur réjoui à voir le bonheur domestique proprement chrétien dans lequel vivent mes enfants [33] ! »

Nulle trace pourtant de ce bonheur domestique dans les propos ultérieurement tenus par l'impératrice : jamais, quand elle retournait à Laxenburg, Sissi ne manquait d'évoquer sa triste lune de miel, et ce, même en présence de sa dernière fille, Marie-Valérie, qui rapporte dans son Journal : « Maman nous a montré le bureau sur lequel elle avait tant écrit de lettres à Possi [Possenhofen], et tant et tant pleuré de nostalgie [34]. »

C'est à peu près ce qu'écrivait aussi dans son Journal, à Laxenburg, Marie Festetics, dame d'honneur : « Élisabeth allait de pièce en pièce, expliquant à quoi servait chacune mais sans autre commentaire — jusqu'au moment où, s'arrêtant dans une pièce d'angle où, entre deux fenêtres, se trouvait un bureau avec son fauteuil, elle resta longtemps plongée dans un profond silence, puis déclara soudain [...] : " Ici j'ai beaucoup pleuré, Marie. Le seul souvenir de cette période me serre le cœur. C'est ici que je suis venue après mon mariage [...]. Je me sentais si abandonnée, si seule... L'empereur ne pouvait naturellement pas rester ici pendant la journée, il partait tous les matins pour Vienne et ne rentrait qu'à six heures, pour le dîner. Je restais seule en attendant, dans la crainte de l'instant où arriverait l'archiduchesse Sophie. Car elle venait chaque jour, pour espionner à toute heure ce que je faisais. J'étais entièrement *à la merci* * de cette méchante femme. Tout ce que je pouvais faire était mal. Elle jugeait défavorablement chaque personne qui m'inspirait de l'affection. Jamais rien ne lui échappait, car elle m'épiait sans relâche. Toute la maison la craignait au point de trembler devant elle et, naturellement, on lui racontait tout. La moindre broutille devenait une affaire d'État [35] ". »

Et les doléances d'Élisabeth continuaient sur ce ton, sans nul doute excessif pour ce qui est de la « méchanceté » de Sophie. Le Journal de l'archiduchesse montre assez clairement que ses intentions étaient bonnes, si exécrables que fussent les moyens employés. Ce qui toutefois ressort à l'évidence de ces souvenirs d'Élisabeth, c'est le rôle prépondérant de Sophie au sein de la famille impériale, dans les années cinquante. La comtesse Festetics apprit ainsi avec surprise que l'archiduchesse grondait la jeune impératrice, « mais tout aussi bien l'empereur, comme des écoliers : " Une fois, lui raconta Élisabeth, j'ai demandé à l'empereur de m'emmener à Vienne, où j'ai passé toute la journée avec lui, de sorte que je n'ai pas vu l'archiduchesse ce jour-là [...]. Mais, le soir, à peine étions-nous de retour que déjà elle accourait. Elle m'interdit de jamais refaire pareille chose et m'injuria bel et bien : il était inconvenant pour une impératrice de courir ainsi après son époux, et de se faire conduire de droite et de gauche comme un quelconque sous-lieutenant. Naturellement, cela ne s'est jamais reproduit ". »

Même pendant cette « lune de miel » à Laxenburg, le jeune

---

* En français dans le texte. *(N.d.T.)*

couple ne pouvait en aucune façon rester en tête-à-tête pendant l'unique repas qu'il partageait chaque jour. Il fallait que l'un des aides de camp impériaux, par exemple Hugo von Weckbecker, prît place aux côtés de l'impératrice et tentât « de lui faire tenir quelque conversation, car elle était encore bien trop timide et devait maintenant recevoir une éducation mondaine [36] ». De même la comtesse Esterházy, première dame d'honneur, obéissant aux consignes de Sophie, suivait-elle Élisabeth comme son ombre, afin de pouvoir sur-le-champ corriger le moindre faux pas.

Le premier voyage du couple impérial, au début de juin, fut pour la Moravie et la Bohême. C'était là un signe de reconnaissance vis-à-vis de la solidarité et de la fidélité dont ces provinces avaient fait preuve en 1848, quand la famille impériale avait fui Vienne en état d'insurrection et s'était réfugiée à Olmütz, en Moravie. C'est là d'ailleurs qu'avait eu lieu l'abdication de l'empereur Ferdinand (qui déclara : « C'est de bon cœur que je l'ai fait. ») au profit de François-Joseph, qui accédait ainsi au trône à l'âge de dix-huit ans.

Autre témoignage de la position privilégiée dont jouissaient alors les provinces de Bohême : parmi les langues que Sissi dut alors apprendre, la première fut le tchèque. L'archiduchesse Sophie nota un jour dans son Journal que Sissi savait déjà « compter en tchèque » ; mais le fait est que par la suite on n'entendit plus guère parler des progrès qu'elle faisait dans cette langue.

Les voyages des souverains se faisaient toujours — et Sissi dut bon gré mal gré s'en accommoder — avec une escorte fournie : aides de camp et autres militaires, gardes du corps, prêtres, le docteur Seeburger, l'aide de camp général Grünne, ainsi que l'entourage immédiat de Sissi : son grand chambellan et sa première dame d'honneur, deux dames de compagnie et un secrétaire. Encore toutes ces personnes emmenaient-elles avec elles leurs propres serviteurs, coiffeurs, filles de bains et laquais...

Sur le trajet de l'axe menant de Vienne à Brünn et à Prague, si important du point de vue économique, existait déjà une voie ferrée, la « ligne du Nord ». La locomotive Proserpine, tout enguirlandée de fleurs, emmena le couple en quatre heures à peine jusqu'à la capitale de la Moravie — où l'attendaient arcs triomphaux, jeunes filles de blanc vêtues, drapeaux qu'on agitait, discours des notables de la ville avec réponse de l'empereur, en allemand et en tchèque, illumination des rues, représentations de gala au théâtre, fête populaire dans l'Augarten de Brünn avec course en sacs, spectacles de funambules et retraite au flambeaux. Un cortège en costumes de Moravie accompagnait l'attraction principale : un couple de jeunes mariés, avec toute une noce campagnarde sur une charette bariolée ; François-Joseph et Élisabeth reçurent alors divers cadeaux, entre autres une bouteille de vin de Bisenze au millésime de 1746.

C'est là, en Moravie, que la jeune Élisabeth se présenta pour la première fois en souveraine, visitant des orphelinats, des écoles, un hospice ; « Partout elle a laissé, par sa bienveillance, sa douceur et sa grâce, l'impression la plus charmante », devait-on lire le lendemain dans la *Wiener Zeitung*. La simplicité et le naturel de la jeune impératrice lorsqu'elle s'adressait à des gens de condition inférieure furent très remarqués, faisant espérer qu'un jour peut-être cette femme saurait se consacrer aux problèmes sociaux.

Le surlendemain, le couple impérial entra à Prague, devant une haie d'honneur formée par les mineurs et les autres métiers et corporations de ce pays hautement industrialisé. Ils s'installèrent au Hradschin, l'antique résidence des rois de Bohême, et y reçurent les hommages de la noblesse, de la municipalité, de l'université, de l'armée, des délégations des campagnes. On présenta également à la nouvelle reine de Bohême les dames « admises à la Cour », c'est-à-dire toutes celles qui pouvaient se prévaloir des fameux seize quartiers de noblesse nécessaires pour être jugées dignes d'y paraître. Au Hradschin de Prague, tout comme à la Hofburg, le programme comportait d'interminables audiences et des dîners officiels. Grâce aux journaux de l'époque, on peut en reconstituer très exactement l'horaire. L'empereur ne s'accordait aucun instant de répit, ayant été préparé depuis son plus jeune âge aux devoirs qui l'attendaient ; et, bien que sa jeune épouse ne fût pas en excellente forme, il espérait d'elle un zèle identique.

L'impératrice, malgré ses seize ans, reçut donc nombre de délégations et de groupes venus demander assistance, par exemple des habitants de l'Erzgebirge. La *Wiener Zeitung* nota avec émotion : « Mais quand le président décrivit, en des termes saisissants, la pauvreté des montagnards, les beaux yeux de la charmante souveraine s'emplirent de larmes ; Sa Majesté ne parvint qu'à grand-peine à maîtriser sa profonde émotion. On ne saurait décrire à quel point l'assistance fut bouleversée par l'angélique bienveillance dont faisait à nouveau preuve ainsi notre impératrice bien-aimée ; ce fut là un instant d'une grande solennité [37]. »

Les souverains posèrent aussi la première pierre d'une église, inaugurèrent un concours de tir, visitèrent un foyer de sourds-muets, un asile d'aliénés, enfin une exposition agricole où on leur présenta un nouveau four à pain (le boulanger y fit cuire à leur intention des *bretzel* en forme d'aigle impérial), et une nouvelle pompe centrifuge, ainsi que des races de bestiaux. On rapporta à cette occasion que « Leurs Majestés [avaient] ravi toute l'assitance par leur affabilité et leurs marques d'intérêt ».

Mais, à côté de ces diverses manifestations de caractère populaire, c'est sans conteste à la puissante aristocratie de Bohême que fut surtout consacrée la visite impériale. François-Joseph, dans ses allocutions, souligna d'ailleurs expressément son importance, déclarant par exemple : « Je suis convaincu que la noblesse de Bohême continuera durablement de soutenir mon trône et mon empire [38]. » Depuis des mois déjà, les plus grandes familles de Bohême avaient entrepris d'organiser, sans regarder à la peine ni à la dépense, un des plus fastueux spectacles jamais vus dans l'ancienne Autriche : une parade équestre, avec un grand tournoi en costumes de la fin du Moyen Age, dans le grand manège du palais Waldstein. Les cavaliers appartenaient tous à la noblesse de Bohême. L'apogée de cette fête fut la représentation de l'entrée à Prague, en l'an 1637, de Ferdinand III et de son épouse Élisabeth de Bavière. Les costumes et les armures avaient coûté plus de 100 000 florins.

Toute sa vie, Élisabeth conserva pourtant une forte aversion à l'égard de l'aristocratie de Bohême. On ignore s'il convient de lier ce fait à sa première visite à Prague, mais ces familles — les Schwarzenberg, les Waldstein, les Lobkowitz, les Mitrowsky, les Khevenhüller, les Liechtenstein, les Auersperg, les Kinsky, les Kaunitz, les Nostitz, les Clam-Martinitz — donnaient également le ton à la Cour de Vienne : il est fort possible que le dédain qu'y avait rencontré la petite duchesse se fût retrouvé à Prague.

Comme pour toutes les visites de l'empereur, on avait également prévu à Prague de grandes parades militaires, et même une manœuvre en campagne. La *Wiener Zeitung* notait : « Sa Majesté l'impératrice a elle aussi suivi avec un intérêt manifeste ce magnifique exercice militaire et, en dépit de plusieurs averses, en a attendu le terme dans sa voiture découverte [39]. » Cependant que l'empereur, à cheval, passait les troupes en revue, Sissi se faisait conduire dans un carrosse attelé de deux chevaux — exactement comme faisait à Vienne l'archiduchesse Sophie, qui savait parfaitement que son « Franzl » n'aimait rien tant que ces brillantes manifestations militaires. Au cours des cinq premières semaines de son mariage, Sissi assista à plus de défilés et d'exercices que dans toute son existence antérieure, alors que pourtant son père était général...

De Prague, le couple rendit également une visite de famille à l'ancien empereur Ferdinand et à son épouse Marie-Anne, dans leur résidence estivale de Ploschkowitz, peu éloignée de la ville. L'impératrice Marie-Anne s'occupait avec le plus grand dévouement de son époux épileptique et débile mental, que la dame d'honneur et landgrave Thérèse Fürstenberg décrivait ainsi : « Il était de petite taille, avec une grosse tête toujours un peu penchée de côté, de petits yeux au regard vague, la lèvre inférieure pendant très bas ; il ne cessait de saluer de la tête, avec gentillesse et bienveillance, et répétait vingt fois la même question ; c'était un triste spectacle. » Pour tromper l'ennui de ses journées solitaires, l'ex-empereur jouait chaque jour aux dominos pendant des heures [40].

Les rapports familiaux entre Ferdinand et l'empereur régnant, qui était son neveu, restaient plutôt formels. Depuis qu'il avait abdiqué à Olmütz, Ferdinand s'était entièrement retiré de la politique afin d'éviter toute difficulté avec le jeune empereur comme avec « la vraie impératrice ». Même à l'occasion des noces du jeune couple, il n'avait pas paru à Vienne, se contentant d'envoyer un fort généreux cadeau. Homme intègre et qui méritait réellement son surnom de « débonnaire », l'empereur Ferdinand comptait toujours de nombreux partisans au sein de la monarchie ; son apparition à Vienne aurait fort bien pu provoquer des manifestations de sympathie. Et c'était aussi de la part du jeune empereur un geste de reconnaissance à l'égard de son prédécesseur, que de lui réserver sa première visite familiale hors d'Autriche.

Pour clore sa visite en Bohême, François-Joseph rencontra les rois de Prusse et de Saxe au château du comte Thurn, à Tetschen-Bodenbach. L'un et l'autre lui étaient apparentés par leurs épouses, ainsi qu'à Élisabeth, et les connaissaient tous deux depuis leur jeunesse. Cependant, la rencontre des trois monarques n'avait pas une valeur uniquement familiale, mais également politique : le roi de Saxe présenta au jeune empereur un mémoire détaillé sur la crise d'Orient et le mit en garde, mais en vain, contre sa politique antirusse. Parmi la nombreuse suite du roi de Prusse figurait notamment Otto von Bismarck, à cette époque délégué de la Prusse à la Diète fédérale de Francfort.

Après ces deux fatigantes semaines en Bohême, le couple impérial n'eut guère le loisir de prendre du repos. Le lendemain de son retour était le jour de la Fête-Dieu, au cours de laquelle l'empereur devait suivre la procession immédiatement derrière le dais sacré, afin de bien montrer ses étroites relations avec l'Église contre toutes les tendances libérales et anticléricales de 1848. L'armée jouait également à cette occasion un rôle important. Citons la *Wiener Zeitung* : « Dans toutes les rues où passait le cortège étaient alignés des soldats ;

ceux-ci paradaient aussi, massivement, sur différentes pla-
ces [41]. » Une fois la procession terminée, les troupes défilè-
rent devant l'empereur sur la Burgplatz. Pour des libéraux un
tant soit peu susceptibles, cette manifestation commune de
l'État, de l'Église et de l'armée apparaissait comme une provocation.

La jeune impératrice ne comprenait pas qu'une fête religieuse donnât lieu à un tel déploiement de faste impérial. Les
conceptions qu'elle avait héritées de ses parents ne s'accordaient absolument pas avec le spectacle qu'on entendait donner ici. Sa famille était catholique, certes, mais très tolérante
et plutôt libérale. Jamais Sissi n'avait vu la religion et la
politique s'entremêler de la sorte. « Mais cela ne suffirait-il
pas, si j'apparaissais simplement à l'église ? demanda-t-elle
avec hésitation. Il me semble que je suis encore trop jeune et
inexpérimentée pour pouvoir tenir avec toute la dignité
nécessaire mon rôle d'impératrice dans une telle cérémonie
publique ; d'autant qu'on m'a rapporté l'impressionnante
majesté dont faisait preuve à cette occasion la précédente
impératrice. D'ici quelques années, peut-être, je pourrai me
hisser à de telles hauteurs [42]... » Mais ses objections ne servirent de rien : Sissi fut la principale attraction lors de la cérémonie, en grande toilette de parade, avec une longue traîne
et sur la tête un diadème de brillants. Des dizaines de milliers
de gens étaient même venus de leur province pour assister à
cet événement. A lui seul, le passage du carrosse d'apparat
attelé de huit chevaux, de la Bellaria jusqu'à la cathédrale en
passant par le Kohlmarkt et le Graben, apparut comme un
cortège triomphal. L'archiduchesse Sophie nota : « *La contenance de l'impératrice : délicieuse, pieuse, recueillie, presque humble* [43]. »

Cependant, le mécontentement de Sissi allait croissant. En
juin, on décida sans la consulter de remercier son grand
chambellan, le prince Lobkowitz, pour le remplacer par le
prince de Thurn et Taxis. Ludovica elle-même en fut
consternée et, fort émue, écrivit à Marie de Saxe : « Nous ne
comprenons rien à ce changement, car le prince Lobkowitz
n'était auprès de Sissi que depuis deux mois et nous avait

beaucoup plu à tous [44]. » Rien dans les sources dont on dispose n'explique ce soudain remplacement, contre le gré de l'impératrice ; il ne fait aucun doute, en tout cas, qu'un tel procédé ne pouvait que heurter la jeune femme.

Sissi n'avait auprès d'elle personne à qui se confier ; et telle était bien la volonté expresse de Sophie, selon laquelle cela aurait nui à son prestige d'impératrice. François-Joseph ne pouvait rien trouver d'extraordinaire à cette solitude dont son épouse souffrait si amèrement, lui-même étant, on l'a vu, accoutumé depuis sa prime jeunesse à un tel isolement et l'acceptant, ainsi que le lui avait appris sa mère, comme une conséquence naturelle, voire comme l'expression même de sa condition d'empereur. Bien des années plus tard, une parente de la famille, l'archiduchesse Marie-Renée, expliqua à la plus jeune des filles de Sissi, Marie-Valérie, que tel était le « système » de Sophie : « Isoler papa et ses frères, les tenir à l'écart de toute intimité avec le reste de la famille ; elle pensait, en les confinant comme dans une île, leur assurer une plus grande autorité sur les autres et les protéger de toute influence. » Valérie note également dans son Journal sa réaction : « Je comprends maintenant la raison pour laquelle papa se montre si solitaire et ne trouve aucun plaisir à fréquenter la famille, de sorte qu'il dépend des conseils de personnes étrangères, pas toujours dignes de confiance. J'avais toujours cru que la faute en revenait à maman [45]. »

Cette conversation ne concernait que les contacts au sein même de la famille, la « Très Haute Maison archiducale ». On imagine aisément que les relations avec des personnes de condition inférieure, et surtout avec ce qu'on appelait « le peuple », étaient plus difficiles encore. La jeune impératrice ne parvenait absolument pas à s'accommoder de ce complet isolement, de cette position élevée. Le contraste entre la vie de famille turbulente mais affectueuse qu'elle avait menée en Bavière et sa nouvelle existence au-dessus du commun des mortels, était pour elle insurmontable.

Compte tenu de son éducation et de sa personnalité, Sissi était peut-être mieux que personne faite pour devenir une « charitable souveraine ». Mais ses meilleures dispositions

furent durement réprimées par la sévérité du « système » de
l'archiduchesse Sophie et par sa conception abusive de la
souveraineté de droit divin dévolue aux Habsbourg. La Cour
de la fin du XVIIIᵉ siècle, sous Marie-Thérèse, Joseph II ou
Léopold II, aurait probablement accueilli beaucoup plus
facilement une personnalité comme la jeune Élisabeth ; il y
régnait alors une atmosphère considérablement plus proche
du peuple, plus « progressiste » et éclairée que dans les
années 1850.

Il faut dire aussi que les difficultés n'auraient sans doute
pas non plus atteint un tel degré si quelqu'un s'était au moins
donné la peine d'instruire la jeune impératrice des événements politiques du moment. En août, les troupes autrichiennes envahirent la Valachie, contraignant les Russes à
évacuer les régions qu'ils occupaient. Mais l'impératrice n'en
savait rien. Tout ce qu'elle avait à faire, c'était de suivre des
cours de danse, d'apprendre des langues étrangères, de
s'exercer à l'art de la conversation, d'écouter sa première
dame d'honneur lui parler pendant des heures, comme le
rapporte Weckbecker, des potins de la Cour. Il était de notoriété publique qu'on ne tenait pas la jeune femme, qui manquait d'assurance et d'éducation, pour très intelligente — ce
qui était une grave injustice.

Dans cette première période, il se trouva une seule personne pour s'occuper sérieusement de Sissi : le comte
Grünne, paternel ami de François-Joseph dont il était l'aide
de camp général, et l'un des personnages les plus puissants et
les plus haïs de la monarchie. C'était un homme d'âge mûr
qui connaissait le monde et les femmes ; il inspirait
confiance à l'impératrice, jeune et peu sûre d'elle. Henri
Laube, directeur du Burgtheater, s'efforçait d'expliquer ainsi
le contraste entre l'antipathie que Grünne suscitait dans le
public et la confiance qu'il méritait sur le plan personnel :
« Il donnait une impression de grand calme, que celui-ci fût
inné ou acquis. Il savait écouter, répondait avec concision,
modération et douceur ; de belle prestance et excellent
cavalier, on le voyait tous les jours au Prater monter
de grands chevaux. Quiconque le fréquentait ressentait

comme un effet de la calomnie l'hostilité dont il faisait l'objet auprès du public [46]. »

Avec Grünne, sans doute le meilleur connaisseur de chevaux de l'époque et responsable des écuries impériales, la jeune impératrice fit de nombreuses sorties à cheval, qui étaient autant de rayons de lumière ponctuant sa morne existence à la Cour. C'est dire combien il lui fut pénible de devoir renoncer à l'équitation quelques semaines seulement après son mariage, les signes d'une grossesse étant apparus.

Même dans cette situation, psychologiquement difficile, Sissi demeura seule. Aussi consacrait-elle des heures à s'occuper des animaux qu'elle avait amenés de Possenhofen, en particulier ses perroquets, qui seuls parvenaient à atténuer son mal du pays. Mais ce passe-temps de la jeune fille ne convenait guère non plus à Sophie, qui recommanda à l'empereur de retirer à Sissi les perroquets, pour éviter qu'elle ne « se méprît » et ne conçût un bébé semblable à un perroquet [47]. Cette interdiction, et d'autres auxquelles l'empereur se plia sans protester, rendirent Élisabeth encore plus susceptible. Elle en vint à concevoir une franche animosité vis-à-vis de sa belle-mère et même à se sentir persécutée.

Les fatigues des premiers mois de grossesse éprouvèrent gravement la tendre adolescente. François-Joseph rapportait à sa mère : « Sissi n'a pu paraître hier, car elle était dans un état assez lamentable. Après avoir dû impérativement quitter l'église, elle s'est trouvée mal à plusieurs reprises ; souffrant aussi de migraines, elle a passé presque toute la journée allongée sur son lit ; c'est seulement le soir venu qu'elle a pu prendre le thé avec moi sur notre terrasse, par une soirée absolument délicieuse. Depuis mercredi elle s'est à nouveau sentie tout à fait bien, à tel point que j'ai craint que nos espérances ne fussent pas fondées ; mais je suis maintenant pleinement rassuré, bien que cela me peine beaucoup de la voir souffrir de la sorte [48]. »

A Possenhofen, Ludovica se faisait beaucoup de souci pour sa fille, mais n'osait venir la voir de peur d'accentuer son mal du pays. Elle se bornait à lui écrire assidûment et,

dès la fin juin, envoya des « conseils et cordiales recommandations d'une mère inquiète pour sa fille, déjà en espérance
malgré son jeune âge [49] ». C'est seulement pendant l'été, à
Ischl, qu'elle revit Sissi, non sans avoir auparavant écrit à
Marie de Saxe : « Sophie m'a invitée, ainsi que l'excellent
empereur. Mais je ne sais s'il serait raisonnable d'accepter, à
divers égards dont aussi, pour moi-même, les difficultés
financières. Et sera-t-il bon, pour Sissi, que nous nous retrou-
vions dès maintenant ?... C'est pourquoi je n'ai pas encore
pris de décision, bien que je languisse bien souvent loin
d'elle [50] ! ! ! »

L'arrivée de la famille bavaroise à Ischl ne manqua pas
d'un certain comique. « Impératrice Élisabeth, Ischl —
Arrive avec Spatz et Gackel * — Mimi » : tel était le texte du
télégramme envoyé de Possenhofen, avec l'indication de
l'heure d'arrivée du train à Lambach, gare la plus proche
d'Ischl, où il faudrait qu'on vienne chercher les voyageurs.
Mais quand Ludovica (que Sissi appelait toujours « Mimi »)
arriva à Lambach avec ses enfants et ses domestiques, aucune
voiture de la Cour ne les attendait. Grande émotion... Après
quelque temps, un employé de l'hôtel *Élisabeth*, à Ischl,
s'approcha timidement du groupe désemparé. Dans chaque
main il portait une cage, pour les deux oiseaux annoncés par
une personne appelée « Mimi ». Le malentendu se dissipa
alors ; et c'est dans une voiture de l'hôtel, laquée de teintes
criardes, que Ludovica arriva devant la villa impériale, où
elle fut accueillie avec grande surprise, car on ignorait totalement qu'elle dût venir [51] !

Pareilles circonstances n'étaient guère faites pour rassurer
Ludovica et lui ôter ses craintes face à l'énergique Sophie,
à laquelle elle devait tant depuis que celle-ci avait arrangé
le mariage. Ludovica se montra humble et soumise, s'en
remettant entièrement au jugement de sa sœur. Lorsque
Sophie se rendit à Dresde, cependant que l'empereur rega-
gnait Vienne pour s'occuper des affaires, Ludovica se sentit

---

* *Spatz* (« moineau ») et *Gackel* (« petit coq ») étaient les surnoms de
Mathilde et de Charles-Théodore, enfants de Ludovica. (*N.d.T.*)

toute désemparée : « Je voudrais plus encore maintenant que Sophie fût ici ; car c'est elle l'âme de toutes choses et, en son absence, on ne sait à qui s'adresser. On voit aussi quel amour lie l'empereur à sa mère ; ils ont d'extraordinaire rapports [52]. »

Concernant sa fille, Ludovica écrivait en Bavière : « J'ai trouvé Sissi grandie et plus forte, bien que son état ne soit pas encore très apparent. Dans l'ensemble elle se porte bien, seules ses nausées l'incommodent beaucoup et entraînent parfois chez elle quelque abattement ; elle ne se plaint jamais et ne s'efforce que trop de dissimuler ces malaises ; mais cela fait qu'elle est souvent plus silencieuse, et le changement de son teint, qu'elle ne peut cacher, trahit en général l'état où elle se trouve [53]. »

A Ischl, l'impératrice n'avait pas ses propres appartements et, même quand sa belle-mère était en voyage, elle restait constamment sous surveillance. L'archiduc Louis-Victor, âgé de douze ans et frère de François-Joseph, écrivit un jour, horrifié, à l'archiduchesse Sophie : « Chère maman, depuis que tu es partie, tout se passe ici de façon désespérante, particulièrement pour papa [François-Charles] ; en effet, l'impératrice et Lenza [Joseph Legrenzi, premier valet de chambre de l'empereur] n'en font qu'à leur guise. Mon pauvre papa s'en plaint à moi tous les matins au petit déjeuner [...]. Le pauvre Zehkorn [rédacteur de la Cour, au service de Sophie] court de tous côtés, vraiment comme un fou [...]. La comtesse Esterházy et Paula [Bellegarde] s'en tordent les mains [54]. » Cette lettre témoigne, de la façon la plus claire, du ton sur lequel on parlait de la jeune impératrice au sein de la famille.

Pendant sa grossesse, Sissi, encore dans ses seize ans, devint de plus en plus dépressive, surtout parce que Sophie la pressait constamment de se montrer en public. Elle devait confier par la suite à Marie Festetics : « A peine était-elle là qu'elle m'entraînait déjà à nouveau en bas, dans le jardin, m'expliquant qu'il était de mon devoir d'exhiber mon ventre, afin que le peuple vît bien que j'étais en effet enceinte. C'était affreux, et je ressentais comme un bonheur de pou-

voir demeurer seule et pleurer à mon aise [55]. » L'archiduchesse prit fermement en mains tous les préparatifs nécessaires pour l'heureux événement. Elle décida où seraient ins-
tallées les chambres d'enfants : à proximité non point du
couple impérial, mais de ses propres appartements, qu'elle fit
du coup remettre à neuf. Ainsi, des mois avant la naissance,
elle avait déjà décidé qu'Élisabeth serait séparée de son
enfant. En effet, la « pouponnière » n'était accessible depuis
les appartements impériaux que par plusieurs escaliers étroits
et couloirs venteux, ils étaient, en revanche, si proches de
ceux de Sophie que la jeune mère ne pourrait aller voir son
enfant hors la présence de sa belle-mère.

Élisabeth n'eut pas davantage voix au chapitre sur le choix
de l'*aja* * préposée à la garde du rejeton impérial : Sophie
porta son choix sur la baronne Welden, veuve de l'intendant
général qui s'était illustré en 1848-1849 dans la répression de
l'insurrection hongroise. La baronne Welden, qui n'avait
elle-même jamais eu d'enfant, était dépourvue de toute expérience en matière d'éducation. On ne l'avait choisie que pour
des motifs purement politiques, pour honorer les services
rendus par son défunt époux. Le plus gros du travail revenait
à la bonne d'enfants, Léopoldine Nischer, avec laquelle
Sophie eut plusieurs entretiens. Relativement à toutes ces
décisions, la jeune impératrice ne fut pas seulement tenue à
l'écart, mais vraiment traitée comme une enfant mineure.
Son seul devoir était de paraître en public, jusqu'à l'épuisement, puis de mettre au monde son enfant aussitôt que possible. Qu'elle pût avoir des désirs et des besoins propres,
souhaiter se voir reconnue comme une personne autonome,
même l'empereur, bien qu'amoureux, n'y songeait pas.

La crise d'Orient était toujours aussi aiguë. On renforça les
troupes à la frontière russe, se faisant définitivement du tsar
un ennemi. François-Joseph à sa mère : « Il est cruel de
devoir prendre parti contre ceux qui furent naguère des amis,
mais il n'est pas d'autre possibilité du point de vue poli-

* Appellation populaire des gouvernantes d'enfants. *(N.d.T.)*

tique ; car, à l'est, la Russie apparaît comme de tout temps notre ennemi naturel [56]. » L'Autriche perdit ainsi son ancienne alliance avec la Russie, sans pour autant se gagner à l'ouest de nouvelles amitiés. Cet isolement, François-Joseph devait le payer chèrement dans les guerres qu'il mena ensuite en 1859 pour la Lombardie, en 1866 pour la Vénétie et la suprématie en Allemagne, et jusqu'en 1914 encore. Que cette situation politique extraordinairement compliquée coïncidât précisément avec les noces de l'empereur et ses premières années de mariage, voilà qui contribua sans nul doute à rendre les choses plus tragiques. En effet, le surmenage intellectuel et nerveux de l'empereur ne lui laissait que bien peu de temps pour sa jeune épouse, si esseulée. En raison de sa constante absence, les différends entre Sophie et Élisabeth s'aggravèrent jusqu'à créer des conflits insurmontables, qui ne manquaient pas de retentir avec force sur le couple impérial.

Comme l'État, au bord de la banqueroute, ne pouvait rassembler les sommes nécessaires pour la mobilisation, on émit un emprunt national de 500 millions de florins. Avec fierté et confiance en soi, François-Joseph écrivait à sa mère : « Cette révolution tant redoutée, nous en viendrons à bout même sans la Russie ; un pays capable, en une seule année et sans difficulté, de trouver 200 000 recrues et de lever un emprunt intérieur de 500 000 florins, un tel pays est bien loin d'être profondément atteint par la fièvre révolutionnaire [57]. » Toutefois, des observateurs aussi avertis que le baron Kübeck déploraient profondément que l'empereur et sa mère eussent une vision entièrement erronée des méthodes par lesquelles on extorquait de l'argent aux provinces et qui faisaient naître une grande amertume à travers tout l'Empire : « Il m'a semblé que l'empereur était d'une très joyeuse humeur, et tout à fait gagné aux illusions que l'on répand autour de lui. » Et encore : « Il ne semble pas que l'on sache, en ces hautes sphères, comment on parle, dans toutes les couches de la population, des moyens utilisés pour atteindre les résultats de cette souscription [58]. »

Le nouveau ministre des Finances, Bruck, se trouva, au

printemps de 1855, devant une situation peu habituelle : on avait dépensé en un an, pour le seul entretien de l'armée, 36 millions de florins de plus que les recettes totales de l'État [59]. En vue de trouver encore plus d'argent et de pouvoir mobiliser pour la guerre de Crimée, l'Autriche ne recourut pas seulement à l'impôt, à l'emprunt et à des manipulations bancaires douteuses, mais alla jusqu'à vendre à un banquier français ses chemins de fer et ses mines de charbon — affaire au plus haut point discutable, car elle ne rapporta qu'environ la moitié de ce qu'avaient coûté les seuls chemins de fer. Cette vente allait en outre bientôt se révéler fatale, en particulier dans les provinces d'Italie du Nord : lors de la guerre de 1859 contre la France, trois ans plus tard, l'Autriche ne pourrait guère compter sur la loyauté du personnel français assurant ses transports de troupes, ce qui n'était pas le cas de Napoléon III. Par la suite, l'Autriche rachètera ses lignes ferroviaires, pour une somme largement supérieure [60].

Dans toutes les provinces de l'empire régnaient l'inflation et la disette. Le choléra se déclara, touchant d'abord les troupes concentrées en Valachie. La famille impériale ignorait ce qui se passait chez les simples gens. L'archiduchesse Sophie restait entièrement acquise aux idées de la monarchie absolue, tout comme son fils, qui travaillait certes assidûment à ses dossiers, mais ne connaissait pas les hommes et ne jugeait d'ailleurs pas nécessaire de les connaître.

Pour la jeune impératrice, que l'on n'informait de rien, la guerre de Crimée ne fut qu'un nouveau motif de manifester sa jalousie : l'empereur passait souvent des heures à délibérer avec sa mère de la situation politique, donnant à la petite Sissi l'impression qu'il la négligeait et la tenait à l'écart, parce que trop jeune. Plus tard, Élisabeth parla très souvent à ses enfants, comme pour s'excuser, de ces difficiles premières années de mariage. Même la plus jeune de ses filles, Marie-Valérie, avait entendu parler de « la triste jeunesse de maman, toujours séparée de papa par grand-mère Sophie qui, en réclamant sans cesse la confiance de celui-ci, avait à jamais empêché papa et maman d'apprendre à se connaître et à se comprendre [61] ». Cependant, comme il ressort de toutes les correspondances de cette première époque ainsi que du Journal de Sophie, la jeune femme était extraordinairement timide et peu sûre d'elle, voire franchement soumise à son impérial époux, de sorte que les démêlés ne tournaient jamais à l'orage. Sissi souffrait en silence, pleurait, composait des vers mélancoliques. De son côté, François-Joseph croyait connaître « le plus parfait bonheur domestique [62] ».

Il apparaissait chaque jour plus clairement que les jeunes époux différaient non seulement par leur tempérament et leur éducation, mais encore par leurs goûts. Par exemple, *le Songe d'une nuit d'été* de Shakespeare était la pièce préférée de Sissi, qui plus tard en apprendrait de larges extraits par cœur. François-Joseph, lui, écrivait à sa mère : « Hier, je suis allé avec Sissi voir *le Songe d'une nuit d'été* au Burghtheater. [...] C'était assez ennuyeux et incroyablement niais. Seul Beckmann, coiffé d'une tête d'âne, est amusant [63]. »

Déjà dans son enfance, Sissi lisait beaucoup. Et si elle manquait de l'éducation nécessaire à la Cour (l'étiquette, la conversation en français), en revanche, et contrairement à François-Joseph, elle manifestait un vif intérêt pour la littérature et l'histoire. L'aide de camp Weckbecker rapporte une conversation qu'il eut à cette époque avec la jeune impératrice, au cours d'un trajet en chemin de fer : « [*Je lui racontai*] ce que je savais de l'histoire des divers lieux de la région, en particulier de Wiener Neustadt. Elle m'écouta avec intérêt, cela lui apportait visiblement davantage que les potins de la comtesse Esterházy [64]. » Quelques mois après la splendeur des noces impériales, l'ivresse s'était dissipée. La jeune femme devait faire ses preuves et tenir tête aux critiques malgré son jeune âge et ce, d'abord en tant que « souveraine » (bien qu'elle ignorât pratiquement tout de « son » empire), mais surtout comme première dame de la noblesse autrichienne. Et c'est sur ce dernier point qu'elle échoua : la noblesse viennoise jugea sévèrement cette impératrice qui avait si peu d' « éducation ». Même des membres de la famille, comme le prince Alexandre de Hesse, estimaient que Sissi était belle, mais bornée : en novembre 1854, il notait dans son Journal que, malgré son état de grossesse avancé, l'impératrice était fort belle, mais qu'« une fois qu'elle avait posé des questions stéréotypées du genre : " Êtes-vous ici depuis longtemps ? " ou : " Combien de temps resterez-vous à Vienne ? ", il apparaissait à l'évidence qu'elle était un peu *bûche* *, comme disent les Français des personnes peu intelligentes [65] ». On ne cessait de parler des manières qui lui faisaient défaut : elle maîtrisait mal le protocole, elle ne dansait pas assez bien, elle ne s'habillait pas avec toute l'élégance voulue. Parmi ces nombreux reproches, aucun ne concernait ses capacités intellectuelles ou sa sociabilité. Les livres, la culture, ne faisaient pas partie du monde de la Cour. Comme l'écrivait le diplomate américain John Motley : « Vienne est peut-être la ville du monde où, dans l'ensemble de la population, on lit le moins et danse le plus. »

Il ajoutait que « le seul passeport », dans la haute société, était l'arbre généalogique : « Si elle ne peut exhiber assez d'éléments, aucune personne du cru ne peut entrer dans le grand monde ; autant vouloir se rendre dans la lune. C'est pourquoi cette société reste si limitée en nombre, guère plus de trois cents individus environ, tous alliés ou apparentés entre eux. Chacun y connaît chacun, de sorte qu'il est impossible d'y pénétrer, et inutile de dresser aucun barrage [...]. Même si un Autrichien était tout à la fois Shakespeare, Galilée, Nelson et Raphaël, il ne pourrait être admis dans la haute société viennoise s'il ne compte seize quartiers de noblesse. »

L'appartenance au célèbre *cercle* * de la Cour n'avait, selon l'expression de Motley, aucun rapport avec le degré d'intelligence : « Mais je suis d'avis qu'aucun être raisonnable ne devrait entrer de sa propre initiative dans un salon. On n'y entend parler que de trois sujets : l'Opéra, le Prater et le Burgtheater ; une fois ces questions épuisées, on se trouve à sec. C'est simple malentendu si l'on parle de *conversazioni*, en

* En français dans le texte. *(N.d.T.)*

ces lieux qui ignorent tout de ce qu'on entend par le terme de conversation [66]. »

Le ministre américain ne mentionne pas le fait que l'aristocratie — où, en effet, tout le monde se connaissait et était peu ou prou apparenté — s'entretenait principalement des derniers potins. C'est qu'en tant que diplomate, il était aussi éloigné du véritable centre de la Cour que la jeune impératrice — laquelle devait à sa position de pouvoir rester au-dessus de ces cancans familiaux et, d'autre part, n'était nullement faite pour trouver intérêt à ce genre de conversations. Elle se tenait à l'écart et devait, bon gré mal gré, se laisser critiquer et jauger selon les normes de la Cour.

CHAPITRE III

LE JEUNE COUPLE

Si la position de Sissi vis-à-vis de la Cour et de sa belle-mère était des plus problématiques, en revanche les rapports au sein du jeune couple étaient excellents. Il était impossible de ne pas voir combien François-Joseph était amoureux. Et l'on ne peut guère douter que la jeune Sissi rendît à son époux l'amour qu'il lui portait et fût heureuse avec lui.

Leur premier enfant fut une fille, Sophie. Un récit détaillé de cette naissance nous est parvenu grâce à l'archiduchesse Sophie, dont le Journal présente de cet événement un tableau idyllique. Il n'en était pas moins étrange que la mère d'Élisabeth, Ludovica, ne fût pas présente, comme le voulait l'usage — surtout s'agissant d'un premier accouchement. Ici encore les commérages allèrent bon train. Ainsi une dame de la haute société écrivait-elle à une amie : « La mère de l'impératrice est demeurée dans sa propriété de campagne, ce qui a beaucoup étonné ici. Sans doute n'a-t-elle pas reçu d'invitation. Mais rien ne se fait sans raison, là-dessus il n'y a aucun doute [1]. » On peut en inférer que les dissensions familiales étaient déjà connues hors de la famille impériale.

Le 5 mars 1855, l'empereur alla réveiller sa mère à sept heures du matin, car les douleurs avaient commencé. Sophie s'installa devant la chambre à coucher impériale, avec un ouvrage d'aiguille pour passer le temps — « *et l'empereur allait et venait d'elle à moi* », écrit-elle.

Vers onze heures, comme les douleurs redoublaient, Sophie alla s'asseoir près du lit de sa bru, aux côtés de Fran-çois-Joseph, observant les moindres gestes du couple : « *Sissi tenait la main de mon fils entre les siennes et la baisa une fois avec une tendresse vive et respectueuse ; c'était si touchant, cela le fit pleurer ; il la baisait sans cesse, la consolait et la plaignait, et me regardait à chaque douleur pour voir si j'en étais contente. Puisque, chaque fois qu'elles étaient fortes, elles avançaient la délivrance, je le disais pour ramener le courage de Sissi et de mon fils. Je tenais la tête de la pauvre enfant, [la femme de chambre] Pilat les genoux, et la sage-femme la soutenait par-derrière. Enfin, après quelques bonnes et longues douleurs, la tête vint, et voilà que l'enfant était né (après trois heures) ; il cria comme un enfant de six semaines. La jeune mère, avec une expression de béatitude si touchante, dit :* " Oh, maintenant tout est bien, maintenant ça m'est égal d'avoir tant souffert ! " *L'empereur fondait en larmes, lui et Sissi ne cessaient de s'embrasser, et ils m'embrassèrent avec la plus vive tendresse. Sissi regardait son enfant avec délices, et elle et le jeune père étaient pleins de soins pour l'enfant, une petite fille grande et robuste* *. »

L'empereur alla recevoir les félicitations de la famille, rassemblée dans l'antichambre. Une fois le bébé lavé et habillé, Sophie le prit dans ses bras et s'assit, de même que l'empereur, près du lit de Sissi ; ils attendirent jusqu'à ce que Sissi s'endorme, vers six heures de l'après-midi. « Très satis-faite et joyeuse », la famille impériale prit alors le thé. L'empereur fuma un cigare en conversant avec son frère cadet Max. Pendant ce temps, les églises célébraient des ser-vices d'action de grâces.

Sans doute est-ce en cette occasion exceptionnelle qu'apparut le plus clairement la position prédominante occupée par Sophie au sein de la dynastie : la sage-femme était toute à ses ordres, l'empereur, désorienté comme tous les jeunes pères, cherchait anxieusement à lire sur la physio-

---

* Comme annoncé plus haut, le texte en italique est en français dans le document original. Nous l'avons rectifié sur quelques points mineurs. (*N.d.T.*)

nomie de sa mère comment se déroulait l'accouchement. Élisabeth, qui venait d'avoir dix-sept ans, se trouvait, en raison de l'absence de Ludovica, entièrement entre les mains de sa belle-mère. Cependant, même au plus fort des douleurs, elle se montra pleine « *d'une tendresse vive et respectueuse* [2] » à l'égard de son époux, selon les propres termes de Sophie, qui s'attendait à voir la jeune impératrice se comporter toujours ainsi, même en des circonstances aussi exceptionnelles.

Les doléances ultérieures de Sissi, selon lesquelles on lui aurait retiré l'enfant aussitôt après la naissance, doivent en fait être accueillies avec réserve. La jeune impératrice n'écrivait-elle pas à une parente de Bavière, une vingtaine de jours après les couches : « Ma petite fille est vraiment déjà très mignonne et nous donne des joies incroyables, à l'empereur et à moi. Au début, cela m'a fait tout drôle d'avoir un enfant complètement à moi ; on découvre des joies inconnues ; et j'ai la petite auprès de moi toute la journée, sauf quand on l'emmène promener, ce qui, grâce au beau temps, est souvent possible [3]. » Mais il allait de soi que la jeune mère dût se soumettre sans mot dire aux décisions de sa belle-mère. La petite fille fut prénommée Sophie, et eut sa grand-mère pour marraine, sans que Sissi fût consultée.

L'enfant, qui devait mourir en 1857, occupa une place considérable dans le cœur de l'archiduchesse, dont le Journal comporte des pages entières de détails sur la puériculture. Un rien suffisait à susciter l'orgueil de cette femme d'ordinaire si froide : le moindre progrès de l'enfant, la moindre apparition d'une dent, méritaient d'être consignés. Évidemment, cette passion passablement possessive ne pouvait qu'aggraver les tensions familiales au sein de la Maison impériale. Élisabeth, dans l'inexpérience de ses dix-sept ans, se laissa intimider et lâcha pied. Même la mise au monde d'un enfant ne parvint pas à consolider sa position à la Cour.

Un an plus tard, en juillet 1856, Sissi donna le jour à une seconde petite fille. On la prénomma Gisèle en mémoire de l'épouse — issue de la Maison de Bavière — du premier roi de Hongrie, le très chrétien Étienne Ier. La marraine était cette fois la duchesse Ludovica, mais elle ne parut pas au baptême, où elle fut représentée par l'archiduchesse Sophie — ce qui donna lieu à de nouveaux clabaudages. On ignore pour quelle raison, malgré toutes les prières de Sissi, Ludovica resta si longtemps sans aller à Vienne pour y voir sa fille et ses deux petites-filles ; certains propos de la duchesse laissent pourtant à penser qu'elle voulait éviter toute jalousie de la part de Sophie.

Grande fut la déception — y compris parmi la population, qui escomptait sans doute de cet événement des largesses particulières généreuses — lorsqu'on apprit que cette naissance n'avait toujours pas donné au trône l'héritier tant espéré.

Cette seconde fillette fut également confiée aux soins de sa grand-mère. Élisabeth devait par la suite se plaindre amèrement de n'avoir pu établir de relations plus étroites avec ses premiers enfants, et revenir avec insistance sur la responsabilité de sa belle-mère. Ce n'est qu'à la quatrième naissance, celle de Marie-Valérie, qu'elle parvint à faire valoir ses droits de mère : « Maintenant seulement je sais toute la félicité qu'apporte un enfant, avouait-elle. J'ai enfin eu cette fois le courage d'aimer ma petite fille et de la garder près de moi. Mes autres enfants m'avaient été immédiatement retirés, et je n'avais le droit de les voir qu'avec la permission de l'archiduchesse Sophie, qui était toujours présente lorsque je venais rendre visite aux petits. A la fin, j'ai abandonné la lutte, et je ne montais plus que rarement à la nursery [4]. »

Si la position de Sissi à la Cour restait toujours aussi effacée, en revanche sa popularité grandissait dans la population, pour des raisons qui n'étaient pas sans rapport avec la politique. Depuis le mariage de l'empereur, on l'a vu, de prudentes mesures de libéralisation avaient été prises, l'état de siège avait été progressivement levé dans les grandes villes et certains prisonniers politiques avaient été libérés avant terme ou même amnistiés — chaque fois à l'occasion d'événements familiaux. Le nouveau code pénal militaire institué en janvier 1855 — soit quelques mois après le mariage —

avait été assoupli et, par exemple, abolissait les peines de fouet. Selon la rumeur populaire, c'était la jeune impératrice qui aurait demandé à son époux, comme un cadeau de mariage, l'abrogation de cette torture [5]. Aucune source connue ne permet d'accréditer cette théorie, mais il est tout à fait vraisemblable que la très sensible Élisabeth ait eu l'occasion d'assister à l'administration d'un tel châtiment au cours de quelque inspection militaire (ou en ait entendu parler) et qu'elle se soit élevée avec véhémence contre pareille atrocité. C'est encore à son initiative qu'on attribua la suppression des peines de fers dans les prisons. Chacun savait en tout cas que ces mesures n'étaient pas imputables à Sophie, qui continuait de préconiser une extrême rigueur à l'encontre des meneurs de 1848 et de tous les agitateurs en général. Les Autrichiens, enclins au patriotisme et à la fidélité envers l'empereur, ne demandaient qu'à croire à une telle intervention bienfaisante de leur nouvelle impératrice.

On ignore si Élisabeth exerça réellement sur le jeune empereur une influence de cette nature. Mais il ne fait aucun doute que celui-ci, dans l'exaltation de sa passion et le bonheur de sa toute récente union, était devenu plus doux et conciliant, en venant de ce fait à considérer avec moins d'aversion une libéralisation dont on ne pouvait certes dire qu'elle survînt trop tôt.

Malgré son tout jeune âge, l'impératrice en vint ainsi à représenter un certain espoir politique pour tous ceux qui ne s'accommodaient pas du régime néo-absolutiste. Autour d'elle se groupèrent également bientôt les opposants à la politique concordataire, dont l'aboutissement (en 1855) marqua l'apogée du catholicisme comme instrument de la politique autrichienne et représenta aussi un triomphe pour l'archiduchesse Sophie, qui voyait s'imposer sa conception d'un empire catholique. L'État s'en remettait à l'Église pour tout ce qui concernait le droit matrimonial et le système scolaire, où elle avait désormais tout pouvoir de décision non seulement sur le contenu de l'enseignement, depuis l'histoire jusqu'aux mathématiques, mais aussi sur la désignation des enseignants. Même un professeur de dessin ou de gymnastique devrait avant tout se montrer bon catholique, et on irait jusqu'à vérifier son assiduité à la sainte table, sans quoi il ne trouverait nulle part de poste. Ce Concordat était un défi lancé à tous les non-catholiques et aux libéraux — mais aussi aux scientifiques, aux artistes, aux écrivains, dont le travail s'en trouvait gravement entravé.

La jeune impératrice, dont le conflit avec l'archiduchesse Sophie n'était plus un secret pour personne, apparut aux adversaires du Concordat comme une sympathisante, ce qui était certainement exact dans une certaine mesure. Ainsi colportait-on une anecdote significative, remontant à 1856, au sujet de la petite communauté évangélique d'Attersee. Désirant édifier un clocher pour son temple, comme elle en avait depuis peu le droit, mais manquant d'argent pour ce faire, le pasteur s'adressa entre autres interlocuteurs à la Cour, qui se trouvait précisément alors à Ischl, et parvint à rencontrer l'impératrice en personne. Le *Wiener Tagblatt,* un journal libéral, rapporta qu'Élisabeth avait été surprise d'apprendre « que les protestants venaient tout juste d'obtenir le droit d'ériger des clochers » puis qu'elle avait aimablement expliqué : « Dans mon pays natal, autant que je sache, vos coreligionnaires jouissent de ce droit depuis déjà cinquante ans. Mon regretté grand-père [le roi Maximilien Ier de Bavière] avait fait construire sur fonds publics le beau temple de la Karlsplatz, à Munich. La reine de Bavière [Marie, épouse de Maximilien II] est protestante, et ma grand-mère maternelle était également de confession évangélique. La Bavière est un pays foncièrement catholique, mais où les protestants ne peuvent certes pas se plaindre d'être victimes d'injustices et de discriminations. » L'impératrice consentit une généreuse offrande, ce qui aurait provoqué « une grande surprise dans les cercles cléricaux », le bouillant évêque de Linz, Mgr Rudigier, étant allé jusqu'à « demander des éclaircissements en bonne et due forme, afin de savoir si les choses s'étaient bien passées ainsi » . L'organe des cléricaux de Linz présentait cet « incident » de telle façon « qu'il semblait que l'impératrice n'eût pas été informée du véritable objet de cette offrande, qu'on lui eût seulement représenté qu'il s'agissait d'une paroisse pauvre, sans préciser qu'elle était protestante. Mais le pasteur se défendit en faisant paraître une mise au point dans la gazette municipale de Linz [6] ».

Par cette innocente aumône pour un clocher protestant, Élisabeth apparut, qu'elle le souhaitât ou non, comme une adepte de la tolérance religieuse et de ce fait opposée au Concordat. Dès lors, certains placèrent en elle leur espoir pour leur cause, et les autres — le parti « clérical » de sa belle-mère Sophie — la tinrent pour une ennemie. Cette attente des libéraux n'était guère de nature à améliorer les rapports de Sissi avec la Cour et l'aristocratie...

D'autre part, l'attitude de Sissi dans la famille des Habsbourg se modifiait : elle se montrait de moins en moins soumise et de moins en moins silencieuse. C'est qu'elle prenait conscience de sa haute position : n'était-elle pas l'impératrice, la première dame du pays ? Elle osait maintenant s'opposer à sa belle-mère. Les premiers heurts portèrent sur la « nursery impériale ». Sissi n'obtint pas tout de suite le soutien de l'empereur ; ce n'est qu'en septembre 1856, comme elle se trouvait seule avec lui, lors d'un voyage en Carinthie et en Styrie, qu'elle lui fit connaître son désir d'avoir ses enfants auprès d'elle : loin de la Hofburg et des repas quotidiennement pris en commun avec sa belle-mère, elle se sentait enfin assez forte pour l'arracher à son extrême servilité envers sa mère et lui rappeler que son épouse, elle aussi, pouvait avoir des exigences.

Un conflit ouvert éclata alors entre les deux femmes à propos des deux rejetons impériaux. Sophie s'opposa aux pressantes instances de Sissi en vue de déplacer les chambres d'enfants, alléguant divers prétextes tels que l'insuffisant ensoleillement des pièces proposées. Comme Sissi ne cédait pas, l'archiduchesse joua sa dernière carte en menaçant de quitter la Hofburg. Mais la jeune impératrice parvint cette fois à mettre son mari de son côté, comme le montrent les lettres où, pour la première et la dernière fois, celui-ci se permit de semoncer sa mère peu après son retour de ce voyage : « Je vous prie pourtant instamment de vous montrer indulgente à l'égard de Sissi ; quelle que puisse être sa jalousie maternelle, il faut bien reconnaître son dévouement d'épouse et de mère. Si vous voulez bien nous faire la grâce de considérer cette affaire calmement, vous comprendrez peut-être les pénibles sentiments que nous éprouvons à voir nos enfants entièrement enfermés dans vos appartements, avec une antichambre presque commune ; tandis que la pauvre Sissi doit s'essouffler à monter les escaliers, avec ses amples vêtements souvent si lourds, pour ne trouver que rarement ses enfants seuls, quand ils ne sont pas entourés d'étrangers auxquels vous faites l'honneur de les présenter. Pour moi, également, cela écourte encore les rares instants que j'ai le loisir de consacrer à mes enfants, sans même parler du fait que cette manière de les exhiber et de les porter ainsi à la vanité me paraît une abomination, bien que j'aie peut-être tort sur ce point. En tout état de cause, il ne s'agit absolument pas pour Sissi de vouloir vous retirer les enfants ; elle m'a expressément chargé de vous écrire que les petites resteront toujours à votre entière disposition [7]. »

Pour la première fois, Élisabeth l'avait emporté. Le voyage fut très réussi et rapprocha les époux. Tous deux goûtèrent longuement les beautés de la haute montagne : ce fut l'un des rares moments de communion entre eux. Ils suscitèrent l'admiration générale, tant ils se présentaient avec simplicité et naturel dans ce cadre champêtre : l'empereur portait une culotte de peau et un chapeau montagnard à aigrette, l'impératrice un costume en loden, étroitement ajusté, avec de solides chaussures de montagne et un chapeau également en loden. Il n'y avait plus là aucun protocole de Cour, et même l'empereur, si cérémonieux et contraint quand il était à Vienne, fit preuve d'une nonchalance montrant qu'il avait conservé malgré tout un certain degré de spontanéité et de joie de vivre.

Ils entreprirent ensemble une randonnée depuis Heiligenblut. Élisabeth était habituée à la marche en montagne mais, encore affaiblie par ses couches récentes, elle fit halte après trois heures de montée à la Wallnerhütte (sur l'emplacement actuel du refuge du Glockner), d'où elle pouvait contempler le Pasterze et le sommet du Grossglockner. Cet endroit reçut le nom d'*Elisabethruhe*, « le repos d'Élisabeth ». François-Joseph poursuivit l'ascension jusqu'au Hoher Sattel, flanqué du glacier du Pasterze, et qu'on baptisa « sommet François-Joseph ».

Les voyages que le couple impérial effectuera après celui-là seront pour Élisabeth autant d'heureuses occasions de se trouver seule avec son époux et de renforcer son influence.

Sissi avait bel et bien remporté une victoire contre sa belle-mère ; mais cette lutte de plus de dix ans devait encore lui coûter beaucoup de forces, d'autant que Sophie, contrairement à la jeune femme, pouvait compter en permanence sur le soutien de la Cour. Cette dernière ne parvint pas à plier Élisabeth à ses conceptions et ce long et dur combat priva la monarchie et la famille impériale d'une personnalité pleine de promesses.

La comtesse Marie Festetics, qui certes ne pouvait fonder son jugement que sur les récits de l'impératrice, devait écrire que l'ambition de Sophie « l'[avait] toujours portée à s'immiscer dans le couple pour exiger un choix entre la mère et l'épouse ; c'est par un véritable don du ciel que cela n'a pas conduit à une rupture. Elle voulait briser l'influence de l'impératrice sur l'empereur, ce qui était une dangereuse entreprise. L'empereur aime l'impératrice. [...] L'impératrice ne peut s'appuyer que sur son bon droit et sur sa noblesse de caractère [8] ».

La paix de Paris, au printemps de 1856, mit un terme à la guerre de Crimée et entraîna un complet remaniement des États européens, car la Russie perdit sa position prépondérante au profit de la France de Napoléon III. L'étroite amitié entre la Russie et l'Autriche s'était transformée en hostilité, pour le plus grand bénéfice de la Prusse. A ces effets désastreux pour l'Autriche vint bientôt s'ajouter un autre élément dont on n'avait pas tenu grand compte jusque-là : le foyer du mouvement de l'Unité italienne, le royaume de Piémont-

Sardaigne, avait mis 15 000 soldats à la disposition de la France pendant la guerre de Crimée, ce qui avait fait de Napoléon III le protecteur de l'irrédentisme. Les provinces autrichiennes de Lombardie et de Vénétie s'en trouvaient menacées, tout comme en Italie centrale les États de Toscane, de Parme et de Modène, gouvernés par des Habsbourg et placés sous protection militaire autrichienne. La puissance de l'Autriche apparaissait au mouvement d'unification comme l'obstacle le plus grand.

François-Joseph n'en continuait pas moins à refuser de renoncer, par des traités avantageux ou même des cessions rémunératrices, à ces provinces italiennes pourtant unanimement considérées comme indéfendables. Ainsi Ernest II de Cobourg essaya-t-il de lui faire comprendre en 1854 le point de vue de l'empereur des Français, car « on ne pouvait aucunement s'attendre que l'Italie fût jamais pacifiée ». « L'empereur sembla très troublé d'entendre cet avis, écrit-il, et repoussa avec la plus grande résolution toute idée d'abandonner les territoires italiens [9]. » Quatre ans plus tard, l'ambassadeur de Suisse informait Berne « que l'empereur sacrifierait jusqu'à son dernier homme et son dernier thaler pour la défense de Venise [10] ». Cela impliquait que, tôt ou tard, la guerre éclaterait en Italie.

Dans l'immédiat, l'empereur d'Autriche espérait pouvoir tenir les provinces rebelles au moyen d'une solide force militaire. Pour manifester la permanence de la domination autrichienne, le couple impérial entreprit durant l'hiver de 1856-1857 un voyage en Italie du Nord, séjournant durant quatre mois dans les anciens palais de Milan et de Venise et déployant tous les fastes de la Cour et de l'armée.

Ce fut là une nouvelle occasion de querelles au sein de la famille, car Élisabeth ne voulait pas se séparer trop longtemps de ses enfants. Malgré une forte opposition de l'archiduchesse, elle parvint à imposer que sa fille aînée Sophie, alors âgée de deux ans, accompagnât ses parents en Italie, en arguant que l'air de la Péninsule ferait du bien à l'enfant quelque peu souffrante. Cependant, les journaux italiens laissèrent entendre qu'on l'emmenait surtout afin de se protéger de possibles attentats [11]. De son côté, l'archiduchesse déplorait les dangers auxquels un tel voyage exposait cette enfant, en quoi elle n'avait d'ailleurs pas tort.

La première partie du voyage, de Vienne à Laibach, se fit par chemin de fer. Puis on déchargea les trente-sept calèches du convoi, et l'on continua partie au moyen de chevaux de poste, partie par voie fluviale.

En Italie, Sissi ne put se dérober aux problèmes politiques. Lors de ses précédents voyages dans les provinces — en Bohême, en Styrie, en Carinthie, mais aussi bien sûr dans la région de Salzbourg, que l'on parcourait de long en large pendant les semaines de villégiature à Ischl —, elle avait vu la population réserver à l'empereur et à elle-même un accueil à tout le moins cordial, et parfois enthousiaste. Là, au contraire, les souverains se heurtaient au mépris et même à la haine. Les Italiens supportaient mal l'administration militaire autrichienne et aspiraient à cette unité nationale que prônaient Cavour et Garibaldi. Aux tentatives de coups d'État avaient répondu des exécutions. Ces régions jadis florissantes devaient verser à l'Autriche des impôts accablants — bien que largement insuffisants pour couvrir les frais de l'occupation militaire, même dans la province autrefois la plus riche, la Lombardie. Tout cela créait une morosité que l'on fit bien sentir au jeune couple impérial. Les réceptions avaient été préparées, avec le plus grand éclat, par les autorités militaires autrichiennes, de sorte que partout François-Joseph et Élisabeth apparurent flanqués d'une imposante escorte : cela devait constituer une démonstration de force, mais fut ressenti par les Italiens comme une provocation. L'armée se tenait en état d'alerte permanente, car ce voyage impérial était une véritable incitation à l'attentat politique. Le jeune empereur fit preuve cependant d'un grand courage, comme toujours en de telles circonstances, et l'impératrice garda elle aussi une contenance irréprochable, semblant ignorer les actes de sabotage et les réactions hostiles de la population.

Pourtant, elle aurait eu tout lieu de s'inquiéter. Déjà à Trieste, à bord de leur navire, une gigantesque couronne impériale en cristal avait volé en éclats : personne n'avait cru à un hasard, tant le sabotage semblait évident. Mais cela n'empêcha pas la jeune impératrice — qui, à Vienne, préférait si souvent éviter les réceptions officielles — de suivre rigoureusement le programme prévu, ne se séparant guère de son époux que quand il effectuait certaines inspections de nature purement militaire.

A Venise, où le vaisseau impérial vint jeter l'ancre avec six puissants bâtiments d'escorte, l'accueil militaire fut grandiose ; mais, quand les souverains et la petite Sophie traversèrent l'immense place Saint-Marc vers la basilique (Alexandre de Hesse décrit à cette occasion Élisabeth « *jolie comme un cœur* » et « *avec infiniment de grandezza* [12] »), pas le moindre *Evviva* ne s'éleva de l'immense foule rassemblée là. Seuls les soldats autrichiens criaient des *Hoch* et des *Hurra,* les Italiens gardant un silence éloquent. Le consul d'Angleterre écrivit à Londres : « Le peuple n'éprouvait d'autre sentiment que la curiosité d'apercevoir l'impératrice, dont la réputation de merveilleuse beauté est bien entendu parvenue jusqu'ici [13]. » L'aristocratie italienne se tint en grande partie à l'écart des réceptions. Les nobles qui y parurent malgré ce boycott s'entendirent insulter dans les rues. Lors de la représentation de gala donnée au théâtre de la Fenice, les loges des familles les plus éminentes demeurèrent vides.

L'atmosphère devait néanmoins s'améliorer au cours du séjour à Venise, surtout après que l'empereur eut réparé un des plus grands outrages infligés à la noblesse italienne, en abrogeant la confiscation des biens des exilés politiques et décrétant une amnistie pour les prisonniers politiques.

François-Joseph ne manqua pas de faire l'éloge des services rendus par son épouse, écrivant par exemple de Venise à l'archiduchesse Sophie : « La population s'est montrée très convenable, bien que sans enthousiasme particulier. Mais, depuis, l'atmosphère s'est notablement améliorée pour différentes raisons, dont en particulier la bonne impression qu'a faite Sissi [14]. » On ne tarda pas à colporter, à Vienne, la formule de l'empereur selon laquelle la beauté de Sissi parvenaît mieux à « conquérir son Italie que n'auraient pu le faire ses soldats et ses canons [15] ».

Le consul général britannique décrivait lui aussi ce rayonnement de l'impératrice, mais émettait cette restriction : « Cependant, tout cela reste entièrement indépendant de la politique [16]. »

L'accueil ne fut guère plus chaleureux dans les autres villes — ni à Vicence, ni à Vérone (grand quartier général des troupes autrichiennes), ni à Brescia, ni à Milan, où les autorités étaient allées jusqu'à payer les habitants des campagnes alentour pour venir en ville faire la haie devant le couple impérial. L'aristocratie lombarde se montra glaciale : aux réceptions officielles, seul un cinquième environ des invités parurent et, lors de la représentation de gala donnée à la Scala, les nobles envoyèrent leurs domestiques emplir leurs loges, ce qui constituait une provocation inouïe.

Pour se remettre de ces continuels affronts, l'empereur consacrait beaucoup de temps à passer en revue ses troupes. Son intérêt allait bien moins aux trésors artistiques de Venise ou de Milan qu'aux fortifications, aux arsenaux, aux casernes, aux navires de guerre, aux champs de bataille ; et sa jeune femme, bien qu'à nouveau un peu souffrante, était bien souvent contrainte de l'accompagner.

Comme le feld-maréchal Radetzky, âgé de quatre-vingt-dix ans, ne parvenait plus à assurer fermement le gouvernement de l'Italie du Nord et que l'empereur le trouvait « affreusement changé et comme retombé en enfance [17] », ce dernier décida de le relever de ses fonctions, avec les plus grands honneurs, et de mettre en place dans les provinces italiennes des administrations civiles et militaires séparées. C'est au frère cadet de François-Joseph, l'archiduc Ferdinand-Maximilien, âgé de vingt-quatre ans, qu'échut la rude tâche d'assumer le gouvernement civil de Milan. « Avec l'aide de Notre Seigneur, le temps jouera pour nous, ainsi que l'habileté de Max [18] », écrivait l'empereur à sa mère.

On ne connaît malheureusement aucune lettre de Sissi écrite pendant cette période. Aussi ignorons-nous si, lors de cette première visite en Italie, elle exprimait déjà ses opinions sur les questions politiques. La seule chose visible, c'est qu'elle considérait le problème italien avec moins d'optimisme que son époux, car son frère Charles-Théodore, qui lui rendit visite à Venise, rapporta en Bavière une image extrêmement négative de la position de l'Autriche dans ces provinces [19].

Quelques semaines seulement après ce voyage, le couple impérial alla visiter une autre province plutôt agitée : la Hongrie. Les rapports entre Vienne et Budapest étaient extrêmement tendus en raison de l'ambition que nourrissait le ministre de l'Intérieur Bach de faire de l'Autriche tout entière un empire unifié, à direction centralisée, et de « mettre au pas » la rebelle Hongrie. L'ancienne Constitution hongroise avait été abrogée, les révolutionnaires de 1848 avaient émigré et leurs biens avaient été confisqués. Et la Cour de Vienne, dont l'archiduchesse Sophie mais aussi l'archiduc Albert, gouverneur militaire de Hongrie, étaient très représentatifs, nourrissait des sentiments extrêmement hostiles vis-à-vis de ce pays.

En revanche, la jeune impératrice était l'espoir des Hongrois. On n'ignorait pas que, sous l'influence du comte Majláth, elle s'était beaucoup intéressée à l'histoire magyare et en particulier aux mouvements de libération. Les mesures de détente prises à l'occasion du mariage impérial avaient produit une impression favorable, et l'opposition d'Élisabeth à l'archiduchesse Sophie était de notoriété publique. Aussi les Hongrois espéraient-ils que les circonstances pourraient tourner en leur faveur.

Pour ce voyage, on descendit le Danube de Vienne à Budapest, en passant par Presbourg (aujourd'hui Bratislava, en Tchécoslovaquie). Sissi avait cette fois réussi à emmener avec elle ses deux enfants, encore une fois malgré sa belle-mère. Avant le départ, rapportait François-Joseph, la petite Sophie avait eu de la fièvre et un peu de diarrhée ; les médecins disaient que cela venait des dents [20].

Réceptions, revues militaires, premier bal de la Cour au château de Budapest depuis de nombreuses années : tout se déroula avec la magnificence habituelle, mais ne suscita qu'un enthousiasme assez mitigé parmi les Hongrois. Le seul point sur lequel s'accordaient tous les assistants était la beauté d'Élisabeth, qui n'avait pas encore vingt ans. Et il n'était pas difficile de voir combien, de son côté, elle était sensible aux compliments des magnats. Cette aristocratie aux costumes ornés de brillants, au maintien fier et assuré, présentait un contraste frappant avec celle de Vienne ; dès le premier instant la jeune impératrice éprouva de la sympathie pour la Hongrie. Au bal de la Cour, elle contempla émerveillée les danses hongroises, qu'elle voyait pour la première fois, puis dansa elle-même le quadrille — d'abord avec l'archiduc Guillaume, et une seconde fois avec le comte Nicolas Esterházy, qui devait par la suite devenir son accompagnateur favori à la chasse à courre. La sympathie des Hongrois pour la jeune impératrice fut donc payée de retour ; et, à compter de cette date, ils attribuèrent chaque adoucissement politique à l'influence d'Élisabeth, et chaque brimade à celle de l'archiduchesse Sophie.

Et c'est bien dès cette époque que l'impératrice commença à intervenir en faveur de la Hongrie. Sans doute l'empereur repoussa-t-il, au cours de ce voyage, une pétition de la noblesse hongroise visant à rétablir l'ancienne Constitution, mais il autorisa le retour d'exilés de premier plan, notamment Gyula Andrássy, qui était à Paris, et la restitution de biens confisqués. On ne pouvait pas ne pas voir là les premiers signes, encore prudents, d'une libéralisation, même si l'empereur persistait dans sa politique rigoureusement centralisatrice. L'atmosphère s'améliora progressivement au cours de la visite, à mesure surtout que l'impératrice apparaissait en public, fût-ce pour assister à cheval, aux côtés de son mari, à telle ou telle revue militaire. Ses talents d'écuyère lui valurent de nombreux admirateurs chez les Hongrois, tandis que le comte Crenneville, qui était de la suite, s'indignait de voir une impératrice ainsi perchée sur un cheval : « Cette exhibition équestre, parfaitement contraire à la dignité d'une impératrice, m'a fait une pénible impression », écrivit-il à sa femme [21].

Le couple impérial se préparait à entreprendre un périple à travers le pays, lorsque la petite Gisèle, âgée de dix mois, tomba soudain malade. Le départ fut donc ajourné ; mais, quand Gisèle fut rétablie, sa sœur Sophie, âgée de deux ans, se trouva à son tour souffrante. Les parents étaient très inquiets. « De toute la nuit, elle n'a dormi qu'une heure et demie ; elle est très nerveuse et ne cesse de crier à fendre l'âme [22] », écrivait François-Joseph à sa mère. Le docteur Seeburger les rassura pourtant. L'empereur trouva encore le loisir d'aller chasser et d'abattre, rapporte-t-il fièrement à sa mère, « soixante-douze hérons et cormorans ». Puis les deux époux commencèrent leur voyage dans l'intérieur du pays, mais durent l'interrompre cinq jours plus tard, à Debrecen, ayant reçu de mauvaises nouvelles de la petite Sophie.

L'impératrice, encore âgée de dix-neuf ans seulement, assista désespérée, onze heures durant, à l'agonie de son enfant. « Notre petite fille est un ange au ciel. Après une longue lutte, elle a fini par rendre l'âme à neuf heures et demie. Nous sommes effondrés [23] », câbla François-Joseph à sa mère le 29 mai 1857 de Budapest. Le jeune couple impérial rentra à Vienne avec la dépouille mortelle de leur première-née.

Élisabeth se montra inconsolable. Contrairement à l'empereur, qui retrouva sa sérénité au bout d'un certain temps, Sissi continua pendant des semaines à se retrancher du monde et à chercher la solitude, pleurant, refusant de se nourrir, s'abandonnant entièrement à son chagrin. Si grand était son désespoir que personne n'osa lui faire ouvertement de reproches. Mais les rapports entre elle et sa belle-mère, dont la petite Sophie avait été la préférée, devinrent glaciaux : n'était-ce pas en effet la jeune impératrice qui avait décidé d'emmener les enfants en Hongrie, malgré l'opposition de l'archiduchesse ?

Au cours des mois suivants, Élisabeth se transforma considérablement. Après cette catastrophe, dont elle ne se jugeait pas innocente, elle cessa de lutter contre sa belle-mère à propos de son autre enfant, la petite Gisèle, à tel point qu'on eût dit qu'elle ne voulait plus même en entendre parler : elle ne s'occupait plus de la fillette, laissant le terrain à la grand-mère.

L'état psychologique, mais aussi physiologique, de Sissi devint réellement inquiétant pendant l'été de 1857. François-Joseph et Sophie ne savaient plus que faire ; aussi manda-t-on à Vienne la duchesse Ludovica, qui fit le voyage avec trois des sœurs cadettes de Sissi : « Il semble que l'agréable compagnie de ses petites sœurs ait fait grand bien à Sissi ; il lui a été si difficile de se séparer de nous qu'à force de prières, elle m'a fait promettre de venir à Ischl si cela était possible [24] », écrivait Ludovica.

Six mois plus tard encore, Élisabeth n'avait toujours pas surmonté la perte de son enfant. L'empereur écrivait à sa mère : « La pauvre Sissi reste très émue par tous les souvenirs qui l'entourent ici [à Vienne] en chaque lieu, et elle pleure beaucoup. Hier, Gisèle était assise près de Sissi dans le petit fauteuil rouge de notre pauvre petite, celui qui se trouve dans le bureau, et nous avons pleuré ensemble tous les deux, tandis que Gisèle, ravie, riait gentiment de cette nouvelle place d'honneur [26]. »

C'est précisément pendant cette période difficile que le plus jeune frère de l'empereur François-Joseph, l'archiduc Maximilien, épousa la fille du roi des Belges, Charlotte. La nouvelle belle-sœur de Sissi était non seulement belle et intelligente, mais en outre richissime et dotée d'un arbre généalogique irréprochable. Sophie et ses partisans jouèrent alors leur va-tout en faveur de l'épouse de Maximilien — héritier présomptif du trône — et contre l'impératrice, d'extraction beaucoup plus modeste. Dans sa correspondance, ses conversations, son Journal, Sophie n'eut jamais assez de mots pour faire l'éloge de Charlotte, de sa bonne éducation, de sa beauté, de son jugement et, surtout, de la tendresse qu'elle manifestait à son époux et à sa belle-mère. Chaque trait devait être ressenti par Sissi comme un blâme à son propre égard. « *Charlotte* [*est*] *charmante, belle, attrayante, caressante et tendre envers moi. Il me semble l'avoir toujours aimée* [...] *Je remercie Dieu profondément de la charmante femme qu'il a donnée à*

Max, et de l'enfant de plus qu'il nous a accordé », peut-on lire dans le Journal de Sophie [26]. Aussi n'est-il guère surprenant que les deux belles-sœurs aient nourri l'une envers l'autre une cordiale antipathie. La position de Sissi à la Cour se détériorait à vue d'œil.

En décembre 1857 apparurent les signes, longtemps attendus, d'une nouvelle grossesse de l'impératrice. Une lettre de Ludovica à sa sœur Sophie permet d'imaginer les querelles entre cette dernière et Sissi : « Pour ce qui est des espérances de Sissi, elles m'ont apporté un grand apaisement et une grande joie », écrit Ludovica qui ajoute : « Tu dis que pour ta part elles t'auraient ôté bien des soucis. S'agit-il de soucis d'ordre physique ou bien moral ? Si une amélioration est intervenue et que tu t'en trouves plus satisfaite, cela me fait immensément plaisir. » Et, le lendemain même, elle écrivait encore à Sophie : « Je suis très rassurée de savoir que Sissi est devenue plus raisonnable en ce qui concerne le laçage et les vêtements ajustés, car c'est là quelque chose qui m'a toujours préoccupée et tourmentée ; je crois même que cela peut influencer l'humeur ; un sentiment désagréable, comme celui d'être constamment comprimée, peut vraiment entraîner de la mauvaise humeur [27]. »

Sissi dut, à la grande satisfaction de Sophie, renoncer à ses cures d'amaigrissement et à sa passion pour l'équitation, et les remplacer par de longues promenades à pied, où François-Joseph l'accompagnait aussi souvent que son emploi du temps le lui permettait. Leur entente conjugale ne s'était pas démentie, même pendant les difficultés des derniers mois. François-Joseph continuait à manifester ostensiblement son amour pour sa femme.

Sophie trouvait toujours de nouvelles raisons de se plaindre de la jeune impératrice. Soumise, Ludovica lui écrivait des lettres du genre : « Je voudrais pouvoir espérer que toutes les relations ont pris une tournure plus affable que l'année dernière et que tu as des motifs d'être plus satisfaite — cela me tient toujours autant à cœur [28]. »

Pendant ces mêmes mois, Ludovica se dépensa beaucoup

pour ses filles, qui étaient belles, certes, mais qui lui posaient néanmoins des problèmes de mariage. L'aînée, Hélène — écartée lors des fiançailles à Ischl —, avait maintenant vingt-deux ans. « Elle aurait fait une bonne mère et une bonne épouse, écrivait Ludovica ; mais elle y a entièrement renoncé, tout comme nous, ce qui ne lui a rien ôté de sa grande sérénité [29]. » Elle se consacrait principalement à la peinture — « mais elle va aussi beaucoup voir les malades pauvres dans les villages ».

Or, un prétendant se présenta soudain en la personne du prince héréditaire Maximilien de Thurn et Taxis. Le roi de Bavière hésita à autoriser cette union, car cette famille n'était pas d'aussi haute lignée que celle des ducs en Bavière. Ludovica adressa à sa fille Élisabeth, à Vienne, de véritables appels au secours pour qu'elle intervînt auprès de l'empereur, lequel pourrait à son tour influencer le roi de Bavière. La jeune impératrice ne faisait pas en général preuve de beaucoup de zèle, mais s'agissant de sa famille elle déploya de grands efforts, écrivant avec diligence de tous côtés, rassurant sa mère et sa sœur. Sans doute entrait-il aussi dans cet empressement un reste de mauvaise conscience : en effet Hélène avait manqué son destin impérial à cause d'elle. Toujours est-il que le mariage eut finalement lieu en 1858...

En ce même hiver, la sœur cadette Marie, elle aussi d'une grande beauté, était devenue un possible parti. Le prétendant était le prince héritier du royaume des Deux-Siciles, que personne à la Cour de Bavière n'avait jamais vu. A nouveau, une correspondance nourrie fut échangée entre Munich et Vienne, Ludovica écrivant par exemple : « [Marie] pense que vous avez les informations les plus précises et les plus certaines relativement à ce jeune homme, et elle a besoin d'être rassurée à ce propos, car [...] l'idée d'appartenir à un homme qui ne la connaît pas et qu'elle ne connaît pas la rend terriblement anxieuse. [...] Qu'il ne soit pas joli garçon, cela, elle le sait déjà. » C'était une information incontestable, que Sissi tenait de membres italiens de la Maison de Habsbourg.

Ludovica craignait également que la « grande piété » du

prétendant ne risquât d'« effaroucher » la jeune Marie, mais s'empressait d'ajouter, sans doute pour tranquilliser Sophie quant à la fermeté des convictions régnant à Possenhofen, qu'elle espérait voir cette piété « rendre Marie elle-même de plus en plus pieuse [30] ».

Une nouvelle nuée d'« éducateurs » reprit le chemin de Possenhofen ; à nouveau, il fallait dresser aux usages de Cour une « petite campagnarde », une duchesse en Bavière, qui ne prenait guère plus de plaisir que naguère Sissi à ses nouvelles obligations : apprendre l'italien, recevoir des dames « pour s'accoutumer à la conversation »... Comme en outre la jeune fille n'était pas encore formée, n'avait pas eu ses premières règles, des médecins vinrent déployer auprès d'elle toute sorte d'artifices, applications de sangsues ou bains chauds.

Ludovica, qui, comme d'habitude, ne trouvait aucun soutien chez son époux Maximilien, se lamentait : « La pensée de cette séparation me devient de plus en plus pénible, quoiqu'il me faille certes souhaiter que les choses ne traînent pas en longueur ; car mieux vaut sans aucun doute qu'elle soit jeune au moment de changer si totalement de situation : ainsi elle parviendra plus vite et plus aisément à s'adapter [31]. »

C'est le 21 août 1858 que l'impératrice mit au monde un prince héritier, au château de Laxenburg. Il fut prénommé Rodolphe, comme le grand ancêtre des Habsbourg qui, en 1278, avait conquis sur le roi Ottokar II de Bohême des fiefs en Autriche et en avait investi ses fils. Tout comme pour le choix du prénom de Gisèle, la Maison impériale recourait à son lointain passé médiéval pour réaffirmer la force de sa tradition. A cette occasion, François-Joseph fit restaurer de ses propres deniers le tombeau de Rodolphe Ier de Habsbourg à Spire. Il espérait toujours pouvoir restaurer la prééminence de la dynastie sur l'ensemble de l'Allemagne, perdue en 1806 par François II (devenu alors François Ier, empereur d'Autriche) lorsqu'il avait renoncé à la couronne du Saint-Empire.

La joie suscitée par cette naissance tant attendue fut

immense, à la Cour comme dans le peuple ; celui-ci se
réjouissait, ne serait-ce qu'en raison des largesses qu'il en
escomptait... L'empereur offrit à son épouse un collier de
trois rangées de perles, d'une valeur de 75 000 florins. Le
jour-même, dans le berceau du petit Rodolphe, il déposa
l'ordre de la Toison d'Or, et le nomma colonel. « J'entends
que, dès son entrée en ce monde, le fils qui m'a été octroyé
par la grâce de Dieu appartienne à ma valeureuse armée [32]. »
Cet acte ne manifestait pas seulement la nature militaire de
l'État — ce qui irritait nombre de partisans d'une monarchie
civile —, mais engageait aussi le nouveau-né : celui-ci
devrait être soldat, qu'il le voulût ou non. Les conflits qui se
produiraient entre le père et le fils devaient trouver là une de
leurs causes.

Adressant ses vœux à sa « capitale et résidence » de
Vienne, l'empereur trouva de chaleureuses paroles : « Le
Ciel m'a donné un fils, qui connaîtra un jour une Vienne
nouvelle, plus grande, plus élégante ; mais, si la ville se
transforme, le prince trouvera cependant inchangés les
cœurs fidèles des Viennois qui, si cela s'avère nécessaire,
sauront toujours démontrer à son intention, quelles que
soient les circonstances, leur dévouement à toute
épreuve [33]. »

De fait, la naissance du prince héritier survenait en pleine
période de transformation de la ville : on rasait les fortifications médiévales pour les remplacer par un large et magnifique boulevard enserrant la vieille cité à la façon d'un
anneau, d'où son nom de Ringstrasse *. A l'étroit confine-
ment de l'ancienne ville entre ses remparts succédait ainsi le
plan grandiose d'une capitale moderne, largement ouverte
sur ses faubourgs. Cependant, ce témoignage inscrit dans la
pierre et la naissance d'un prince héritier ne suffisaient pas
à satisfaire l'opinion publique, qui exerçait sur l'empereur une

---

* L'appellation du toujours célèbre *Ring* viennois signifie en effet simplement « l'anneau ». Beaucoup plus tard, un boulevard circulaire plus
large, doublé de lignes de métro, recevra de même le nom de *Gürtel* — « la
ceinture ». *(N.d.T.)*

pression grandissante afin qu'il fondât enfin aussi un État de type moderne, avant tout par l'octroi d'une Constitution.

La naissance avait été difficile, et Élisabeth ne se rétablit que lentement — d'autant que, n'ayant pas le droit d'allaiter l'enfant, elle souffrait de montées de lait accompagnées de fièvre. En dépit des instances de Sissi, on ne fit pas d'exception à la règle : comme prévu, l'enfant ne fut allaité que par sa nourrice, une paysanne de Moravie nommée Marianka et que Sophie jugeait « magnifique ». La convalescence de Sissi dura plus que la normale. Plusieurs semaines après l'accouchement, elle avait encore des accès de fièvre qui l'affaiblissaient beaucoup. Dans ces conditions, il n'était pas question de laisser l'enfant à la garde de sa mère ; ce fut à nouveau l'archiduchesse Sophie qui se chargea entièrement de la nursery.

Comme l'état de santé de Sissi restait fragile, dans l'automne et l'hiver, on fit à nouveau venir en Autriche la duchesse Ludovica, qui amena avec elle plusieurs des sœurs cadettes de l'impératrice, mais également le vieux médecin ordinaire de la Maison ducale, le Dr Fischer, auquel Élisabeth faisait davantage confiance qu'au médecin de la famille impériale, le Dr Seeburger. On ignore quel fut le diagnostic du Dr Fischer. Même le Journal de Sophie, qui comporte de nombreuses observations sur la maladie de Sissi, n'indique jamais de symptômes bien clairs, en dehors de fièvres fréquentes, d'un état général de faiblesse et d'un manque d'appétit.

L'ancienne discorde entre la belle-mère et la bru ne fut nullement apaisée par la naissance du prince héritier. Les choses en vinrent à un point tel que Sophie s'en plaignit à Ludovica, qui répondit en se lamentant : « Ta lettre m'a causé beaucoup de peine sur un certain point, car je croyais que tout allait beaucoup mieux et que des faits tels que ceux que tu me rapportes ne se produisaient plus. Je suis vraiment affligée qu'il en soit toujours ainsi et que les années n'y apportent aucun changement. Ce comportement incompréhensible et injuste m'inquiète, me tourmente ; c'est ma seule source de chagrin lorsque je songe, pleine de joie, à cette situation merveilleuse où tout semble rassemblé pour permettre de trouver un exceptionnel bonheur et d'en jouir avec gratitude [34] ! »

C'est seulement lorsque tel ou tel membre de sa famille se trouvait auprès d'elle que Sissi ne présentait plus trace de maladie. En janvier 1859, sa jeune sœur Marie, ayant épousé *per procuram* l'héritier présomptif des Deux-Siciles, s'arrêta à Vienne sur le chemin de sa nouvelle patrie. L'archiduchesse Sophie elle-même admira la beauté de cette mariée de dix-sept ans : « *Ses beaux yeux ont une expression de douce mélancolie qui les rend, s'il est possible, plus beaux encore* [35]. »

Marie demeura quinze jours à Vienne, où elle fut extraordinairement choyée par l'impératrice. « Sissi m'envoie des lettres si heureuses [...] et Marie également : ce doit vraiment être un plaisir que de les voir ensemble », écrivait Ludovica à Sophie [36]. Sissi conduisit sa sœur au Burgtheater, au Prater, au cirque Renz. Elles restaient des heures à causer, sans autre compagnie. « C'était presque comme si le destin, tenant compte de ce que l'avenir réservait à notre pauvre Marie, avait voulu lui ménager encore quelques jours de répit », devait dire Sissi par la suite [37].

Ludovica redoutait cependant que cet étrange voyage de noces solitaire ne fît naître chez Marie des illusions sur les choses sérieuses de l'existence : « Je crains seulement que Marie ne se divertisse trop à Vienne, et j'espère qu'elle n'en viendra pas ensuite à comparer sa position à celle de Sissi, notamment pour ce qui est des rapports de celle-ci avec son cher empereur ; Dieu fasse qu'elle aussi connaisse le bonheur conjugal ! Mais il n'est pas facile de soutenir la comparaison avec l'empereur. Je place tous mes espoirs dans le caractère de Marie, qui est douce, accommodante et pleine de bonne volonté [38]. »

Ludovica était encore entièrement prisonnière des anciennes façons de voir de la Cour. L'alliance avec la Maison royale napolitaine constituait, pour une duchesse en Bavière, un brillant parti. Ludovica aurait pourtant dû savoir qu'un trône soutenu par un régime absolutiste sévère, pour ne pas dire féroce, était exposé à des insurrections de toute

sorte. Ferdinand II (surnommé « *re bomba* », après avoir fait
bombarder Messine révoltée en 1848) se refusait lui aussi à la
moindre libéralisation et s'en tenait fermement à sa souveraineté de droit divin. En mariant son fils à la petite Marie-
Sophie, il poursuivait un dessein purement politique : le
futur roi des Deux-Siciles devenait ainsi beau-frère de
l'empereur d'Autriche. Face à la menace que représentaient
les francs-tireurs de Garibaldi au sud et les troupes de Piémont-Sardaigne au nord, il était politiquement avantageux
de s'assurer le soutien de la grande puissance absolutiste du
continent — l'Autriche. En ces temps de révolution, les
princes cherchaient à resserrer autant que possible les liens
entre eux.

Malgré sa santé défaillante, Élisabeth accompagna sa sœur
à Trieste. Leur frère aîné, le duc Louis, fit le voyage avec
elles. Tous trois assistèrent avec beaucoup d'étonnement aux
cérémonies médiévales par lesquelles les envoyés des Napolitains accueillirent leur future reine : en travers de la grande
salle du palais du gouverneur, à Trieste, avait été tendue une
cordelette de soie symbolisant la frontière entre la Bavière et
les Deux-Siciles, et au-dessous de cette cordelette était disposée une grande table dont deux pieds se trouvaient « en
Bavière » et les deux autres « à Naples ». On mena Marie
jusqu'à un fauteuil installé devant la partie bavaroise de cette
table. Puis les deux grandes portes, décorées de drapeaux et
d'armoiries, laissèrent apparaître les deux délégations, escor-
tées de soldats des deux royaumes. De part et d'autre de la
cordelette, les deux plénipotentiaires échangèrent leurs
documents en s'inclinant chacun devant l'autre avec solennité, puis firent passer les documents reçus aux membres de
leur suite. Le plénipotentiaire bavarois prononça alors une
allocution d'adieu à Marie. Tous les Bavarois purent baiser
une dernière fois la main de celle-ci. On baissa ensuite la
cordelette, et Marie s'installa dans le fauteuil « napolitain »,
où on lui présenta la délégation des Deux-Siciles avant de la
conduire à bord du yacht royal, le *Fulminante* [39].

C'est dans la cabine du navire que Marie-Sophie, désormais princesse de Calabre, princesse héritière de Naples et de

Sicile, prit congé de son frère et de sa sœur, avec force larmes, avant de faire voile vers Bari parmi des gens qui lui
étaient totalement étrangers et dont elle comprenait à peine
la langue. La seule créature vivante qu'elle emmenait avec
elle était son canari. Quant à ce qui l'attendait, c'étaient une
union malheureuse, une révolution, et l'expulsion de son
royaume.

Louis, le frère de Sissi, réagit à sa manière au malheur de
ses deux sœurs, devenues l'une impératrice et l'autre reine :
peu de mois après cette scène de Trieste, il brisa avec les
règles rigides de la vie de Cour en épousant, contre le gré des
deux branches des Wittelsbach, la femme qu'il aimait depuis
des années et dont il avait déjà une fille : Henriette Mendel,
une comédienne d'extraction bourgeoise. Par amour pour
elle, il alla jusqu'à sacrifier son droit d'aînesse, ainsi que de
substantielles sources de revenu.

Entre-temps, Sissi avait pris tant de distance vis-à-vis des
conceptions de l'aristocratie qu'elle applaudit chaleureusement au mariage de son frère et établit avec sa belle-sœur,
méprisée de la noblesse, des relations qui devaient rester
étroites et véritablement fraternelles jusqu'à la fin de ses
jours.

Quant à Marie, son sort fut bien pire encore que ne l'avait
craint Élisabeth. Son époux, faible de corps et d'esprit, était
en proie à un délire mystique et se révéla par ailleurs impuissant. Ferdinand II étant mort quelques mois seulement après
l'arrivée de Marie, celle-ci devint à dix-sept ans, aux côtés
d'un homme maladif et anxieux, la souveraine d'un pays
dont elle ignorait pratiquement la langue et menacé à la fois
de l'intérieur et de l'extérieur. Ludovica ne tarda pas à
envoyer des photographies « de Marie et de son roi. Ce doit
être horrible [...] Marie a l'air pâle et épuisée [40] ! »

L'Italie tout entière était en effervescence, et le mouvement d'unification semblait irrésistible. Le royaume des
Deux-Siciles n'était pas seul exposé, mais aussi les principautés de Toscane et de Modène gouvernées par des Habsbourg,
ainsi que les provinces autrichiennes d'Italie du Nord, la

Lombardie et la Vénétie. S'appuyant sur une alliance secrète avec la France, le Piémont-Sardaigne fomentait par tous les moyens une agitation politique pour amener l'Autriche à intervenir militairement. La politique autrichienne donna tête baissée dans ce piège et, le 23 avril 1859, François-Joseph adressa un ultimatum à Turin, exigeant « que l'armée fût mise sur pied de paix et les corps francs dissous ». Cet ultimatum fut repoussé par le ministre Cavour, qui y vit l'occasion d'entrer en conflit ouvert avec l'Autriche. Une guerre sanglante fut déclenchée en l'absence de toute préparation militaire et politique. Il devait plus tard en aller de même d'un autre ultimatum, lancé en 1914 contre la Serbie...

Les troupes autrichiennes pénétrèrent en Piémont, apparaissant aux yeux de tous comme l'agresseur. La France vola au secours de ce petit pays. « Nous voici à nouveau à la veille d'une époque où ce ne seront plus seulement des sectes, mais également des souverains, qui apporteront au monde la subversion de l'ordre établi », s'indigna François-Joseph.

La guerre avait donc déjà éclaté quand il tenta d'obtenir l'aide de la Confédération germanique, en particulier de la Prusse : « C'est en tant que prince de la Confédération germanique que j'attire l'attention sur un danger qui nous menace tous [41]. » Mais une solidarité panallemande était ici hors de question : la politique de la Prusse visait de tout autres buts, et un affaiblissement de son rival autrichien ne pouvait que satisfaire Berlin. L'Autriche ne trouva aucun secours.

De nouveaux impôts furent décrétés. L'ambassadeur de Suisse écrivait à Berne : « C'est là un rude coup pour la population de Vienne et de toute la monarchie ; le renchérissement des denrées, ainsi que des rentes foncières et des loyers, qui avaient déjà atteint un niveau sans précédent, presque aussi élevé qu'à Paris, va encore s'accroître de façon considérable. Il ne faut pas compter pour rien les conséquences qui peuvent en résulter, car l'atmosphère ici n'en sera certes pas améliorée [42]. » C'est ainsi, par exemple, que le *Kunstverein* (Association des amis des arts) dut fermer ses expositions « faute de participation suffisante » ; on pouvait aussi lire, dans une correspondance de Vienne : « Tout comme le commerce et l'industrie, l'art se trouve dans un état proche de la ruine [43]. » On pourrait citer bien des cas semblables.

Que précisément dans une pareille situation le couple impérial apparût aux courses de chevaux, entouré de l'ensemble des archiducs et archiduchesses, et s'y fît acclamer, n'était guère de nature à « améliorer l'atmosphère ». Cette jeune et ravissante impératrice qui se rendait au Prater pour y décerner solennellement des récompenses, ignorait-elle donc la guerre en Italie du Nord et la misère de la population ?

Les souverains de Toscane et de Modène avaient dû s'enfuir avec leurs familles et chercher protection à Vienne. Ces nombreux Habsbourg d'Italie, devenus hôtes permanents des repas de famille à la Hofburg, racontaient en détail les événements dont ils avaient été témoins et victimes, attisant les sentiments de fureur à l'encontre de la Révolution.

La famille impériale persévéra longtemps dans ses illusions et sa vision erronée de la situation. En mai encore, François-Joseph affirmait à Sophie que les Français avaient perdu un millier d'hommes en raison du froid et du manque de ravitaillement. « *Pauvres gens, pour une cause si injuste ! En Allemagne, les armées s'organisent* [44] », écrivait Sophie.

Cependant, ni les Prussiens (« cette ignominieuse racaille prussienne », écrivait François-Joseph [45]), et pas davantage les Bavarois ni les autres États allemands, ne songeaient à soutenir l'Autriche en Italie ou à attaquer la France. L'Autriche restait isolée, ce qui était aussi une conséquence de la politique maladroite menée pendant la guerre de Crimée.

Dans ces jours-là, l'archiduchesse Sophie fit envoyer, pour 500 florins, 85 000 cigares aux troupes d'Italie du Nord [46]. Il n'est point certain que celles-ci les aient jamais reçus, car le ravitaillement était si déficient que les soldats autrichiens devaient souvent combattre le ventre creux, cependant qu'en coulisses des affairistes écoulaient des marchandises restées en souffrance. Malgré la grande bravoure des troupes, accablées par la faim et le manque d'organisation, l'incompétence des généraux entraîna la défaite de Magenta.

Pendant ce temps, dans les salons les plus distingués de la ville et à la Cour de Vienne, les dames, y compris la jeune impératrice et l'archiduchesse Sophie, faisaient de la charpie pour les soldats atteints. D'innombrables blessés et malades arrivaient quotidiennement du front par longues colonnes. « Ils blâmaient et maudissaient les généraux sous lesquels ils avaient servi en Italie ; Gyulai, en particulier, faisait l'objet de leur raillerie et de leur mépris », notait le prince Khevenhüller dans son Journal [47]. Après Magenta, on retira le haut commandement au général Gyulai, proche ami du comte Grünne, et l'empereur, ayant reconnu la dramatique position où il se trouvait, se rendit en Italie afin de redonner courage aux soldats par sa présence. Il continuait de soutenir que l'Autriche luttait « pour une juste cause, contre l'infamie et la trahison », mais reconnaissait de plus en plus clairement que la situation était grave : « Nous avons en face de nous un ennemi supérieur en nombre, très courageux, prêt à recourir à tous les moyens, si exécrables soient-ils, et qui a encore trouvé de nouvelles forces en se faisant de la Révolution une alliée ; nous sommes partout trahis sur notre propre sol [48]. »

François-Joseph se comporta en soldat, dont le devoir est de faire la guerre ; mais, à côté de cette détermination empreinte de romantisme militaire, il lui manquait « un jugement plus profond sur la nature de sa propre position en tant que souverain », selon les termes de son biographe Redlich [49]. En effet, si le monarque absolu quittait Vienne, cela signifiait l'interruption des négociations diplomatiques, en particulier avec les autres princes allemands, et par conséquent la disparition de tout espoir d'une issue autre que militaire.

Avant son départ, François-Joseph consulta le vieux Metternich sur la façon dont il devait rédiger son testament et prévoir les modalités d'une éventuelle régence, s'il venait à succomber. Ses adieux furent déchirants ; un carrosse attelé de six chevaux emmena ses enfants à la gare, afin qu'ils pussent lui faire encore des signes sur le quai. La gouvernante, Léopoldine Nischer, rapporte dans son Journal qu'une foule compacte s'amassait autour de la voiture : « Il se trouva même plus d'une femme en pleurs pour se presser jusqu'aux fenêtres et faire entendre des " Pauvres enfants ! " qui devenaient vraiment sinistres pour ces malheureux petits [50]. » Gisèle avait tout juste trois ans, et le prince héritier huit mois. Élisabeth accompagna son époux jusqu'à Mürzzuschlag ; là, au moment de la séparation, elle exhorta les compagnons de voyage de l'empereur, à commencer par le comte Grünne : « Je veux croire que vous tiendrez à chaque instant votre promesse de bien veiller sur l'empereur ; mon seul réconfort, en ces terribles instants, est de penser que vous ne l'oublierez jamais, en aucune circonstance. Si je n'avais cette certitude, je ne pourrais que m'inquiéter mortellement. »

Sissi était pourtant convaincue qu'en cette période difficile, la place de l'empereur était bien plutôt à Vienne que sur le front italien, comme il apparaît dans cette lettre à Grünne : « Mais vous ferez certainement aussi tout votre possible pour inciter l'empereur à revenir bientôt et pour lui rappeler à chaque occasion combien on a besoin de sa présence à Vienne. Si vous saviez tout le chagrin que j'éprouve, vous me prendriez certainement en pitié [51]. » Léopoldine Nischer notait de son côté : « Le trouble de l'impératrice passe toute imagination. Depuis hier matin [après son retour de Mürzzuschlag], elle ne cesse de pleurer, ne prend aucune nourriture et reste seule en permanence — tout au plus en compagnie de ses enfants. » Le désespoir de la mère déteignait aussi sur les petits, et la gouvernante se montrait soucieuse de voir « la pauvre Gisèle passablement décontenancée par ces pleurs incessants » : « Hier soir, elle est restée assise dans un coin, toute silencieuse et les yeux mouillés de larmes. Comme je lui demandais ce qu'elle avait, elle a répondu : " Gisèle aussi doit pleurer pour son gentil papa. " »

Comme la plupart des Autrichiens, la gouvernante avait aussi des parents dans l'armée d'Italie. Son beau-frère mourut quelques jours après la bataille de Magenta, cependant que son fils aîné survécut à celle de Solférino.

Sissi se trouvait dans un état de désespoir hystérique. Ludovica rapportait : « Ses lettres sont toutes délavées de ses larmes [52] ! » Elle demanda à l'empereur la permission de le rejoindre en Italie, mais François-Joseph lui répondit : « Je ne puis malheureusement accéder à ton désir pour l'instant, alors même que je serais infiniment heureux de le faire. Dans la vie mouvementée du quartier général, les femmes n'ont pas leur place ; et je ne puis marcher à la tête de mon armée en donnant le mauvais exemple [53]. »

Il s'efforçait de rassurer son épouse, à nouveau souffrante : « Je t'en prie, mon ange : si tu m'aimes, cesse de t'affliger ainsi, prends garde à ta santé, tâche de bien te divertir, monte à cheval, ne te déplace que modérément et avec précaution, enfin protège pour moi ta chère et précieuse santé ; de sorte qu'à mon retour je te trouve vraiment en bonne forme et que nous puissions être très heureux ensemble [54]. » Il écrivit également, de Vérone, à sa belle-mère Ludovica pour la prier de bien vouloir se rendre à Vienne ou au moins y envoyer sa fille Mathilde, de façon à égayer un peu Sissi.

Il fallut à nouveau faire venir de Bavière le Dr Fischer, cette fois à la demande de l'archiduchesse Sophie, complètement désemparée. Ludovica était hors d'elle-même et alla presque jusqu'à s'excuser auprès de sa sœur des difficultés causées par sa fille : « Si seulement on reconnaissait tout ce que tu fais, comme tu es bien disposée à l'égard des autres ! Dieu veuille qu'à cet égard les choses puissent encore changer [55] ! »

L'impératrice reprit ses cures d'amaigrissement et se mit à monter à cheval plusieurs heures chaque jour, absorbée en elle-même et fuyant les thés et les repas de famille que donnait l'archiduchesse Sophie.

De plus en plus nombreux étaient ceux qui critiquaient Élisabeth. Le médecin de la famille impériale, le Dr Seeburger, en était et « se répandait en blâmes et en récriminations contre l'impératrice, qui ne remplissait sa mission ni d'impératrice, ni de femme. Elle n'a à proprement parler rien à faire, mais ses rapports avec ses enfants restent extrêmement superficiels ; et, alors qu'elle se lamente et se répand en pleurs à cause de l'absence de son noble empereur, elle passe des heures à monter à cheval, au détriment de sa santé ; un abîme de froideur la sépare de l'archiduchesse Sophie [56] ».

Le ministre de la Police, Kempen, notait dans son Journal que le capitaine du château désapprouvait « la tenue de l'impératrice, qui fumait pendant qu'on la conduisait en voiture, ce qu'il m'a vraiment été désagréable d'apprendre [57] ». La reine Victoria elle-même avait eu vent de l'habitude choquante que la jeune impératrice d'Autriche avait prise de fumer, tout comme sa sœur Marie de Naples. L'ampleur et la portée des commérages sur Sissi apparaissent ici bien clairement [58].

Très prudemment, l'empereur rappelait son épouse à ses devoirs : « N'oublie pas non plus de te rendre à Vienne pour visiter des institutions, de façon à entretenir là-bas une bonne atmosphère. C'est là un point auquel j'attache la plus grande importance. » Ou encore : « Je te conjure, au nom de l'amour que tu m'as promis, de te ressaisir, de te montrer souvent en ville, de visiter des institutions. Tu ne soupçonnes pas à quel point tu m'aiderais en agissant ainsi. Cela rendra courage aux gens et entretiendra à Vienne de bonnes dispositions, ce dont j'ai absolument besoin. Veille aussi, par l'intermédiaire de la comtesse Esterházy, à ce que l'association de secours fasse tous les envois possibles, en particulier des bandages de charpie pour les nombreux, très nombreux blessés, et peut-être aussi du vin [59]. »

Les commentaires de François-Joseph sur les événements militaires, et les noms d'officiers morts ou blessés qui emplissaient des pages entières, n'étaient guère de nature à rassurer l'impératrice : « Les combats sont devenus si acharnés que l'on compte des monceaux de morts. Il sera difficile de remplacer les nombreux officiers tombés [60]. »

Le 18 juin, dans un ordre du jour qui fit sensation, l'empereur déclara : « [Je prends] en mains directement le haut commandement de mes armées en lutte contre l'ennemi. [J'entends] poursuivre, à la tête de mes vaillantes troupes, le combat auquel l'Autriche se voit contrainte pour défendre son honneur et son bon droit. » Cette décision d'un homme de vingt-neuf ans et dépourvu d'expérience de la stratégie, alors que la situation était si précaire, souleva de véhémentes critiques, qui n'allaient guère tarder à se révéler fondées : la bataille suivante, à Solférino, fut la plus sanglante et la plus dévastatrice de toute la guerre et scella définitivement la défaite autrichienne. Le champ de bataille de Solférino, sous un soleil ardent, dépassa en horreur tout ce qu'on avait pu imaginer — c'est d'ailleurs là que le médecin Henry Dunant, bouleversé par la détresse des blessés, décida de fonder la Croix-Rouge Internationale...

La cause principale du désastre résidait dans l'incompétence militaire de l'empereur, qui entraîna une décision précipitée de retraite. La cruelle boutade qui circula bientôt largement — « des lions menés par des ânes » — visait en tout premier lieu le jeune monarque [61]. Depuis le début de son règne, il ne s'était intéressé à rien plus qu'aux choses militaires ; c'était pour l'armée qu'on avait dépensé le plus d'argent (et contracté le plus de dettes). Et tous ces efforts débouchaient sur une terrible humiliation et un horrible carnage. Le comte Mensdorff écrivait à son cousin le prince de Cobourg : « Puissent les mânes de tous ces morts revenir souvent hanter en rêve le sommeil tranquille de ceux qui, nonchalamment assis à leurs bureaux, pondent des décisions politiquement ineptes [62]. »

En Autriche, les esprits étaient si désespérés que bien des gens, considérant la déplorable conduite des affaires politiques et militaires et le poids insupportable du fardeau infligé à la population, en étaient même arrivés à souhaiter la défaite. Le directeur du Burgtheater, Henri Laube, un Allemand du Nord, évoquera ainsi ces moments : « Tout au long de ces guerres, y compris plus tard en 1866, je constatai avec surprise et épouvante le moral de la population, qui n'aurait pas vu grand inconvénient à la défaite de l'Autriche. " Oui certes, si tout avait été bien au niveau politique, n'hésitait-on pas à affirmer ouvertement, alors on aurait attendu comme une joie de voir nos troupes victorieuses ; mais dans de pareilles conditions ! " Ou encore : " L'année 1848 nous a été confisquée, et pour que nous obtenions des concessions, il faut que le régime se trouve acculé par suite de batailles perdues. " Je n'étais autrichien que de fraîche date, mais cette façon de penser me répugnait au plus haut point [63]. »

François-Joseph dut boire jusqu'à la lie les conséquences de sa défaite. Jamais il ne fut aussi impopulaire que pendant les mois qui suivirent. L'acrimonie de la population appauvrie qui, en raison de lamentables erreurs politiques et militaires, avait perdu des dizaines de milliers d'hommes pour une province estimée étrangère, alla jusqu'à s'exprimer sous forme de proclamations publiques : l'empereur, y disait-on, devrait se retirer et laisser gouverner son frère Maximilien, plus jeune et plus libéral. Ainsi, à Vienne même, régnait une ambiance révolutionnaire...

Les journaux autrichiens, soumis à une stricte censure, ne pouvaient donner libre cours à leur mécontentement. Les organes de presse étrangers ne s'en montrèrent que plus critiques à l'égard du jeune empereur. Friedrich Engels, par exemple, le qualifiait d'« arrogant jeunot » ou de « pitoyable gringalet » et affirmait que les valeureux soldats autrichiens « avaient été battus non par les Français, mais par l'imbécile outrecuidance de leur propre empereur [64] ». On était bien près d'imputer la catastrophe de Lombardie à la « camarilla » militaire et aristocratique qui entourait ce souverain inexpérimenté, mais tout-puissant : un système qui s'identifiait à ce point à l'armée ne pouvait guère supporter sans dommage une telle catastrophe militaire. François-Joseph, découragé, écrivait à son épouse : « Je me suis enrichi de beaucoup d'expérience en découvrant ce que peut éprouver un général vaincu. Les lourdes conséquences de notre déroute n'ont pas fini de se faire sentir, mais je m'en remets à Dieu, n'ayant d'ailleurs pas le sentiment d'avoir commis de faute ni d'erreur stratégique [65]. »

Napoléon III considérait François-Joseph comme le premier responsable de sa défaite et avouait au prince de Cobourg que la victoire française lui semblait « due à la chance pure et simple [...]. La condition de sa propre armée aurait été des plus mauvaises et ses généraux ne se seraient pas montrés aptes à diriger une importante armée. Les Autrichiens se seraient battus beaucoup mieux que les Français et [...] il ne ferait aucun doute qu'ils auraient gagné à Solférino, si l'empereur avait fait donner ses réserves. L'empereur d'Autriche, dit Napoléon, est un homme de grande valeur, *mais malheureusement il lui manque l'énergie de la volonté* * [66] ».

La duchesse Ludovica elle-même critiquait l'excessive ardeur qui avait mené François-Joseph à vouloir faire ses preuves comme chef d'armée. « Je ne m'étais tout de même pas attendue à une telle défaite juste après la première [...] et je trouve que la chose est rendue plus triste encore par le fait que l'empereur commandait lui-même les opérations, écrivait-elle à Marie de Saxe. Du reste, je n'ai jamais trouvé bon qu'il ait quitté Vienne à un moment aussi difficile, d'autant que maintenant son retour sera extrêmement embarrassant [67]. »

Entre-temps, Sissi avait mis sur pied à Laxenburg un hôpital destiné aux blessés. François-Joseph lui écrivit : « Installe les blessés partout où tu voudras, dans tous les bâtiments de Laxenburg. Ils seront très heureux sous ta protection. Je ne saurais t'en remercier suffisamment [68]. » A l'issue de ces combats acharnés, il y avait 62 000 malades et blessés à soigner. Les hôpitaux d'Autriche étaient fort loin d'y suffire : il fallut les recevoir dans des couvents, des églises, des châteaux. Et des mois furent encore nécessaires avant que le sort des blessés ne se décidât : les uns mouraient, d'autres restaient estropiés, d'autres enfin recouvraient la santé. Si de fortes sommes avaient été consacrées à l'équipement de l'armée, en revanche rien n'avait été prévu pour soigner les blessés.

Tels étaient les problèmes auxquels la jeune impératrice se trouva soudain confrontée. Elle recueillit alors dans les journaux de nombreux éléments d'information, et en vint à prendre une attitude d'opposition toujours plus forte contre l'aspect militaire et aristocratique du régime, strictement

---

* Ce membre de phrase est en français dans la citation. *(N.d.T.)*

absolutiste. Nous ne savons pas exactement quelles sont les influences personnelles qui jouèrent peut-être ici (par exemple si sa famille y eut une part, à l'occasion de ses visites à Vienne), mais il devint clair que la jeune impératrice prenait de plus en plus position en faveur du peuple et des journaux et qu'une dimension politique venait maintenant s'ajouter au conflit qui l'opposait à sa belle-mère. Car Élisabeth, se gardant de faire des reproches directement à son époux, attribuait tout le mal à l'influence réactionnaire de l'archiduchesse Sophie, tout comme les intellectuels de la bourgeoisie.

Alors qu'elle avait tout juste vingt et un ans, elle essaya même de donner à son mari le conseil, inspiré par la « voix populaire », de conclure la paix aussitôt que possible. Cependant, François-Joseph était loin de songer à écouter son épouse, et répondit par une dérobade : « Tes plans politiques contiennent d'excellentes idées ; cependant, nous ne devons pas abandonner maintenant l'espoir que la Prusse et l'Allemagne nous viennent enfin en aide, aussi n'est-il pas question pour l'instant de songer à traiter avec l'ennemi [69]. »

Il est étonnant de constater à quel point l'empereur était mal informé des projets politiques de la Prusse et des principes qui les inspiraient, pour pouvoir encore à ce moment-là, alors même que la guerre était depuis longtemps perdue, nourrir de telles illusions. Comme il l'avait écrit à Sissi, il ne lui restait plus qu'à s'en remettre à Dieu : « [Il] conduira certainement toutes choses pour le mieux. Il nous châtie sévèrement, et sans doute ne sommes-nous encore qu'au début d'épreuves plus dures encore ; mais il faut savoir les supporter avec soumission et continuer de faire à tous égards son devoir [70]. »

Les observations politiques d'Élisabeth n'eurent donc guère de succès. Celle-ci lui ayant aussi demandé si Grünne, que l'armée détestait, serait relevé de ses fonctions, l'empereur répondit de façon analogue : « Il n'a jamais été question de rien changer aux attributions du comte Grünne et je n'en ai aucunement l'intention. De façon générale, je te prie de ne pas accorder foi à ce qu'écrivent les journaux, qui sont pleins de sottises et d'inexactitudes [71]. » Il exhortait, en revanche, son épouse à manger davantage, à moins monter à cheval et, surtout, à mieux dormir : « Je te conjure de changer bien vite de façon de vivre et de consacrer tes nuits à dormir ; la nature les a faites pour le sommeil, non pour la lecture et l'écriture. Ne fais pas non plus trop d'équitation, et surtout sans efforts violents [72]. »

Les deux mères, Ludovica et Sophie, n'appréciaient guère non plus l'intérêt de la jeune impératrice pour la politique. La première écrivait à la seconde : « Je pense que la présence des enfants devrait remplir une bonne part de ses journées, la tranquilliser, la captiver, stimuler son sens de la vie familiale, imprimer une nouvelle orientation à ses habitudes et à ses goûts. Je voudrais ranimer la moindre étincelle, soutenir le moindre élan positif [73]. »

Cependant, quelques jours seulement après avoir repoussé la proposition de Sissi visant à faire la paix sans plus tarder, l'empereur se rendit compte par lui-même que la guerre était décidément vouée à l'échec. Encore l'initiative de l'armistice ne vint-elle pas de lui, mais de Napoléon III, « cette fripouille », comme l'appelait François-Joseph [74]. Par le traité de Villafranca, l'Autriche dut alors renoncer à la Lombardie, qui avait jadis été la plus riche de ses provinces et lui appartenait depuis le Congrès de Vienne, en 1815. La Vénétie lui demeurait mais nul ne croyait qu'elle pourrait être tenue bien longtemps.

L'ambassadeur de Suisse rapporta que la paix avait fait, à Vienne, « une impression terriblement défavorable » : « Le prestige dont était entouré l'empereur s'est effondré, même parmi les couches inférieures de la population. Depuis dix ans, on faisait de terribles efforts pour entretenir une coûteuse armée et pour l'amener au plus haut degré de perfection ; et voilà qu'il apparaît qu'on a gaspillé des millions et des millions pour ce qui n'est qu'un jouet et une arme aux mains des ultramontains et de l'aristocratie. Si l'empereur revient ici avec l'idée de conserver l'actuel système de gouvernement et de continuer à s'appuyer sur le Concordat et le népotisme militaire, il préparera un bien sombre avenir à la monarchie ; ce système est pourri de fond en comble et ne peut que s'effondrer [75]. »

En Hongrie couvait une nouvelle révolution. Quant à la situation à Vienne, le Dr Seeburger en parlait en ces termes : « Jamais l'atmosphère n'a été aussi mauvaise qu'aujourd'hui, mais l'archiduchesse Sophie, à laquelle [j'en ai] fait part, n'a pas voulu le croire. On ne craint pas, dans les auberges et les cafés, de dénigrer l'empereur ; pourtant celui-ci ira demain chasser à Reichenau, et l'impératrice l'accompagnera pour y faire du cheval [76]. » L'époux de Sophie, l'archiduc François-Charles, se faisait lui aussi de fausses idées. Le ministre de la Police, Kempen, notait dans son Journal : « [Il parle certes] ouvertement de la mauvaise atmosphère qui règne à Vienne. Mais il continue à nier que celle-ci soit de quelque gravité, car on le salue encore. Quelle pitoyable façon de se rassurer [77] ! »

On découvrit des projets d'attentats, dont l'un à l'intérieur même de la Hofburg : un laquais avait eu le projet d'assassiner l'empereur et l'archiduchesse Sophie. Ludovica jugeait la colère populaire à l'égard de l'empereur « aussi affligeante que révoltante » : « Car on s'en prend à la personne même de l'empereur, qui fait l'objet d'incroyables calomnies ; on répand sur son compte des mensonges qui ne sauraient être plus injustes et dénués de fondement. Malheureusement, cette hostilité provient pour une large part des militaires qui, à l'étranger également [...], parlent de lui avec beaucoup de sévérité. » Elle ajoutait cette phrase révélatrice sur le caractère de François-Joseph et dont on trouve diverses variantes dans d'autres sources, y compris dans le Journal de Sophie : l'empereur lui-même « se montre si candide devant cette situation, m'a-t-il paru à le voir aussi serein, que j'en ai vraiment été surprise [78] ».

D'énormes affaires de corruption dans les milieux militaires et financiers apparurent aussi au grand jour ; le ministre des Finances, Bruck, désespéré par le manque de confiance de l'empereur, se trancha la gorge. Divers ministres et généraux furent relevés de leurs fonctions : le ministre des Affaires étrangères, Buol, puis le ministre de l'Intérieur, Bach, puis Kempen et encore les généraux Gyulai et Hess. L'empereur se lamentait auprès de sa mère d'avoir toutes les peines du monde « à calmer les fureurs excessives provoquées par la réorganisation et le chambardement [79] ».

Au centre des critiques se trouvait son aide de camp général, son confident le plus proche tant au niveau personnel que politique, son paternel ami le comte Carl Grünne qui acceptait en fait de servir de bouc émissaire à son très auguste maître. Même Ludovica le savait : « Les haines se portent essentiellement contre Grün[ne], parce que l'on prétend qu'il aurait volontairement tenu l'empereur dans l'ignorance de tous les événements les plus funestes, des plus effroyables négligences, erreurs et malversations [80]. »

Le *Neue Wiener Tagblatt,* quotidien libéral, devait écrire par la suite : « Sur le nom de Grünne se concentrait une impopularité confinant à la popularité. » Le comte serait devenu « un dictateur en marge du système officiel », « un chef de gouvernement *extra statum* », avec « tout le prestige d'un vice-empereur », et aurait « souvent guidé aussi le point de vue du souverain » au sein du Conseil des ministres [81]. Sous la pression de l'opinion publique, l'empereur fut contraint de le relever de ses fonctions d'aide de camp général et de chef de la chancellerie militaire (non sans lui donner toutefois de grandes marques de faveur), pour ne lui laisser que l'office de grand écuyer.

L'amitié de Sissi pour Grünne ne fut pas affectée par ces problèmes politiques. Quand il fut remercié, elle lui souhaita « avant tout de connaître des jours meilleurs et plus heureux que ceux que nous avons traversés. Je n'arrive toujours pas à m'accoutumer à tous ces changements autour de nous, et notamment au fait de voir quelqu'un d'autre à votre place ; mon seul réconfort est de savoir que nous ne vous avons pas entièrement perdu, et vous savez combien je vous en suis reconnaissante [82] ».

L'empereur François-Joseph se défendait à toute force contre une réduction de son autorité absolue. Il bénéficiait du soutien de l'archiduchesse Sophie, qui tenait en abomination la « volonté du peuple », criminelle atteinte à la majesté impériale, pensait-elle. Dans sa correspondance, elle se lamentait sur les trahisons, refusant d'admettre qu'il y eût la moindre faute de la part du « système » : « Mon pauvre fils, rudement harcelé par le triomphe de l'injustice sur le bon droit, par la traîtrise et la perfidie, ne voit ses mérites reconnus que par bien peu de gens [83]. »

Pour porter une juste évaluation sur l'attitude politique de l'impératrice, attitude qui devait bientôt se répandre dans des cercles plus larges, il faut garder à l'esprit que ses positions libérales, son anticléricalisme, son engouement pour un État constitutionnel, si mal vus à la Cour, surgissaient en un temps des plus sombres et dans le cadre d'une opposition toute personnelle aux conceptions aristocratiques de l'archiduchesse Sophie.

CHAPITRE IV

LA FUITE

La crise politique de l'hiver 1859-1860 coïncida avec de graves difficultés au sein du couple impérial. Politiquement, on allait de mauvaise nouvelle en mauvaise nouvelle. Le comte Crenneville, successeur de Grünne comme aide de camp général, se répandait en plaintes : « Effrayantes perspectives ; banqueroute de l'État ; révolution ; désastre ; guerre. Pauvre empereur, qui cherche inlassablement à faire de son mieux [1] ! »

François-Joseph ne songeait guère à partager ses soucis avec sa jeune épouse. Tout comme par le passé, il ne s'entretenait des problèmes politiques qu'avec sa mère, jamais avec elle, qui nourrissait des conceptions opposées. Nul doute que l'impératrice ait été passablement irritée de se voir tenue à l'écart comme une enfant, et de constater qu'on ne tenait aucun compte de ses suggestions. La concurrence entre Sophie et Sissi devint plus rude que jamais.

Il n'est pas surprenant que l'empereur, dans une atmosphère déjà surchauffée, ait préféré se tenir à l'écart des interminables querelles entre les deux femmes et cherché ailleurs le réconfort. Pour la première fois depuis leur mariage qui remontait à près de six ans, des rumeurs persistantes circulèrent sur les liaisons qu'il aurait entretenues. C'était là un nouvel élément que l'impératrice n'était pas en mesure de supporter. Son inexpérience, son extrême sensibilité, sa jalousie à l'égard de sa belle-mère, sa nervosité exacerbée par la longue absence de son époux, tout contribuait à lui faire perdre sa maîtrise d'elle-même. Elle se mit alors à provoquer son entourage. C'est pendant ce même hiver 1859-1860, alors que l'Empire autrichien était en proie aux pires calamités et que l'impopularité de l'empereur était à son comble, qu'Élisabeth, jusque-là si effacée, se mit soudain à s'adonner aux plaisirs. Alors qu'elle avait toujours rigoureusement refusé toute activité sociale à la Cour en dehors des manifestations officielles, elle n'organisa pas moins de six bals dans ses appartements au printemps 1860. Elle n'invitait à chaque fois que vingt-cinq couples, des jeunes gens de la plus haute société, dotés d'un arbre généalogique impeccable, comme l'exigeait l'étiquette de la Cour. Mais la singularité de ces bals était qu'on n'y invitait pas les mères des jeunes filles, comme il était d'usage ; quant à l'archiduchesse Sophie, elle n'y participait pas non plus.

La landgrave Thérèse Fürstenberg, qui y assistait, rapporte que ces « bals d'orphelins » étaient fort divertissants, mais que la Cour ne s'en montrait pas peu irritée : « Au début, on fut déconcerté par pareille énormité, mais il n'y avait rien à faire si telle était la volonté de Son Altesse. »

Celle-ci, poursuit la landgrave, « dansait volontiers et avec [une] fougue [2] » qu'on ne lui avait jamais connue et qu'elle ne devait plus manifester ensuite.

Par ailleurs, Sissi, naguère si farouche, assistait maintenant aussi aux grands bals privés. C'est ainsi que, lors de celui du margrave Pallavacini, elle ne rentra à la Hofburg qu'à six heures et demie du matin, alors que l'empereur était déjà parti à la chasse, comme le consigna l'archiduchesse Sophie dans son Journal. Les soucis politiques n'empêchaient pas non plus, en effet, le souverain de se rendre à la chasse aussi souvent que possible.

La société de Cour ne témoignait aucune compréhension à ces bravades de Sissi et n'excusait que plus volontiers les aventures amoureuses de son époux. Dans la haute noblesse, les mariages de raison étaient la règle et permettaient de conserver des généalogies irréprochables. Les liaisons amoureuses étaient, par conséquent, chose courante. Les épouses le savaient et, quoiqu'elles ne pussent en général prendre leur revanche (on était loin de manifester la même largeur de vues à l'égard des femmes), elles acceptaient le plus souvent sans se plaindre les infidélités de leurs maris.

Élisabeth, cependant, n'avait pas épousé François-Joseph pour des raisons d'ambition sociale. Des liens purement affectifs les liaient — qu'il convienne ou non de parler d'amour chez une jeune fille de quinze ans. « Si seulement il était tailleur ! » Et voilà que l'empereur ne répondait plus à son attente sentimentale (sans nul doute excessive étant donné sa condition d'impératrice) et qu'il la trompait. Il était, avec ses enfants, la seule personne qui la rattachât à la Cour de Vienne.

Élisabeth avait connu l'union malheureuse de ses parents : la duchesse Ludovica vivait avec sa petite troupe d'enfants, à l'écart du duc Max. Chacun savait, dans la famille, qu'il avait des liaisons et toute une série d'enfants naturels, dont il assurait généreusement l'entretien. C'était un couple dans lequel la mère et épouse avait supporté pendant des dizaines d'années maintes humiliations, dans une totale solitude. La crainte de connaître le même sort que celui de sa mère peut bien avoir joué un rôle dans l'impétueuse réaction de Sissi.

Telle était la situation, quand parvinrent de funestes nouvelles des Deux-Siciles. En mai 1860, les troupes de Garibaldi venaient de s'emparer de la Sicile et menacèrent bientôt la capitale du royaume, Naples. Élisabeth reçut alors des appels au secours de la jeune reine Marie. En juin, ses deux frères Charles-Théodore et Louis vinrent à Vienne pour mettre au point d'éventuelles mesures de secours. Mais, si grande que fussent la solidarité de François-Joseph avec cette Maison qui lui était apparentée et la sollicitude que lui-même et sa mère Sophie éprouvaient pour cette monarchie en détresse, la situation présente de l'Autriche interdisait de songer à aucune aide, qu'elle soit militaire ou même financière. Le couple royal fut donc abandonné à son sort. Le souci que se faisait Élisabeth pour sa sœur bien-aimée, laquelle réclamait en vain le soutien autrichien, aggrava chez Sissi un état nerveux déjà fort préoccupant, mais encore les difficultés au sein de son couple. En juillet 1860, les choses en vinrent à un tel point qu'elle quitta Vienne pour Possenhofen avec la petite Gisèle — cela pour la première fois depuis cinq ans : ce voyage inopiné avait tout le caractère d'une fuite. Elle emprunta la nouvelle voie ferrée de Vienne à Munich, qui devait porter son nom mais n'avait pas encore été inaugurée, semant ainsi une grande perturbation dans les cérémonies prévues.

Nullement pressée de rentrer à Vienne, elle passait le plus clair de son temps à monter à cheval. Ce qui lui manquait, c'étaient précisément les chevaux, car ceux de son frère ne suffisaient plus à ses exigences : « [Ils] ont été terriblement mal montés et répondent mal », écrivait-elle à son ami Grünne, auquel elle témoignait ouvertement sa sympathie : « J'espère que je vous manque un peu et que vous regrettez mes petites tracasseries, que vous avez toujours supportées avec tant de patience [3]. »

Il fallait cependant qu'elle fût rentrée pour l'anniversaire de François-Joseph, le 18 août, car son absence aurait fait grand bruit. L'empereur se fit conduire à Salzbourg pour y retrouver sa femme, qu'accompagnaient son frère Charles-Théodore et sa sœur Mathilde ; c'était bien le signe qu'elle avait besoin de se sentir soutenue face à la famille impériale et n'était pas assez sûre d'elle pour affronter seule son époux et sa belle-mère.

A Naples, la situation s'était encore dégradée. Garibaldi ayant pénétré dans la capitale du royaume, Marie se réfugia, avec le roi malade et affaibli dans la place forte de Gaète. Malgré toute la vaillance de cette reine de vingt ans (« l'héroïne de Gaète »), la chute de la forteresse et la victoire finale du mouvement de l'Unité italienne n'étaient plus qu'une question de temps.

La politique intérieure autrichienne connut à peu près autant de bouleversements que la politique extérieure. Il n'était plus possible de faire la sourde oreille à la revendication d'une Constitution. Significative de l'atmosphère d'alors est cette lettre anonyme reçue en août 1860 par le cabinet de l'empereur :

Un avertissement de Dieu !
A l'empereur François-Joseph.
Qu'hésites-tu si longtemps à propos de la Constitution ? Pourquoi as-tu ôté à ton peuple ce que l'empereur Ferdinand le Débonnaire lui avait donné ?
Tiens compte aussi des habitants des villes et des campagnes, et non pas seulement des nobles et des grands. Prends exemple sur le grand empereur que fut Joseph II.
Que l'infortune du roi de Naples te serve de miroir.
Si tu persévères dans l'absolutisme, tu connaîtras le même sort que lui.
Écarte la camarilla.
N'assure pas ton trône à la force des baïonnettes, mais par l'amour de ton peuple.
En bref, agis de même façon que les autres souverains allemands, l'unité fait la force.
Justitia regnorum fundamentum. Tous ensemble.

Ton fidèle ami, Martin du Bon Conseil [4].

L'empereur se montrait désemparé face à toutes les revendications politiques et se plaignait avec indignation auprès de sa mère : « Mais on n'a encore jamais vu le monde gouverné par une telle infamie d'un côté, une telle couardise de l'autre ; on se demande souvent si tout ce qui se passe là est vraiment réel. » Il la priait de l'excuser de ce que « [...] les rapines de ce Garibaldi, les larcins de Victor-Emmanuel, les filouteries sans précédent de cette fripouille installée à Paris — qui a réussi à se surpasser encore —, l'enterrement définitif du Conseil d'Empire, jusqu'ici actif et que l'on espérait favorable et amical, les problèmes hongrois, les requêtes et revendications sans fin de toutes les provinces, etc., m'ont tellement accaparé et ont tant rempli ma pauvre tête, qu'il ne m'est resté à peu près aucune minute pour moi [5] ».

La première concession aux Autrichiens assoiffés de liberté fut le Diplôme d'octobre 1860, amorce d'une Constitution. François-Joseph écrivit à sa mère pour la rassurer : « Certes, nous allons connaître une certaine vie parlementaire, mais le pouvoir reste entre mes mains, et tout cela sera bien adapté à la situation autrichienne [6]. » Pourtant, il ressentait cette modeste concession, lui qui avait jusque-là exercé un pouvoir absolu, comme une humiliation personnelle. Quant à Sophie, elle voyait dans ce premier adoucissement de l'absolutisme « *la ruine de l'Empire, vers laquelle nous avançons à grands pas* [7] ».

Depuis une année déjà la paix familiale était troublée, et aucune amélioration ne s'annonçait, bien au contraire : à la fin d'octobre 1860, la santé d'Élisabeth, en raison de ses crises de nerfs et des diètes incessantes, devint si mauvaise que le Dr Skoda, phtisiologue, l'estima en danger de mort ; il lui fallait immédiatement partir vers un climat plus chaud, car elle était hors d'état de supporter l'hiver viennois. Dès les premières consultations, le médecin proposa Madère. On ne sait pas au juste pourquoi il choisit précisément cette île ; il se peut que l'impératrice elle-même l'eût proposée. En effet, peu de temps auparavant, l'archiduc Max, celui de ses beaux-frères que Sissi préférait, était rentré d'un voyage au Brésil après un séjour prolongé à Madère, et avait beaucoup vanté les paysages de cette île de l'Atlantique. Cela pouvait parfaitement avoir inspiré à l'impératrice ce souhait, un peu étrange car il ne manquait pas, sur le territoire de l'Empire autrichien, de stations thermales jouissant d'un climat fort doux (ne fût-ce que Méran), où l'on envoyait en cure les personnes atteintes des poumons. Le climat de Madère n'était pas spécialement réputé pour favoriser la guérison de ces affections. Tout paraît indiquer qu'en choisissant un endroit aussi éloigné, Élisabeth souhaitait rendre impossibles de fréquentes visites de l'empereur.

La nature de sa maladie était loin d'être claire — et ne l'est pas plus de nos jours. Autant Élisabeth avait été une enfant bien portante, autant elle devint maladive dès les premiers temps de son mariage. Trois grossesses en quatre ans et le difficile accouchement du prince impérial en 1858 l'avaient épuisée. Elle souffrit pendant des années d'une forte toux qui s'aggrava dangereusement dans l'hiver 1860, d'où certainement le diagnostic de maladie pulmonaire qui fut posé. Son refus obstiné de s'alimenter avait entraîné non seulement une chlorose (c'est-à-dire une anémie), mais encore un épuisement général. Au point de vue nerveux, elle ne supportait rien et avait fréquemment des crises de larmes impossibles à apaiser. Pour calmer ses nerfs, elle avait pris coutume de faire de l'exercice physique à un degré excessif : chevauchées quotidiennes sur des distances souvent considérables (par exemple de Laxenburg à Vöslau, ce que l'empereur considérait comme « pure folie [8] »), saut équestre jusqu'à n'en plus pouvoir, promenades à pied pendant des heures, mouvements de gymnastique.

Il y eut de nombreux doutes sur le diagnostic d'une « maladie pulmonaire » pouvant être fatale. Les membres de la famille impériale et de la Cour ne croyaient pas l'impératrice aussi malade. L'archiduchesse Thérèse écrivait à son père, l'archiduc Albert : « Il est impossible de déterminer si elle est très souffrante ou seulement un peu, car on entend rapporter de nombreuses versions du jugement porté par le Dr Skoda. » Les commérages fleurissaient à la Cour ; Thérèse poursuivait : « Hier, tante Marie s'est rendue chez l'impératrice ; elle avait emporté un grand mouchoir, pensant qu'elle pleurerait beaucoup ; mais elle a trouvé l'impératrice tout à fait gaie ; elle se réjouit infiniment de partir pour Madère. Tante Marie était si indignée qu'elle a dit assez clairement sa façon de voir à l'impératrice : " L'empereur est encore à Ischl " [9]. » Il était, en effet, surprenant que, alors précisément que le Dr Skoda diagnostiquait une maladie peut-être mortelle, l'empereur fût allé chasser à Ischl en laissant son épouse seule à Vienne, et ne soit revenu que le 7 novembre.

Devant ce que les cercles les plus étroits de la Cour prenaient comme une crise conjugale, les sympathies allaient nettement à l'empereur. L'archiduchesse Thérèse : « Je le plains infiniment d'avoir une femme pareille, qui préfère abandonner son mari et ses enfants pendant six mois, plutôt que de mener à Vienne une existence tranquille, comme l'avaient prescrit les médecins. » Et, après une rencontre avec l'empereur : « Cela m'attriste au fond du cœur de le voir si triste et fatigué. J'espère que les enfants lui apporteront cet hiver beaucoup de réconfort et de gaieté [10]. »

Sissi obtint que sa première dame d'honneur, la comtesse Esterházy, confidente de sa belle-mère, ne l'accompagnât pas à Madère. « La comtesse Esterházy a été écartée de façon étrange, écrit Thérèse. C'est la jeune Mathilde Windischgrätz qui ira à Madère à sa place ; il est étrange également de la part de celle-ci d'abandonner ici son petit enfant. » Et le comportement de celle dont les jours étaient prétendument en danger ne laissait pas d'étonner : « L'impératrice s'occupe énormément de ses toilettes d'été pour Madère [11]. »

Dans le Journal de l'archiduchesse Sophie, on ne trouve rien sur le genre de maladie dont souffrait Sissi, mais seulement des regrets sur le fait que celle-ci s'éloignât pour si longtemps de son mari et de ses enfants : « *Elle sera séparée de son mari pendant cinq mois, et de ses enfants sur lesquels elle exerce une si heureuse influence, les élevant réellement bien ! [J'ai été] anéantie par cette nouvelle* [12]. »

La duchesse Ludovica, de même, semblait davantage surprise des nouvelles en provenance de Vienne que préoccupée par l'idée d'une maladie mortelle : « Le voyage de Sissi me préoccupe beaucoup, écrivait-elle en Saxe, et nous a causé une grande frayeur ; car tant qu'elle était ici, on n'aurait pu penser que pareille chose fût nécessaire, bien qu'elle toussât toujours beaucoup, surtout au début [...]. Malheureusement, elle ne se ménage pas suffisamment, elle fait trop confiance à sa bonne complexion. » Surprenante est également cette observation de la même Ludovica : « Étant donné que le séjour à Madère sera très calme et, comme elle l'écrit, fort ennuyeux, j'espère qu'elle ne trouvera là-bas aucune occasion de corruption [13]. »

La Cour manifestait une joie maligne. De façon générale, on plaignait Sophie, ainsi que l'empereur. On attendait avec satisfaction un nouveau rapprochement de la mère et du fils, l'impératrice ne pouvant plus, pendant un certain temps, créer de motif de querelle. L'archiduchesse Thérèse s'en fit l'écho : « Maintenant, écrivait-elle, les repas de famille auront toujours lieu chez tante Sophie. Je crois qu'elle souffre beaucoup de voir l'empereur si solitaire depuis le départ de son épouse, mais qu'elle espère, en son for intérieur, qu'il se rapprochera davantage d'elle-même et lui consacrera peut-être la plupart de ses soirées. » Thérèse exprimait bien le point de vue de la Cour quand elle disait : « A Vienne, on n'éprouve aucune pitié pour l'impératrice ; je suis désolée qu'elle n'ait pu s'attacher l'affection des gens [14]. » Ce témoignage ne reflète pourtant que les sentiments de l'aristocratie et des milieux de la Cour ; chez les gens du peuple, on continuait à aimer l'impératrice.

Au début de novembre 1860, la nouvelle que l'impératrice d'Autriche était atteinte d'une grave maladie fit sensation dans le monde entier. Les offres d'assistance affluèrent de partout. Aucun navire n'étant convenablement équipé pour le voyage jusqu'à Madère, la reine Victoria mit son yacht particulier à sa disposition. Ludovica rapporte, après avoir revu sa fille à Munich : « Sissi est amaigrie et son apparence, si elle n'est pas mauvaise, est bien moins florissante que l'été dernier ; le plus frappant, c'est que sa toux s'est beaucoup aggravée, de sorte qu'on pense finalement qu'un climat plus chaud lui serait en effet salutaire [15]. » Ces mots semblent remarquablement sereins venant de Ludovica, toujours si agitée, et ne concordent guère avec les nouvelles données par les journaux, qui parlaient de la possible fin prochaine de l'impératrice d'Autriche. Il n'est pas moins étonnant que celle-ci, qui détestait pourtant toutes les visites officielles, ait consacré le peu d'heures qu'elle passa à Munich à rendre visite aux membres de sa famille...

De Munich, Sissi se rendit à Bamberg (où François-Joseph vint lui faire ses adieux) puis à Mayence, où elle passa la nuit avant de repartir le lendemain pour Anvers et embarquer sur le yacht *Victoria and Albert*. La domesticité et les bagages suivaient à bord de l'*Osborne*. Il est à remarquer que les fortes tempêtes dans le golfe de Gascogne donnèrent le mal de mer à presque tous les passagers (y compris aux médecins), mais non à l'impératrice, soi-disant agonisante.

Aujourd'hui encore courent à Vienne les plus étranges rumeurs sur la maladie d'Élisabeth avant cette fuite à Madère. On entend toujours dire que l'empereur aurait communiqué à sa jeune épouse une maladie vénérienne. En ce cas, l'impératrice aurait dû être réellement très malade au mois de novembre 1860. Mais, selon tous les récits de son entourage le plus proche, ce n'était nullement le cas.

Le comte Corti, dans sa biographie d'Élisabeth, voit plus juste quand il décrit ainsi les embarras du mois de novembre 1860 : « [...] Sous le couvert de la maladie, tout cela s'atténuera ; et de fait elle est réellement malade, son état nerveux affecte durement aussi son corps. De sorte que ce qui n'aurait été sans cela qu'une petite anémie, une toux sans importance, se transforma presque, dans ces circonstances, en une véritable maladie. » Mais Corti, par un excessif loyalisme vis-à-vis de la Maison impériale, ne se résolut pas, en fin de compte, à publier ces mots et les raya de son manuscrit, de même que ce passage relatif à l'archiduchesse Sophie : « Mais elle est pour sa part parfaitement au courant, et seulement indignée de voir Élisabeth oublier ainsi ses devoirs et, à son avis, prétexter fallacieusement une maladie pour fuir la période hivernale et pouvoir donner libre cours, avec moins d'entraves encore, à ses étranges façons de vivre [16]. »

La médecine moderne décèlerait sans peine dans tout cela des troubles psychologiques. Le penchant exagéré de Sissi pour l'exercice, son refus persistant de se nourrir sont le symptôme (malgré toutes les difficultés à prononcer un diagnostic *post mortem*) d'une névrose avec tendances anorexiques, trouble qui va souvent de pair avec un rejet (fréquent à la puberté) de la sexualité. Ainsi s'expliquerait également l'habitude de Sissi de se rétablir immédiatement dès qu'elle s'éloignait de Vienne et de son époux.

A Madère, l'impératrice vécut assez solitaire, habitant une villa louée au bord de la mer. De temps à autre, l'empereur envoyait un messager pour s'informer de son état de santé et transmettre des lettres. Le premier d'entre eux fut Joseph Latour von Thurmburg, qui rapporta à Vienne et Munich des détails sur « le calme » dans lequel vivait Sissi et « l'existence paisible, raisonnable, convenable » qu'elle menait, comme le fit savoir en Saxe une lettre de Ludovica. Mais la mère de Sissi déplorait aussi les lettres « vraiment mélancoliques » qu'elle recevait de sa fille, laquelle était malheureuse « de ce grand éloignement et de cette longue séparation », en particulier des enfants : « Elle languit terriblement loin de chez elle, loin de son mari et de ses enfants [17]. »

A Noël, c'est le comte Nobili que l'on dépêcha de Laxenburg, avec un sapin. Il fit savoir à Vienne qu'on avait « fêté Noël selon les coutumes nationales », mais déplora « l'oisiveté officialisée » et « les nombreuses promenades » de l'impératrice à travers l'île [18]. Le comte Louis Rechberg, un peu plus tard, fit savoir que l'état de santé de l'impératrice s'était certes amélioré, ajoutant toutefois : « Mais, au moral, l'impératrice est terriblement abattue, au bord de la mélancolie, et il ne saurait guère en aller autrement dans sa situation : elle s'enferme souvent presque toute la journée dans sa chambre pour pleurer [...]. Elle mange extrêmement peu, au point que nous aussi en pâtissons, car le repas, avec quatre plats, quatre desserts, le café, etc., ne dure jamais plus de vingt-cinq minutes. Dans sa mélancolie, elle ne sort jamais, restant simplement assise devant sa fenêtre ouverte, à l'exception d'une promenade équestre au pas, qui ne dépasse jamais une heure [19]. »

Mais Rechberg s'étendait aussi longuement sur la beauté de l'île : « Toutes les essences des Antilles et de l'Amérique du Sud prospèrent dans cette île si favorisée par la nature. Imagine des bosquets de camélias hauts de trente pieds, avec des milliers de fleurs et de bourgeons. A vingt-cinq pas devant la maison, la haute falaise rocheuse sur la mer, avec un cactus poussant dans chaque fissure du rocher [20]. »

Chaque courrier rapportait des cadeaux à Munich et à Vienne. « Elle nous a envoyé ce qu'on trouve maintenant à Madère », écrivait Ludovica [21]. C'est surtout au souvenir des enfants que Sissi se rappelait sans cesse par des présents. Elle écrivait à Gisèle, alors âgée de quatre ans : « Tu sais déjà les beaux petits oiseaux que je te rapporterai, dans une jolie cage, et puis je te ferai de la musique et je t'apporterai aussi une toute petite guitare pour que tu en joues [22]. »

Les distractions étaient rares à Madère, observaient tous les courriers ; ainsi le comte Nobili : « Les habitants des deux sexes ont la peau jaune cuir et sont laids comme il n'est pas permis ; la ville de Funchal est sale, pavée de petites pierres pointues tout à fait impropres à la flânerie. Les boutiques sont pauvrement fournies. Quant aux relations sociales, il n'y a rien [23]. »

L'impératrice s'occupait de la manière qu'elle avait toujours préférée à Possenhofen : en consacrant la plus grande partie de ses journées à ses bêtes. Il y avait des poneys, des perroquets et surtout de grands chiens. « J'ai demandé d'Angleterre un très gros chien qui me fera un peu plus de compagnie et m'accompagnera partout [24] », écrivait-elle au comte Grünne.

Elle passait aussi le temps en jouant aux cartes — ce qui, à Vienne, donna lieu à de nouveaux cancans. L'archiduchesse Thérèse écrivait : « Les courriers qui rentrent de Madère ne se lassent pas de raconter combien on s'ennuie là-bas. Tout est réglé selon les heures de la journée, même les jeux de cartes. Ainsi, de 8 à 9 on joue au chien de pique, de 9 à 10 au demi-douze. Personne ne dit un mot ; même Hélène Taxis, si loquace, y a renoncé. » On se passait à Vienne de main en main une photographie prise à Madère, que Thérèse décrit ainsi : « L'impératrice est assise et joue de la mandoline, Hélène Taxis est accroupie par terre devant elle, avec un griffon sur le bras. Mathilde Windischgrätz est debout avec une longue-vue à la main, et à l'arrière-plan se tient Lily Hunyady, qui les regarde toutes d'un air songeur. Toutes ces dames portent des vareuses et des bérets de marins [25]. » L'archiduchesse Sophie évoque également dans son Journal ce cliché. Lorsqu'on pense aux temps difficiles que traversait la monarchie, aux soucis politiques qui assaillaient l'empereur, on comprend l'étonnement suscité par une telle image, qui apparaissait à Vienne comme une provocation. Les petits étaient sans mère, l'empereur sans épouse, l'empire sans impératrice. Et Élisabeth, à Madère, contemplait la mer en rêvassant, se plaignait de sa situation, grattait de la mandoline et jouait au chien de pique... En même temps, les médecins continuaient à soutenir qu'elle devait rester à Madère et ne rentrer à Vienne qu'en mai, quand les beaux jours seraient de retour.

Élisabeth continua donc à s'ennuyer là-bas, faisant marcher sans cesse son « petit mouvement » (une boîte à musique où elle passait surtout les grands airs de *la Traviata*). Elle lisait beaucoup et prenait des leçons de hongrois avec l'un de ses chevaliers d'honneur, le comte Imre Hunyády. Le comte, qui passait pour extraordinairement fringant, tomba évidemment bientôt amoureux et fut promptement rappelé à Vienne. La suite de l'impératrice était si nombreuse que chacun surveillait chacun et il régnait tant de mesquines jalousies dans cette petite société coupée du monde qu'aucune inclination, même légère, ne pouvait passer inaperçue.

A Vienne, Élisabeth avait été constamment blessée dans le sentiment qu'elle avait d'elle-même. On la traitait comme une ravissante petite sotte, qu'on négligeait dès qu'il s'agissait de choses sérieuses. Ici, à Madère, elle sentait s'améliorer non seulement l'état de ses poumons, mais aussi son assurance ; elle prenait conscience de sa beauté et du rayonnement qu'elle exerçait sur à peu près tous les hommes. La passion du beau comte Hunyády contribua à cette évolution, tout comme celle qu'elle inspira aux officiers d'un navire de guerre russe qui faisait escale à Madère. L'impératrice les invita à un dîner suivi de quelques danses — une distraction fort bienvenue pour sa suite et ses dames d'honneur, qui s'ennuyaient en permanence. Un amiral russe, racontant par la suite cette invitation, rapporta que tous les officiers invités, jeunes ou vieux, étaient tombés amoureux de la jeune impératrice.

Au fur et à mesure de ce séjour, Sissi paraissait oublier peu à peu les querelles viennoises et aspirer à revoir ses enfants. Aux quelques amis qu'elle comptait à Vienne, elle écrivait des lettres extrêmement chaleureuses, ainsi au comte Grünne : « [Je suis] persuadée que vous pensez beaucoup à moi et que, surtout si vous êtes à Vienne, je vous manque quelque peu. Nous parlons très souvent de vous ; votre santé n'était pas tout à fait rétablie lors de notre départ et comme vous avez été souvent souffrant ces derniers temps, je serai très heureuse d'apprendre de vous-même comment vous vous portez. » Mais, ici aussi c'étaient surtout ses chevaux qui lui manquaient : « Je vous en prie, demandait-elle à Grünne, faites-moi savoir aussi en détail comment vont nos chevaux ; je ne puis vous dire combien il me manque de pouvoir monter de façon convenable. Je n'en peux plus d'attendre l'instant où je pourrai retrouver Forester et Red Rose ; ici, la marche au pas, pendant des heures, sur ce terrible pavé, avec de très mauvaises montures, est pire encore que de ne pas monter du tout ; mais c'est pourtant la seule manière d'avancer tout de même un peu. » « Ce ne serait pas rien, pour vous, de vivre ici, ajoutait-elle ; je crois que vous ne le supporteriez pas quinze jours. Si j'avais su comment ce serait, j'aurais plutôt choisi un autre endroit pour y passer un temps aussi long ; certes, l'air qu'on respire ne laisse rien à désirer, mais cela ne suffit pas à rendre l'existence agréable. »

A nouveau saisie par le mal du voyage, elle disait aussi dans sa lettre : « En fait, je voudrais toujours aller plus loin ; à chaque bateau que je vois partir, j'ai envie de me trouver à bord ; peu m'importe d'aller au Brésil, en Afrique ou au Cap, le tout est de ne pas rester installée si longtemps au même endroit. » Elle confiait aussi au comte son appréhension vis-à-vis de Vienne : « Pour vous parler tout à fait franchement, si je n'avais pas les enfants, l'idée de devoir reprendre la vie que j'ai menée jusqu'ici me serait tout à fait insupportable. Je ne puis penser à l'A. [l'archiduchesse Sophie] sans trembler, et la distance ne fait qu'accroître mon aversion. »

C'est Grünne qui lui fournit les informations politiques qu'elle réclamait avec insistance : « Je vous en prie, écrivez-moi où en sont maintenant les choses, s'il faut s'attendre à quelque campagne militaire, et aussi quelle est la situation intérieure. L'E. [François-Joseph] ne me parle jamais de ces questions dans ses lettres. Mais en est-il lui-même informé, au moins pour l'essentiel ? Sur tout cela, vous ne m'écrirez jamais assez ; je vous prie de le faire chaque fois qu'il y a un courrier ; cela me fera immensément plaisir et je vous en serai très reconnaissante. » Sissi concluait cette lettre à Grünne, ainsi que d'autres, par une formule un peu puérile : « Avec l'assurance de l'amitié sincère que vous porte toujours votre Élisabeth qui vous aime très affectueusement [26]. »

Il n'était pas exact que Sissi fût, comme on le prétendait à Vienne, une femme qui n'éprouvait aucun intérêt pour la politique. Elle écrivait ainsi à Grünne, de Funchal : « Il semble que [...] aucune campagne militaire ne se déclenchera dans l'immédiat. J'espérais aussi que les choses s'arrangeraient en Hongrie mais, d'après ce que vous m'écrivez, il ne semble pas que tel soit le cas. Finalement, cela éclatera plus tôt là-bas qu'en Italie », faisant allusion à l'insurrection qui menaçait en Vénétie. « Vous n'imaginez pas combien il me serait désagréable de me trouver encore ici au cas où il y aurait une guerre. C'est pourquoi j'ai prié l'empereur de me laisser avancer mon départ ; mais il m'a assuré avec tant de netteté qu'il n'y avait aucun lieu de s'inquiéter que je suis bien obligée de le croire et de m'efforcer de me tranquilliser [27]. »

Sa joie à l'idée de rentrer à Vienne n'était pas totale. « Je regrette de manquer le mois de mai à Vienne, écrivait-elle à Grünne, surtout pour les courses. Et, d'un autre point de vue, il serait préférable pour moi de me retrouver aussitôt que possible aux côtés, ou du moins à proximité d'une certaine personne qui n'aura certes pas manqué de mettre à profit mon absence pour diriger et contrôler l'E. et les enfants. Les choses ne seront guère agréables au début, et il me faudra quelque temps avant de me trouver à nouveau en état de porter ma croix dans cette Maison. » Elle ajoutait tout de suite avec malice : « Comme je me réjouis par avance de la première fois où je retournerai monter à cheval avec vous au Prater ! Je vous en prie, faites-moi préparer pour cela Forrester puis pour la seconde fois Gipsy Girl, que je suis particulièrement heureuse de retrouver, car j'ai un chapeau qui ira très bien avec une jument noire. Mais j'imagine parfaitement que vous vous raillerez de moi en lisant cela. » Et, quelques lignes plus loin : « Nous passons des jours de Pâques très froids, et je suis proprement indignée que le pays ne soit pas plus vert, alors que l'on ne s'installe à Madère que pour avoir chaud et ne pas geler comme dans notre cher pays [28]. »

C'est pendant les mois que Sissi passa dans l'île que tomba la place forte de Gaète. La reine Marie de Naples, alors âgée de vingt ans, se réfugia à Rome avec son époux. Élisabeth, qui était sans nouvelles, ne cessait de s'inquiéter pour sa jeune sœur. Ses soucis allaient exclusivement à la personne même de Marie, tandis que l'archiduchesse Sophie raisonnait en termes purement politiques, considérant la défaite du royaume des Deux-Siciles comme un pas de plus vers le déclin des monarchies en général : « *Voici notre dernière consolation, la dernière gloire du principe monarchique, disparues aussi !* » se lamenta-t-elle après la chute de Gaète en février 1861 [29].

C'est après six mois de séparation qu'Élisabeth et François-Joseph se retrouvèrent à Trieste en mai 1861. L'accueil cordial de la population était encourageant. Ludovica écrivit à sa sœur Sophie : « Partout les choses se présentent mal ; aussi le fait que l'atmosphère ait complètement changé autour de notre cher empereur m'a-t-il fait du bien, tant je l'aime profondément [...]. Dieu fasse seulement que Sissi lui apporte maintenant une vie familiale vraiment heureuse et qu'il trouve au foyer le bonheur et la jouissance tranquille qu'il mérite tellement après ce long et triste hiver. Puisse-t-elle, à la suite de cette longue séparation, apprécier son bonheur et en profiter, et lui trouver en elle tout ce qu'il mérite et dont il a un si grand besoin — le baume, l'agrément qui pourront compenser tout ce que sa position a de difficile et de pénible, toute l'ingratitude qu'il doit supporter [30]. »

Ces espoirs étaient vains. Sissi était de retour à Vienne depuis quatre jours à peine que ses accès de fièvre et de toux reprirent un tour menaçant, surtout à la suite du premier « cercle » qu'elle tint avec la haute aristocratie. Et, tout comme avant son départ pour Madère, elle se remit à fondre constamment en larmes et à rechercher la solitude.

Le ministre des Affaires étrangères, Rechberg, parlait dans une lettre de « la profonde affliction de l'empereur » et de « l'ambiance pesante » qui régnait à la Cour : « Depuis son retour, l'impératrice éprouve le plus grand dégoût pour la nourriture, quelle qu'elle soit. Elle ne mange plus rien du tout, et ses forces s'épuisent d'autant plus que sa toux persiste et que de sévères douleurs la privent du sommeil qui pourrait encore l'aider à garder quelque force [31]. » Personne ne peut savoir si cet effondrement n'était vraiment dû qu'au rude climat de Vienne et aux exigences des devoirs mondains, ou bien si la reprise de la vie conjugale y avait également sa part. Toujours est-il que cette rechute donnait à Sissi un prétexte pour interdire à son mari la porte de sa chambre à coucher.

En juin, le Dr Skoda diagnostiqua une phtisie galopante et prescrivit, en dernier recours, un séjour à Corfou, que Sissi avait découverte au cours de son retour de Madère et dont elle avait admiré les paysages — cette île était par ailleurs aussi peu renommée que Madère pour la guérison des maladies pulmonaires.

Cette fois-ci, même Ludovica crut à une maladie grave, voire mortelle ; elle était également inquiète des constantes altercations de Sissi avec ses médecins. Elle écrivit ainsi à Sophie que le médecin n'avait pas dû dire toute la vérité à l'impératrice, « sans quoi tout serait d'ailleurs perdu, et Sissi ne le recevrait même plus [...]. Je suis anéantie [32] ». Que le diagnostic pessimiste fût ou non exact, il est de fait que l'état nerveux de l'impératrice était au plus bas. Elle allait jusqu'à penser, écrivait-elle à sa mère, qu'elle n'était « qu'un fardeau pour l'empereur et pour le pays, qu'elle ne pourrait plus jamais être utile aux enfants, en venant même à se dire que si elle perdait la vie, l'empereur pourrait se remarier ; tandis qu'elle-même, misérable créature en train de s'étioler, ne serait plus en mesure de le rendre heureux ! ». Ludovica ajoutait à l'intention de Sophie : « Sans nul doute a-t-elle aussi souhaité cet éloignement afin de lui épargner ce triste spectacle [...]. Si tu avais pu lire la lettre qu'elle a écrite après son retour à Vienne, où elle exprimait son bonheur d'être à nouveau auprès de l'empereur, auprès de ses enfants ! Cette lettre m'avait réchauffé le cœur ; quand j'y songe maintenant, elle me le déchire [33]. »

Sophie embrassait en pleurant les deux enfants du couple impérial, « *car ils vont au-devant d'un grand malheur, la perte de leur pauvre mère* » ; lorsque cette dernière quitta Vienne, Sophie nota dans son Journal : « *Tendre et bien triste congé, hélas peut-être pour la vie, de notre pauvre Sissi. Elle pleurait et était extrêmement émue, me demandant pardon pour le cas où elle n'eût pas été vis-à-vis de moi telle qu'elle aurait dû être. Je ne puis exprimer la douleur que j'éprouvais — elle me déchirait le cœur.* » Sissi recommanda les enfants à la gouvernante Léopoldine Nischer : « Car c'est là tout ce qui restera à l'empereur [34] ! »

A Vienne, l'émotion était grande parmi la population, et les nouvelles données par les journaux ne faisaient que l'aggraver. L'archiduchesse Thérèse rapporte à quel point les adieux du couple impérial à Laxenburg avaient été émouvants : « Une foule innombrable s'était rassemblée à la gare. Il régnait un silence absolu, que seuls entrecoupaient les sanglots de quelques femmes. Quand le train s'ébranla lentement, tout le monde eut l'impression que c'était un cortège funèbre qui avançait [35] ! » Deux jours à peine après le départ de Sissi, d'ailleurs, des rumeurs à Vienne prétendait que l'impératrice était morte [36]...

François-Joseph accompagna son épouse jusqu'à Miramar, près de Trieste. Son frère Maximilien continua le voyage jusqu'à Corfou, parmi une suite de trente-trois personnes. Dès les débuts de la traversée, la grande malade retrouva de l'appétit alors qu'à Vienne, elle avait refusé d'absorber toute nourriture...

De Corfou parvenaient à Vienne des nouvelles contradictoires : « L'impératrice ne voit personne de la journée ; le soir, elle fait un tour en barque, ou bien elle flâne dans le jardin. Avec cela, il paraît qu'elle a très mauvaise mine, ce qui est le pire de tous les signes. C'est à la fin d'août que commencent les pluies là-bas, et elle devra de toute façon partir à ce moment-là. J'avais quelque peu repris espoir, écrivait l'archiduchesse Thérèse à François-Joseph ; mais maintenant je ne crois pas même qu'elle puisse passer l'hiver [37]. »

Entre les époux impériaux, l'atmosphère était toujours aussi tendue. A la fin de juin, l'empereur François-Joseph envoya à Corfou le comte Grünne, manifestement avec la mission de tenter une conciliation. Cette tentative fut un échec total et, qui plus est, brisa l'amitié d'Élisabeth pour Grünne. On ne sait toujours pas si, comme le disait la rumeur, l'impératrice lui reprocha de s'être immiscé dans les affaires affectives du couple. Par la suite, l'impératrice revint à différentes reprises sur sa querelle avec le comte. En 1872 encore, elle confiait à Marie Festetics : « Cet homme m'a fait tant de mal que je ne crois pas pouvoir lui pardonner, même à l'heure de ma mort [38]. » Il n'est pas possible de se fonder sur les lettres (désormais connues) de l'impératrice à Grünne. Certains éléments semblent indiquer que ce dernier aurait, à tort, suspecté Élisabeth d'infidélité à l'empereur et que, toujours sur le mode paternel, sans l'en blâmer, aurait prétendu lui donner des conseils judicieux, au point de vraiment l'exaspérer. Celle-ci raconta plus tard à Marie Festetics que Grünne « disait, avec la plus grande bonhommie, des choses vraiment incroyables, par exemple : " Puisse Votre Majesté noter un seul point. Vous pouvez faire ce que bon vous semble, mais il importe de ne jamais rien écrire là-dessus. Mieux vaut envoyer une natte de vos cheveux, plutôt qu'un mot écrit " ». Et Élisabeth de commenter : « C'est à peine si je comprenais à l'époque ce que cela signifiait, mais je sentais instinctivement que de tels conseils ne pouvaient jaillir d'un cœur pur [39]. »

Les émotions provoquées par cette visite de Grünne aggravèrent l'état de santé de Sissi, qui recommença à refuser de s'alimenter et tomba dans une profonde dépression. « Sissi semble s'estimer perdue, incurable », écrivait Ludovica en Saxe [40].

Et Élisabeth écrivit au même Grünne, jusque-là son paternel ami et son plus proche confident, après son départ : « Bien que les résultats de votre voyage n'aient en rien changé la situation ni pour l'empereur ni pour moi-même, il y a toute apparence que vous n'ayez pas à craindre de devoir renouveler ce long déplacement et ce séjour peu réconfortant. [Il ne semble pas] que nous devions nous revoir de sitôt, si même nous nous revoyons un jour [41]. »

Comme toujours dans ses périodes de crise, Sissi s'ennuyait de sa mère et de ses frères et sœurs. Hélène Taxis résolut alors de se rendre à Corfou. Elle « fait là un grand sacrifice, très dur pour elle, écrit Ludovica, mais elle dit que l'empereur le lui a demandé avec la plus grande insistance et qu'il lui a fait pitié à un point incroyable — pauvre cher empereur ! Il doit être si malheureux et si triste [42] ! » Hélène Taxis avait mis au monde deux enfants, qu'elle répugnait à abandonner si longtemps. En outre, la situation politique dans le bassin méditerranéen n'était aucunement faite pour la rassurer. Corfou et les îles voisines appartenaient alors à la « République ionienne », protectorat anglais dont le régime était âprement opposé à la Grèce (en 1864, deux ans après le bannissement du roi Otto de Grèce — un Wittelsbach —, l'Angleterre devait céder ces îles à la Grèce). Athènes connaissait alors des désordres et, en septembre 1861, donc pendant le séjour de Sissi à Corfou, il y eut même une tentative d'attentat dirigé contre la reine Amélie.

Le peu d'empressement d'Hélène était donc compréhensible. Mais Ludovica savait combien Sissi avait besoin de réconfort : « Hélène est peut-être la seule qui puisse parvenir [à exercer sur Sissi une influence favorable] ; elle a toujours été sa sœur préférée [43]. »

Alors qu'au début, Hélène aurait été « très effrayée des traits bouffis et de la mine blafarde » de sa sœur [44], les nouvelles de Corfou s'améliorèrent après son arrivée. Ludovica pouvait écrire : « [Sissi] mange beaucoup de viande, boit beaucoup de bière, fait preuve d'une constante bonne humeur et tousse moins, surtout depuis qu'est revenue la chaleur — qu'Hélène trouve très forte. Elles font d'excellentes parties de campagne ou de bateau [45]. »

Ces nouvelles sur l'enjouement soudain retrouvé par l'impératrice donnèrent lieu à Vienne à force commentaires malveillants : « L'idée qu'elle souffre davantage des nerfs que de la poitrine refait à nouveau surface [46]. » La situation était telle que Ludovica crut devoir s'excuser auprès de Sophie : « Il m'est certes fort pénible de parler du sort de Sissi, et d'autant plus qu'elle se l'est elle-même attiré par toutes ses imprudences, on devrait presque dire par son outrecuidance, car elle n'a voulu écouter personne d'entre nous [47]. »

François-Joseph, tenu en haleine par de nouvelles tentatives d'attentat et par des désordres en Hongrie, réagissait avec humeur aux informations contradictoires qu'il recevait, se plaignant à sa mère de tout « le temps que [lui coûtait] la correspondance avec Corfou [48] ». En octobre, il se rendit lui-même là-bas afin de tirer les choses au clair, et écrivit à sa mère : « [Sissi] a repris des forces ; elle a sans doute encore le visage un peu boursouflé, mais, le plus souvent, de bonnes couleurs ; elle tousse très peu et sans ressentir de douleurs de poitrine ; quant à ses nerfs, elle est beaucoup plus calme. » L'empereur fit des promenades avec Sissi, mais visita surtout des fortifications, des casernes et des navires de guerre, observant aussi « en vêtements civils » et incognito les troupes anglaises à l'exercice — « ce qui m'a beaucoup intéressé et aussi amusé, à cause de leurs façons compassées [49] », écrit-il.

Le comte Crenneville, aide de camp général de l'empereur, qui était du voyage, décrit dans son Journal cette île encore dépourvue de toute activité touristique : « Une contrée magnifique ; végétation luxuriante ; la ville donne une étrange impression mélangée de port italien et grec ; quelques beaux édifices isolés, des fortifications ; belles physionomies grecques, des matelots sales, des marins anglais ivres, des uniformes rouges d'Anglais guindés, etc. » Il rapporte aussi une représentation d'opéra à Bellisario : « Une salle minuscule, bien éclairée, chanteurs et *mise en scène* * détestables [50]. »

Élisabeth, elle, voyait l'île sous un jour plus radieux. Toute

---

* En français dans le texte. (*N.d.T.*)

sa vie, elle devait y retourner et finit même par s'y faire construire un château, appelé l'Achilleion en l'honneur du héros homérique qu'elle préférait.

Comme elle s'ennuyait beaucoup de ses enfants mais n'osait pas passer l'hiver à Vienne, l'empereur permit qu'on les amenât à Venise pour qu'ils pussent y passer quelques mois avec leur mère. Sophie en fut outrée : « *Un sacrifice de plus pour notre pauvre martyr, leur excellent père* [51] ! » Elle invoqua toutes les raisons possibles pour empêcher que l'on éloignât les enfants de Vienne aussi longtemps. Elle alléguait surtout la mauvaise qualité de l'eau de Venise, mais François-Joseph fit envoyer quotidiennement de l'eau fraîche de Schönbrunn. Sophie obtint cependant que sa confidente, la comtesse Esterházy, se rendît à Venise, d'où celle-ci lui adressa régulièrement des rapports non seulement sur les enfants, mais surtout sur sa bru.

Il était prévisible, dans ces conditions, que des querelles surgissent à nouveau, cette fois entre l'impératrice et la comtesse Esterházy. Élisabeth parvint à obtenir la destitution de sa première dame d'honneur, qui avait toujours mieux servi les intérêts de Sophie que les siens. Au retour à Vienne de la comtesse, l'archiduchesse Sophie nota dans son Journal : « *Nous pleurâmes ensemble en parlant de l'empereur, dont Sophie* [*Esterházy*] *se sépare avec tant de peine en quittant Sissi* [52]. » Huit années durant, l'impératrice avait dû supporter à ses côtés cette première dame d'honneur qui voulait toujours faire son éducation, comme on le lui avait recommandé. Maintenant seulement, elle remportait cette victoire, qui irrita grandement non seulement l'archiduchesse Sophie, mais aussi sa mère Ludovica, laquelle écrivit à l'archiduchesse sur un ton d'excuse : « Il est vraiment très regrettable que Sissi ait fait cette démarche et, de façon générale, qu'elle soit aussi tranchante et manque ainsi de toute déférence, sans songer que cela peut lui nuire et fera mauvaise impression [53]. »

Ce qui fit également mauvaise impression sur la société de Cour, ce fut le choix de Paula Bellegarde, dame d'honneur de Sissi et mariée au comte Königsegg, comme nouvelle première dame d'honneur. L'ambassadeur de Prusse informa Berlin que « la haute société d'ici [était] très troublée » par ce choix, car la comtesse Königsegg, « par son rang, n'avait pas qualité pour être appelée à cette fonction [54] ». Elle n'appartenait pas à la haute aristocratie comme la comtesse Esterházy, née princesse Liechtenstein ni par sa naissance, ni par son mariage. En tant que première dame d'honneur de l'impératrice, elle avait maintenant « la préséance sur toutes les dames du pays », y compris celles de la haute noblesse. Cette nomination fut la première provocation — encore relativement prudente — infligée par Sissi à la Cour sur les questions de rang.

A Venise, l'atmosphère politique était toujours très tendue à l'égard de l'Autriche. Un diplomate allemand rapportait : « Depuis que l'impératrice est ici, la population évite de se rendre place Saint-Marc [55]. »

C'est à cette époque que Ludovica décida se rendre compte en personne de ce qui n'allait pas chez sa fille. Sur les pressantes instances de Sissi, elle fit le voyage de Venise avec son fils Charles-Théodore, en dépit de sévères accès de migraine. Elle trouva que Sissi avait « meilleure mine » mais ne faisait guère confiance aux médecins : « Ce sont là des singularités que je ne puis comprendre, et qui me causent du souci. » Le vieux Dr Fischer, conseiller aulique *, était également venu de Munich pour examiner l'impératrice. « Il dit que l'affection pulmonaire est pour l'instant passée à l'arrière-plan, mais qu'elle souffre de chlorose au plus haut degré, qu'il s'agit d'une anémie totale, laquelle explique le retour de ses tendances à l'hydropisie [56]. » Les pieds de Sissi étaient par moments si enflés qu'elle ne pouvait se lever et qu'il lui fallait le soutien de deux personnes pour marcher, et péniblement — on peut supposer que, dès cette époque, ces phénomènes avaient pour cause de graves œdèmes de dénutrition.

Mais le pire était encore son déplorable état psychique.

* Membre de l'un des Conseils supérieurs — politique, administratif ou militaire — de la Cour de Vienne.

« Elle est infiniment bonne et affectueuse à mon égard, écrivait Ludovica, mais je la trouve souvent triste et [...] déprimée. [Je suis] accablée à la pensée de tout ce dont l'empereur est privé, de tout le bonheur de vivre qui doit lui faire terriblement défaut. » Sissi craignait de dépérir ainsi pendant des années, en proie à l'hydropisie. « Cela lui faisait monter les larmes aux yeux, écrit encore Ludovica ; et elle nous a demandé d'innombrables fois, à Gakkel et à moi, si nous la trouvions vraiment changée, si elle avait l'apparence d'une hydropique. Souvent, nous ne savons plus ce que nous devons dire [...]. Mais il arrive aussi par moments qu'elle redevienne très gaie ; mes dames d'honneur la trouvent extrêmement aimable et, le soir venu, généralement tout à fait alerte. » Ludovica faisait tout son possible pour dérider sa fille — « mais une vieille dame comme moi n'est bien sûr pas des mieux indiquées pour cela ».

On en vint à conclure que les médecins ne l'avaient sans doute pas soignée comme il convenait : « On a beaucoup fait pour sa santé mais, malheureusement, jamais ce qu'il fallait, même si cela a coûté d'énormes sacrifices. Fischer est le seul qui ait toujours émis un jugement correct à son propos, et il était opposé à tous les voyages lointains ainsi qu'aux climats chauds ! » Ludovica poursuivait : « La crainte majeure [de Sissi] est de rester maladive et de ne plus être alors qu'un fardeau pour l'empereur. Quand elle est dans cet état de mélancolie, lequel est aussi physique, elle dit : " Je préférerais avoir une maladie qui m'emporte rapidement ; ainsi l'empereur pourrait se remarier et trouver le bonheur avec une femme en bonne santé ; mais dans mon état, on dépérit lentement et misérablement [...]. C'est un malheur pour lui et pour le pays ; aussi ne faut-il pas que les choses en restent là [57]. " »

L'empereur rendit également deux fois visite à son épouse à Venise, mais mit surtout à profit ses séjours pour inspecter des troupes et assister à des défilés, auxquels il lui arrivait d'emmener avec lui son fils Rodolphe, âgé de trois ans.

Lorsqu'elle n'avait pas de visiteurs, Sissi devait lutter contre son problème le plus grave — l'ennui. Son passe-temps favori dans les années suivantes, la promenade, lui était rendu impossible par l'enflure constante de ses pieds. Elle était donc clouée la plupart du temps chez elle, où elle occupait ses longues journées en jouant aux cartes, en lisant un peu, enfin en collectionnant des photographies.

Elle commença par rassembler des portraits de membres de sa famille, ainsi que de serviteurs de ses parents auxquels elle portait une affection particulière, puis des bonnes qui s'occupaient de ses enfants pendant son absence. Elle élargit ensuite sa collection en y incluant des diplomates, des officiers de la Cour, des aristocrates, enfin ses comédiens favoris et — bien semblable sur ce point à son père le duc Max — des jongleurs et des clowns. C'est avec un zèle tout particulier qu'elle entreprit de rassembler des clichés de beautés célèbres, allant jusqu'à se faire envoyer par des diplomates autrichiens des portraits de jolies femmes de Paris, de Londres, de Berlin, de Saint-Pétersbourg et de Constantinople [58].

Après une année ou presque passée à Corfou et à Venise, l'impératrice, toujours gravement malade, gagna, en mai 1862, Reichenau, sur la Rax, d'où elle se rendit à Bad Kissingen pour une cure ordonnée par le Dr Fischer. Elle ne s'arrêta point à Vienne. Le diagnostic était cette fois l'hydropisie, et le médecin désigné fut à nouveau le Dr Fischer, qui connaissait parfaitement depuis des dizaines d'années la famille du duc en Bavière — et ses nombreuses excentricités.

La population autrichienne était plongée dans l'incertitude par ces constantes inquiétudes sur la santé de l'impératrice, par ses mystérieux et lointains voyages, par les diagnostics contradictoires des médecins. Ce sentiment de malaise autour de l'impératrice se manifesta dans les journaux, malgré la sévérité de la censure, sous une forme certes extrêmement prudente, mais bien compréhensible pour les lecteurs. Pendant qu'Élisabeth se trouvait en cure à Bad Kissingen, il y eut même un grave scandale journalistique : sous le titre anodin de « Nouvelles de Vienne », le quotidien *Die Presse* rapporta que l'état de santé de l'impératrice restait mauvais en dépit des bains de boue, de la diète hydrique et de la présence à Bad Kissingen des membres de la famille ducale, « qui s'efforçaient, avec la sollicitude la plus attentionnée, de rendre le séjour plus agréable à Son Altesse malade ». Mais la phrase suivante constituait, dans la conjoncture d'alors, un véritable crime de lèse-majesté, car elle faisait allusion à la seule imperfection dont souffrît la beauté de Sissi, sa mauvaise dentition : « Par ailleurs, le séjour de l'impératrice a Bad Kissingen a eu cette désagréable conséquence de lui faire perdre plusieurs de ses plus belles dents [59]. » Cette ironie déclencha une émotion considérable et fut, de plus, l'occasion d'une sérieuse altercation entre l'empereur et son jeune frère Max. Celui-ci connaisait en effet Zang, le gérant de *Die Presse*, et s'employa, ainsi que le propre père de l'empereur, l'archiduc François-Charles, à obtenir son pardon. Mais ces interventions ne furent pas couronnées de succès, parce que — selon les termes d'une lettre adressée au rédacteur par un officier d'ordonnance particulièrement maladroit — « une vanité féminine blessée s'y opposerait ». Zang menaça alors de rendre cette lettre publique. François-Joseph, furieux, écrivit alors à Max qu'il ne saurait tolérer « que des membres de la famille impériale, et en particulier l'impératrice, [fussent] compromis de façon aussi légère et aussi déloyale, face à une canaille telle que Zang ». Mais il ajoutait : « Il n'est pas nécessaire de t'assurer que Sissi ne s'est aucunement souciée de l'article en question ; il ne s'agit donc point ici de vanité féminine, mais bien de la juste indignation qu'un tel article ne pouvait qu'éveiller en moi, ainsi qu'en tout sujet fidèle [60]. »

Nous ignorons si Sissi n'avait vraiment tenu aucun compte de cet article. Mais on peut comprendre que l'empereur, qui connaissait la sensibilité de son épouse, ait craint que l'article eût un effet négatif sur l'état d'esprit et donc la santé de Sissi, et qu'en outre il renforçât sa répulsion à revenir à Vienne.

Quelques semaines plus tard, sous la rubrique « Nouvelles du jour », *Die Morgen-Post* fit paraître une information du même genre, propre à ridiculiser le couple impérial, sur « la barbe de l'empereur ». Celui-ci s'étant fait raser les favoris, le journal commentait : « Selon ce qu'on nous écrit de Possen-hofen, c'est par tendre galanterie vis-à-vis de l'impératrice que l'empereur a renoncé à sa barbe. Sa Majesté aurait en effet laissé tomber une remarque, selon laquelle " l'empereur avait jadis, quand il ne portait pas encore de favoris, l'air plus jeune et plus alerte [61] ". »

Autant ce genre de phrases nous semblent innocentes aujourd'hui, autant à l'époque elles apparurent impertinen-tes. Les journaux n'avaient aucune possibilité d'émettre des critiques d'ordre politique, ce qui mettait les lecteurs aux aguets s'agissant des obligatoires nouvelles quotidiennes de la Cour, dont chaque petit détail méritait d'être consigné. La moindre promenade de l'impératrice à Bad Kissingen, la moindre sortie en bateau à Possenhofen, étaient l'occasion d'informations dans la presse, le plus souvent avec une des-cription détaillée de sa toilette, jusqu'à la couleur de son ombrelle. Juste après ces nouvelles sur les fêtes de la Cour, les promenades impériales au Prater, les représentations de cir-que en la présence de « Leurs Très Hautes Altesses », se trouvaient des informations sur des suicides dus à la misère, sur le chômage, sur divers crimes, accompagnées d'innom-brables nouvelles dans le genre de celle-ci : « Des hommes dans la force de l'âge, ayant une nombreuse famille à nourrir et qui sans cela ne seraient pas contraints de chercher du travail à la journée, se présentent sur les chantiers les larmes aux yeux pour y chercher quelque gain [62]. » Face à la famine, il n'existait aucun secours organisé, mais uniquement les aumônes des riches. Nulle part peut-être l'abîme qui séparait les pauvres et les riches, « le peuple » et « la Cour », n'appa-raissait plus brutalement que dans cette juxtaposition des informations de la presse soumise à une sévère censure. Aussi, plus les nouvelles de la Cour paraissaient ridicules ou dérisoires — les dents de l'impératrice ou la barbe de l'empe-reur —, plus les informations sur la vie des populations res-sortaient.

Grâce au traitement rigoureux et psychologiquement habile du Dr Fischer, l'état de santé de Sissi s'améliora enfin rapidement. Dès le début de juillet, *Die Presse* rassurait « les esprits de ceux qui imaginaient l'auguste malade comme étant au dernier stade d'une tuberculose pulmonaire », tout en faisant cependant état d'un nouveau diagnostic envisageant cette fois une « maladie des organes de production du sang (glandes lymphatiques et rate) [63] ».

Une semaine plus tard seulement, un reporter de la *Wiener Zeitung* écrivait : « J'ai vu l'impératrice, qui voici quelques semaines ne pouvait guère que se faire transporter, se promener à plusieurs reprises pendant des heures dans la station thermale sans se reposer ; et elle n'a toussé qu'une seule fois, alors même qu'elle était la plupart du temps en conversation [64]. » Bad Kissingen organisa une illumination et un feu d'artifice pour fêter son rétablissement : elle y parut au bras de son père, le duc Max, et semblait de bonne humeur. Tout comme le frère préféré de Sissi, Charles-Théodore, le duc Max était lui aussi venu suivre la cure de Bad Kissingen.

Mais l'impératrice ne trouvait toujours pas le courage de retourner à Vienne, et se réfugia à nouveau à Possenhofen. Là, parmi ses frères et sœurs, dans l'atmosphère de familiarité bohème et bruyante du petit château de campagne, elle rassembla ses forces pour se préparer à son inéluctable retour à la vie de la Cour et à l'existence conjugale. Les dames d'honneur qui l'accompagnaient se répandirent à qui mieux mieux en anecdotes sur le « train de gueux » et les mœurs relâchées qui régnaient chez les parents d'Élisabeth, rapportant : « [Possenhofen] nous a réservé plus d'une occasion de scandale. » La généalogie des dames d'honneur de la Maison ducale de Bavière était loin d'être parfaite. Thérèse Fürstenberg, écrivait par exemple : « Mes collègues [bavaroises], au nombre de cinq, doivent leur existence, à une seule exception près, à des cuisinières, des filles de commerçants, etc. Ce sont dans l'ensemble de braves femmes, bien qu'une ou deux laissent transparaître leurs origines maternelles. » Le bruit était, d'après elle, assourdissant, les manières de table impossibles : « [...] et la duchesse [Ludovica], qui se consacre entièrement à ses chiens, qui les a toujours auprès d'elle, sur ses genoux ou à son bras, et qui écrase leurs puces sur les assiettes ! Puisqu'on change celles-ci aussitôt [65] ! »

Il était difficile d'imaginer lieux plus différents que Vienne et Possenhofen. La même dame d'honneur décrivait la vie de famille de Sissi : « D'ailleurs, tu n'as pas idée de l'ennui et du malaise qui règnent dans le cercle familial de si Hautes Altesses, alors qu'on penserait qu'ils devraient être heureux de se retrouver entre eux ; mais ils restent assis là selon leur rang, et parlent aussi selon leur rang ou, bien mieux, ne parlent pas ; la présence des autres les ennuie et chacun se réjouit lorsque la fête de famille s'achève enfin. On a bien souvent de la peine en voyant la triste existence qu'ils mènent et leur incapacité à la rendre plus gaie. Chacun vit isolé, pour lui-même, cultivant son ennui ou courant après son " plaisir personnel [66] ". » Qu'une femme jeune comme Élisabeth pût préférer l'existence à Possenhofen, la Cour viennoise se refusait à le comprendre. Impératrice et reine, elle n'avait pas à se montrer aussi sensible...

Élisabeth y rencontra ses sœurs « italiennes », l'ex-reine Marie de Naples et la comtesse Mathilde Trani, elles aussi réfugiées à « Possi » après avoir laissé leurs époux à Rome.

Tous les membres de la Maison de Bavière savaient que l'union de Marie connaissait des difficultés. Ainsi la reine Marie de Saxe écrivait : « [Le roi de Naples n'est pas] très mûr en matière d'amour conjugal car, malgré toute l'affection et l'admiration qu'il manifeste auprès des tiers pour Marie, il ne semble pas qu'il l'ait jamais acceptée dans son cœur — bien qu'elle ait fait de grands efforts... » (C'était une allusion au fait qu'un phimosis rendait impossible au jeune homme tout rapport conjugal [67].)

Au contraire, le mari de Mathilde (frère cadet de l'ex-roi des Deux-Siciles) était un bon vivant, qui ne prenait guère son mariage au sérieux. Ludovica écrivait de ses filles Marie et Mathilde : « J'aurais voulu pour elles des maris dotés de plus de caractère et capables de les guider — car elles en ont encore toutes deux grand besoin —, mais, si excellents que soient les deux frères, ils n'apportent aucun soutien à leurs épouses [68]. » A Rome, les deux sœurs étaient restées constamment ensemble et partageaient des secrets : aidée par Mathilde, l'ex-reine Marie avait noué une liaison amoureuse avec un comte belge, officier de la Garde pontificale ; Mathilde, pour sa part, semblait s'être consolée auprès d'un Grand d'Espagne. Après quelques mois de bonheur, le sort avait frappé : Marie était tombée enceinte. Dans la plus grande détresse, elle s'était réfugiée à Possenhofen sous prétexte de maladie. Le Dr Fischer l'avait prise sous son aile. La pauvre Ludovica était absolument bouleversée, tandis que le duc Max réagissait avec placidité : « Allons, ce sont des choses qui arrivent ! A quoi bon ces piailleries [69] ! »

Telle était la situation à Possenhofen lorsque Sissi arriva. On ne sait rien de ce que se dirent les trois sœurs au cours de ces semaines, ni de l'influence qu'elles exercèrent les unes sur les autres. Ce qui est certain, c'est que leurs rapports avaient changé. La plus âgée, Élisabeth, à vingt-quatre ans, recevait maintenant des leçons de ses sœurs, beaucoup plus expérimentées qu'elle. Mais elle dut aussi partager la détresse de Marie et sa douleur d'être séparée de celui qu'elle aimait.

La tristesse de cette dernière (dont personne ne connaissait la véritable raison, hormis les membres les plus proches de la famille) faisait l'objet de commentaires détaillés dans les colonnes des journaux. On la voyait prier silencieusement, des heures durant, à l'église d'Altötting, un haut lieu de pèlerinage. Selon certaines rumeurs, elle se serait exclamée, en présence de Sissi : « Ah, si une balle avait pu m'atteindre à Gaète [70] ! »

Absorbées dans leurs conversations, les trois sœurs en oubliaient leur entourage. Les dames de compagnie de Sissi, y compris la comtesse Königsegg, étaient très humiliées de ce constant dédain ; comme l'écrivait Crenneville dans son Journal, « Sa Majesté se tient de plus en plus à l'écart de sa suite autrichienne [71] ».

En effet, si l'ex-reine Marie avait renvoyé son escorte napolitaine à Rome, Élisabeth avait amené à Possenhofen une importante domesticité : coiffeurs, laquais et valets, que le petit château ne pouvait loger. Les auberges des environs étaient surchargées par tous ces Autrichiens...

L'agitation qui régnait chez lui, les mystérieuses conversations en aparté de ses trois filles ainsi que les lamentations de Ludovica, finirent par excéder l'irascible duc Max. Survint alors l'un de ces fameux esclandres familiaux que créait le duc, et dont l'issue fut le renvoi de ses trois filles mariées de Possenhofen. Selon la reine Marie de Saxe, [il avait] « subitement estimé que ses filles représentaient un fardeau pour sa Maison : c'est pour cela que les retrouvailles des enfants à Possi, qui étaient d'un tel réconfort pour ma pauvre Louise (qui continue de porter sa croix en silence !), ont pris fin prématurément [72] ».

En novembre 1862, dans la plus grande discrétion, Marie mit au monde, au couvent des Ursulines d'Augsbourg, une petite fille bientôt confiée à son père naturel. Le secret fut bien gardé et, cinq mois plus tard, Marie retourna à Rome auprès de son mari. Après une opération sur la personne de l'ex-souverain et la confession que lui fit Marie, leur union resta relativement harmonieuse.

L'accès d'autorité du duc Max empêchait donc Élisabeth de prolonger son séjour. Il lui fallait retourner auprès de son époux, mais cela n'allait pas sans difficultés : l'empereur et sa mère passaient l'été à Ischl, et Sissi refusait absolument de se rendre auprès de sa belle-mère. Le comte Crenneville se lamentait dans son Journal : « Ah, les femmes, les femmes ! Couronnées ou non, vêtues de soie ou de percale, elles ont toutes leurs caprices, bien peu en sont exemptes [73]. »

Quelques jours seulement avant l'anniversaire de François-Joseph (le 18 août 1862), l'impératrice regagna Vienne à l'improviste. L'empereur alla à sa rencontre jusqu'à Freilassing. Les employés des chemins de fer eurent grand mal à décorer solennellement, en toute hâte, les gares entre Salzbourg et Vienne. La locomotive *Schönbrunn*, qui tirait le convoi spécial, fut elle aussi ornée de fleurs et de drapeaux, les uns bavarois, les autres aux couleurs des Habsbourg ; le dernier tronçon de la ligne, entre Hütteldorf et Penzing, fut éclairé avec des ballons de couleur, car il faisait déjà nuit. La musique d'accueil fut assurée à la gare par les choristes du *Männergesangverein* (Association masculine de chant) et, à Schönbrunn, par les trompettes des « clairons de chasse ».

François-Joseph écrivit à sa mère restée à Ischl : « Comme je suis heureux de retrouver Sissi à mes côtés et, après une si longue privation, d'avoir un foyer ! L'accueil de la population viennoise a été vraiment cordial et agréable. Il y a long-temps qu'on n'avait connu ici un aussi bon esprit [74]. » Tou-tefois, même en cette heureuse circonstance, les journaux n'eurent garde de passer sous silence leur opposition à la Maison impériale. « Le pays se réjouit de la guérison de sa princesse, écrivait *Die Morgen-Post ;* puisse aussi la princesse trouver bientôt motif à se réjouir semblablement de la gué-rison du pays, eu égard à toutes les plaies dont il est encore affligé, à tous les maux dont il souffre encore. Puisse-t-elle, aux côtés de son impérial époux, vivre heureuse parmi un peuple heureux [75] ! »

Les faits et gestes du couple impérial faisaient l'objet d'une implacable surveillance. Au cours des deux années écoulées, tant de rumeurs avaient couru sur cette union que chaque acte donnait motif à discussion. Une dame d'honneur écri-vait : « Jamais je n'oublierai son expression à lui, lorsqu'il la fit sortir de la voiture. Quant à elle, je lui trouve l'air floris-sant, mais guère naturel; elle a une expression contrainte et nerveuse *au possible* *, et des couleurs si vives qu'elle en paraît échauffée ; sans doute n'est-elle plus bouffie, mais son visage reste empâté et très changé [76]. »

L'archiduchesse Thérèse rapporta à son père comment Sissi avait retrouvé les membres de la famille à Schönbrunn : « Elle s'est montrée aimable, mais tout de même très com-passée ; la pauvre avait vomi quatre fois pendant le voyage, et souffrait en outre d'une forte migraine. Elle a confié à tante Élisabeth que ses yeux étaient gonflés parce qu'elle avait terriblement pleuré en quittant son cher Possi ; elle s'est levée à quatre heures du matin pour se promener encore

---

* En français dans le texte. (*N.d.T.*)

une fois dans le jardin avant son départ. » Thérèse mention-
nait également qu'à l'une des maisons décorées en l'honneur
de l'impératrice, on avait accroché cette inscription dont le
double sens n'échappait à personne : « Bonne et forte constitution, longue vie [77] ! »

Sissi n'arrivait pas à Vienne seule, mais accompagnée de
son frère, et ce fut également l'occasion de commentaires
acerbes : « Que le prince Charles-Théodore soit venu avec
elle montre combien elle redoute de se trouver seule avec *lui*
et nous. » « Vis-à-vis de lui, elle se montre, en notre présence
du moins, très aimable, loquace et naturelle ; *alla camera,* il se
peut bien que surgissent certains dissentiments, cela transparaît de temps à autre [78]. »

Pour fêter le retour de l'impératrice, la ville organisa une
grande retraite aux flambeaux jusqu'à Schönbrunn, avec dix
orchestres et quatorze mille porteurs de flambeaux et de
lampions. Ce cortège offrait avant tout aux sociétés de gymnastique une excellente occasion d'apparaîre en public et de
faire de la propagande pour leur activité : elles fêtaient aussi
l'anniversaire de l'introducteur de la gymnastique, Friedrich
Jahn, et « l'idée d'une Allemagne libérée des chaînes de
l'esclavage français », comme l'écrivirent *Die Morgen-Post* et
d'autres journaux [79]. Ils manifestaient leurs idées en faveur
de la nation allemande en arborant des drapeaux noir, rouge
et or, les mêmes couleurs qui avaient marqué l'année 1848.
Cette manifestation revêtait par là un caractère politique, et
même oppositionnel, car ce n'étaient ni les couleurs jaune et
noir ni celles de la Bavière qui dominaient le tableau, mais le
noir, le rouge et l'or des gymnastes. L'archiduchesse Sophie
se plaignait du visible renforcement de ces « innombrables
associations », « *qui surgissent tous les jours à Vienne et dont la
tendance est plus ou moins mauvaise* [80] ».

Il s'en fallait de beaucoup que la famille impériale, après le
retour de Sissi, se trouvât rassemblée dans une étroite intimité. Les enfants étaient en villégiature à Reichenau,
l'empereur François-Joseph n'avait nullement renoncé
à ses parties de chasse, qui duraient souvent plusieurs
jours, et Sissi allait et venait entre Vienne, Reichenau et

Passau, où elle pouvait rencontrer sa mère et ses sœurs. L'archiduchesse Sophie était toujours à Ischl, où l'empereur lui rendit visite plus de quinze jours alors que Sissi était restée à Vienne et recevait à nouveau la visite de sa sœur Hélène. Les dames d'honneur voyaient d'un bon œil la présence de celle-ci auprès de l'impératrice : « En effet, elle exerce toujours une influence apaisante, étant elle-même si raisonnable et ordonnée ; et elle lui dit la vérité [81]. »

Pendant cette séparation de près de deux ans d'avec son époux et la société de Cour, la jeune impératrice s'était transformée. Elle avait acquis beaucoup d'assurance et d'énergie, et savait maintenant faire prévaloir activement ses intérêts. L'empereur, craignant toujours de la voir, au premier désaccord, reprendre ses pérégrinations et ainsi nuire encore à la réputation de sa Maison, la traitait avec précaution et faisait preuve d'une infinie patience envers elle. Il prêtait attention à ses susceptibilités et même s'opposait maintenant à la constante surveillance exercée par les agents de la police. « Je vous prie de suspendre à nouveau le système de surveillance qui nous entoure, écrit-il à son aide de camp général, et qui, tant pour les agents en uniforme que pour ceux qui sont censés passer inaperçus, continue à se développer énormément. Quand nous nous promenons dans le jardin, nous sommes suivis et observés à chaque pas ; quand l'impératrice est dans son petit jardin, à pied ou à cheval, c'est toute une chaîne de tirailleurs qui se cache derrière les arbres ; et même quand nous allons nous promener en voiture, nous retrouvons ces gens sur les lieux — à tel point que j'ai dû trouver une ruse en criant au cocher une fausse direction au moment du départ afin d'induire en erreur l'officier de service, et en n'indiquant la bonne destination qu'une fois sortis du château. Cela en devient réellement risible. Sans parler de l'impression que doivent faire sur le public ces mesures qui trahissent la crainte et sont exécutées de façon fort grossière et voyante, il est insupportable de vivre ainsi comme des prisonniers d'État, dans une atmosphère de surveillance et d'espionnage permanents. F J [82]. »

A peine Élisabeth avait-elle apparemment recouvré la santé que l'on espéra une nouvelle naissance dans la famille impériale. Sans doute y avait-il déjà un prince héritier, mais l'empereur souhaitait un second fils, afin que sa succession soit assurée. Sissi recourut alors au soutien de son médecin de confiance, le conseiller aulique Fischer. Celui-ci déclara énergiquement qu'il ne fallait pas envisager dans l'immédiat de « nouvelles espérances » et conseilla que l'impératrice ait « plusieurs fois recours à Bad Kissingen » avant d'y songer, ce qui, à raison d'une cure par an, équivalait à un ajournement de plusieurs années [83].

Entre-temps, Sissi avait repris ses randonnées et l'équitation. Commentaire d'une dame d'honneur : « Lorsqu'on est entièrement dépourvu de paix intérieure, on s'imagine que le mouvement rendra l'existence plus facile ; et elle n'en a que trop pris l'habitude [84]. » Elle se réfugiait en fait dans la solitude. Les dames d'honneur raillaient « les perpétuelles promenades solitaires dans le petit jardin ». Elle refusait toute escorte, aussi souvent que possible, et obtint, par exemple, de « se promener seule dans la galerie de l'Oratoire », ce qui était contraire au protocole de la Cour [85]. En effet, une impératrice devait rester telle à tout moment et donc être accompagnée d'une suite convenable, non se glisser toute seule, tel un chevreuil farouche, dans les longs couloirs de la Hofburg. Elle prenait part, néanmoins, aux manifestations les plus importantes, apparaissant au bal de la Cour et à la procession de la Fête-Dieu, où elle était immédiatement le centre d'intérêt des foules.

A cette époque, les hôtes de la famille impériale qui firent sa connaissance, lors de réceptions officielles, se montrèrent tout à fait réservés dans leur jugement. A cet égard, une lettre de la princesse héritière de Prusse Victoria à sa mère, la reine Victoria, est caractéristique. Elle louait certes la beauté et l'amabilité de Sissi, mais ne ménageait pas ses critiques : « Très farouche et timide, elle parle peu. Il est vraiment très difficile d'entretenir avec elle une conversation suivie, car elle semble ne pas connaître grand-chose et n'avoir que des centres d'intérêt limités. L'impératrice ne pratique ni le chant, ni le dessin, ni le piano, et elle ne parle guère de ses enfants [...]. L'empereur semble follement épris d'elle, mais je n'ai pas eu l'impression qu'elle le fût de lui. Il paraît extrêmement insignifiant, simple et tout d'une pièce ; contrairement à ce qu'on pourrait croire d'après les peintures et les photographies, il a l'air âgé et ridé ; par ailleurs, ses moustaches et ses favoris roux lui vont très mal. François-Joseph est très peu, ou plutôt pas du tout communicatif ; vraiment, dans l'ensemble, extraordinairement insignifiant [86]. »

Aussi bien chez les Habsbourg que chez les Wittelsbach, familles l'une et l'autre très nombreuses, il ne se passait guère de temps sans que survinssent un mariage, un baptême, un scandale, une maladie, un motif de soucis ou de querelles. Jusque-là, l'archiduchesse Sophie avait fermement tenu les rênes, mais la jeune impératrice prenait maintenant de plus en plus une place de premier plan au sein de la famille. Elle intervenait de façon discrète mais fort efficace. Lorsque l'archiduchesse Hildegarde, épouse de l'archiduc Albert et née Wittelsbach, se trouva à l'agonie, c'est Élisabeth qui la veilla de minuit à trois heures du matin où elle rendit son dernier souffle [87]. Cette nuit-là, l'empereur n'était pas chez lui mais à la chasse, comme il arrivait souvent.

A l'automne de 1863 fut décidée « l'affaire mexicaine ». L'archiduc Max accepta la couronne du Mexique, poussé par son épouse, l'ambitieuse Charlotte, parce qu'il n'était pas satisfait de sa vie en Autriche et entretenait des relations de plus en plus mauvaises avec son frère l'empereur. L'archiduchesse Sophie comme la jeune impératrice, qui avait toujours eu des rapports privilégiés avec Max, considéraient avec effroi les préparatifs d'une telle aventure, dont elles ne croyaient guère la réussite possible. Au sein du parti de la Cour, à peu près personne ne considérait ce projet d'un bon œil, même si nombreux étaient ceux qui espéraient ne jamais voir revenir l'archiduc en Autriche à cause de ses tendances libérales.

Maximilien commença déjà de faire sien ce rêve mexicain

dans son château de Miramare, près de Trieste, dont Élisabeth disait : « [C'est] le plus beau poème de Max, qui révèle si bien son âme poétique, habitée par un rêve de beauté — mais aussi, malheureusement, le désir de pouvoir et de gloire qui le hante, car partout sont affichés les insignes et allégories de sa nouvelle position, censés évoquer le puissant empire que ce Habsbourg ira fonder de l'autre côté de l'océan [88]. »

C'est à la fin de mars 1864 que les nouveaux souverains du Mexique partirent. Sophie reconnut avec gratitude, dans son Journal, que Sissi avait manifesté beaucoup de compassion pour ses angoisses de mère. Sophie avait longtemps accordé sa préférence à Charlotte, mais depuis peu elle partageait avec Élisabeth la nette antipathie de celle-ci à l'égard de l'ambitieuse épouse qui avait ôté à Max sa joie de vivre. Sophie eut aussi le pressentiment que c'était là un adieu définitif, le dernier dîner avec Maximilien lui apparut, dit-elle dans son Journal, comme le « repas d'un condamné [89] ».

En février 1864, Élisabeth avait eu une nouvelle occasion d'exercer ses talents d'infirmière : par la gare du Nord parvenaient à Vienne les blessés évacués du front de Schleswig-Holstein, où l'Autriche était engagée aux côtés de la Prusse contre le faible Danemark. « L'alliance avec la Prusse est la seule politique correcte, écrivait François-Joseph à Sophie, mais leur absence de principes et leurs façons brutales ne sont guère faites pour la rendre agréable [90]. » A peu près personne, à Vienne, ne s'apercevait que l'affaire du Schleswig-Holstein n'était pour Bismarck qu'une étape vers la guerre entre la Prusse et l'Autriche.

Lors des négociations austro-prussiennes, à Vienne, l'impératrice montra clairement à nouveau combien elle détestait les fonctions de représentation. Elle alla même, en raison d'un malaise, jusqu'à quitter la pièce pendant le dîner officiel auquel prenait également part Bismarck. Elle manqua également d'autres réceptions et repas, ce qui alimenta les potins. Crenneville écrit : « Bien des gens pensent qu'elle a des espérances, d'autres racontent qu'elle a des crampes d'estomac parce qu'elle prend des bains froids après les repas et se comprime excessivement. Je ne sais ce qui est vrai dans tout cela, je plains seulement mon bon souverain [91]. » On fit à nouveau appel au Dr Fischer. Mais la maladie de Sissi ne devait pas être bien grave, car le médecin mit surtout son séjour à Vienne à profit pour tirer le cerf au Prater, avec l'autorisation impériale... Ce n'est que bien des années plus tard que l'impératrice révéla la véritable raison de son « malaise » : elle était irritée contre Bismarck, comme elle le raconta à son lecteur de grec Christomanos : « Il me semble que Bismarck était aussi un adepte de Schopenhauer ; il ne pouvait souffrir les femmes, à l'exception peut-être de la sienne propre. Il aurait préféré pouvoir dire : les dames peuvent rester dans leurs appartements [92]. »

Les apparitions officielles de l'impératrice en public faisaient sensation et leur rareté conférait aux cérémonies où elle se rendait une consécration extraordinairement brillante. Il en fut ainsi lors de l'inauguration du Ring, le 1er mai 1865. Sept ans s'étaient écoulés depuis les premiers travaux de démolition, sept ans qui avaient fait de la « capitale et résidence » impériale un gigantesque chantier. Les remparts de l'ancienne ville avaient été abattus pour faire place à une large et somptueuse avenue, qui procura aux Viennois un sentiment d'ampleur, d'espace et de modernité qu'ils n'avaient pas auparavant.

Pour accueillir le couple impérial, on avait installé devant la porte de la Hofburg des tentes, des tribunes, des drapeaux, des fleurs. En carrosse, l'empereur et l'impératrice suivirent les tronçons du Ring appelés Burgring et Schottenring, puis les quais du canal du Danube, avant de traverser le fleuve par la Ferdinandsbrücke pour gagner enfin le Prater. Des centaines de voitures décorées de fleurs les suivaient, sous les yeux de centaines de milliers de personnes, avides surtout d'apercevoir l'impératrice.

Aucun indice n'indique que Sissi se soit le moins du monde intéressée à la transformation de Vienne. Certes, la construction du Ring avait donné à de nombreux chômeurs du travail et — quoique en faible quantité — du pain, mais elle fut surtout une occasion que les couches supérieures de la société surent saisir. En effet, bien que la démolition des anciens murs et remparts eût pu permettre d'édifier de nombreux immeubles nouveaux, on ne construisit sur les espaces libérés, en plus des bâtiments officiels, que de luxueux hôtels pour les familles les plus riches. La pénurie de logements, proverbiale à Vienne, ne s'en trouva pas atténuée, tout au contraire, car les quartiers misérables attenants aux anciennes fortifications, où les éléments les plus pauvres de la population trouvaient abri, dans des conditions certes indescriptibles, ces quartiers furent rasés sans que rien ne vienne les remplacer. La crise s'accrut également en raison de l'afflux à Vienne de milliers d'ouvriers pendant les travaux.

L'impératrice n'était vraisemblablement pas informée de la situation sociale dans la « capitale et résidence » impériale, sans parler des villes de province et des campagnes. Sa liberté de mouvements était si étroitement limitée par le protocole qu'il lui eût fallu un véritable exploit pour y échapper et se faire une image exacte des choses. Mais Élisabeth n'était plus capable de tels efforts (après quelques tentatives inutiles dans les premières années de son mariage). Ses forces diminuaient, à mesure qu'elle commençait à apprécier les privilèges de sa condition.

Entre-temps, les deux enfants impériaux, Gisèle et Rodolphe, avaient dépassé l'âge de la nursery. Gisèle était de constitution robuste mais moyennement douée, tandis que le prince héritier suscitait déjà le plus grand intérêt, tant étaient extraordinaires son intelligence et sa précocité. Dès l'âge de cinq ans, il savait se faire comprendre en quatre langues, observait fièrement l'archiduchesse Sophie : l'allemand, le hongrois, le tchèque et le français. Il faisait preuve d'une vive imagination et d'un tempérament exubérant, mais il était physiquement très délicat et fréquemment malade. Chétif, extrêmement maigre, il était en outre anxieux et assoiffé d'affection. François-Joseph avait désiré un fils courageux et vigoureux, capable de faire plus tard un bon soldat.

Telle n'était absolument pas la nature du petit Rodolphe. Sa précocité intellectuelle causait plus de souci que de joie à son père.

Lorsque vint le sixième anniversaire du prince impérial, on sépara les deux enfants, qui s'aimaient profondément. Rodolphe se vit attribuer — comme c'était l'usage chez les Habsbourg — un train propre, entièrement masculin, avec un précepteur chargé également de son éducation militaire. La séparation de Rodolphe et de sa bonne d'enfants, ainsi que de la baronne de Welden, l'*aja* commune aux deux petits, mais surtout de sa propre sœur, donna lieu à des scènes déchirantes.

Rodolphe, de toute évidence, avait hérité de la sensibilité de sa mère : depuis qu'il se trouvait sous la férule sévère, pour ne pas dire sadique, de son nouveau précepteur le comte Léopold Gondrecourt, il était à peu près constamment malade, avec des fièvres, des angines, des diarrhées, etc. Gondrecourt avait reçu de l'empereur les ordres les plus stricts pour « traiter rudement » ce garçon fragile et hypersensible afin d'en faire un bon soldat : « S.A. Impériale est plus développé que les enfants de son âge, physiquement et intellectuellement, mais de tempérament plutôt pléthorique et nerveusement excitable ; c'est pourquoi il convient de modérer raisonnablement son développement intellectuel, afin que le corps aille du même pas [93]. » Le précepteur s'acquitta de cette tâche en imposant à cet enfant anxieux et maladif des exercices d'entraînement qui allaient jusqu'à l'épuiser, et un rigoureux « endurcissement » corporel et mental.

A cette date, en 1864, l'impératrice n'exerçait pas encore suffisamment d'influence sur son époux pour s'opposer à cette éducation. Par la suite, elle se plaignit à maintes reprises : « [Les enfants] ne pouvaient rester auprès de moi ; et je n'avais pas mon mot à dire quant à leur éducation — en attendant que les procédés énergiques et la méthode d'éducation du comte Gondrecourt fassent de Rodolphe presque un crétin : vouloir faire un héros d'un enfant de six ans, par des cures d'eau et le recours à la terreur, c'est de la folie [94]. »

Le martyre infligé au jeune prince impérial n'avait rien d'extraordinaire à l'époque, et faisait normalement partie de l'éducation des cadets. Le seul facteur aggravant, concernant Rodolphe, était que cet endurcissement militaire commençât à un âge inhabituellement tendre et — par la volonté expresse de l'empereur — fût appliqué avec une rigueur peu commune. La comtesse Festetics, par exemple, critique, dans son Journal, ce système d'éducation : « [...] les conceptions militaires autrichiennes qui voyaient une victoire dans le fait d'endurcir les enfants *à la Gondrecourt* *, presque jusqu'à les tuer, et ce en temps de paix ; et le prince impérial lui-même, sans l'intervention de Sa Majesté, aurait été conduit à la mort ou pour le moins à l'idiotie ; sans doute, celui qui a résisté à un tel traitement est-il ensuite à l'abri des refroidissements ! » L'unique frère de la comtesse avait lui aussi été, comme tant d'autres, démoli par son passage à l'école des cadets. L'empereur François-Joseph lui-même avait prôné ce dressage impitoyable, dans les années 1860, et il le durcit encore pour son propre fils. Plus tard, Marie Festetics devait défendre l'empereur et attribuer l'essentiel de la responsabilité à son entourage, qui l'aurait influencé à tel point « que la simple humanité ne pouvait pénétrer en lui, et que la malheureuse impératrice était elle-même réprimée et presque écrasée ».

Le Journal de l'archiduchesse Sophie mentionne également qu'après un an de cette éducation militaire, le petit Rodolphe était devenu hypernerveux et malade, au point que l'on craignait le pire. Mais, à la différence d'Élisabeth, Sophie ne voyait là aucun rapport avec les méthodes de Gondrecourt et elle se contentait (tout comme l'empereur) de déplorer « la faible constitution » de Rodolphe — faible constitution que l'on croyait précisément renforcer par un endurcissement toujours plus rigoureux, un dressage toujours plus cruel...

Le jeune prince était beaucoup trop timide et craignait beaucoup trop son père pour se plaindre des atrocités qu'il

---

* En français dans le texte *(N.d.T.)*

subissait quotidiennement. Il se trouva enfin un subordonné de Gondrecourt, Joseph Latour von Thurmburg, pour se soucier du malheureux enfant et protester auprès de l'impératrice. Il n'osa pas parler dans les mêmes termes à l'empereur, dont Gondrecourt ne faisait qu'exécuter les ordres. On racontait même, à la Cour, que la vieille *aja* de Rodolphe, la baronne Welden, s'était jetée aux pieds de l'empereur et avait supplié que l'on traitât l'enfant avec plus de douceur ; mais rien n'y avait fait.

Dans cette situation, où il ne s'agissait de rien de moins que de la vie de son enfant, Élisabeth intervint activement. Elle raconta par la suite : « Ayant appris la cause de sa maladie, il me fallait y remédier ; comme je voyais qu'il était impossible de passer par ce protégé de ma belle-mère [Gondrecourt], je rassemblai mon courage et exposai le tout à l'empereur ; celui-ci n'arrivait pas à prendre une décision contraire aux vœux de sa mère ; aussi eus-je recours aux dernières extrémités et affirmai-je que je ne pouvais plus tolérer cela et qu'il fallait choisir : ou Gondrecourt, ou moi ! »

Ce témoignage est confirmé par une lettre écrite à l'empereur par Élisabeth et qui éclaire de façon révélatrice la vie de la famille impériale à cette époque : « Je souhaite que me soient réservés tous les pouvoirs en ce qui concerne les enfants, le choix de leur entourage, le lieu de leur séjour, l'entière direction de leur éducation ; en un mot, c'est à moi seule de décider de tout jusqu'à leur majorité. Par ailleurs, je souhaite que tout ce qui concerne mes affaires strictement personnelles — ainsi le choix de mon entourage, le lieu de mon séjour, toutes les dispositions d'ordre ménager, etc. — relève également de ma propre décision et d'elle seule. Élisabeth. Ischl, le 27 août 1865 [95]. »

Il faut lire ce document en quelque sorte comme la déclaration d'indépendance d'Élisabeth. Il lui avait fallu onze années pour trouver la force d'entrer en opposition ouverte, au lieu de se réfugier comme avant dans la maladie ou les voyages lointains. Maintenant, elle se montrait énergique — et elle parvint à ses fins.

Une remarque de Sophie dans son Journal explique peut-être pourquoi la position d'Élisabeth devint si forte, et précisément à cette époque-là. Au cours d'un entretien confidentiel, l'archiduchesse avait souhaité à son « Franzi » un second fils ; or, rapporte-t-elle, elle cherchait à le sonder sur sa vie conjugale. L'empereur réagit avec gaieté : « *Un mot qu'il me dit* [...] *me donne, Dieu en soit loué mille fois, presque la certitude que Sissi s'est enfin de nouveau réunie à lui* [96]. »

Cinq ans s'étaient écoulés depuis la fuite de l'impératrice à Madère, cinq années remplies de soucis, de maladies, de refus, de conflits. Maintenant, enfin, semblaient se dessiner des relations plus normales. C'est exactement le moment que choisit Élisabeth pour menacer de partir si on continuait à élever Rodolphe sur ce mode militaire.

Le ton extrêmement tranchant de cet ultimatum révèle la façon dont l'impératrice traitait maintenant son époux. Deux ans plus tôt, elle se consumait de chagrin, sanglotant et pleurant. A présent, elle lui faisait connaître ses exigences ; et lui, qui l'avait jusque-là traitée comme une enfant, les acceptait dans la plupart des cas. Quant à l'archiduchesse Sophie, elle faisait de plus en plus marche arrière, ne pouvant plus être sûre de son fils, et soulageait sa peine auprès du reste de la famille.

Élisabeth, dont la beauté était à son apogée, était maintenant la plus forte. Elle pouvait faire pression sur son mari, par une attitude de refus ou encore par la menace de quitter Vienne à nouveau. Elle n'avait nul égard pour la réputation de la dynastie ou de l'État, qu'elle représentait cependant aussi. Elle considérait ses problèmes d'un point de vue exclusivement personnel, tout en sachant combien François-Joseph connaissait et remplissait ses devoirs de souverain. Elle savait pertinemment qu'il ne pouvait que céder dès lors que le prestige de sa Maison était en jeu. C'était du pur chantage, mais l'empereur s'y pliait à chaque fois, parce que, malgré tout, il aimait sa femme, toujours plus belle et plus épanouie.

Les officiers de la Cour, et surtout les dames d'honneur, qui connaissaient la vie de la famille impériale, y trouvaient abondamment matière à cancaner. On déplorait la faiblesse de François-Joseph face à sa femme. Pourtant il faisait également preuve de faiblesse dans d'autres domaines. La comtesse Marie Festetics était « souvent étonnée de [le] voir céder à quelque désir pressant, violent, de son entourage, même lorsqu'il jugeait peu convenable la forme sous laquelle ce désir était présenté ». L'impératrice elle-même expliqua à la comtesse les raisons de ce comportement : « L'empereur a reçu une parfaite éducation et a été entouré d'une grande affection dans sa jeunesse. Si quelqu'un lui présente respectueusement une demande qu'il ne peut exaucer, il saura répondre non, sur le mode affable qui est le sien. Mais lorsqu'on s'oppose à lui avec force et en exigeant, il est si surpris de cette attitude inhabituelle qu'il se laisse en quelque façon intimider, et qu'il acquiesce [97]. »

Élisabeth utilisait maintenant sans scrupule cette vulnérabilité de son mari. En ce qui concerne Rodolphe, ses exigences furent couronnées de succès. Elle obtint tout d'abord que le prince impérial fût soigné énergiquement par le nouveau médecin particulier de la famille impériale, le Dr Widerhofer. Elle choisit également le nouveau précepteur : le colonel Latour, qui était intervenu si instamment en faveur de l'enfant et le portait vraiment dans son cœur, et devait le montrer dans l'avenir. Au contact de cet homme, l'enfant s'épanouit et recouvra rapidement la santé. Cependant, des troubles psychiques, notamment des crises de terreurs nocturnes, devaient le poursuivre durant de longues années, et même sa vie durant. Élisabeth avait entièrement confiance en Latour, qu'elle connaissait depuis longtemps — il avait été l'un des courriers venus la voir à Madère — et savait qu'au sein de la Cour, il soutenait des conceptions extrêmement libres, sinon même libérales. C'était d'ailleurs pour cette raison qu'on le traitait à la Cour avec méfiance, voire avec hostilité, et qu'il devait résister à de dangereuses intrigues. Ce n'était pas même un véritable aristocrate, comme Gondrecourt, et dans le domaine militaire il faisait figure de novateur : ce qu'il prônait, y compris pour les soldats, ce n'était pas le dressage, mais l'éducation. L'entraînement militaire de Rodolphe fut donc désormais réduit aux exercices indispensables, à l'équitation et au tir. La formation intellectuelle prit le pas sur la formation physique : c'était exactement le contraire de ce qu'avait ordonné l'empereur un an plus tôt. Désormais, seule l'impératrice fixait les lignes directrices de son éducation, laquelle devait être « libérale », comme elle l'avait expressément stipulé. Élisabeth confia également à Latour le choix de nouveaux éducateurs, selon des critères exclusivement pédagogiques et scientifiques : ce ne seraient pas nécessairement des militaires, des prêtres ou des aristocrates, comme il était jusqu'alors d'usage. Dès lors que seule entrait en ligne de compte la qualification (ce qui était une exigence révolutionnaire), les bourgeois se trouvaient avantagés. Les maîtres de Rodolphe, à l'exception du professeur de catéchisme, furent choisis parmi eux. Comme la plupart des intellectuels bourgeois, ils se situaient sans équivoque dans le camp libéral, c'est-à-dire qu'ils étaient nettement anti-aristocratiques et anticléricaux.

Ces maîtres constituaient à la Cour un corps étranger et furent de ce fait en butte à des réactions hostiles. Gondrecourt intriguait en coulisse contre son successeur, notamment auprès de Crenneville. Il reprochait à Latour de ne pouvoir donner à son élève que « des soins », et non pas une véritable formation. En outre, Latour n'avait selon lui « ni l'esprit chevaleresque, ni la droiture et les manières distinguées, nécessaires [...] pour exercer, dans ses rapports quotidiens avec le prince impérial, une influence bénéfique sur la formation de son esprit et de son caractère [98] ». Il priait donc Crenneville d'intervenir auprès de l'empereur. Gondrecourt ne cessa de souligner le fait — incontestable — qu'il n'avait fait que répondre aux souhaits de l'empereur : « J'ai l'apaisante certitude d'avoir fait à tout moment ce que Sa Majesté m'avait ordonné et de n'avoir aucun reproche à m'adresser quant aux méthodes que j'ai employées vis-à-vis du prince impérial. J'ai également eu le bonheur de voir à tout instant mes conceptions quant à l'éducation du prince impérial approuvées par Sa Majesté [99]. »

Mais des années d'intrigues contre Latour ne purent rien y faire : Élisabeth, sans se laisser troubler, étendait sa main protectrice sur l'éducation de son fils, désormais contraire aux idées de la Cour. Auprès de ses nouveaux maîtres, et conformément aux vœux de sa mère, Rodolphe devint un jeune homme extrêmement cultivé dans de nombreux domaines, qui non seulement comprenait, mais approuvait les idéaux démocratiques de 1848 ; il en vint bientôt à considérer non plus l'aristocratie, mais la bourgeoisie, comme « la base de l'État moderne ». Sous l'influence de maîtres qu'il admirait et aimait, Rodolphe devint un libéral convaincu, et entra vite en conflit aigu avec le système de la Cour, à la tête duquel se trouvait son père. Tous les ennemis de l'impératrice (et elle s'en était fait une quantité considérable), faute de rien pouvoir contre elle, s'en prirent désormais à son fils Rodolphe, qui lui ressemblait tant, mais était aussi beaucoup plus faible qu'elle. C'est ainsi que ses dissensions avec la Cour se renouvelèrent autour de la personne de son fils avec une gravité accrue qui devait connaître une issue tragique.

La partie de bras de fer qui s'était engagée autour de l'éducation du prince impérial n'alla pas, on l'a vu, sans entraîner d'âpres désaccords. L'impératrice quitta à nouveau la Hofburg juste quinze jours avant Noël. Une fois de plus, à l'adresse de l'opinion, on allégua une maladie : une inflammation des amygdales et la percée d'une dent de sagesse. Le départ précipité de Sissi pour Munich (officiellement destiné à lui permettre de se confier à nouveau au Dr Fischer) ne fit pas bonne impression à Vienne. De son côté, l'archiduchesse Sophie n'apprit le départ de sa belle-fille que par un petit mot qui lui parvint alors que celle-ci était déjà dans le train.

De même, la réservation dans un hôtel de Munich ne fut effectuée que pendant le voyage : manifestement, l'impératrice n'osait tout de même pas se rendre sans plus de façons au palais de son père — compte tenu des tensions auxquelles avait donné lieu son précédent séjour prolongé en Bavière.

François-Joseph écrivit à son fils qu'il espérait que Sissi serait de retour à Vienne au plus tard le 23 décembre, comme elle le lui avait écrit de Munich [100]. Mais il dut, avec ses enfants, fêter une fois de plus Noël sans elle ; elle ne revint que le 30 décembre. Non sans méchanceté, l'ambassadeur de Prusse à Vienne manda à Berlin : « Dans ce soudain voyage à pareille époque de l'année, il entre sans doute chez cette belle et très noble femme quelque part de caprice, ce qui n'est pas tout à fait inhabituel chez les princesses de la Maison ducale de Bavière [la reine de Naples, la comtesse Trani] [101]. »

Tout en comprenant la situation difficile qui était la sienne à la Cour de Vienne, beaucoup doutaient maintenant de la bonne volonté d'Élisabeth. Même sa fille préférée, Marie-Valérie, devait plus tard lui adresser là-dessus des reproches prudents mais très clairs : « Combien de fois me suis-je demandée si les rapports entre mes parents n'auraient pu être malgré tout différents si maman avait eu, dans sa jeunesse, une ferme et courageuse volonté d'y parvenir ! Je suis d'avis qu'une femme peut obtenir ce qu'elle veut. Et pourtant, peut-être a-t-elle raison, peut-être était-il impossible dans de telles conditions de forger une intimité plus profonde [102]. »

Rodolphe, cependant, restera toute sa vie reconnaissant à sa mère d'être intervenue de façon si vigoureuse et efficace dans une situation où il y allait, pour lui, de la vie ou de la mort.

CHAPITRE V

LE CULTE DE LA BEAUTÉ

L'assurance croissante d'Élisabeth lui venait de sa beauté, de jour en jour plus étonnante et singulière, qui devait lui valoir dans les années 1860 une célébrité mondiale.

Cette légendaire beauté de l'impératrice ne s'était épanouie que fort lentement. Enfant, Élisabeth était une créature d'allure plutôt robuste et garçonnière, avec un visage rond de paysanne. Ce fut d'abord sa sœur aînée, Hélène, qui passa pour la perle de la famille ducale et pour laquelle on avait envisagé un brillant parti : l'empereur d'Autriche. La petite Sissi en revanche avait causé bien du souci à sa mère quand elle eut quatorze ou quinze ans, l'âge de trouver un mari, car elle n'était pas assez belle. Ainsi revint-elle de la Cour de Saxe sans avoir trouvé de fiancé. Ludovica se désolait : « Aucun de ses traits n'est en lui-même d'une remarquable joliesse. »

Lorsqu'à Ischl l'empereur demanda la main non point d'Hélène mais bien de la petite Sissi, nul n'en fut davantage surpris qu'elle-même et sa famille. Certes, elle était gracieuse, fraîche, sportive, mais à peine formée encore et quelque peu mélancolique — ce qui lui donnait peut-être un charme particulier aux yeux de l'empereur, accoutumé aux pétulantes comtesses viennoises.

Pendant les premières années du mariage, les commentaires sur la beauté de l'impératrice restèrent souvent réservés. Il est vrai aussi, et il convient d'en tenir compte, que Sissi se trouva souffrante dès le premier jour. Elle mangeait à peine, les forces lui manquaient fréquemment et une forte anémie l'affaiblissait ; enfin, elle se sentait extrêmement mal à l'aise sur les parquets de la Cour. Tout cela ne pouvait guère servir son apparence. Ainsi ses attraits restèrent-ils longtemps inaperçus. Pourtant sa silhouette se faisait de plus en plus féminine, grâce notamment à trois maternités en quatre ans qui, à force d'exercice et de cures d'amaigrissement, ne gâtèrent en rien ses lignes gracieuses et d'une incroyable sveltesse. Sa croissance se poursuivit encore assez longtemps et elle finit par dépasser son impérial époux de quelques centimètres, atteignant la remarquable taille de 1,72 m. (Cela n'apparaît pas, cependant, sur les portraits du couple car les peintres représentaient l'empereur plus grand que l'impératrice.) Élisabeth conserva sensiblement le même poids toute sa vie (environ 50 kilos, ce qui était tout à fait insuffisant). De même, sa taille, d'une incroyable finesse, resta à peu près constante (50 cm). Élisabeth la faisait ressortir davantage encore par un laçage si serré qu'il lui coupait souvent le souffle ; sa belle-mère Sophie s'en plaignait d'ailleurs constamment. On a, en revanche, émis des doutes sur la mesure de son tour de hanches, 62 à 65 cm [1], mais il semble que l'on prenait alors cette mesure plus haut qu'aujourd'hui, ce qui rend difficile toute comparaison.

Ce furent tout d'abord les simples gens qui découvrirent la beauté de l'impératrice. Lorsqu'elle sortait à cheval au Prater, la multitude affluait pour la voir. Après l'une de ces tumultueuses équipées, l'archiduchesse Sophie notait dans son Journal, non sans étonnement : « *C'est l'impératrice qui les attirait tous, car elle est leur joie, leur idole* [2]. » Dès que Sissi apparaissait en ville, la foule accourait, la masse des curieux obstruait les rues devant son carrosse. Un jour qu'elle voulait visiter à pied la cathédrale Saint-Étienne, tant de monde vint se presser autour d'elle qu'elle prit peur et ne trouva d'autre recours que de se réfugier en pleurs dans la sacristie. « Cela confinait au scandale [3] », rapporte Sophie.

Les diplomates étrangers ne furent pas les derniers à remarquer la beauté de la jeune impératrice. Et, deux ans seulement après le mariage, le ministre de la Police Kempen lui-même confiait à son Journal : « La beauté de l'impératrice Élisabeth attire à la Cour maintes personnes qui, n'était cela, s'en fussent tenues à l'écart [4]. »

Sissi rencontra, en revanche, beaucoup plus de difficultés auprès de la société de Cour, qui comptait de nombreuses comtesses fort élégantes et guère disposées à reconnaître pour une beauté cette enfant de la campagne bavaroise. Elles trouvaient toujours quelque détail à blâmer dans l'image que donnait d'elle-même leur souveraine. C'est avec une intention franchement offensante qu'en 1857 elles élurent Charlotte, la fiancée de l'archiduc Max, « Beauté de la Cour » — ce qui acheva de détériorer les relations, déjà tendues, entre les deux belles-sœurs.

La situation ne commença à évoluer en sa faveur qu'au moment de la crise entre les époux impériaux et de sa fuite vers Madère et Corfou : la solitude, loin de la Cour, lui apporta une meilleure connaissance de sa personne. La timide et hésitante Bavaroise fit alors place à une femme mûrie, parfaitement consciente de son extraordinaire beauté ; avec le temps, elle devait même venir à en tirer comme le sentiment d'être prédestinée.

A Madère, Sissi avait eu un ardent admirateur en la personne du comte Hunyády, sur lequel elle put éprouver son rayonnement. Elle le traita comme elle devait traiter tous les autres hommes par la suite, en beauté inaccessible et froide recevant les hommages de ses soupirants jusqu'au don total d'eux-mêmes, mais sans jamais leur permettre la moindre privauté. Si gracieuse qu'elle fût, elle se composait un personnage avant tout sublime et majestueux.

Vis-à-vis des femmes, en revanche, Sissi pouvait se montrer affectueuse et tendre au point de se comporter en sœur. Mais, et c'était un critère essentiel, elle n'aimait que les femmes belles ; leur rang lui importait peu. Au début des années 1860 (là encore, à partir de son séjour à Madère), elle se fit une amie intime d'une de ses dames d'honneur : la jolie comtesse Lily Hunyady, qui avait le même âge qu'elle et n'était autre que la sœur d'Imre Hunyady. Elle ne déguisait nullement cette inclination, préférant la société de Lily à toute autre et délaissant ses autres dames d'honneur — ce qui donna lieu à d'interminables petites jalousies. Le comte Crenneville, en visite à Corfou, ne perçut rien de moins qu'un « rapport magnétique » entre l'impératrice et Lily Hunyady, et s'empressa de mander que ce lien, « intelligemment employé, pourrait être utile [5] » : en clair, il espérait pouvoir exercer une influence sur Sissi par le biais de sa dame d'honneur... Mais les sources sont trop rares pour mesurer exactement la portée de cette amitié, qui se prolongea durant des années.

A la même époque, Sissi manifesta à diverses reprises son goût pour les belles jeunes femmes, parfois même pour de parfaites inconnues rencontrées par hasard. Ainsi écrivit-elle en 1867, de Suisse, à son fils Rodolphe, alors âgé de neuf ans : « Nous avons fait la connaissance d'une très jolie petite fille belge de douze ans, qui a de magnifiques cheveux longs. Nous lui parlons souvent, et une fois je l'ai même embrassée ! Tu imagines par là combien elle doit être mignonne [6]. »

L'impératrice aimait particulièrement à se montrer aux côtés d'une autre femme à peine moins belle qu'elle, par exemple avec Lily Hunyady, ou encore avec sa jeune sœur Marie, ex-reine de Naples. Ses rapports avec cette dernière étaient empreints d'une grande affection, qui se manifestait en public. Ainsi apparurent-elles ensemble en 1868 à Budapest, l'une et l'autre superbes, en tout point semblablement vêtues d'une robe de soie foncée et d'une bédouine de tissu écossais (cette sorte de châle, qu'on jetait sur les épaules, était alors très à la mode) ; et elles se délectèrent de l'évident succès qu'elles recueillirent [7].

L'ex-reine de Naples était aussi la vedette de l'Album de Beautés commencé par Sissi en 1862, à Venise. Sur plus d'une centaine de femmes photographiées, aucune ne comptait dans cet album autant de portraits que « l'héroïne de Gaète », alors mondialement célèbre. Élisabeth était la première à admirer, sans nulle jalousie, la beauté tendre et encore très mélancolique de sa sœur cadette.

Il existait à l'époque quelques collections réputées de beautés féminines, mais c'étaient toutes des galeries de tableaux. La plus fameuse était celle que l'oncle de Sissi, le roi Louis Ier de Bavière, avait rassemblée à Nymphenburg. La principale attraction en était le portrait de sa maîtresse Lola Montez, à cause de laquelle il dut abdiquer en 1848. Mais on y trouve plusieurs autres beautés, principalement des femmes de la bourgeoisie, appréciées de ce roi connu pour ses goûts artistiques. Louis Ier n'y avait inclus que peu de représentantes de la famille Wittelsbach ; parmi ses neuf sœurs, seule la belle-mère de Sissi y figurait : l'archiduchesse Sophie, qui avait été fort belle dans sa jeunesse — et par ailleurs une des plus irréductibles ennemies de Lola Montez. Cette dernière, quoique d'exécrable réputation, figure également dans la collection de photographies réunie par Sissi ; c'était alors une beauté vieillissante, mais sa présence était une allusion directe à la galerie de Nymphenburg.

Pas plus que son oncle Louis, Sissi ne se souciait, en matière de beauté, des arbres généalogiques. Comme lui, elle accueillit dans son album des femmes de tous les milieux, et même des inconnues. Ainsi demanda-t-elle à son beau-frère Louis-Victor : « Voici, je constitue actuellement un Album de Beautés, pour lequel je rassemble des photographies, de femmes uniquement. Tout ce que tu pourras dénicher de jolis visages chez Angerer ou d'autres photographes, je te prie de me l'envoyer [8]. »

Tous les diplomates autrichiens reçurent également consigne d'adresser au ministre des Affaires étrangères, pour l'impératrice, des photos de jolies femmes ; ce souhait ne rencontra d'abord que scepticisme et étonnement. Personne ne voulait croire que ces photos fussent vraiment demandées par l'impératrice, et plus d'un brave fonctionnaire du ministère fut soupçonné de les désirer pour son propre usage.

Finalement, les ambassadeurs envoyèrent de Londres, de Berlin, de Saint-Pétersbourg, des portraits de dames de la meilleur société : clichés pris dans les premiers ateliers de photographie et artistiquement arrangés, avec des miroirs, des draperies, des décors devant lesquels les personnages posaient debout, vêtus à la dernière mode.

La tâche assignée à l'ambassadeur autrichien à Constantinople fut sensiblement plus difficile que celle de ses collègues. Il reçut de Vienne l'instruction suivante : « S.M. l'Impératrice souhaite recevoir, pour sa collection privée, des portraits photographiques de jolies femmes des principales capitales européennes. Son Altesse, en sus de portraits de beautés orientales, attacherait un prix tout particulier à posséder des photographies de l'univers des harems turcs. Je tiens à vous faire connaître ce souhait et vous prie, autant que les circonstances locales sembleront rendre la chose praticable, de vouloir bien y accéder par l'envoi prochain de telles photographies, au format habituel de cartes de visite [9]. »

L'ambassadeur répondit de manière assez embarrassée au ministre : « L'affaire est plus délicate qu'il n'y paraît peut-être, je veux dire que les femmes turques, à très peu d'exceptions près, ne peuvent se laisser photographier et doivent au moins, pour cela, y être autorisées par leur mari [10]. » Il finit néanmoins par faire parvenir à Vienne plusieurs portraits de femmes assez étonnants, à la beauté problématique si l'on s'en tenait aux critères viennois, et dont il n'indiquait tout bonnement pas si elles faisaient ou non partie d'un harem.

Les photographies reçues de Paris sortaient totalement des normes attendues. On n'y trouvait aucun portrait des femmes de l'entourage de l'impératrice Eugénie, elle aussi célèbre pour sa beauté, et pas même de photographies reflétant les nouveautés de la mode parisienne. Arrivèrent en revanche, par douzaines, des tirages qui représentaient des acrobates, des comédiennes, des danseuses, des écuyères de cirque, généralement peu vêtues et photographiées dans des postures très libres, voire licencieuses. La demande de l'impératrice n'était pas d'une absolue clarté, la notion de « beauté » demeurant fort extensible. Aussi ne put-on dénoncer dans cet envoi une intention maligne, mais les initiés en perçurent le caractère de dérision : par là se trouvait une fois de plus soulignée l'extraction insuffisamment élevée de Sissi, ainsi que la prédilection de sa famille pour le cirque.

Ce tour subtil lui fut joué par celle qui fut toute sa vie son ennemie intime : la princesse Pauline Metternich, épouse de l'ambassadeur autrichien à Paris. Petite-fille du chancelier et presque du même âge mais beaucoup plus active qu'Élisabeth, énergique et surtout caustique — on la surnommait, à la Cour, « Mauline Petternich * » —, Pauline Metternich se montrait plus durement et plus bruyamment critique que quiconque à l'égard de Sissi.

Jusqu'au bouleversement que connut la France en 1870-1871, la princesse Metternich fit fureur à Paris et passa pour l'une des plus proches amies de l'impératrice Eugénie, qu'elle comparait à l'impératrice d'Autriche en des termes bientôt fameux : « Les princesses de sang royal ne connaissent pas le monde et la vie aussi bien qu'Eugénie [celle-ci, née comtesse espagnole, n'était pas en effet d'aussi haute naissance que Sissi], elles restent des êtres hybrides, gênés et gênant les autres, qui ne se sentent pas bien à leur place. » Elle ajoutait, pour que chacun sût bien à qui elle faisait allusion : « Je parle des princesses d'aujourd'hui, car nombreuses ont été celles qui savaient admirablement faire la conversation : que l'on songe seulement à l'archiduchesse Sophie ! Malheureusement, les choses ont changé du tout au tout [11]. »

Après 1871, installée à Vienne et devenue en quelque sorte la première dame de la société autrichienne, elle ne fera pas mystère de se considérer comme telle et d'estimer l'impératrice incapable d'occuper cette position. De plus en plus souvent, elle éclipsera Élisabeth en se chargeant tout bonnement de certains devoirs de celle-ci — organiser d'importantes manifestations de bienfaisance et collectes à but social, mais aussi protéger les arts. Pauline Metternich devint en outre la figure de proue de la mode viennoise, fixant les critères des couleurs de saison, des tissus et des

---

* De *Maul,* en argot « la grande gueule », « la mauvaise langue », et sans doute aussi par allusion à *petzern,* « rapporter », « dénoncer ». *(N.d.T.)*

modèles, des formes de chapeaux. C'est principalement elle qui mena le combat contre la crinoline, de plus en plus considérée comme incommode. Sur cette sorte de questions, la société viennoise la suivait aveuglément. Il n'existait pas, à cette époque, de revues de mannequins pour présenter les dernières créations, et ce rôle revenait aux premières dames de chaque pays : à Paris l'impératrice Eugénie et à Vienne, précisément, la princesse Pauline Metternich, non l'impératrice Élisabeth. Cette dernière éprouvait une profonde antipathie à l'égard de cette princesse toujours débordante d'activité. Elle commentait de la façon la plus sarcastique les toilettes extravagantes de Pauline et tournait en dérision le maquillage et les colifichets dont elle se parait à profusion. Le style qu'elle-même adoptait n'était, au contraire, comme en toutes choses, jamais excessif ni tapageur, quoique fort distingué. Sissi refusait surtout les parfums capiteux et les fards, dont Pauline Metternich faisait toujours un usage immodéré. Cela faisait partie de son idéal de beauté : un corps en bonne santé, svelte et gracieux avant tout, une peau claire, une superbe chevelure. Elle aimait surtout le naturel, l'authentique, et rejetait toute espèce de clinquant.

Chaque fois qu'Élisabeth le pouvait, elle évitait la princesse Metternich et se défiait de ses intrigues. Mais elles n'en vinrent que fort rarement, lors de manifestations officielles, à s'affronter, et même elles affectaient une inclination mutuelle. Leur conflit n'était pas simplement personnel, il reflétait aussi une opposition fondamentale. Pauline Metternich remplissait, de façon on ne peut plus claire, le rôle traditionnel que, pour sa part, l'impératrice refusait : celui de la figure représentative du monde officiel, informée de l'actualité politique et sociale et surtout pleine d'ambition. La princesse vivait parmi la haute aristocratie mais, sachant aller avec son temps, ouvrait aussi son salon à des membres éminents de la « seconde société » : ainsi introduisit-elle la famille Rothschild dans la haute aristocratie viennoise. C'est avec l'appui de ces milieux de la finance qu'elle mettait sur pied de considérables actions d'aide aux indigents. Elle était membre de toutes les grandes sociétés de bienfaisance —

parmi lesquelles la Croix-Rouge, récemment créée —, et ne cessait d'organiser, de présider, de recueillir d'énormes sommes d'argent.

Élisabeth, au contraire, fuyait toutes ces tâches. Se considérant exclusivement comme une personne privée, elle cultivait son monde individuel et se tenait timidement, presque avec crainte, à l'écart de tout ce qui relevait de la représentation. Lorsqu'elle pratiquait la charité (et ses comptes font ressortir des dons en nombre considérable), c'était à titre purement personnel. L'aide qu'elle apportait n'était ni organisée ni ostensible. Et, plus tard, elle aimera déposer, en secret, telle une bonne fée, de l'argent dans d'humbles chaumières, puis disparaître avant d'être aperçue. Comment s'étonner que ces deux femmes n'eussent pu se comprendre ? Pauline Metternich n'en représentait pas moins une puissance non négligeable, ayant la noblesse autrichienne à ses côtés et, de plus en plus, l'opinion publique.

C'est donc tout à fait indépendamment de « ses toilettes » que la beauté de l'impératrice Élisabeth devint légendaire d'abord auprès du « public », puis des observateurs extérieurs à la Cour et des diplomates étrangers. Dans les années 1860, chacune des rares apparitions publiques de Sissi était un événement sensationnel et abondamment commenté. L'aristocratie viennoise pouvait bien continuer à critiquer sévèrement ses toilettes, comme n'étant pas toujours conformes aux derniers courants de la mode, plus personne ne niait son extraordinaire beauté. Vers 1865, aucune femme de la haute société ne pouvait se mesurer à l'impératrice sur ce point.

Le succès que rencontrait Sissi était stupéfiant, ainsi en 1864 lorsqu'elle parut au mariage de son frère Charles-Théodore, à Dresde. Parlant du bal qui fut donné à la Cour, l'archiduc Louis-Victor écrivait à Vienne que Sissi était « éblouissante de beauté, rendant les gens d'ici comme fous. Je n'ai jamais encore vu quelqu'un produire un tel effet ». Elle arborait une robe blanche brodée d'étoiles et portait dans les cheveux ses célèbres étoiles de diamants, à la gorge un bouquet de camélias. Sa sœur « Hélène, également en robe étoilée, était une très mauvaise réplique de l'impératrice », toujours selon Louis-Victor. Et, lors de la cérémonie elle-même, la grande attraction ne fut pas la mariée, mais bien Élisabeth, qui portait cette fois une robe lilas brodée de trèfles d'argent, avec une cape de dentelle argentée et une couronne de diamants sur sa chevelure artistiquement tressée. Louis-Victor : « Les gens d'ici sont éberlués par notre souveraine ! ! ! A juste titre [12]. » La reine Marie de Saxe écrivait de son côté à une amie : « Tu ne peux avoir idée de l'enthousiasme suscité ici par la beauté et l'amabilité de l'impératrice ; jamais encore je n'avais vu mes paisibles Saxons dans un si grand émoi ! Toutes les pensées, toutes les conversations, toutes les rumeurs étaient à sa louange [13]. »

C'est à cette époque que le peintre Winterhalter réalisa ses trois célèbres portraits de l'impératrice. D'innombrables reproductions, surtout de celui où on la voit en robe de bal avec ses étoiles de diamant dans les cheveux, firent connaître au monde entier la beauté de l'impératrice autrichienne. Innombrables sont aussi les lettres dans lesquelles des gens venus visiter Vienne parlent de Sissi. Rien ne semblait alors plus intéressant que d'apprendre d'un voyageur, témoin oculaire, si l'impératrice était réellement aussi belle qu'on le disait.

L'ambassadeur américain à Vienne, par exemple, écrivait en 1864 à sa mère, qui se trouvait à Übersee : « L'impératrice, comme je te l'ai déjà si souvent rapporté, est une merveille de beauté ; grande et mince, magnifiquement modelée, avec une abondante chevelure châtain, un front bas à la grecque, des yeux doux, des lèvres très rouges qui sourient de façon exquise, une voix suave et harmonieuse, des manières tout à la fois timides et gracieuses [14]. » Et, un an plus tard, à la suite d'un repas à la Cour où il avait été le voisin de table de Sissi : « Laisse-moi te dire qu'elle était tout simplement ravissante. Sa beauté s'est encore accrue cette année, elle est devenue encore plus rayonnante, étonnante, parfaite. Au milieu du repas, cependant qu'elle conversait de la façon la plus aimable, elle dit soudain : " Je suis si maladroite ! " et rougit comme une écolière, adorablement. Elle avait répandu sur la nappe un verre de punch à la romaine ; l'empereur, en toute galanterie, lui vint aussitôt en aide mais renversa encore un autre verre, ce qui donna lieu à une grande confusion. On apporta promptement des serviettes et les dégâts furent réparés ; non moins ravissant et naturel que la coloration qui avait envahi ses joues fut le rire involontaire et à demi gêné duquel elle accompagna ce petit incident, alors que chacun se figeait dans un silence déférent. Quel dommage que je ne sois pas un poète sentimental ! J'aurais fait de si jolies comparaisons lyriques et composé de si beaux sonnets sur ces sourcils majestueux [15] ! »

La princesse héritière de Prusse, Victoria, vante elle aussi la beauté de Sissi dans une lettre à sa mère, la reine Victoria d'Angleterre, en décembre 1862 : « Je suis tout à fait enthousiasmée par l'impératrice. Sa beauté, quoique pas absolument régulière, est incomparable. Je n'en ai jamais vu d'aussi éclatante, d'aussi piquante. Les traits de son visage ne sont pas aussi beaux que le montrent la plupart des tableaux, mais toute sa personne produit une impression bien plus charmante qu'aucune peinture ne pourrait le faire voir, et de loin [...] Elle semble corsetée de façon terriblement serrée, ce qui n'est sûrement pas nécessaire vu sa magnifique silhouette [...] Personne ne saurait se montrer plus aimable ni plus courtois qu'elle ne l'a été ; il est impossible de ne pas l'aimer [16]. »

Même le comte Moltke, général prussien, au cours de sa visite à Vienne en 1865 — soit un an avant Königgrätz —, ne put se soustraire au charme de la jeune femme : « La rumeur n'était pas exagérée, écrivait-il à son épouse : l'impératrice est ravissante, plus attirante encore que belle, d'une manière singulière et difficile à décrire [...] Elle paraît un peu timide, parle doucement et n'est pas facile à comprendre [...] Après le repas, les convives ont fait cercle autour d'elle et cela, m'a-t-il semblé, ne lui était pas désagréable. Quand le moment est venu de conclure, elle fait une gracieuse et assez profonde révérence et l'on sait qu'elle a signifié son congé [17]. »

La renommée de cette beauté devenait plus pesante à

mesure qu'elle se répandait. Car, ainsi qu'il ressort des récits de nombreux témoins oculaires, à chaque apparition publique, l'impératrice devait affronter les regards curieux et critiques de l'assistance, tout à fait comme une actrice — c'est une comparaison qu'elle faisait souvent elle-même. Ses robes, ses parures, ses coiffures, tout était matière à commentaires. La moindre imperfection était remarquée. C'est à chaque seconde qu'Élisabeth devait soutenir sa réputation de première beauté de la monarchie. Mais rien ne permet de penser qu'elle prenait plaisir à faire ainsi sensation, comme d'autres sans doute en pareille situation. Loin de se trouver atténué, son côté timide et farouche s'en trouvait au contraire renforcé et provoquait chez elle une véritable peur de tous les étrangers.

Avec anxiété et crispation elle s'appliquait à dissimuler ses défauts physiques, notamment sa vilaine dentition. L'archiduchesse Sophie avait déjà flétri cette tare avant les fiançailles d'Ischl. Les dentistes les plus prestigieux ne parvinrent jamais à y remédier. Cette imperfection la rendait si peu sûre d'elle que, pour dissimuler ses dents, elle se mit dès sa première journée à Vienne à parler en écartant les lèvres le moins possible. Aussi son élocution était-elle extrêmement indistincte, presque incompréhensible, d'autant plus qu'elle parlait à voix si basse, déploraient beaucoup de ses contemporains, qu'il s'agissait plutôt d'un murmure que d'une parole. La conversation au sein des « cercles » en était rendue on ne peut plus difficile, à peu près personne ne parvenant à comprendre l'impératrice.

Son manque de dispositions à entrer en contact avec autrui dans ses apparitions publiques donnait lieu à de nombreux caquetages dans la haute société. La princesse héritière de Prusse écrivait par exemple à sa mère en 1863 : « L'impératrice d'Autriche parle à voix très basse, parce qu'elle est assez timide. Récemment, elle a demandé à un monsieur très dur d'oreille : " Êtes-vous marié ? " Le monsieur a répondu : " Parfois. " L'impératrice a poursuivi : " Avez-vous des enfants ? " Et le malheureux de hurler : " De temps en temps [18]. " »

Sissi finit par renoncer à ces difficiles tentatives de conversation et se contenta de montrer sa beauté, mais les lèvres closes. Mais ce silence, dû à sa timidité autant qu'à ses mauvaises dents, fut tenu pour l'effet d'un manque d'intelligence et lui attira une réputation de « ravissante idiote », ce qui heurta son extrême sensibilité et l'amena à se retirer encore plus dans l'isolement. Dix ans plus tard encore, l'épouse de l'ambassadeur de Belgique écrivait, après avoir été présentée à l'impératrice : « *Elle est excessivement jolie, une taille superbe et des cheveux qui lui pendent jusqu'aux talons, dit-on. Sa conversation est moins brillante que sa figure* [19]. »

La population estimait avoir le droit de contempler aussi souvent que possible ce miracle de beauté. La conscience de posséder une « impératrice de conte de fées », célèbre dans le monde entier, encourageait le patriotisme. Élisabeth, toujours infiniment farouche, se soustrayait à ce sentiment de possession. Elle ne cultivait sa beauté que pour elle-même, et pour conserver son sentiment d'exister. Ce n'était pas une coquette qui aurait éprouvé le besoin ou simplement le plaisir de se faire admirer des masses : elle considérait son corps comme une œuvre d'art trop précieuse pour l'exposer aux curieux et aux badauds.

Sa beauté lui procurait le sentiment d'être élue, différente des autres. Et son esthétisme, appliqué à sa propre apparence physique, faisait d'elle la première admiratrice de sa beauté. Son narcissisme n'était pas moins évident que sa crainte des êtres humains. Elle se refusait catégoriquement à n'être « qu'un spectacle pour le public des théâtres viennois », comme l'écrivait Marie Festetics : la comtesse lui ayant un jour assuré : « Les gens sont heureux quand ils aperçoivent Votre Majesté », Élisabeth lui répondit, impassible : « Oh, ils sont plutôt curieux ; ils courent voir n'importe quoi, aussi bien le singe qui danse au son du piano mécanique que moi. Voilà ce que c'est que l'amour [20] ! »

Sissi portait un véritable culte à sa chevelure, dont la couleur passa avec les années du brun clair au châtain, et qui devint si longue qu'elle lui descendait jusqu'aux talons. Pour entretenir cette masse de cheveux, les soigner et les agencer artistiquement, il fallait aux coiffeurs un prodigieux talent. Sa couronne de cheveux, si compliquée avec ses longues tresses entremêlées au-dessus de la tête, devint si célèbre qu'elle fut souvent copiée — le plus souvent sans grand succès : il n'existait guère de femmes ayant une chevelure aussi saine et vigoureuse, autant de temps et de patience, et une coiffeuse aussi habile. Toutes les trois semaines, on lavait les cheveux de l'impératrice avec de précieux mélanges toujours renouvelés (mais où dominaient l'œuf et le cognac) ; cela prenait toute une journée, pendant laquelle on n'aurait su entretenir l'impératrice d'aucun autre sujet. Et les soins de coiffure quotidiens demandaient rarement moins de trois heures.

La coiffeuse d'Élisabeth devint à la Cour quelqu'un d'important, car c'est de son savoir-faire que dépendait largement l'humeur de l'impératrice. Rien ne pouvait l'affecter davantage que de voir ses cheveux tombants ou mal coiffés, ou encore d'avoir affaire à une coiffeuse qui lui parût antipathique.

C'est au Burgtheater que Sissi avait trouvé sa coiffeuse favorite, Fanny Angerer, quand elle avait remarqué la coiffure parfaite de la comédienne Hélène Gabillon ; l'« artiste » était Fanny, « jeune fille d'apparence piquante » et « d'esprit éveillé », fille d'un coiffeur du Spittelberg et depuis peu coiffeuse au théâtre de la Hofburg [21]. Sa désignation à la Cour exigea de longues tractations, dont la rumeur parvint jusqu'au public. La *Morgen-Post*, en avril 1863, publia enfin, dans ses « Nouvelles du jour », l'information suivante : « La question, depuis longtemps pendante, de savoir si un coiffeur ou bien une coiffeuse entrerait au service de Sa Majesté l'Impératrice, est enfin résolue. Mademoiselle Angerer renonce à arranger les coiffures des comédiennes attachées à la Cour, ainsi qu'à percevoir les honoraires correspondants, et recevra un dédommagement de 2 000 florins pour se consacrer comme coiffeuse impériale au service de Son Altesse ; elle pourra cependant, quand elle en trouvera le temps, tirer d'autres ressources de l'exercice de son art [22]. »

Ce cachet était très élevé, à peu près égal à celui d'un professeur d'université. Au théâtre impérial de la Hofburg, les plus hautes rémunérations, celles de vedettes comme Joseph Lewinsky ou Charlotte Wolter, se montaient à 3 000 florins par an. L'archiduchesse Sophie fut très irritée du ton adopté par cet organe de presse et pesta, dans son Journal, contre « l'impertinence des informations relatives à la Cour [23] ».

Fanny Angerer devint ainsi la coiffeuse la plus célèbre de la monarchie. De fait, elle contribuait dans une mesure non négligeable à la beauté de Sissi. Les femmes de la haute société se mirent à rechercher ses bonnes grâces pour pouvoir, les grands jours, se faire coiffer par elle (ce qui apporta à Fanny les « autres ressources dans l'exercice de son art » qu'évoquait ironiquement la *Morgen-Post*).

Mais cette Fanny Angerer, ne réussissait pas seulement les édifices de nattes les plus habiles et les plus raffinés de tout Vienne : elle savait en outre admirablement s'adapter au mauvais caractère de l'impératrice. Elle n'hésitait pas à user d'artifices, par exemple pour faire discrètement disparaître, grâce à un ruban adhésif dissimulé sous son tablier, les cheveux venus avec le peigne, ce qui bien souvent lui permettait de montrer à l'impératrice un peigne vierge de tout cheveu. Bientôt, Sissi ne permit plus que personne d'autre que Fanny la coiffât, et refusa même un jour de paraître à une manifestation officielle parce que la coiffeuse, souffrante, ne pouvait s'occuper d'elle. Celle-ci, à la vérité, tenait l'impératrice dans une sorte de dépendance. Lorsqu'elle avait quelque motif de fâcherie, elle se déclarait malade et envoyait à l'impératrice une autre coiffeuse, ou alors il revenait à une femme de chambre d'assumer les soins nécessaires à sa chevelure, ce qui mettait Sissi dans un état d'irritation extrême. Élisabeth écrivit un jour à son lecteur grec Christomanos : « Après quelques journées à me laisser coiffer de la sorte, je me retrouve complètement malléable. Chacun le sait et attend ma capitulation. Je suis l'esclave de mes cheveux [24]. »

Élisabeth montrait aussi un grand intérêt personnel pour Fanny et intervint très activement lorsque celle-ci songea au mariage : la jeune fille s'était, en effet, éprise d'un employé de banque d'extraction bourgeoise, qu'elle ne pouvait épouser, car cela eût contrevenu aux convenances de la Cour et il aurait donc fallu qu'elle abandonne son service, ce que Sissi ne voulait à aucun prix. Sur une demande personnelle d'Élisabeth, François-Joseph fit une exception, et Fanny put se marier tout en restant à son service ; son fiancé fut même admis à travailler lui aussi à la Cour.

C'est ainsi que Hugo Feifalik vit sa fortune faite. Il monta en grade, devenant secrétaire privé de l'impératrice, puis intendant de ses voyages (Fanny ne devait-elle pas accompagner Élisabeth dans tous ses déplacements ?), conseiller du gouvernement, maître du trésor de l'Ordre de la Croix étoilée, conseiller à la Cour, avant d'être finalement élevé au rang de chevalier. Le couple Feifalik exerça pendant trente ans sur l'impératrice une grande influence, dont la portée est difficile à établir mais qui apparaît nettement quand on considère la jalousie qu'elle provoquait parmi les dames d'honneur et notamment la comtesse Festetics. La confiance dont elle jouissait auprès de Son Altesse l'impératrice rendit à la longue Fanny Feifalik vaniteuse et arrogante, se plaignait souvent Marie Festetics ; elle lui permit aussi d'acquérir une distinction et une dignité extrêmes, supérieures à celles de l'impératrice elle-même. Élisabeth utilisa plusieurs fois cette tenue irréprochable pour faire de sa créature une doublure d'elle-même et se fondre incognito dans la foule, en laissant Fanny Feifalik se faire acclamer. La mystification n'était toutefois possible qu'à l'étranger, là où l'on ne la connaissait pas très bien. Ainsi, en 1885, Élisabeth laissa-t-elle sa coiffeuse se promener dans un bateau de cérémonie à travers le port de Smyrne et recevoir les hommages des notables alors qu'elle-même gagnait la terre en barque et entreprenait, en toute discrétion, une visite de la ville [25]. En 1894 encore, à Marseille, les gens se pressaient devant le perron de la gare, pour assister au départ de l'impératrice d'Autriche, et la comtesse Sztáray, dame d'honneur, rapporte : « De façon générale, Sa Majesté se sentait extraordinairement oppressée par cette sorte d'intérêt, mais cette fois elle en fut tout à fait ravie, parce que la curiosité de la foule s'était trouvée complètement satisfaite, avant même qu'elle ne fût apparue [...] Madame F., coiffeuse de l'impératrice, montait et descendait les marches du perron, dans une attitude de la plus haute dignité, jouant autant qu'elle le pouvait le rôle de l'impératrice [...] Sa Majesté trouva l'intermède très amusant. " Ne dérangeons pas cette bonne F. ", dit-elle, et elle monta rapidement dans le train sans être remarquée [26]. »

A cinquante ans, Élisabeth n'avait pas un cheveu blanc — à moins que Fanny ne les ait habilement fait disparaître ? Jusqu'à la fin de ses jours, elle fit de sa séance quotidienne de coiffure un véritable « service sacré », selon l'expression fleurie de Christomanos, dont le rôle était, dans les années 1890, de mettre à profit ces heures pour faire avec l'impératrice la conversation en grec et des exercices de traduction. « Derrière le fauteuil de l'impératrice se tenait la coiffeuse [Fanny Feifalik], écrit-il ; sur sa robe noire à longue traîne était noué, par-devant, un tablier de fine dentelle blanche ; pour une domestique, elle était elle-même impressionnante, avec son visage où demeuraient les traces d'une beauté fanée, et ses yeux pleins d'obscures arrière-pensées [...] De ses blanches mains, elle fouillait dans les ondulations de la chevelure, les soulevait et les palpait comme du velours ou de la soie, les enroulait autour de ses bras comme des ruisseaux qu'elle eût cherché à capter, les voyant prêts, non à s'écouler mais plutôt à s'envoler. » Suit une longue description de la séance : « Puis elle présentait sur un plateau d'argent les cheveux morts ; les regards de la maîtresse et de la servante se croisaient une seconde, chargés chez la première d'un muet reproche, chez la seconde de culpabilité et de repentir. On faisait alors glisser des frêles épaules de l'impératrice la blanche blouse de dentelle et elle surgissait, toute de noir vêtue, telle la statue d'une divinité hors du voile la dissimulant. La souveraine inclinait la tête et sa créature s'abîmait au sol, murmurant : " Je me prosterne aux pieds de Sa Majesté. " Ainsi prenait fin le service sacré. »

« Je sens ma chevelure, disait Élisabeth à Christomanos, c'est comme un corps étranger sur ma tête.

— Votre Majesté porte ses cheveux comme une couronne, à la place de sa couronne.

— A cela près qu'on se décharge plus facilement de n'importe quelle autre couronne [27]. »

Cette chevelure massive pesait si lourd qu'Élisabeth en avait souvent des maux de tête. En pareil cas, elle passait, dans la matinée, des heures entières assise dans ses appartements, les cheveux suspendus par des rubans afin d'alléger sa tête de ce poids.

A mesure que l'impératrice prenait de l'âge, sa lutte pour conserver sa beauté devint plus éprouvante. Elle utilisait pour ses soins corporels des produits de plus en plus raffinés et coûteux, et y consacrait de plus en plus de temps. Elle parvenait à rester mince et élancée par une constante sous-alimentation, souple et gracieuse grâce à plusieurs heures de sport chaque jour. L'entretien de sa peau était d'une extrême complication. Comme il n'existait alors aucune industrie cosmétique, les femmes avaient recours à des onguents de leur fabrication, aux recettes plus ou moins secrètes.

A force de se préoccuper de son apparence Élisabeth finit par verser dans un véritable culte de sa beauté, que sa nièce Marie Larisch devait plus tard dépeindre méchamment comme « un amour passionné qui dominait tout le reste » : « Elle rendait un culte à sa beauté comme un païen à ses idoles, elle se mettait à genoux devant elle. Le spectacle de sa perfection physique lui procurait une jouissance esthétique, tout ce qui ternissait cette perfection lui paraissait grossier et répugnant [...] Elle estimait comme un devoir vital la nécessité de rester jeune, et toutes ses pensées convergeaient pour trouver les meilleurs moyens de conserver sa beauté [28]. »

Il n'est guère surprenant que ce culte lui ait aussi attiré des railleries à la Cour. La landgrave Fürstenberg se lamentait : « A force de devoir entendre vanter le prix de la beauté corporelle, je la prends tout bonnement en horreur, d'autant plus que je considère toujours davantage que cette denrée, si elle n'est pas accompagnée des qualités morales correspondantes, ne livre d'autre image que celle du diable [29]. »

Marie Larisch nous a révélé les moyens par lesquels l'impératrice cherchait à préserver sa beauté : masques de viande de veau cru pendant la nuit, ou de fraises lorsque c'était la saison, bains chauds à l'huile d'olive pour entretenir la souplesse de sa peau. « Mais, un jour, l'huile était presque bouillante, et c'est miracle si elle échappa à l'affreuse mort de tant de martyrs chrétiens. Pour conserver sa minceur, elle dormait souvent avec une ceinture de linges humides au-dessus des hanches, et buvait souvent une horrible mixture faite de cinq ou six blancs d'œufs avec du sel [30]. »

Pour s'habiller (souvent plusieurs fois dans la journée), Sissi avait besoin de presque trois heures par jour. Le célèbre « laçage », à lui seul, prenait parfois une heure pour procurer une « taille de guêpe » suffisamment étroite. Pour ne pas faire mentir sa réputation, Sissi recourait à des moyens inhabituels et même choquants pour l'époque : ainsi, dans les années 1870, elle renonça aux sous-vêtements pour ne plus porter que de minces bas du daim le plus fin, afin d'amincir encore sa silhouette. Elle faisait même coudre ses habits sur elle à chaque habillage. Cela lui permettait certes de toujours montrer une taille fine, mais au prix d'un temps démesurément long auquel il fallait ajouter les trois heures quotidiennes de coiffure.

Cet aspect des choses permet peut-être de mieux comprendre que Sissi ait trouvé de plus en plus pesants et pénibles ces préparatifs et qu'elle ait fui de plus en plus le carcan que lui imposait son rôle de représentation. Avant elle, d'autres impératrices n'avaient pas eu à défendre une telle réputation de beauté et pouvaient se permettre de paraître en public avec des toilettes simples et des coiffures moins étudiées, sans pour autant se voir critiquées. C'était de plus en plus impossible à Élisabeth, à mesure que sa réputation de beauté se répandait.

Son emploi du temps, dans les années 1870-1880, n'était guère celui d'une impératrice. Lever vers cinq heures en été, vers six heures en hiver. Bain froid et massage. Gymnastique et exercices physiques, puis petit déjeuner frugal, souvent avec sa plus jeune fille, Marie-Valérie. Séance de coiffure, pendant laquelle elle pouvait lire, faire sa correspondance ou apprendre le hongrois. Habillage (costume d'escrime quand elle allait tirer les armes, tenue de cheval quand elle se rendait au manège). Tout cela suffisait à occuper la matinée. L'impératrice gagnait, en revanche, du temps à l'heure du déjeuner : son repas — souvent un peu de jus de viande — était expédié en quelques minutes. Elle faisait ensuite une promenade ou pour mieux dire une marche forcée, à vive allure et sur de considérables distances, pendant plusieurs heures, accompagnée d'une de ses dames d'honneur. Vers cinq heures de l'après-midi, elle se changeait et se faisait à nouveau coiffer, puis Marie-Valérie venait jouer auprès d'elle. Lorsqu'il n'y avait pas moyen de faire autrement, elle apparaissait vers sept heures au dîner de famille — où elle voyait son époux, généralement pour l'unique fois de la journée. Elle se retirait aussi vite que possible pour sa conversation quotidienne avec son amie Ida Ferenczy, qui l'apprêtait également pour le coucher et défaisait sa coiffure. Elle ressentait toute obligation officielle, si minime fût-elle, comme une perturbation à cet emploi du temps. Les devoirs protocolaires et familiaux (hormis l'attention qu'elle consacrait à Marie-Valérie) n'avaient aucune place dans le déroulement de ses journées.

Quand vinrent les premiers signes de l'âge — une peau ridée et tannée par les cures d'amaigrissement et la fréquente exposition au grand air, ainsi que des douleurs aux articulations —, Sissi entreprit de préserver encore à tout prix son aspect et martyrisa son frêle corps par des heures entières de gymnastique : barres, anneaux, haltères et poids de toute sorte. Dans chacun des châteaux où elle séjournait — et notamment à Ofen et à Gödöllö —, elle fit installer des salles d'exercice qu'elle utilisait chaque jour assidûment. Les premières informations qui percèrent à ce sujet provoquèrent, après 1860, une impression considérable, doublée de scepticisme. Personne ne parvenait vraiment à se représenter l'impératrice d'Autriche en tenue de gymnastique sur un cheval d'arçon ou des barres parallèles. Cela donna lieu, dans les journaux, à de fausses nouvelles proprement grotesques, dans le genre de celle-ci : « On apprendra certainement avec grand intérêt que la " salle des chevaliers " de la Hofburg a été aménagée en salle d'exercice. On y trouve tous les instruments de gymnastique : chevaux d'arçon, barres fixes, barres parallèles, agrès, etc. C'est là que, deux heures par jour environ, Sa Majesté l'empereur, Messieurs les archiducs et certains membres de la Maison impériale parmi lesquels, malgré son âge, le feld-maréchal Hess lui-même, s'entraînent ensemble en tenue de gymnastique [31]. » A cette époque (1864), il paraisssait impensable même aux journalistes que ce ne fussent pas les hommes de la Maison impériale qui fissent quotidiennement de tels exercices.

On comprend parfaitement la colère de François-Joseph à la lecture de tels articles, d'autant plus qu'on situait ces exercices physiques précisément dans l'une des salles les plus prestigieuses de la Hofburg, où lui-même avait, pendant un certain temps, prononcé ses discours impériaux. Il écrivit à Crenneville : « Je vous laisse juge si l'affaire n'est pas trop stupide pour faire l'objet d'un démenti », ajoutant qu'il fallait en tout cas « trouver quelque moyen de faire sentir aux rédacteurs de cette feuille étrangère, par de vives semonces, l'indécence dont ils avaient fait preuve [32] ».

Élisabeth, indifférente aux racontars, maintenait résolument ses séances quotidiennes de gymnastique, si insolites et scandaleux pour une femme à l'époque. Et elle se faisait parfois un plaisir de choquer des gens qui ne se doutaient encore de rien, ainsi Christomanos, qui rapporte dans son Journal, au Nouvel An de 1892 (Élisabeth avait alors cinquante-quatre ans) : « Aujourd'hui, avant de sortir en voiture, elle m'a fait rappeler au salon. Dans l'ouverture des portes entre celui-ci et son boudoir étaient disposés des cordes et divers appareils de gymnastique et d'extension. Je la trouvai justement en train de se hisser aux anneaux. Elle portait une robe de soie noire à longue traîne, bordée de superbes plumes d'autruche noires. Je ne l'avais jamais vue habillée avec tant de faste. Suspendue au bout des cordes, elle donnait la fantastique impression d'un être intermédiaire entre le serpent et l'oiseau. » Pour remettre pied à terre, il lui fallut s'élancer par-dessus une cordelette tendue assez près du sol. « Cette corde, dit-elle, est là pour que je continue de savoir sauter. Mon père était un grand chasseur devant l'Éternel, et il voulait que nous apprenions à sauter comme des chamois. » Elle pria alors l'étudiant médusé de poursuivre sa lecture de l'*Odyssée,* tout en lui expliquant qu'elle devait ensuite recevoir quelques archiduchesses et avait dû pour cette raison s'habiller de façon cérémonieuse : « Si les archiduchesses savaient que j'ai fait de la gymnastique dans cette tenue, elles seraient stupéfaites ! »

C'est avec une grande fierté que l'impératrice revenait constamment sur ce que lui avait enseigné son père (avec lequel, personnellement, elle ne s'entendait d'ailleurs pas bien du tout). C'est de lui qu'elle et ses sœurs avaient appris à marcher comme il convient, raconta-t-elle à Christomanos : « Nous ne devions avoir devant les yeux qu'un seul exemple : les papillons. Ma sœur d'Alençon et la reine de Naples sont célèbres à Paris pour leur démarche. Mais nous ne marchons pas commes des reines doivent le faire. Les Bourbons, qui ne sont presque jamais sortis à pied, ont acquis une démarche particulière — celle d'oies orgueilleuses. Eux, oui, marchent comme de véritables rois [33]. » Le naturel, ici comme en tout, représentait l'idéal d'Élisabeth. Et elle mettait à profit cette occasion de polémiquer contre le peu de naturel que montraient les « vrais rois ».

Toujours est-il que ses jeûnes comme ses exercices physiques donnaient des résultats indéniables. Au XIXe siècle, les femmes de trente ans, surtout après plusieurs maternités, avaient souvent déjà l'allure de matrones ; l'impératrice apparaissait comme une exception. Le renom de sa beauté, fait sans précédent, dura quelque trente ans. Lorsque, à quarante ans encore, elle faisait son entrée dans les grands bals, sa splendeur était presque féerique : des étoiles de diamant dans les cheveux, sa mince silhouette élancée drapée dans les plus somptueuses robes qu'eussent pu imaginer les tailleurs européens, elle se tenait dans l'éclatant tourbillon de la Cour « non pas comme dans une salle de bal, au milieu de tous ces êtres humains mais comme debout et solitaire sur un rocher, au bord de la mer, tant son regard se perdait dans le lointain », inaccessible et irréelle. Comme sa nièce Marie Larisch lui disait un jour avec admiration qu'elle ressemblait à Titania, la reine des fées, elle lui répondit sarcastiquement, comme habituée à ce compliment : « Non, pas Titania, plutôt la mouette prisonnière qui niche dans le château [34] ! »

Partout où Élisabeth paraissait, elle éclipsait toutes les autres femmes. Lorsque le couple royal italien vint en visite à Vienne, en 1881, Alexander Hübner nota : « La pauvre reine Marguerite avait l'air d'une soubrette aux côtés d'une demi-déesse [35]. » Marie-Valérie parvenait souvent avec peine à réprimer sa fierté devant la beauté de sa mère ; elle écrivait ainsi dans son Journal, en 1882 : « Dîner : maman en tricot de perles noires, des plumes noires dans les cheveux et une chaîne d'or autour du cou. Oh, elle était si belle ! Maman n'avait pas l'air beaucoup plus âgée que moi [36]. » C'était sans doute pourtant quelque peu exagéré, car Élisabeth avait alors juste quarante-cinq ans, et sa fille Valérie quatorze !

Que la beauté de Sissi fût toujours et partout sublime, nombreux sont les contemporains qui en témoignent, ainsi l'empereur d'Allemagne Guillaume II : « Elle ne s'asseyait pas, elle se posait ; elle ne se relevait pas, elle se dressait... [37] » De même Marie Festetics : « On ne se lasse pas de marcher avec elle. Que l'on soit à côté d'elle ou derrière, c'est délicieux. Il suffit de la regarder, elle est l'incarnation de l'idée de grâce. Parfois je pense à elle comme à un lys, parfois comme à un cygne, puis elle m'apparaît comme une fée — non, comme un elfe — ensuite comme — non ! c'est une impératrice ! de la tête aux pieds, une femme royale ! ! Raffinée et noble en tous points ! Alors me reviennent en tête tous les racontars, et je me dis qu'il y entre certainement beaucoup de jalousie. Elle est si ravissante par sa beauté et son charme ! » Toutefois, alors que l'impératrice n'avait encore que trente-quatre ans, elle observait : « Ce que je ne trouve pas en elle, c'est la joie de vivre. Elle est d'une placidité tout à fait frappante pour son âge [38]. »

A la nature si secrète et sensible de Sissi s'associait une bonne part d'arrogance, qu'il lui arrivait d'exprimer de la façon la plus blessante, quels que fussent le moment et le lieu, avant tout à l'encontre de ceux qui à la Cour la critiquaient. Divers poèmes de sa main en portent la trace évidente.

A son amie intime et consœur en poésie la reine Élisabeth de Roumanie (Carmen Sylva), Sissi décrivait sa position comme bien peu enviable, et son rôle de représentation comme pur cabotinage. La reine de Roumanie lui demanda avec étonnement : « Alors, toute ta beauté ne t'aide pas, ne t'ôte pas ta timidité ? » A quoi Sissi, qui à l'époque était complètement plongée dans les poèmes de Heine, répondit : « Je ne suis pas timide, c'est seulement que tout cela m'ennuie ! On m'affuble de belles robes et d'un tas de bijoux, alors je sors et je dis quelques mots aux gens ; après quoi, je me hâte de rentrer dans ma chambre, j'arrache tout et je me mets à écrire — c'est Heine qui me dicte les mots [39] ! »

L'intelligente comtesse Festetics, qui connaissait bien son impératrice et l'aimait peut-être comme personne, écrivait à la fin des années 1870 dans son Journal qu'Élisabeth avait toutes les qualités, mais qu'une mauvaise fée les avait changées en leur contraire : « Beauté ! — Grâce ! — Charme ! — Élégance ! — Simplicité ! — Bonté ! — Générosité ! — Esprit ! — Humour ! — Espièglerie ! — Subtilité ! — Intelligence ! » Après quoi, venait le sortilège : « Car tout se retourne contre toi — même ta beauté ne t'apportera que douleur, et ton esprit élevé t'emmènera loin, si loin qu'il te fera tomber dans l'erreur [40]. »

Mais n'anticipons pas. Au milieu des années 1860, Élisabeth approchait de la trentaine, conscience de sa beauté, elle triomphait de ses adversaires viennois et acceptait, comme un hommage tout naturel, que son impérial époux fût le premier et le plus ardent de ses admirateurs. Les rapports entre eux s'étaient inversés depuis le moment où elle s'était éloignée : Élisabeth était maintenant la plus forte et pouvait faire pression sur lui par ses moyens de femme. La Cour observait cette évolution avec la plus grande inquiétude ; et l'archiduchesse Sophie restait de plus en plus à l'écart, son influence sur l'empereur n'était plus guère perceptible.

Cette transformation, Sissi ne l'avait pas obtenue par sa gentillesse ou son intelligence, mais exclusivement par sa beauté, ce qui explique l'importance démesurée qu'elle attribuait à son aspect. Quand sa beauté était à son apogée, elle savait parfaitement quelle force elle constituait pour satisfaire ses désirs. Il devait bientôt apparaître qu'elle pouvait l'utiliser non seulement dans les affaires familiales, mais également en politique.

CHAPITRE VI

LA HONGRIE

La sympathie d'Élisabeth pour la Hongrie tenait assurément en premier lieu à son aversion pour la Cour. L'aristocratie viennoise, dont les membres apparaissaient à juste titre à l'impératrice comme ses principaux ennemis, se composait pour une large part de familles de Bohême. Celles-ci donnaient le ton, fournissaient les dignitaires et les hauts fonctionnaires, et avaient en la mère de l'empereur, l'archiduchesse Sophie, une puissante alliée. Elle continuait de témoigner sa gratitude aux territoires de Bohême pour leur attitude loyale pendant l'année de la révolution, et insistait pour que la jeune impératrice se montrât elle aussi reconnaissante à leur égard et, pour commencer, apprît à parler leur langue. Mais, comme précisément ce vœu émanait de Sophie, Sissi n'alla jamais loin dans cette étude : elle savait à peine compter en tchèque et parvenait moins bien encore à prononcer de courtes allocutions apprises par cœur.

A mesure que les rapports de Sissi avec les milieux de la Cour et avec sa belle-mère se détérioraient, à mesure aussi qu'elle portait un jugement plus critique sur le néo-absolutisme, les Hongrois l'intéressaient de plus en plus. Ils maintenaient en effet, dans les années 1850, une rigoureuse opposition à la Cour de Vienne, les nobles non moins que les autres. Une fraction relativement importante de l'aristocratie hongroise, contrairement à celle de Bohême, avait pris part à la révolution de 1848-1849. Les biens de ces nobles avaient été confisqués, et beaucoup vivaient encore en exil. C'est seulement à la fin des années 1850 que les révolutionnaires étaient revenus à Budapest, après que l'empereur leur eut restitué leurs biens et eut levé leurs condamnations (peines de prison, voire, comme dans le cas de Gyula Andrássy, peine capitale). Aux yeux de la Cour de Vienne, ils demeuraient des révolutionnaires qu'on traitait avec suspicion et même avec mépris. L'archiduchesse Sophie était la première à admettre qu'elle tenait les Magyars en général, et leurs nobles en particulier, pour des rebelles. C'est qu'ils faisaient preuve d'une morgue qu'un souverain de droit divin, tel que se le représentait l'archiduchesse Sophie, ne pouvait guère tolérer.

Après l'écrasement de la Révolution, la Hongrie avait été mise au pas. On suspendit ses droits particuliers et son antique Constitution, pour l'administrer et la gouverner directement depuis Vienne, ce qui constituait une provocation permanente. De 1848 à 1867, soit pendant vingt ans, la Hongrie resta une province agitée, rebelle, qu'il fallait contenir par une puissante force militaire. Elle n'en parvint pas moins, par exemple, à refuser de payer des impôts à Vienne. Et il y eut même, pendant ces années, des rapprochements assez poussés avec des puissances étrangères, en particulier la Prusse, contre le gouvernement central. Des flots d'argent déferlèrent sur le pays, par d'obscurs canaux, pour entretenir l'agitation. Chacun de ses voyages en Hongrie représentait pour François-Joseph un risque personnel.

A Vienne, on reprochait notamment aux Hongrois (de toutes catégories sociales et de tous bords politiques) de continuer à exiger que l'empereur se fasse couronner roi de Hongrie. La condition mise à ce couronnement était la garantie de la Constitution hongroise, et rien, après l'écrasement de la révolution de 1848, n'apparaissait plus suspect que cette revendication. Celle-ci impliquait en effet un affaiblissement du pouvoir absolu et une concession à la volonté populaire abhorrée (ou du moins, dans le cas d'espèce, aux forces féodales).

Cependant, lorsqu'en 1859 la Lombardie fut perdue pour l'Autriche (les principaux « rebelles » étant, ici également, des aristocrates) et que Venise devint également intenable, on commença à reconsidérer la question hongroise. Il était clair qu'elle pouvait devenir extrêmement dangereuse, dès lors que les problèmes interallemands menaçaient de mener à une confrontation entre l'Autriche et la Prusse. D'où, à Vienne, un prudent début de discussion sur les moyens éventuels de se concilier les Hongrois sans perdre la face.

Au début, Élisabeth ne connaissait que peu de Hongrois : l'historien Majláth, qui avait été son précepteur en Bavière, et les magnats qui, lors de son voyage chez eux, l'avaient accueillie officiellement avec force acclamations (qui s'adressaient moins cependant à l'impératrice d'Autriche qu'à la jolie femme). Rodolphe avait une nourrice hongroise, avec laquelle Sissi parvenait à peine à communiquer. Il y avait eu aussi son idylle platonique avec Imre Hunyády qui, à Madère, lui avait enseigné les premiers rudiments de la langue hongroise, puis l'étroite amitié, pendant des années, avec Lily Hunyády, la sœur d'Imre : il est certain que la dame d'honneur avait parlé de sa patrie à l'impératrice durant les nombreuses heures partagées dans la solitude de Madère et de Corfou.

Après son retour de Corfou — en février 1863 exactement —, Sissi parvint à faire admettre son désir d'apprendre sérieusement le hongrois. On racontait à Possenhofen que l'archiduchesse Sophie, et même l'empereur François-Joseph, auraient voulu l'en empêcher, arguant que cette langue était de toute façon trop difficile et que Sissi ne parviendrait jamais à l'apprendre : n'avait-elle pas déjà de grandes difficultés avec le tchèque ? Cette résistance ne fit que renforcer sa détermination [1] : elle allait montrer à ses détracteurs de quoi elle était capable.

La Cour avait déjà par le passé blâmé sa faible connaissance des langues étrangères. Les petites phrases d'italien et de français apprises par cœur, qu'elle prononçait en particulier devant les « cercles » de la Cour, avaient fait pendant des années l'amusement de l'aristocratie. La duchesse Ludovica elle-même était d'avis que sa fille n'avait absolument aucun don pour les langues. Aussi ses rapides progrès en hongrois suscitèrent-ils un grand étonnement : « Sissi fait d'incroyables progrès en hongrois », écrivait l'empereur à sa mère quelques mois seulement après les premières leçons [2].

Ces progrès n'étaient nullement à porter au seul crédit du professeur de hongrois, le Père Homoky, mais surtout à celui d'une douce jeune fille de la campagne hongroise, que l'impératrice avait introduite en 1864 dans son entourage immédiat : Ida Ferenczy. On ne saurait dire quelle fut l'importance de cette femme dans la vie d'Élisabeth. Trente-quatre ans durant, jusqu'à la mort de l'impératrice (qui avait quatre ans de plus qu'elle), Ida resta sa plus proche confidente : elle connaissait tous ses secrets, s'occupait de sa correspondance privée. Elle lui était indispensable, bien moins comme suivante que comme amie intime.

Le mystère demeure entier quant à la façon dont cette fille de gentilhomme campagnard entra à la Cour. Le journaliste hongrois Max Falk indique dans ses Mémoires que la Cour de Vienne aurait dressé une liste de six jeunes aristocrates hongroises jugées dignes de devenir demoiselles de compagnie de l'impératrice, ce qui aurait donné lieu à quelques affrontements entre différents partis. Au moment de la présenter, calligraphiée, à l'impératrice, une main inconnue y aurait introduit un septième nom, celui d'Ida Ferenczy, en aucun cas choisie par les instances de la Cour [3]. Cette histoire paraît passablement improbable, mais montre bien quelle importance les Hongrois devaient par la suite attribuer à la personne d'Ida Ferenczy. Une version moins rocambolesque rapporte que la comtesse Almássy, chargée de dresser cette liste, songea à la famille Ferenczy, de Kecksemét, avec laquelle elle était liée d'amitié, et mentionna une de ses cinq filles, Ida [4]. Même ainsi, cela ne peut s'être fait qu'à l'insu de la Cour, car Ida ne remplissait pas une condition essentielle : appartenir à la haute noblesse. Mais quelqu'un trouva un expédient et la fit d'abord nommer « dame du couvent de Brunn » (ce qui lui permettait au moins de s'intituler « Madame »), puis fit officiellement d'elle une « lectrice

de sa Majesté », avec, outre la nourriture et le gîte, un traitement mensuel de début de 150 florins. Bien entendu, Ida
ne fit jamais la lecture à l'impératrice, mais, plus que les
dames d'honneur issues de la haute aristocratie, elle devint sa
confidente. Les lettres de Sissi à sa jeune amie étaient pleines
de tendresse et commençaient le plus souvent par la formule
(en hongrois) : « Ma douce Ida ». Dans ces très longues lettres — Sissi écrivait à son mari beaucoup plus brièvement et
en général plus sobrement —, on trouve des phrases remarquablement affectueuses : « Je pense beaucoup à toi, pendant
mes longues séances de coiffure, pendant mes promenades,
et mille fois par jour [5]. » Mais on ne connaît que des bribes de
ces lettres, car Ida en brûla le plus grand nombre, dont certainement les plus importantes ; de plus, à quelques fragments près, le peu qui en restait disparut au cours de la
Seconde Guerre mondiale.

Il est certain qu'Ida jouissait de toute la confiance des
libéraux hongrois qui travaillaient à la « convention », principalement Gyula Andrássy et Frank Deák. Et l'entrée d'Ida
à la Cour de Vienne marqua le début de l'enthousiaste engagement de Sissi en faveur de cette convention et de la restitution à la Hongrie de ses anciens droits spécifiques, ainsi
que du couronnement de François-Joseph comme roi de
Hongrie. Grâce à Ida Ferenczy, les libéraux hongrois étaient
parfaitement informés des rapports de force au sein de la
famille impériale.

Cette relation de l'impératrice d'Autriche et d'Ida
Ferenczy, d'une considérable portée politique, fut exploitée
avec la plus grande habileté par les Hongrois, en particulier
par Andrássy et Deák. Ils surent parfaitement utiliser à leurs
fins l'isolement dont souffrait l'impératrice et ses différends
avec l'archiduchesse Sophie. Ida fut la première à prendre
d'emblée parti sans réserve pour Sissi dans le conflit qui
opposait l'impératrice et la Cour ; contrairement au comte
Grünne naguère, elle ne se prêta à aucune médiation. Elle
n'avait aucune relation de parenté avec la haute aristocratie
(Lily Hunyady, l'amie de Sissi, entre-temps mariée à un
comte Walterskirchen, représentait une fraction de l'aristo-

cratie viennoise, malgré son origine hongroise). Ida se tenait à l'écart des commérages, se montrait réservée et même froide à l'égard de tous les membres de la Cour, et resta dévouée corps et âme, même après sa mort, à sa maîtresse, devenue son amie. Il n'est nullement étonnant que cette étrangère au sein de la Cour soit bientôt devenue une des femmes les plus détestées de la Hofburg ; mais cela, grâce à l'inébranlable affection que lui portait Sissi, ne dérangeait pas Ida.

L'impératrice, alors âgée de vingt-sept ans, passait de longues heures avec sa nouvelle « lectrice ». Ida se devait surtout d'être présente pendant les séances de coiffure au cours desquelles les deux femmes conversaient en hongrois, langue incompréhensible aux femmes de chambre et aux coiffeuses. Le hongrois devint ainsi comme un langage secret entre elles. Au bout de quelques semaines seulement, la comtesse Almássy écrivait à des amis hongrois : « Ida est ravie de la bonne prononciation de l'impératrice, qui parlerait en outre très couramment le hongrois ; en un mot, elles sont satisfaites l'une de l'autre [6]. »

Comme premier pas vers une réconciliation du roi de Hongrie — François-Joseph — avec le pays, les hommes politiques envisageaient une visite à Budapest. Ida n'était pas auprès de l'impératrice depuis quelques semaines que déjà elle l'avait convaincue de la nécessité de ce voyage. Comme Sissi ne parvenait pas mieux que d'habitude à faire entendre ses propositions politiques à son époux, elle essaya de convaincre le général Benedek (lui-même hongrois) de plaider cette cause auprès de l'empereur. C'était une voie fort inhabituelle pour exercer une influence politique, et qui ne semblait guère devoir être couronnée de succès. Benedek, qui n'avait aucune relation particulière avec Élisabeth, ne fit pas secret de ce souhait, et la Cour tout entière fut bientôt informée que l'impératrice prenait parti dans l'affaire hongroise [7].

En juin 1865, après des mois de pressions de la part des Hongrois, François-Joseph se rendit effectivement à Budapest, où il fit quelques premières concessions : il supprima la juridiction militaire qui remplaçait toujours en Hongrie les instances civiles, puis décréta une amnistie pour les délits de presse. Ces mesures limitées étaient cependant loin de suffire aux Hongrois, qui continuèrent de revendiquer le rétablissement de leur Constitution et le couronnement du roi. Sur ces points, toutes les tendances étaient d'accord et faisaient bloc derrière Deák — y compris les Hongrois qui vivaient à Vienne et, chacun à sa façon, œuvraient à la « convention ».

Franz Deák, « sage de la nation », « conscience de la Hongrie », qui pendant l'année de la révolution avait été ministre de la Justice dans le cabinet de Batthyány (exécuté par la suite), fit connaître publiquement les revendications hongroises dans un célèbre article publié à Pâques 1865 par le journal *Pesti Napló*, peu avant la visite de François-Joseph. Il y lançait un défi au Parlement viennois, affirmant que la Hongrie ne serait jamais disposée à reconnaître un gouvernement central à Vienne et ne discuterait en aucun cas avec un Conseil d'Empire, mais uniquement avec François-Joseph, son roi, sur la question de la Constitution hongroise.

Ida Ferenczy n'était pas seulement une fervente partisane de Deák, mais le connaissait personnellement par sa famille. Sa vénération pour « le sage » déteignit sur l'impératrice. En juin 1866, Ida se fit envoyer un portrait de lui, avec un mot autographe : « Je puis dire confidentiellement que Sa Majesté désire avoir ce portrait, mais il ne faut pas qu'on l'apprenne, pour ne pas que les journaux écrivent à ce sujet des choses interdites [8] », écrivait-elle. Le portrait de Deák resta accroché, jusqu'à la mort d'Élisabeth, au-dessus de son lit, à la Hofburg.

Au milieu des années 1860, en raison de son âge, Deák transmit ses principales fonctions politiques au comte Gyula Andrássy. A son tour, celui-ci entretint une correspondance régulière avec Ida Ferenczy et prit vis-à-vis d'elle la position d'un paternel ami. Si l'on en croit Ida, Élisabeth connaissait déjà bien Andrássy avant leur première rencontre : elle n'était pas seulement informée de ses idées politiques, mais encore de sa vie privée agitée, laquelle avait souvent interféré avec les affaires politiques. Andrássy n'était rentré d'exil qu'en 1858, après l'amnistie de sa condamnation à mort. Il avait combattu avec Kossuth, à Schwechat en 1849, contre les troupes impériales. Ses partisans excusaient volontiers cette « erreur de jeunesse » qui entretenait, on le comprend, la méfiance de la Cour viennoise. Toujours en 1849, sous l'uniforme de la Honvéd (l'armée nationale hongroise, qui combattait l'armée impériale), il s'était rendu avec le grade de colonel de cette armée à Constantinople, chargé d'une mission par le gouvernement révolutionnaire. Selon ses amis, il s'agissait seulement d'empêcher que les émigrés hongrois ne fussent livrés à l'Autriche — ce qu'il obtint en effet. Mais ses adversaires pensaient qu'il était allé quérir l'assistance de la Turquie contre l'Autriche — auquel cas ce fut sans succès. Quant aux sceptiques, ils ramenaient toute l'ambition d'Andrássy à son désir de connaître de près les secrets du harem. Toujours est-il que lorsque les troupes autrichiennes et russes vainquirent la Honvéd, Andrássy fut condamné à mort pour haute trahison, par contumace, car il était encore à Constantinople. Son nom fut cloué sur la potence par le bourreau — détail romanesque dont devaient s'emparer les dames des salons parisiens, qui se pressèrent bientôt autour du « beau pendu ». Son exil, à Londres d'abord, puis à Paris, ne fut guère pénible. Contrairement à tant de ses compatriotes, il ne fut pas contraint de gagner sa vie, car sa mère lui envoyait généreusement de l'argent de Hongrie ; et comme non seulement c'était un aristocrate mais encore un homme du monde extrêmement spirituel portant beau et connaissant parfaitement, outre sa langue maternelle, l'allemand, le français et l'anglais, les portes de toutes les maisons distinguées s'ouvraient devant lui.

En Angleterre, il put même s'offrir des chevaux de course et concourir dans les derbys avec, pour reprendre les sarcasmes de ses ennemis, « l'enchanteresse élégance des sans-patrie [9] ». Il est à peine nécessaire de préciser que, partout et à chaque instant, il tirait parti de l'effet immédiat que produisait son charme, pour accroître son information politique. Andrássy devint ainsi un des meilleurs connaisseurs de la cour de Napoléon III. C'est également à Paris qu'il rencontra sa femme. Elle était bien sûr hongroise et noble, et c'était la beauté la plus célébrée après l'impératrice Eugénie : Andrássy rentra donc à Budapest aux côtés de la comtesse Katinka Kendeffy, et y fut fêté comme martyr de la révolution. Il n'eut alors aucune peine à s'imposer aussitôt dans le domaine politique. Charges et honneurs lui furent apportés comme sur un plateau.

Ses années d'émigration lui avaient permis d'approcher les puissants de l'Europe et il connaissait admirablement les milieux diplomatiques. Le parti libéral, bien enraciné dans la population grâce à Deák, avait besoin d'un homme tel que lui pour établir des liens avec l'aristocratie et avec l'étranger. C'était en outre un homme parfaitement introduit dans les milieux de la presse (il avait écrit pendant des années dans *Pesti Napló*), et un orateur réputé pour son humour : ses jugements politiques devenaient souvent des proverbes, ainsi son appréciation du néo-absolutisme de François-Joseph : « La nouvelle Autriche ressemblait à une pyramide qu'on aurait posée sur la pointe ; comment s'étonner qu'elle n'ait pu tenir debout ? » C'est dès 1861, alors que l'Autriche défendait encore opiniâtrement ses positions en Italie et en Allemagne, qu'il prononça son célèbre mot : « L'Aigle à deux têtes ne pourra flotter à Rome, ni en Toscane, ni en Hesse, ni au Holstein, parce que le gouvernement impérial l'y envoie pour la gloire de son armée, et non pour la prospérité des peuples. » Ou encore : « Il est de l'intérêt de l'Europe que l'Autriche soit en position défensive. » Il stigmatisait par là la politique de l'empire en Italie et en Allemagne, et prêchait pour un retour aux territoires de la monarchie danubienne [10].

Andrássy s'intéressait aux grandes idées et aux vastes conceptions, nullement au travail minutieux qu'exigeait leur mise en œuvre. Mais ces vues, il les défendait avec beaucoup d'assurance et de fougue. Jamais peut-être l'expression « tempérament politique » ne convint mieux à un homme adonné aux affaires publiques. Plus coquet qu'une diva, il soignait son image d'homme « irrésistible » pour ses compatriotes (qui l'admiraient) et surtout pour les femmes (qui le poursuivaient).

Une foule de jugements contradictoires couraient sur lui : les Hongrois en faisaient un héros national, mais les autres, le plus souvent, un parfait coquin. Le comte Hübner, qui l'avait connu à Paris, écrivait, par exemple, dans son Journal : « Sur le plan personnel, il n'est pas antipathique ; en lui se mêlent des aspects de saltimbanque et de chevalier, de sportif et de joueur. Il a l'allure à la fois d'un conspirateur et d'un homme qui n'hésite pas à dire ce qui lui passe par la tête. C'est le plus audacieux menteur de son époque, et en même temps le plus indiscret des beaux parleurs [11]. »

C'est en janvier 1866 que les chemins d'Andrássy et d'Élisabeth se croisèrent pour la première fois. Elle avait alors vingt-huit ans et lui quarante-deux. Les affaires hongroises allaient alors bon train. Après les concessions octroyées par l'empereur lors de son voyage en Hongrie, une délégation du Parlement hongrois, dont faisait partie le prince-primat, se rendit à Vienne pour inviter officiellement l'impératrice à venir en Hongrie et pour lui présenter ses vœux à l'occasion de son anniversaire — avec quelque retard du reste, car elle l'avait, une fois de plus, fêté à Munich. Andrássy, vice-président de la Chambre des députés hongroise, était de la délégation.

Conduite par les fourriers « impériaux et royaux » de la Cour et de la Chambre, la délégation traversa solennellement les antichambres garnies de gardes du corps « impériaux et royaux », jusqu'aux appartements de Sa Majesté. Dans la deuxième antichambre attendait le premier chambellan de l'impératrice, qui les conduisit jusqu'à la salle d'audience. La rencontre avait quelque chose de véritablement théâtral. Andrássy portait le costume d'apparat brodé d'or de l'aristocratie magyare (l'« *attila* ») : manteau émaillé de pierres précieuses, bottes à éperons, et peau de tigre sur les épaules. Même au sein du groupe haut en couleur que formaient le prince-primat, l'évêque orthodoxe et les autres députés, on le remarquait par sa souple démarche d'homme du monde et son rayonnement un peu farouche, à la tsigane. L'apparition de Sissi fut celle d'une impératrice de contes de fées. Elle portait le costume national hongrois, arrangé naturellement de la façon la plus majestueuse : une robe de soie blanche avec un corsage noir garni de riches passementeries ornées de diamants et de perles, un tablier de dentelle blanche, une petite coiffe hongroise rehaussée d'une couronne de diamants sur le front. Elle se tenait debout sous le baldaquin, entourée de sa première dame d'honneur et de huit autres dames du palais soigneusement choisies (et pour la plupart hongroises) : elle était reine de Hongrie, des pieds à la tête.

A la stupéfaction générale, elle remercia le prince-primat dans un discours improvisé en un hongrois impeccable : « Depuis que la Providence m'a liée, grâce à Sa Majesté mon époux bien-aimé, au royaume de Hongrie par des liens eux aussi tendres et indissolubles, le bien-être de ce royaume a fait l'objet de ma plus vive et constante préoccupation. Celle-ci s'est encore accrue quand j'ai su les témoignages de fidèle attachement et de profonde fidélité qui se sont exprimés tout récemment, devant le pays, avec tant d'enthousiasme, en faveur de mon illustre époux. Elle s'accroît encore aujourd'hui, après les paroles de Votre Éminence, qui me vont droit au cœur. Recevez ma sincère et profonde gratitude, et présentez aussi là-bas mon salut cordial à ceux qui vous ont envoyé ici, dans l'attente du moment où j'aurai la joie de paraître parmi eux, conformément au souhait du pays, aux côtés de mon illustre époux [12]. » Des *eljen* (vivats) exaltés répondirent à cette allocution.

Le soir même, la délégation hongroise était conviée à la table de la Cour. Sissi était cette fois vêtue d'une robe blanche à traîne et des perles étaient tressées dans ses cheveux. A l'issue du repas se tint un « cercle » au cours duquel François-Joseph et Élisabeth, rapportèrent les quotidiens, « daignèrent converser assez longuement avec chacun des membres de la délégation ». Ce fut là le premier entretien de l'impératrice avec Gyula Andrássy — en hongrois, bien entendu. Andrássy laissa filtrer par la suite des fragments de sa conver-

sation, notamment ce mot d'Élisabeth, souvent cité depuis :
« Voyez-vous, quand les affaires de l'empereur vont mal en
Italie, cela me peine ; mais quand il en va de même en
Hongrie, cela me tue [13]. »

Ida Ferenczy avait fait du bon travail. Gyula Andrássy
savait désormais qu'il avait, avec l'impératrice, une protectrice de la Hongrie. Les vœux de cette nation étaient rien
moins que modérés, et ne prenaient absolument pas en
considération les droits des autres peuples de la monarchie.
L'empereur Ferdinand, prédécesseur de François-Joseph,
s'était fait couronner deux fois : comme roi de Bohême à
Prague, comme roi de Hongrie à Presbourg. Cette fois-ci, il
était uniquement question de la couronne hongroise ; la
Hongrie revendiquait (chose tout simplement exorbitante
pour la Bohême) la « parité » avec tout le reste de l'empire,
soit un territoire infiniment plus grand et d'une tout autre
importance économique que la seule nation magyare. Les
journaux, de langue allemande et tchèque, rejetaient évidemment ces exigences, ainsi la *Morgen-Post*, qui soulignait
leur refus de payer des impôts : « La Hongrie devrait donc
peser dans les affaires communes autant que l'ensemble des
autres provinces de la monarchie. Si elle avait autant
contribué qu'elles aux impôts, cette revendication serait justifiée ; mais, en l'état effectif des choses, elle ne l'est nullement [14]. »

Au grand déplaisir du parti de la Cour, le couple impérial
entreprit à la fin de janvier 1866 un voyage de plusieurs
semaines en Hongrie. C'était la première fois que Sissi
revoyait Budapest depuis 1857. Les temps avaient changé : le
climat s'était amélioré entre Vienne et Ofen. On pouvait
espérer pour un proche avenir une solution à ce conflit qui
durait depuis des années. Le programme était des plus éprouvants. Mais autant, à Vienne, Élisabeth voyait dans chaque
réception officielle un fardeau et une restriction de sa liberté,
autant en Hongrie elle se conforma avec discipline à son rôle
de reine. Gyula Andrássy n'était jamais loin, et de mauvaises
langues rapportèrent à Vienne combien ils aimaient s'entretenir ensemble à l'occasion des réceptions et des « cercles »

en hongrois, de sorte que les dames d'honneur ne comprenaient rien. Crenneville, qui prenait part à ce voyage, écrivit, furieux, à sa femme, restée à Vienne, que l'impératrice avait parlé un quart d'heure entier à Andrássy, en hongrois, lors d'un bal au château d'Ofen ; et il ponctuait cette nouvelle de trois points d'exclamation [15].

Les officiers de la Cour de Vienne relevaient avec mauvaise humeur et malignité l'envers de la brillante façade que présentait la Hongrie. Crenneville, par exemple, s'en prenait aux « costumes sales, en particulier les *attilas*, ridicules au plus haut point » des magnats hongrois, et laissait longuement aller sa colère à propos du *czarda* « éhonté » qu'on avait dansé au bal de la Cour, au château d'Ofen : « Non, si j'étais en état de me marier, je n'épouserais pas une jeune fille dansant de cette manière ; et je me séparerais de ma femme si elle s'oubliait publiquement avec un étranger comme on le fit lors du *czarda* prétendument convenable dansé hier lors du bal de la Cour. » Il critiquait encore « les toilettes élégantes, quoique à demi déshabillées » que portaient les dames [16].

Cette liberté de manières, cette désinvolture, ce naturel ouvertement affichés par l'aristocratie hongroise, étaient précisément ce qui attirait la jeune impératrice et l'enthousiasmait visiblement, par contraste avec la vie guindée de la Cour de Vienne. Sissi s'épanouissait sous les *eljen* des simples gens comme sous les regards admiratifs de la noblesse. Et toute la liberté, toute l'élégance, tout le charme de la Hongrie se trouvaient à ses yeux cristallisés en la personne de Gyula Andrássy.

Son propre succès là-bas était évident, foudroyant. François-Joseph lui-même, plein de gratitude, écrivit à sa mère restée à Vienne : « Sissi m'est d'un grand secours, grâce à sa courtoisie, à sa discrétion et à son tact, enfin à sa bonne connaissance du hongrois, langue dans laquelle les gens les mieux disposés préfèrent souvent entendre des exhortations [17]. »

Le clou du voyage fut incontestablement l'allocution à la députation hongroise du royaume prononcée par Élisabeth dans un hongrois impeccable : « Veuille le Tout-Puissant

soutenir votre activité de ses plus généreuses bénédictions. »
En prononçant ces mots, elle étendit les mains, et ses yeux
s'emplirent de larmes. L'un des magnats rapporte que cet
instant était « si saisissant que les députés ne clamèrent pas
eljen mais, jeunes et vieux, laissèrent de vraies larmes couler
sur leurs joues ». Sur le même sujet, le baron Braun, chef du
cabinet de l'empereur, eut ce commentaire : « Du moins ne
peut-on nier que les Hongrois aient du cœur — pourvu que
cela dure [18]. »

Cependant, à Budapest aussi, Sissi tomba malade. Les
symptômes étaient ceux-là même que l'on connaissait bien à
Vienne : crises de larmes, toux, faiblesses. Il lui fallut garder
la chambre huit jours. François-Joseph à Sophie : « Notre bal
a de nouveau été très brillant et plein de monde, mais il y a
eu tout de même une déception : beaucoup de gens étaient
venus de toutes les parties du pays spécialement pour voir
Sissi et lui être présentés, et ils n'ont trouvé que moi
seul [19]. »

A mesure que la visite impériale à Ofen-Pest se prolongeait, les commentaires viennois se faisaient plus acerbes.
L'archiduc Albert, chef de file du parti conservateur, écrivit,
indigné, au comte Crenneville : « S'il y avait seulement un
moyen d'empêcher ce trop long et certes pernicieux séjour de
notre respecté couple impérial ! Ce que ce voyage pouvait
peut-être permettre d'obtenir a été atteint dans les huit ou
dix premiers jours ; maintenant, cette prolongation nuit à la
première impression, qui était bonne, et ruine la dignité et le
prestige impériaux. » Il n'attribuait à nul autre qu'à l'impératrice l'attitude trop hongarophile de l'empereur : « Entre-
temps, se développe ici une atmosphère d'exaspération
contre les personnes de Leurs Majestés, et particulièrement
contre Sa Majesté l'impératrice ; car le public est amené à lire
des comptes rendus détaillés sur telles gentillesses et amabi-
lités auxquelles n'ont jamais eu droit ni la noblesse d'ici, ni
les Viennois, ni bien moins encore les autres provinces [20] ! »

François-Joseph, passablement irrité, fit répondre à son
grand-oncle : « Il n'y a pas lieu de voir dans ce séjour un
danger pour le prestige personnel du souverain, car l'empe-

reur sait fort bien ce qu'il veut, et sur quoi il ne cédera jamais ; par ailleurs, il ne se considère pas comme l'empereur de Vienne, mais se trouve chez lui en chacun de ses royaumes et territoires [21]. » Quant aux concessions politiques, la Cour de Vienne les approuvait encore moins. Dans ses lettres, Crenneville donnait libre cours à sa mauvaise humeur, et ne se faisait pas faute d'employer des expressions méprisantes pour parler des « mines patibulaires de Deák et compagnie [22] ».

Le couple impérial rentra à Vienne au début de mars, après un séjour de cinq semaines. Mais Sissi était tout feu, tout flamme, et entendait retourner en Hongrie dès que possible. Elle décida avec Ida de ne pas faire cette fois son habituelle cure d'été à Bad Kissingen, mais à Füred, une ville d'eaux hongroise sur le lac de Platten. Ce projet lui valut à Vienne quelques désagréments, et Andrássy lui-même, tout en le soutenant, ne le jugea pas très opportun. Celui-ci promit à Ida Ferenczy, et par elle à l'impératrice, de tout faire « pour autant que cela dépend de moi, et même si l'empereur décharge sur moi toute sa mauvaise humeur ». Mais il recommanda qu'Élisabeth, en Hongrie, se fît également voir sur les champs de course et qu'à cet effet elle emmenât avec elle le prince impérial : « Cela aurait un bon effet sur tous ceux qui tendraient à trouver à redire au séjour de l'impératrice en Hongrie, ferait plaisir à l'empereur ainsi, me semble-t-il, qu'au prince, et mettrait fin, maintenant et dans l'avenir, à bien des bavardages stupides [23]. »

C'est qu'en Hongrie le bruit s'était répandu comme une traînée de poudre que la belle impératrice, poussée par l'exaltation d'Ida, éprouvait quelque faiblesse pour Gyula Andrássy — racontar qui contribuait sans nul doute à conforter la position d'Andrássy dans les milieux politiques hongrois. Élisabeth était maintenant une femme approchant de la trentaine, à l'apogée de sa beauté. Elle avait mis au monde trois enfants, mais restait insatisfaite, inassouvie, assoiffée de liberté. Ses relations conjugales étaient pour le moins difficiles. Elle ne se sentait pas à l'aise à Vienne. Un homme comme Andrássy, en tout point différent de François-Joseph, pouvait devenir dangereux pour elle. Les engouements d'Ida renforcèrent Sissi dans un amour qui sautait aux yeux de tous. Et elle mit tous ces sentiments, soudain évidents, au service de la cause hongroise : une aventure, au sens vulgaire, était exclue dans sa position.

Andrássy, quant à lui, poursuivait les négociations en vue de la « convention » et ne cessait d'aller et venir entre Budapest et Vienne. Une intense correspondance politique s'engagea entre l'impératrice et lui — non pas directement, bien entendu, mais par l'intermédiaire d'Ida Ferenczy. Les lettres étaient formulées de façon à rester incompréhensibles : l'impératrice n'était que très rarement appelée par son nom, et le plus souvent désignée comme « votre sœur », Andrássy lui-même devenant « l'ami ». Ainsi, même si la correspondance avait été interceptée, il n'eût pas été possible d'en saisir le contenu. Même l'historien d'aujourd'hui éprouve quelque peine à tirer des informations des rares lettres qui ont été conservées.

Andrássy faisait l'objet d'une surveillance constante, surtout pendant ses séjours à Vienne. On devine pourquoi il ne pouvait rendre de visite privée à l'impératrice. Mais il redoutait également de se rendre chez Ida Ferenczy : on voit jusqu'où allait le secret. Il écrivait à Ida : « Je souhaitais monter chez vous mais, comme je suppose que l'on me suit maintenant pas à pas, je n'ai pas voulu indiquer inutilement la voie dans laquelle travaille maintenant la Providence [24]. »

Pendant ces mêmes semaines, la situation politique vis-à-vis de la Prusse se détériora à vue d'œil. De longues conférences furent consacrées à d'éventuels préparatifs de guerre. Benedek fut nommé commandant des troupes de Bohême, dirigées contre la Prusse, et l'archiduc Albert commandant pour la Haute Italie. Élisabeth s'inquiétait également de la situation. A contrecœur, elle renonça à sa cure de Füred et même à son séjour à Bad Kissingen (où bientôt se dérouleraient des combats). Elle écrivit à sa mère : « C'est que je ne veux pas m'éloigner tant que la tendance est à la guerre, et je crois que nous n'avons guère d'espoirs de paix. C'est une situation épuisante ; la triste certitude vaudrait presque mieux que cette attente [25]. » François-Joseph ne pensait pas autrement, qui écrivait à sa mère qu'il fallait « envisager la guerre avec calme, en s'en remettant à Dieu ; car, au point où en sont venues les choses, la monarchie supportera mieux une guerre que cette paix pourrie, qui la ronge lentement [26] ». En revanche, le couple impérial ne s'accordait pas sur l'origine du climat anti-autrichien qui régnait à Berlin. Élisabeth écrivait en toute candeur à sa mère : « Ce serait vraiment une grâce de Dieu si le roi de Prusse mourait subitement, bien du malheur serait ainsi évité [27]. » François-Joseph savait mieux qu'elle qui à Berlin attisait le feu : « Aussi longtemps que Bismarck sera en place, il ne pourra y avoir de véritable tranquillité [28]. »

En avril 1866, la Prusse conclut un traité secret, dirigé contre l'Autriche, avec la jeune monarchie italienne. Et Bismarck envenima si adroitement le conflit du Schleswig-Holstein que la guerre devint inévitable. La question était de savoir qui dominerait vraiment l'Allemagne.

Par crainte de voir la France s'immiscer à nouveau dans la guerre et renforcer la position de l'Italie, l'Autriche conclut le 12 juin un traité secret avec Napoléon III : contre la neutralité de la France, elle cédait la province de Vénétie à celle-ci, qui entendait la remettre par la suite à l'Italie. Ainsi les troupes autrichiennes se battirent-elles en Italie, avec de lourdes pertes, pour une province que l'empereur avait déjà abandonnée ; mais les généraux l'ignoraient.

La déclaration de guerre eut lieu le 15 juin 1866. La Prusse se battait, sur le front nord, contre l'Autriche, la Saxe, la Bavière, le Wurtemberg, le Pays de Bade, le Hanovre et la Hesse-Cassel : pratiquement tout le reste de l'Allemagne. A peu près personne, en Europe, ne considérait que la Prusse eût la moindre chance de surmonter une telle infériorité numérique. Cependant, l'immense force des troupes autrichiennes n'existait que sur le papier, et leurs alliés allemands ne valaient pas grand-chose : seule la Saxe s'engagea de toutes ses forces dans la guerre. Des difficultés surgirent dans les

rapports avec les autres États allemands, surtout avec la
Bavière : au plus fort de la crise, le jeune roi Louis II, dégoûté
des affaires politiques, se retira sur son île des Roses, au lac
de Starnberg. Pendant plusieurs jours, les ministres bavarois
ne purent lui parler, alors qu'il trouva le temps d'organiser
un somptueux feu d'artifice sur le lac. L'ambassadeur autrichien communiqua à Vienne : « On commence à considérer
que le roi est fou [29]. »

Même Élisabeth, toujours prête à défendre sa famille, ne
retenait plus ses critiques, écrivant à sa mère, à Possenhofen :
« J'entends dire que le roi est à nouveau absent. Il pourrait
tout de même s'occuper un peu plus de gouverner, en un
moment où les affaires vont si mal [30] ! »

Pendant ces journées si lourdes de préoccupations, l'impératrice resta à Vienne aux côtés de son époux, oubliant enfin
ses petits soucis, ses caprices, ses malaises. Elle se tenait
informée des événements militaires et écrivait quotidiennement de longues lettres à son fils à Ischl pour faire connaître
à l'enfant, maintenant âgé de huit ans, le déroulement des
événements ; elle lui racontait même des histoires épouvantables, comme celle survenue, après la victoire de Custozza à
la fin du mois de juin 1866 : « Les Piémontais se comportent
de façon totalement inhumaine vis-à-vis des prisonniers. Ils
massacrent les blessés, tant les simples soldats que les officiers, et ils ont même pendu quelques chasseurs ; on a pu en
sauver deux, mais l'un d'entre eux est devenu fou. L'oncle
Albert les a menacés de représailles [31]. »

Venise était définitivement perdue et, du front nord, en
Bohême, se succédaient des nouvelles désastreuses. Les Prussiens avaient pu traverser la Saxe sans combattre, parce que
les troupes saxonnes et autrichiennes se trouvaient en
Bohême, principal théâtre des opérations. Élisabeth à Rodolphe : « Tante Marie [la reine de Saxe] a écrit de Dresde [...]
que toute la ville n'est qu'une caserne prussienne ; les troupes ne cessent de défiler sous ses fenêtres mêmes, parfois
pendant des heures sans interruption, et chaque troupe est
plus belle que l'autre [32]. » Les courageux combats des Saxons
et des Autrichiens en Bohême leur causaient de lourdes per-

tes et ne menaient à rien. Ici encore, le commandement était défaillant, l'armement et le ravitaillement insuffisants.

L'empereur restait d'un calme remarquable. Élisabeth écrivit à Rodolphe : « Malgré la difficulté des temps et ses nombreuses occupations, ton cher papa a bonne mine, Dieu soit loué, et fait preuve d'un calme et d'une confiance admirables, bien que les fusils à aiguille prussiens se soient montrés terriblement efficaces. [...] Papa a reçu cet après-midi des rapports circonstanciés sur les derniers grands combats ; ils sont meilleurs qu'il ne pensait, seulement les pertes sont terribles, car les troupes sont trop braves et fougueuses ; de sorte que le commandant de l'artillerie a donné à l'armée l'ordre d'attendre, pour lancer l'assaut à la baïonnette, que l'artillerie ait pu obtenir de meilleurs résultats [33]. » A Gisèle, alors âgée de dix ans, l'impératrice parlait aussi de l'efficacité des armes prussiennes. Lors d'une visite à l'hôpital militaire d'Alser, dans les faubourgs de Vienne, un blessé lui avait montré un de ces fusils, pris à un Prussien : « Ces fusils sont très longs et très lourds ; mais ils se révèlent malheureusement excellents et causent d'effroyables ravages [34]. »

Le 1er juillet, l'impératrice écrivit au précepteur de son fils, le colonel Latour (en précisant prudemment : « Transmettez à Rodolphe ce qui vous semblera bon ») : « Les circonstances m'empêchent malheureusement de continuer à vous donner des informations par télégraphe ; mais, pour rester fidèle à ma promesse, j'ai voulu vous faire savoir par écrit où en sont maintenant les choses autour de nous. L'armée du Nord a terriblement souffert des derniers combats : 20 000 morts, parmi lesquels presque tous les officiers supérieurs et les membres des états-majors. Les Saxons ont eux aussi été très malmenés. » Elle ajoutait : « L'empereur est admirable, toujours aussi tranquille et calme. [...] Les nouvelles que je vous envoie sont mauvaises, mais nous n'avons pas le droit de nous décourager [35]. »

Au lendemain de la bataille de Königgrätz — ou Sadowa — (3 juillet), elle écrivait encore à Latour : « Dès hier soir nous avons reçu cette nouvelle, qui réduit à néant nos derniers espoirs. [...] Les pertes doivent être terribles. » Suivaient les noms de parents et d'amis qui avaient été blessés : « L'archiduc Guillaume a été touché à la tête ; le comte Festetics a eu le pied emporté, on l'a déjà amputé ; le colonel Müller a perdu la vie, et le comte Grünne [fils de Carl Grünne] serait grièvement blessé. [...] Quant à ce qui va se passer maintenant, je crois que personne ne le sait. Fasse seulement Dieu qu'aucune paix ne soit conclue : nous n'avons plus rien à perdre, autant par conséquent sombrer totalement, mais dans l'honneur. » Élisabeth plaignait ensuite Rodolphe, « ce pauvre enfant, dont l'avenir apparaît si triste [36] ».

Les détails atroces sur la bataille de Sadowa passaient toute imagination. La landgrave Fürstenberg : « C'est la guerre la plus sanglante que l'histoire ait connue. » Les Autrichiens « étaient à tel point inondés de balles, comme du sable lancé à leur visage, qu'ils tombaient par groupes entiers ; ç'a dû être un horrible bain de sang. Dieu fasse que cela prenne fin, peu importe comment et du fait de qui [37] ».

Cette bataille fut le plus grand engagement militaire du XIXᵉ siècle. Près de 450 000 hommes prirent part au combat — plus que dans la « bataille des nations », à Leipzig, contre Napoléon. Par cette seule bataille, la Prusse devint du jour au lendemain, le 3 juillet 1866, une puissance européenne majeure [38].

Sissi bouillait d'indignation contre le roi de Prusse. Le contraste entre sa voix douce, faible — « suave », disait Sophie — et ses discours durs et passionnés sur la politique prussienne faisait « presque rire », à en croire Sophie, la famille impériale pourtant profondément déprimée [39]. La duchesse Ludovica était du même avis que sa fille : « Je ne comprends pas comment le roi de Prusse peut encore trouver une heure de repos, sans être assailli de remords, ou à tout le moins de honte. Et quand on pense qu'il continue à faire ostentation de sa piété ! Voilà une singulière nature ! — dans le meilleur des cas, cela tient à la confusion qu'on a introduit dans son esprit. » La reine Élise de Prusse se trouvait dans une difficile position vis-à-vis de ses sœurs d'Autriche, de Saxe et de Bavière ; elle-même en venait à critiquer la politique de son beau-frère Guillaume : « Élise ressent tout cela profondément et écrit des lettres d'une grande tristesse », rapportait Ludovica à Sophie [40].

Seul l'empereur, selon le Journal de Sophie, demeurait calme et tranquille : « *Mais hélas c'est le calme du désespoir, d'un désespoir morne et profond. Dieu dans sa sagesse impénétrable choisit mon pauvre fils comme vase d'élite, pour y verser toutes les douleurs, toutes les souffrances et déceptions* [41] ! »

Tous les jours, des trains entiers de blessés arrivaient à la gare du Nord à Vienne. L'impératrice était sur pied du matin au soir pour prodiguer des consolations. Son action recueillait les louanges tant de sa belle-mère que du public. Selon la landgrave Thérèse Fürstenberg, « l'impératrice édifie et étonne tout le monde, par la façon vraiment maternelle dont elle s'occupe des soins aux blessés et des visites d'hôpitaux. Il était temps pour elle de regagner le cœur du public ; elle n'aurait su trouver meilleure façon [42] ».

Lors de ses visites aux hôpitaux, on ne pouvait éviter d'observer que l'impératrice s'arrêtait plus souvent et plus longtemps auprès des soldats hongrois que de ceux d'autres nationalités de l'empire. Parmi eux se trouvait, par exemple, le comte Bethlén, qui rapporta comment elle était entrée dans sa chambre avec sa première dame d'honneur, la comtesse Königsegg, et deux religieuses, pour lui demander : « Comment avez-vous été traité pendant votre captivité chez les Prussiens ? » La réponse de Bethlén n'avait rien de particulier mais, son accent ayant trahi son origine hongroise, l'impératrice s'était aussitôt mise à parler en hongrois. « J'observai que cela ne plaisait guère à la première dame d'honneur, probablement parce qu'elle ne comprenait pas un mot de hongrois. » Bethlén fit compliment à l'impératrice de parler cette langue sans le moindre accent. A quoi, franche et souriante, elle répondit : « Cela, je le dois à mon Ida », réplique qu'elle avait coutume de faire fréquemment, au grand déplaisir de la comtesse Königsegg [43].

Les troupes prussiennes se rapprochaient chaque jour de

Vienne. Ceux qui le pouvaient fuyaient la ville, emportant leurs biens en des lieux plus sûrs. Même à la Cour, on remplissait des malles : à partir du 10 juillet, on envoya par bateau à Budapest les plus importants documents du ministère des Affaires étrangères, ainsi que les plus précieux manuscrits de la bibliothèque de la Cour. Les tableaux de grande valeur furent décrochés et, avec les fourrures et les emblèmes de la Couronne, partirent également pour la Hongrie.

Vienne vivait dans l'attente d'une dure bataille. Au Prater fut établi un cantonnement de 20 000 Saxons. « Les collines de Dornbach et de Nussdorf sont entièrement occupées par les soldats et, en roulant hier soir vers Heiligenstadt, j'ai vu les hauteurs constellées de feux de bivouac. C'était beau, mais en même temps effroyable [44] ! » L'ambassadeur de Suisse manda à Berne que, pour la bataille qui aurait lieu aux portes de Vienne, l'empereur assumerait lui-même le haut commandement. Si grave était la crise en Autriche, disait-il, que l'on parlait déjà d'une régence de l'impératrice[45].

Élisabeth elle-même quitta Vienne le 9 juillet, six jours après Sadowa, pour gagner Budapest. Elle fit un bref retour dans la capitale trois jours plus tard, afin de prendre avec elle les enfants, qui revenaient tout juste d'Ischl. L'archiduchesse Sophie était indignée par cette décision, car elle estimait qu'ils auraient été mieux à l'abri à Ischl, où ils jouissaient en outre du bon air de la montagne, et elle redoutait que « *l'air mou de Bude et la mauvaise eau* » ne nuisissent à la santé du prince impérial. De plus, le choix de la Hongrie comme refuge de la famille impériale lui était au plus haut point désagréable [46]. Elle refusa, en tout cas, d'être du voyage, préférant rester à Ischl où elle fit transporter tous ses objets de valeur.

Le choix de Sissi, dans une conjoncture précaire et même désespérée, était un acte politique d'une extrême importance. A cette époque, Bismarck s'efforçait en effet, à grand renfort d'argent, de soutenir la légion Klapka, qui luttait pour détacher la Hongrie de l'Autriche et entendait profiter de la situation pour soulever la Hongrie. De l'avis général, si une révolution éclatait en Hongrie, c'en était fini de la monarchie autrichienne. Mais le voyage de l'impératrice répondait à un excellent calcul : elle était, de toute la famille impériale, celle qui entretenait les meilleures relations avec la Hongrie. C'était précieux. On ignore qui en fut à l'origine, mais il semble bien, à voir avec quelle rage l'archiduchesse Sophie s'opposa à ce déplacement, que cette manœuvre de haute politique n'était due qu'à l'impératrice en personne, généralement bien éloignée de tels problèmes mais qui, cette fois, avait su imposer son point de vue. Il était tout aussi habile d'emmener les enfants en Hongrie. Les journaux hongrois ne tardèrent pas à évoquer à ce propos l'appel à l'aide lancé de Presbourg, où elle avait dans les bras le petit Joseph, héritier du trône, par Marie-Thérèse à la Hongrie en 1741. La portée d'un tel parallèle était considérable.

Un autre geste de l'impératrice fit sensation à Vienne. A la gare, au moment du départ, elle baisa publiquement la main de son époux, alors en butte à toutes les humiliations. La popularité de François-Joseph avait, pendant ces tristes semaines, atteint son point le plus bas. La population, éprouvée par la guerre et la misère, lui reprochait d'avoir fait passer les intérêts de la dynastie au-dessus de ceux de l'État. Le bruit courait que Maximilien allait revenir du Mexique pour assurer la régence, et l'on criait : « Vive Maximilien ! » à la face de François-Joseph, pour lui signifier qu'on souhaitait le voir abdiquer. On entendit même dire : « Ils n'ont qu'à venir, les Prussiens, nous leur ferons des ponts en or [47] ! » Si critique qu'elle fût par ailleurs envers lui, l'impératrice affrontait cette difficile situation aux côtés de son époux.

En Hongrie, Élisabeth et ses enfants furent reçus dans l'enthousiasme. Deák, Andrássy et d'autres hommes politiques importants vinrent à la gare lui souhaiter la bienvenue. Deák fit allusion au somptueux accueil qu'avait reçu le couple impérial lors de sa récente visite : « Je tiendrais pour une lâcheté de tourner le dos à l'impératrice quand elle se trouve dans le malheur, après l'avoir fêtée lorsque les affaires de la dynastie allaient encore bien [48]. »

Cependant, une atmosphère révolutionnaire régnait évi-

demment en Hongrie, et le parti de Deák n'échappait nullement à la contestation. L'arrivée d'Élisabeth à Budapest
n'était pas seulement de la plus grande importance pour les
relations austro-hongroises, mais aussi pour le parti libéral de
Deák (hostile depuis toujours à la séparation de la Hongrie et
de l'Autriche). Son séjour, d'abord prévu pour durer deux
jours, se prolongea pendant près de deux mois, à quelques
interruptions près ; son absence de la Cour donna lieu, tant à
Vienne qu'à Prague, à des commentaires de plus en plus
critiques. A Budapest, elle se trouvait entièrement sous
l'influence des Hongrois. Par des lettres quotidiennes, au ton
toujours plus énergique, elle faisait pression sur l'empereur,
soutenant les revendications hongroises et l'incitant à se
hâter. Son premier objectif était d'organiser une rencontre
personnelle entre l'empereur et Deák. Comme le premier n'y
consentait pas, elle écrivit directement au Hongrois Georges
von Majláth, chancelier à la Cour de Vienne : « Avant tout, je
vous fais cette prière : soyez mon représentant auprès de
l'empereur, chargez-vous à ma place de lui ouvrir les yeux
sur le danger irrémédiable auquel il court en continuant de
refuser toute concession à la Hongrie. Soyez notre sauveur, je
vous en conjure au nom de notre pauvre patrie, au nom de
mon fils, au nom aussi de l'amitié que je me dis que vous
éprouvez peut-être un peu pour moi. »
    D'autres phrases adressées à Majláth (avec lequel elle
n'entretenait aucune relation personnelle étroite) montrent
avec quelle intensité Élisabeth se lançait maintenant dans la
politique : « La concession à laquelle je cherchais à amener
l'empereur, mais qu'il n'a malheureusement pas encore
voulu m'accorder, était de révoquer les membres du gouvernement actuel et de nommer ministre des Affaires étrangères
Gyula Andrássy. Ce serait là un geste en direction des Hongrois, et il ne serait en aucun cas une reculade. Vu la popularité d'Andrássy dans le pays, cette mesure ramènerait le calme
et la confiance, assurant la tranquillité du royaume jusqu'au
moment où les circonstances permettront de régler enfin les
problèmes intérieurs. [...] Si l'empereur n'y était pas disposé, il
devrait du moins nommer Andrássy ministre des

Affaires hongroises. Car l'essentiel est en ce moment d'apaiser le pays et, par l'intermédiaire d'un homme qu'il estime pouvoir lui assurer un meilleur avenir, de l'amener à mettre à disposition de l'empereur toutes les forces dont il peut disposer. »

Dans cette même lettre, Élisabeth n'hésitait pas à évoquer en termes polémiques le comte Moritz Esterházy, ministre sans portefeuille censé représenter à Vienne les intérêts hongrois, mais qui n'avait manifestement pas la confiance d'Andrássy : « Ne partez pas du moins sans avoir brisé l'influence du comte Esterházy, sans être parvenu à écarter de l'empereur cet homme dont les conseils bien intentionnés mais nuisibles nous valent tant de malheurs. » Ces mots excessifs révèlent son exaltation et la profondeur de son engagement, et expliquent les inquiétudes du parti de Bohême. N'allait-elle pas jusqu'à écrire à Majláth : « Si vous menez à bonne fin ce que pour ma part je n'ai pas réussi à faire, des millions d'hommes vous béniront, et mon fils priera chaque jour pour vous, devenu son plus grand bienfaiteur [49]. »

Sissi était donc un instrument docile, voire fanatisé, entre les mains de Gyula Andrássy, qui avait su à merveille faire naître en elle le sentiment d'être la rédemptrice de l'Autriche (et de la Hongrie). Le 15 juillet, elle écrivait à l'empereur qu'elle venait d'avoir une entrevue avec Andrássy, « naturellement en tête-à-tête. Il a exprimé ses vues de façon parfaitement claire et nette. Les ayant comprises, j'ai acquis la certitude que si tu lui faisais confiance — totalement confiance —, nous pourrions encore être sauvés, je ne veux pas dire seulement la Hongrie, mais bien la monarchie. Il faut, *en tout cas* *, que tu en parles toi-même avec lui, et cela tout de suite, car chaque jour qui passe peut modifier la situation de telle sorte que finalement il ne s'y prêterait même plus : en de pareils moments, cela exige vraiment beaucoup de dévouement. Rencontre-le donc tout de suite. Tu peux lui parler sans réserve car, je puis te l'assurer, tu ne

1. En français dans le texte. *(N.d.T.)*

trouveras pas en lui un homme désireux de jouer un rôle à tout prix et d'acquérir une position ; tout au contraire, il met en jeu sa situation actuelle, qui est excellente. Mais, comme tout homme d'honneur, il est également disposé, dès l'instant que l'État risque le naufrage, à contribuer à le sauver par tous les moyens en son pouvoir. Il déposera à tes pieds tout ce qu'il a, son intelligence, son influence dans le pays. Encore une fois, je t'en conjure au nom de Rodolphe, ne laisse pas passer cette dernière chance ». La suite était sur le même ton. De sa vie, jamais Élisabeth n'écrivit à son mari d'aussi longues lettres qu'en cette période où il y allait de la Hongrie et des desseins d'Andrássy. Pour l'amour de la Hongrie (et d'Andrássy), elle exprimait ses choix politiques de façon si tranchante qu'elle confinait au chantage : « Je t'en prie, télégraphie-moi immédiatement à réception de ma lettre pour me dire si Andrássy doit prendre le soir même le train pour Vienne. Je le convoque à nouveau demain chez Paula [Paula Königsegg, sa première dame d'honneur], où je lui ferai part de ta réponse. Si tu dis non, si même aux dernières extrémités tu ne consens pas à entendre un conseil désintéressé, c'est que tu agis vraiment de façon [illisible] à notre égard à tous. Tu seras alors délivré à jamais de mes réclamations et de mes sautes d'humeur ; quant à moi, il ne me restera plus qu'à me consoler en sachant que, quoi qu'il arrive, je pourrai plus tard dire en toute honnêteté à Rodolphe : " J'ai fait tout ce qui était en mon pouvoir. Ce n'est pas sur ma conscience que pèse ton malheur [50] ". »

François-Joseph battit en retraite et à contrecœur, contre l'avis de sa mère et de ses ministre viennois, céda aux demandes de sa femme. Il télégraphia le jour même à Budapest qu'il avait « fait venir Deák en secret. Ne t'engage donc pas trop loin avec... [51] » [*sic :* sans nul doute Andrássy].

Ainsi, le 16 juin, Élisabeth put communiquer à Andrássy : « Je viens de recevoir la réponse : l'empereur vous attend à Vienne. Je vous dirai le reste oralement cet après-midi, toujours chez la comtesse Königsegg [52]. » Le 17, avant la rencontre avec Andrássy, François-Joseph écrit à sa femme : « Prie Dieu pour moi avec ferveur, afin qu'il m'éclaire et que je fasse ce qui est bien, ce qui est mon devoir. » Il ajoute qu'il écoutera Andrássy et le laissera parler, « après quoi je le sonderai à fond, pour voir si je puis lui accorder ma confiance [53] ».

Gyula Andrássy se présenta, ce 17 juillet devant l'empereur, auquel il apportait de Budapest une longue lettre d'Élisabeth. L'entrevue dura environ une demi-heure. Selon François-Joseph, Andrássy parla « très franchement et de façon très raisonnable ; il a développé toutes ses opinions et m'a prié, avant toute chose, de m'entretenir avec le vieux » — c'est-à-dire Franz Deák.

La méfiance de l'empereur à l'égard d'Andrássy était cependant bien enracinée : « Par ailleurs, je l'ai trouvé, comme par le passé, insuffisamment précis dans ses jugements, et trop éloigné de la nécessaire prise en compte des autres régions de la monarchie. Il demande beaucoup et, eu égard à ce que le moment actuel a de décisif, propose trop peu. » L'empereur rendait certes hommage « à la grande franchise et à la modération » de son interlocuteur mais ajoutait : « Je crains cependant qu'il ne soit pas assez fort, et qu'il ne trouve pas non plus dans le pays les moyens de faire aboutir les vues qu'il défend aujourd'hui. » En outre, le statut strictement constitutionnel souhaité par les Hongrois lui paraissait trop aléatoire. Il redoutait qu'Andrássy ne revînt « sur sa propre théorie constitutionnelle. Je me trouverais alors face à face avec la gauche la plus radicale, ou contraint à instaurer l'état de siège [54] ».

La politique radicale du Hongrois était effectivement en totale contradiction avec les principes de la Cour comme avec ceux de l'empereur lui-même. Il tombait sous le sens qu'en s'engageant en Hongrie dans une politique nouvelle, on s'exposait à des conséquences dans les autres parties de la monarchie. Telle était bien la raison pour laquelle les revendications hongroises trouvaient un soutien chez les partisans du régime constitutionnel et les libéraux d'autres régions de l'empire.

Le 19 juillet, la Hofburg reçut cette fois la visite du « vieux », Franz Deák. L'empereur le trouva « beaucoup plus clair qu'Andrássy et plus conscient des problèmes du reste de la monarchie. Mais il m'a laissé la même impression qu'Andrássy : ils demandent tout, de la façon la plus étendue, et n'apportent aucune garantie sérieuse de réussite, seulement des espérances et des éventualités. Ils ne s'engagent pas non plus à persévérer au cas où ils ne pourraient faire prévaloir leur volonté dans le pays et se verraient débordés sur leur gauche ». François-Joseph éprouva « une haute estime pour son honnêteté, sa franchise et son attachement à la dynastie. [...] Mais il manque à cet homme le courage, l'esprit de décision et la persévérance en cas de difficultés [55] ».

En ces instants, l'empereur se sentait harcelé de toutes parts. Alors qu'à la Cour le sentiment antihongrois demeurait fort, son épouse lui adressait imperturbablement d'énergiques lettres en faveur de la cause hongroise. Les Prussiens étaient à Presbourg. A Vienne, où régnait une chaleur torride, chaque jour qui passait amenait de nouveaux trains de blessés.

Nombre de rois et de princes exilés d'Italie et d'Allemagne vivaient à la Cour. On discutait activement de toutes les questions politiques, dans une atmosphère passablement chargée d'agressivité. Mais l'archiduc Louis-Victor écrivait à sa mère Sophie : « L'empereur veut persévérer jusqu'au bout [56]. » Les lettres de François-Joseph à son épouse n'étaient pas signées de la même façon que d'habitude. Au lieu de la formule stéréotypée « ton François qui t'aime », il utilisait des tournures appelant la compassion : « ton fidèle petit homme », « ton petit homme », « ton petit qui t'aime à la folie » — formules qu'il devait ensuite conserver sa vie durant.

Il était inutile d'espérer une aide de la France. On avait fait à Napoléon III un énorme cadeau, celui de la Vénétie, sans exiger aucune promesse d'assistance. Aussi l'empereur des Français ne songeait-il nullement à venir maintenant au secours de l'Autriche assaillie, ne s'en étant point fait obligation. Et l'archiduc Louis-Victor pouvait bien adresser des reproches au roi Jean de Saxe : « Oncle Jean, auquel je disais aujourd'hui même [...] mon sentiment concernant Venise, regrette beaucoup maintenant d'avoir donné un tel conseil, parce que Napoléon ne fait absolument rien pour nous et que, sans armistice, c'est fichu pour nous [57]. » Finalement, on parvint, grâce à une médiation française, à un premier cessez-le-feu de cinq jours sur le front nord.

L'armée du Sud continuait à se battre en Haute Italie. Le 21 juillet parvint la nouvelle de la brillante victoire navale de l'Autriche à Lizza, sous le commandement de l'amiral Tegetthoff. Ce résultat était particulièrement satisfaisant pour l'archiduchesse Sophie, car c'était son fils Max qui, avant de quitter l'Autriche, comme chef d'état-major de la Marine, avait introduit d'importantes réformes dans cette arme. La dame d'honneur Thérèse Fürstenberg devait écrire que cette victoire était « encore rehaussée par le souvenir que la Marine est une réalisation de notre fils, maintenant outre-mer, auquel vont aujourd'hui nos pensées [58] ». Les journaux donnèrent un grand écho à ce succès, pour relever le moral de l'opinion publique. Celle-ci ignorait encore que la Vénétie était perdue et que cette victoire était tout aussi inutile que celle de Custozza.

Les troupes décimées et épuisées de l'armée du Nord, aspiraient autant à la paix que les civils plongés dans la misère. On ignorait à Vienne que les Prussiens étaient également à bout de forces, le choléra ayant éclaté dans leurs rangs ; aussi ne put-on mettre à profit cette faiblesse au cours des négociations.

François-Joseph nourrissait déjà des projets privés pour les jours qui suivraient la signature de l'armistice ; il écrivait à son épouse qu'elle pourrait alors retourner à Ischl avec les enfants : « Car ta présence là-bas ne sera plus nécessaire : les problèmes politiques hongrois seront tout de suite abordés, et le pays retrouvera le calme. » A Ischl, il pourrait « peut-être rendre souvent visite » à sa famille — « car, à moi aussi, quelque repos de temps à autre me fera grand bien [59] ». Mais Élisabeth restait à Budapest et continuait à lui écrire de façon insistante. La patience de l'empereur commençait manifestement à s'épuiser. C'est sur un ton assez vif qu'il lui répondit le 25 juillet : « Je pense que le motif des nombreuses lettres que tu m'a adressées, dans la situation que nous savons, est la venue du conseiller à la Cour [ce qui désignait Deák] et les confidences qu'il t'a faites. Ou bien est-il survenu quelque événement particulier, propre à te décider à intervenir maintenant avec plus d'énergie ? Je te prie d'avoir l'obligeance de me répondre, si cela peut se faire sans danger [60]. »

Les négociations de paix se prolongèrent. Tout le monde savait que l'hégémonie autrichienne en Allemagne avait pris fin. « En tout cas, nous sortons entièrement de l'Allemagne, que celle-ci l'exige ou non, écrivait François-Joseph à Sissi ; et, après les expériences que nous avons faites avec nos chers alliés allemands, j'estime que c'est une chance pour l'Autriche [61]. » Le 29 juillet, l'archiduc Louis-Victor écrivait à sa mère, Sophie : « La paix serait pour ainsi dire certaine. Je ne m'en suis tout d'abord pas réjoui du tout. Mais j'ai lu ensuite quelques lettres de militaires qui avaient toujours été très partisans de la guerre et trouvent pourtant à présent que les choses ne vont plus : les troupes sont trop fatiguées et trop découragées de ne pas posséder de fusils à aiguille. Il semble bien nécessaire aussi de faire la paix compte tenu de la Hongrie, car ce pays est loin d'être ce qu'il doit être. [...] Comme Bismarck est raisonnable, tandis que le roi s'entête dans sa stupide présomption, il doit être beaucoup plus facile de traiter avec le premier. Mais, en attendant, ils sont à Nikolsburg, chez cette pauvre Alinchen, et doivent tout saccager là-bas [62]. »

L'archiduc Louis-Victor oubliait de préciser que la comtesse Alinchen-Mensdorff, dans le château de laquelle le roi de Prusse avait établi son quartier général, n'était pas seule à souffrir : des provinces entières gémissaient sous le poids de l'occupation prussienne. François-Joseph à Élisabeth : « Les Prussiens se comportent de façon effroyable dans les provinces qu'ils occupent, au point qu'une famine s'annonce là-bas et que nous recevons de constants appels au secours. Cela déchire le cœur [63]. » L'empereur poursuivait en informant lui-même son épouse des points acquis lors des préliminaires de paix de Nikolsburg. « L'intégrité de l'Autriche et de la Saxe est garantie. Nous sortons complètement de l'Allemagne et nous payons 20 millions de thalers. Ce que feront les Prussiens dans le reste de l'Allemagne et ce qu'ils y pilleront, je ne le sais pas ; d'ailleurs, cela ne nous concerne pas davantage [64]. »

La perte de la position autrichienne en Allemagne suscita un désespoir assez général, qu'exprime parfaitement une lettre de la comtesse Fürstenberg : « Mon Dieu ! Il faut donc maintenant oublier qu'on est allemand ! La pensée d'être ainsi exclu fait tout de même mal. C'est une triste fin de cette vieille patrie, dont le nom d'Allemagne appartient à l'histoire [65]. »

Malgré la situation, François-Joseph continuait de prier sa femme de venir à Vienne : « J'ajoute maintenant une grande prière : si tu pouvais venir me voir ! Cela me rendrait infiniment heureux [66]. » Élisabeth s'y rendit effectivement pour quelques jours. Mais sa visite n'apporta pas que des joies à l'empereur, car l'affaire hongroise dominait entièrement ses pensées. Elle utilisa cette occasion pour exercer à nouveau des pressions politiques sur son époux. Celui-ci, par scrupule vis-à-vis de la Bohême, hésitait toujours à satisfaire les revendications des Hongrois. A Andrássy, reçu en audience ces jours-là, il se contenta de dire : « Je vais encore étudier la question à fond et y réfléchir [67]. »

Le lendemain, l'impératrice invitait Andrássy à Schönbrunn pour un entretien. Le comte ne savait si elle parlait au nom de l'empereur ou, comme il semblait plus probable, de sa propre initiative. Il nota dans son Journal, le 30 juillet 1866 : « Une chose est certaine : en cas de succès, la Hongrie sera, plus qu'elle ne le sait, redevable à la belle Providence [ainsi appelait-il l'impératrice] qui veille sur elle [68]. » Au cours de l'entretien, Élisabeth se montra très pessimiste, disant même qu'elle ne conservait plus d'espoir de voir ses efforts couronnés de succès, et signifiant ainsi très clairement qu'elle n'était pas d'accord avec la position de l'empereur. Malgré tout, Andrássy obtint une nouvelle audience prolongée de l'empereur et put même lui remettre un mémorandum relatif à un remaniement dualiste de la monarchie (par opposition à la forme fédérale).

Pendant ces quelques jours, les abruptes exigences de Sissi sur la Hongrie exaspérèrent l'empereur et troublèrent gravement leur vie conjugale. Celui-ci écrivit à Sissi, après son départ pour Budapest : « Bien que tu aies été vraiment sèche et agressive, je t'aime si infiniment que je ne puis rester sans toi [69]. » Et deux jours plus tard, un peu irrité : « Je suis content que tu te reposes bien et que tu dormes longtemps, bien que je ne croie pas que ton séjour ici et ma compagnie t'aient tellement épuisée [70]. » La tension monta jusqu'à produire un grave différend, lorsque Sissi refusa résolument de quitter Budapest avec les enfants et proposa au contraire à l'empereur de venir les rejoindre.

Il faut se représenter la situation militaire et politique où se trouvait alors l'Autriche, les soucis de toute sorte qui assaillaient l'empereur : la paix avec l'Italie n'était pas encore conclue et, on pouvait même craindre une recrudescence des combats ; les négociations avec la Prusse n'étaient pas achevées ; la Légion hongroise fomentait un soulèvement ; les pays de Bohême avaient un besoin immédiat de vivres ; le choléra et le typhus décimaient les troupes autrichiennes démoralisées. Et c'est dans cette situation désespérée que l'impératrice, non seulement refusait de rester aux côtés de son mari, mais encore lui reprochait de ne pas venir lui rendre visite ! Ignorant totalement ses devoirs de Mère de la Patrie, elle se complaisait dans le rôle d'épouse délaissée et se permettait de bouder. Sous le charme des Hongrois, elle travaillait énergiquement, fanatiquement, à un seul et unique but : la « convention » hongroise, souhaitée par Deák et Andrássy.

L'empereur, lui, ne pouvait s'occuper des seules revendications hongroises mais devait penser aussi aux autres provinces, qui, à vrai dire, méritaient plus d'attention. Les villages et les campagnes de Bohême étaient dévastés par les combats, ravagés par l'épidémie, la famine et la misère, tandis que la Hongrie n'était pratiquement pas affectée par la guerre. François-Joseph faisait en vain appel à la compréhension de Sissi : « Il serait contraire à mon devoir de me placer exclusivement du point de vue hongrois qui est le tien, au détriment de régions qui, par profonde fidélité, ont enduré d'indicibles souffrances et méritent, précisément en ces instants, les égards et les soins les plus attentifs. »

En dépit de la situation, Élisabeth ne témoignait pas la moindre affection à son « petit homme solitaire » de Vienne. Sous le prétexte, bien léger, que l'air de Vienne était « malsain », elle demeurait à Budapest avec les enfants. « Ainsi donc, lui écrivait François-Joseph, résigné, je dois me faire une raison et continuer à supporter patiemment cette longue solitude. J'ai déjà beaucoup enduré à cet égard, et on finit par s'habituer. Je ne gaspillerai plus un mot sur ce sujet, sans quoi notre correspondance deviendrait ennuyeuse, comme tu l'observes très justement, et j'attendrai tranquillement les décisions que tu prendras par la suite [71]. »

Sissi poussa l'égoïsme plus loin encore : en cette période de dénuement extrême où la plus stricte économie s'imposait, elle manifesta le pressant besoin d'acquérir un château en Hongrie. Lors des préliminaires de paix de Nikolsburg, l'Autriche s'était engagée à verser 20 millions de thalers en échange d'un retrait ultérieur des troupes prussiennes. L'empereur considérait comme la première urgence de « les payer, afin qu'ils quittent bientôt ces territoires qu'ils sont en train de ruiner [72] ». Pour rassembler cette somme colossale, il fallait économiser sur tous les postes, les petits comme les grands, ce qui entraîna immédiatement des licenciements ; la population, déjà décimée et réduite à la famine par la guerre, dut en outre supporter un accroissement du chômage. Loin de ces difficultés, l'impératrice ne songeait qu'à s'enraciner plus profondément dans sa chère Hongrie. La villa qu'elle avait louée était trop exiguë pour des séjours prolongés, et le château de Budapest trop chaud en été. Elle voulait un château à la campagne, à Gödöllö.

En pleines négociations d'armistice avec l'Italie, François-Joseph lui écrivait : « Si tu le souhaites, tu peux aller à Gödöllö visiter les blessés. Mais ne considère pas que nous puissions acheter ce château, car nous n'avons pas d'argent en ce moment et, par ces temps difficiles, nous sommes contraints à de terribles économies. Les Prussiens ont aussi dévasté de façon effroyable les domaines familiaux, et il faudra des années avant que leur situation ne se rétablisse. Pour l'année qui vient, j'ai réduit le budget de la Cour à 5 millions, ce qui signifie 2 millions d'économies. Il faudra vendre presque la moitié des écuries et vivre très parcimonieusement [73]. »

Alors que l'Empire subissait toutes ces épreuves, on apprit soudain à Vienne que l'impératrice Charlotte était allée à Paris demander à Napoléon III de venir en aide au Mexique, qui était sévèrement menacé. « J'espère seulement qu'elle ne viendra pas ici, réagit François-Joseph, il ne nous manquerait que cela dans les circonstances actuelles [74]. » On ne s'inquiétait pas sérieusement pour Max. Dans les lettres qu'il adressait régulièrement à Sophie, il présentait toujours sa situation sous des couleurs favorables. On ignorait à Vienne que les populations, révoltées, avaient acculé à la défensive cet empereur plein de bonnes intentions, mais étranger. Les problèmes du lointain Mexique étaient relégués à l'arrière-plan par les dramatiques événements d'Europe. Le courrier mettant de six à huit semaines entre Mexico et Vienne, personne ne savait au juste ce qui se passait là-bas, et on se rassurait en pensant que cela n'allait sans doute pas si mal.

Le 18 août, pour l'anniversaire de l'empereur, Sissi dut bien se rendre à Vienne, ce dont il la remercia presque humblement : « Je te remercie de tout cœur de te montrer si bonne et de me rendre à nouveau visite. [...] Quand tu viendras, sois gentille avec moi, car je suis bien triste et seul, et j'ai besoin d'un peu de réconfort [75]. » Les enfants restèrent cependant à Budapest. La landgrave Fürstenberg, qui était encore à cette époque dame d'honneur de l'archiduchesse Sophie, nota : « Ils ne lui ont même pas amené de Pest les enfants à l'occasion de cette journée ! Cela fait tout de même de la peine à " la mienne " [l'archiduchesse Sophie] [76]. »

Élisabeth ne resta en fait à Vienne qu'une seule journée. Le 19 août était en effet la Saint-Étienne, (patron de la Hongrie), et elle le passa à Budapest. François-Joseph, après son départ : « Ah, si je pouvais retrouver bientôt les miens et vivre des moments meilleurs ! Je suis très mélancolique et mon courage faiblit à mesure que nous nous rapprochons de la paix et qu'apparaissent plus clairement les difficultés intérieures auxquelles il nous faudra nous affronter. Seul mon sens du devoir me maintient sur pied, ainsi que le faible espoir de voir les intrigues européennes qui ne font que commencer déboucher sur des temps meilleurs [77]. »

Entre-temps, le choléra s'était propagé en Hongrie, où l'épidémie avait déjà fait des morts. Sissi, habituellement si soucieuse de sa santé, n'en resta pas moins à Budapest avec les enfants. François-Joseph lui écrivait : « Tu me manques terriblement, car avec toi du moins je puis parler et cela me remonte le moral, même si je trouve en ce moment que tu es un peu sèche avec moi. Oui, mon trésor — et quel trésor ! — me manque beaucoup [78]. »

La paix avec la Prusse fut enfin conclue à Prague à la fin d'août, mais la paix avec l'Italie dut attendre la fin d'octobre. En dépit des victoires autrichiennes, la Vénétie était perdue. D'abord cédée à la France, elle se rattacha ensuite à l'Italie au terme d'un référendum. La Prusse, quant à elle, annexait le Hanovre, l'électorat de Hesse, le Schleswig-Holstein, Nassau et Francfort-sur-le-Main, fondait la Confédération d'Allemagne du Nord (où entra aussi la Saxe, naguère alliée de l'Autriche) et concluait une alliance avec les États d'Allemagne du Sud. L'Autriche sortait de l'Allemagne, après un millénaire d'histoire commune.

Ce n'est qu'au début de septembre, soit après un séjour de près de deux mois, qu'Élisabeth quitta Budapest avec les enfants pour se rendre d'abord à Ischl, puis à Vienne, sans cesser pour autant de travailler pour la cause hongroise. Les contacts entre elle et Andrássy étaient si étroits que c'est de sa propre bouche qu'il apprit la nomination du comte Beust comme nouveau ministre autrichien des Affaires étrangères... Cette nomination constituait une défaite personnelle non seulement pour Andrássy, mais également pour Élisabeth, qui s'était employée avec la plus grande énergie à le faire nommer à ce poste. Le choix de l'ancien président du Conseil saxon donna lieu à de longues discussions entre l'impératrice et Andrássy, lequel lui exposa qu'il n'en attendait rien de bon : Beust connaissait certes la Saxe, mais non l'Autriche [79]. Andrássy devait cependant changer d'avis lorsqu'il se révéla que Beust était disposé à soutenir les revendications hongroises.

Tout au long de ces mois décisifs, Ida Ferenczy resta aux côtés d'Élisabeth. A l'automne de 1866, l'impératrice adjoignit à son entourage un autre Hongrois, le journaliste Max Falk qui, tout en vivant à Vienne où il travaillait pour la Caisse d'épargne, écrivait pour le journal *Pesti Napló* de Budapest. C'était un proche ami d'Andrássy et il était connu de la police qui, en 1860, avait perquisitionné son domicile et saisi toute sa correspondance, en remplissant deux pleins sacs à farine [80]. Il avait passé quelque temps en prison pour délits de presse et écrit là-dessus des articles dont le retentissement avait été grand [81]. On imagine l'étonnement de la comtesse Königsegg, déjà nettement antihongroise, lorsque l'impératrice lui ordonna de demander précisément à ce Max Falk (qui était juif de surcroît) de lui donner des leçons de hongrois. Max Falk lui-même en fut d'ailleurs fort surpris : « Je répondis que, Dieu merci, j'avais depuis longtemps passé l'âge de devoir " donner des leçons ", mais que le désir de Sa Majesté était pour moi bien plus qu'un ordre, un immense honneur [82]. »

Max Falk n'en revint pas d'être reçu par l'impératrice non comme un simple répétiteur de hongrois, mais comme un ami. Il fut accueilli dans « la Cour de Sa Majesté » par « un homme en habit noir » qui lui indiqua un passage non officiel pour se rendre chez l'impératrice : « Sa Majesté ne souhaite pas que vous soyez gêné par la moindre espèce de cérémonie. Aussi a-t-elle donné des instructions pour que vous montiez toujours par ici, où vous ne rencontrerez personne d'autre que moi », avait dit le serviteur. Élisabeth l'avait reçu cordialement et sans cérémonie, « en prononçant le hongrois de façon parfaitement pure et correcte ». Aucune de ses dames d'honneur n'était là, « mais, à l'extrémité de la salle, dans une embrasure de fenêtre, apparaissait le petit visage intelligent d'Ida Ferenczy, un sourire fripon à la bouche », rapporte Falk. Il n'avait plus dès lors de doute sur la véritable raison pour laquelle on l'avait appelé à la Hofburg. Les leçons quotidiennes n'étaient qu'un prétexte ou un utile trompe-l'œil : il s'agissait en fait de la cause hongroise. Aussi Max Falk n'enseigna-t-il pas à Élisabeth la grammaire hongroise, mais lui proposa de lui enseigner l'histoire de la Hongrie — « les périodes éloignées aussi brièvement que possible, les plus récentes en détail » — et de lui faire connaître de plus près la littérature hongroise, lui donnant en guise de « devoirs » des traductions de l'allemand en hongrois.

Une lettre à François-Joseph montre à quel point Sissi désirait apprendre à fond la langue hongroise et avec quel acharnement elle s'adonnait à cette étude : « Falk me disait, à l'instant même, que mon style reste encore très lourd, très allemand, qu'il lui manque encore le charme mélodieux du hongrois. Je suis triste et découragée de ne pas être arrivée plus loin après quatre ans d'efforts. Je t'en prie, écris-moi au moins une fois une lettre en hongrois, pour que je puisse faire la comparaison [83]. » Manifestement, François-Joseph, qui avait appris le hongrois dès son enfance, le connaissait encore, à cette époque-là, mieux qu'Élisabeth.

« L'enseignement, au sens étroit du terme, passait de plus en plus à l'arrière-plan, raconte Falk. Nous nous mîmes à parler aussi, à bâtons rompus, des événements du jour, puis nous passâmes, très progressivement, à la politique proprement dite, pour en arriver, après quelques autres pas prudents, aux problèmes hongrois. » Falk fit aussi connaître à l'impératrice un autre homme politique libéral hongrois, qui était aussi écrivain : Joseph Eötvös. Il s'y prit, là encore, de la façon la plus prudente, commençant par lui lire certains de ses poèmes, puis par éveiller sa curiosité à propos d'un poème interdit. « Comment cela, interdit ? Ainsi, à présent l'on interdit même un Eötvös ? Dites-moi, je vous prie, ce qu'il y a dans ce poème », lui demanda l'impératrice. « J'attendais depuis longtemps cet instant, et le manuscrit du

Zázlótarto [" le porte-enseigne "] se trouvait depuis déjà quelques jours dans ma poche, rapporte Falk. Je lus donc à Sa Majesté ce poème, qui lui plut énormément ; elle me prit le manuscrit des mains et le conserve depuis lors. » Ce poème était consacré à la symbolique du drapeau hongrois, emblème de la liberté et de l'indépendance de son pays.

A la demande de Sissi, Falk apporta aussi à la Hofburg une brochure interdite du héros national Stephane Szécgényi, imprimée à Londres à la fin des années 1850 et entrée illégalement en Hongrie feuillet par feuillet. Comme Falk hésitait à lui remettre ce texte, l'impératrice sortit de son tiroir un autre écrit interdit, paru en 1867 et qui avait fait sensation, quoique circulant sous le manteau : *L'Effondrement de l'Autriche*. L'auteur anonyme, qui n'était autre que le fils d'un fonctionnaire impérial (ce qu'Élisabeth n'ignorait pas), s'en prenait en tirades haineuses, mais excellemment informées, à la politique autrichienne des dernières années, attaquant surtout la « camarilla » de la Cour regroupée autour du comte Grünne, mais aussi le jeune empereur, pour conclure par cette phrase : « L'effondrement de l'Autriche est une nécessité pour l'Europe ! »

On ne saurait sous-estimer l'importance de ces conversations quotidiennes entre l'impératrice et Max Falk. Un parallèle s'impose avec les rencontres bien postérieures du jeune prince Rodolphe avec le journaliste Moriz Szeps, dans les années 1880. Élisabeth, aussi bien que Rodolphe, s'intéressait à la politique mais manquait de renseignements. C'est par des moyens détournés que l'un et l'autre se procuraient les informations qu'on leur refusait officiellement. Dans un cas comme dans l'autre, leurs informateurs politiques — Falk, puis Szeps — profitèrent de cette occasion pour exercer une puissante influence politique.

Élisabeth pria Falk de lui montrer les lettres d'Eötvös. Falk fit savoir à celui-ci que l'impératrice lisait ses lettres, ce dont il tint compte de telle façon que, rapporte Falk, « par la suite, beaucoup de choses furent dites devant Sa Majesté, sous la forme de lettres à moi envoyées, dont elle n'aurait guère pu prendre connaissance d'une autre façon ». Élisabeth avait déjà employé cette méthode avec succès avec les innombrables lettres d'Andrássy, qui officiellement ne lui étaient pas adressées.

Quand elle eut fini d'étudier le hongrois auprès de Falk, Élisabeth demanda à Eötvös de se mettre en correspondance directe avec elle, et l'en remercia avec déférence : « Recevez mes sincères remerciements pour la complaisance avec laquelle vous avez accepté l'ennuyeuse tâche de correspondre avec moi. Sachant combien votre temps est mesuré et précieux, c'est à peine si j'osais vous faire cette présomptueuse prière, d'autant que ma connaissance du hongrois est encore très limitée et qu'il y aura beaucoup de corrections à apporter à mes lettres [84]. » Les invitations qu'elle adressa à Eötvös n'étaient pas non plus celles d'une reine, mais bien plutôt d'une admiratrice du poète — ainsi celle-ci : « Bien que je sois au fait que vous n'acceptez pas volontiers d'invitations à déjeuner, permettez-moi d'espérer que pour une fois vous ferez une exception, en faveur de votre admiratrice Élisabeth [85]. »

On ne peut guère supposer que l'empereur comprît la signification politique de ces leçons de hongrois. Il réagissait à sa manière habituelle — la jalousie — à la prédilection d'Élisabeth pour Falk. Elle lui écrivit en mars 1867 : « Je suis très satisfaite des manières de Falk. [...] Tu n'as nul besoin d'être jaloux de lui ; c'est l'image même du vrai Juif ; mais il est très intelligent et agréable [86]. » En 1894, presque trente ans plus tard, François-Joseph reconnaissait dans une lettre à sa femme : « Ton ami Falk était [...] correct et intéressant [87]. »

Max Falk rentra en Hongrie l'année du couronnement. Il y devint rédacteur en chef du journal libéral en langue allemande *Pester Lloyd,* puis membre important du Parlement hongrois. Publiciste soutenant la politique de son ami Andrássy, il fut bientôt l'un des hommes les plus puissants de Hongrie.

Début octobre arrivèrent de Rome des nouvelles inattendues et inquiétantes. Charlotte, impératrice du Mexique, s'y était rendue pour demander au Pape de prêter à l'empire catholique du Mexique l'assistance que Napoléon III lui avait refusée. Mais le Pape ne vit pas davantage de possibilité de lui venir en aide, et la traita en outre très froidement. Charlotte s'effondra alors moralement, jusqu'à souffrir d'hallucinations ; on dut la transporter dans son château de Miramar, près de Trieste, en compagnie d'un psychiatre et de deux infirmières. Elle restait cependant en excellente condition physique, et vécut encore jusqu'en 1927 — sans jamais avoir revu Max. Avec la Cour de Vienne, elle n'entretint plus aucune sorte de relation.

Après quelque hésitation, Maximilien avait décidé de persévérer dans son entreprise mexicaine, malgré la difficulté de sa situation. Préoccupée, Sophie approuva pourtant son fils préféré : « *Mais heureusement il porta le sacrifice à son pays de rester, ce qui était d'une nécessité urgente dans le moment où le pays pouvait être en proie à l'anarchie des partis du moment que Max le quitterait, ne fût-ce que pour peu de temps. Il m'écrivait dernièrement que l'intérêt et l'affection qu'on lui témoigne sont touchants. En restant il se maintient avec honneur vis-à-vis des mauvais procédés de Louis-Napoléon et, s'il doit céder un jour aux efforts des États-Unis de lui faire quitter son poste, il s'éloignera encore avec honneur* [88]. » L'archiduchesse tenait pour impensable qu'un membre de la Maison de Habsbourg pût être fusillé, même en ce Mexique qui lui paraissait si lointain et si inquiétant.

Les dames d'honneur observaient d'un œil critique, quoique avec compassion, les malheurs de la famille impériale : « Ces pauvres gens, dont on fait presque partie, reçoivent coup après coup, souci après souci ! Et ils sont dans l'impossibilité de connaître aucune joie véritable, parce qu'ils n'ont pas de vie de famille et que seule une sorte de souplesse innée leur vient en aide. Aussi font-ils terriblement pitié. [...] Tels sont les grands de ce monde, quand on les voit de près : les plus pitoyables des malheureux [89]. »

Mais l'empire autrichien restait la principale source de préoccupation. François-Joseph visita, à la fin d'octobre, la Bohême, gravement dévastée par la guerre. Élisabeth ne l'accompagnait pas : alors qu'elle avait tant fait pour la Hongrie, elle ne ressentait nullement l'obligation de se comporter en reine de Bohême.

L'empereur fut profondément déprimé par l'inspection des champs de bataille. Les villages étaient détruits, des centaines de milliers de personnes sans abri. Autour de Königgrätz, de Trautenau, de Chlum, les terres cultivables avaient été piétinées sur de vastes étendues, et il ne poussait plus un brin d'herbe. Une disette en était la conséquence. Pas moins de 23 000 soldats et de 4 000 chevaux reposaient là. En raison d'une forte chaleur et des dangers d'épidémie, aucune disposition particulière n'avait pu être prise. Ce n'est qu'au bout de quatre mois qu'une désinfection minutieuse de toute la région fit disparaître l'odeur des cadavres [90].

Une tentative d'attentat au Théâtre tchèque de Prague démontra à quel point l'atmosphère était désespérée et politiquement dangereuse : la position de François-Joseph n'était plus incontestée, et le nationalisme tchèque croissait à mesure que se précisait le favoritisme de Vienne envers les Magyars. L'impératrice elle-même reconnut (mais bien plus tard) la signification de cette mauvaise humeur de la Bohême : « Je n'en veux aucunement aux Tchèques de se rebeller contre la souveraineté autrichienne ; les Slaves ne doivent rien à personne d'autre qu'aux Slaves ! Sans doute un jour, peut-être après plusieurs décennies, la Bohême imposera-t-elle sa volonté. Mais d'ores et déjà, nous sommes assis sur un baril de poudre [91]. » Élisabeth n'était pas pour rien dans cette situation explosive.

Tout au long de ces semaines, les négociations avec la Hongrie s'étaient poursuivies. Gyula Andrássy poursuivait ses allées et venues entre Budapest et Vienne, négociant de part et d'autre et restant, par le truchement d'Ida Ferenczy, en relation constante avec l'impératrice ; les entretiens quotidiens de cette dernière avec Max Falk continuaient également, de même que la correspondance fournie entre Eötvös et Falk, dont elle était régulièrement informée.

A la Cour, les discussions sur les revendications hongroises et le rôle intermédiaire de l'impératrice étaient violentes. Les gens de Bohême se sentaient relégués à l'arrière-plan, malgré le soutien apporté à leur cause par l'archiduchesse Sophie ; mais son influence avait fortement baissé ces derniers temps, cependant que Sissi voyait son étoile monter, même dans le domaine politique.

L'idée du dualisme (un grand empire avec deux centres politiques d'égale importance, Budapest et Vienne) avait pour corollaire l'élimination des Slaves. Il s'agissait de diviser les pouvoirs politiques de l'État en deux zones : les Hongrois auraient tout loisir de dominer les autres nationalités, à l'intérieur du territoire qui leur serait assigné (la Transleithanie) tandis que les germanophones pourraient faire de même en Cisleithanie, où la proportion de population slave était pourtant fortement majoritaire. Cette répartition du pouvoir était une grave injustice envers les populations slaves de l'empire, et les objections du « parti de la Cour » — résolument favorable à la Bohême — aux prétentions des Hongrois étaient plus que justifiées.

Le porte-parole de ce « parti de la Cour » était toujours l'archiduc Albert, qui fut d'un des plus influents des Habsbourg du XIXᵉ siècle mais aussi l'un des plus intelligents. De treize ans l'aîné de son petit-neveu François-Joseph, il disposait d'une fortune colossale, bien supérieure à celle de l'empereur ; grâce à sa victoire de 1866 à Custozza, il avait tout à fait le prestige nécessaire pour peser sur la politique autrichienne. Mais, depuis qu'il avait été gouverneur militaire en Hongrie, le feld-maréchal était l'un des hommes les plus détestés des Hongrois. Pendant ces mois critiques, ni l'empereur ni aucun des ministres ne s'opposèrent ouvertement à l'impératrice, hormis l'archiduc Albert. Des conflits extrêmement durs survinrent même, donnant lieu dans le public à des rumeurs sur des « scènes violentes ». Le Bureau d'information reçut à lui seul six rapports à ce sujet [92]. (Cependant, toutes les sources relatives à ce débat politique, fondamental pour l'avenir de la monarchie danubienne, ont été par la suite soustraites des dossiers du Bureau d'information et restent introuvables.) Les discussions tournaient autour de l'appréciation qu'il convenait de faire de l'année 1848. La famille impériale avait alors fui Vienne pour

Olmütz, où elle avait trouvé fidélité et attachement, cependant que les Hongrois, avec leur armée rebelle (où se trouvait notamment le jeune Andrássy), s'engageaient contre Vienne et l'empereur.

Mais, dans le contexte actuel, l'année 1848 apparaissait sous un tout autre jour : les Hongrois ne parlaient guère que de l'injustice dont ils avaient été victimes de la part de l'empereur. Les révolutionnaires d'alors — par exemple Andrássy — étaient célébrés comme des martyrs et des héros nationaux et l'empereur, qui avait ordonné des peines capitales, était maintenant présenté comme le grand responsable.

Sur ce point également, l'impératrice prit parti, non seulement dans le cercle de famille, mais également lors de conversations avec des Hongrois, par exemple avec l'évêque Michael Horváth, ne laissant subsister aucune ambiguïté sur ce qu'elle pensait de l'attitude du jeune empereur, considérablement influencé par l'archiduchesse Sophie. Mais, avec une grande habileté, elle essayait en même temps de combler les fossés creusés par le passé : « Croyez-moi, s'il était en notre pouvoir de le faire, mon mari et moi-même serions les premiers à rappeler à la vie Louis Batthyány et les martyrs d'Arad [93]. »

L'archiduchesse Sophie et l'archiduc Albert, pour leur part, campaient sur leurs positions et refusaient de s'apitoyer sur les pendus de 1849, qui n'étaient à leurs yeux que des rebelles dressés contre la légitime souveraineté de l'empereur. Le tout jeune prince impérial lui-même fut entraîné dans cette controverse. Il fallait que Sophie lui racontât l'année 1848 dont, écrivait-elle dans son Journal, « *il veut toujours entendre des détails* [94] ». Mais le prince avait aussi un grand goût pour les romantiques histoires que lui rapportait sa mère adorée sur les héros de la révolution hongroise. Son long séjour en Hongrie fut très important dans l'évolution de ce petit garçon de huit ans. Il fit l'expérience de l'enthousiasme que suscitaient dans la population la beauté et l'activité politique de sa mère. Lui aussi succomba à la fascination de Gyula Andrássy, qui devint son mentor, et fut son modèle politique jusqu'à ses derniers jours.

L'empereur était une fois de plus pris entre Sophie et Élisabeth. Et il ne s'agissait plus seulement, cette fois, de questions familiales, mais politiques, et de première importance. Ce qui était en jeu n'était rien de moins que le statut à venir de l'empire : germanophones et Hongrois allaient-ils se partager la souveraineté au détriment des autres nationalités, ou bien fallait-il chercher d'autres solutions, en accord avec la Bohême ?

L'impératrice eut recours à ses procédés habituels : elle souffrait de maux de dents ou de tête dès qu'il était question de réceptions officielles. Elle ne parut pas à la cérémonie solennelle de Pâques, manifestant son mépris du monde viennois, mais elle brillait de toute sa beauté et de son charme incomparable dès qu'un Hongrois se montrait à la Cour.

Elle ne voyait son impérial époux qu'avec parcimonie. Et François-Joseph était si amoureux qu'il se sentait obligé de lui témoigner une gratitude proche de l'obséquiosité dès qu'elle lui accordait la moindre faveur. Aussi Élisabeth ne négligeait-elle aucun moyen de le contraindre à passer par ses volontés. Son thème le plus constant restait la Hongrie : « J'espère que tu ne tarderas pas à m'apprendre que la question hongroise est enfin éclaircie et que nous nous rendrons bientôt à Ös-Budavara. Si tu m'écris que nous y allons, j'aurai le cœur en paix, sachant que le but que je poursuivais est atteint [95]. »

En une autre occasion, elle écrivait, inquiète, à son époux : « Crois-tu que le couronnement aura lieu ? J'ai beaucoup d'appréhension, l'horizon politique est à nouveau si sombre que j'envisage le pire. Si je me trompe, je te prie de me rassurer ; mes seules sources sont les journaux, mais leur lecture n'est guère réjouissante et la convention avec la Hongrie n'en apparaît que plus urgente. Dieu veuille qu'elle puisse bientôt prendre forme [96]. »

En février 1867, Belcredi, président du Conseil, donna sa démission, qui fut acceptée. Il s'en expliqua à l'empereur dans une lettre dont les termes étaient fort clairs : « Un constitutionnalisme qui se réduirait d'emblée à la seule souveraineté des Allemands et des Hongrois — c'est-à-dire une minorité résolue — n'apportera jamais à l'Autriche qu'une apparence de vie. » Il rappelait à l'empereur sa promesse selon laquelle « avant de prendre une décision définitive sur la question de la convention, il faudrait que les autres royaumes et provinces se voient proposer une formule équivalente. Je considère comme une affaire d'honneur de rester fidèle à cette promesse, et tiendrais pour une grave faute politique de ne pas la tenir [97] ».

Ancien gouverneur de la Bohême, Belcredi ne pouvait adopter une autre attitude. Dans ses observations, il reprochait à l'impératrice d'avoir, pendant les mois de guerre, mis à profit les états d'âme de l'empereur « pour soutenir avec plus de force encore les tendances spécifiques et égoïstes des Hongrois, qu'elle parrainait depuis longtemps déjà, mais jusque-là sans succès ». Il lui faisait lourdement grief — et il n'était pas le seul — d'avoir abandonné son mari pendant les temps difficiles qui avaient suivi Sadowa, tout en exerçant des pressions sur lui : « En de tels moments, si éprouvants, il est cruel pour tout un chacun d'être séparé de sa famille, mais plus encore pour un monarque, qui éprouve tant de peine à entretenir avec les autres hommes un commerce confiant. Cela m'a toujours fait la plus pénible impression de le trouver, chaque fois que j'allais le voir, tout à fait esseulé dans les vastes salles du palais [98]. »

La succession de Belcredi revint au comte Beust, ministre des Affaires étrangères, entre les mains duquel se rassemblèrent ainsi de grands pouvoirs. L'espoir que nourrissait Andrássy de pouvoir au moins succéder à Beust aux Affaires étrangères n'était pas couronné de succès. Toujours aussi sûr de lui, il dit à l'impératrice, au cours d'un de leurs nombreux entretiens, qu'elle ne le trouverait sans doute pas présomptueux de penser que lui seul, en cet instant précis, pourrait jouer un rôle efficace. A quoi Élisabeth répliqua, alors qu'il avait à peine terminé : « Combien de fois l'ai-je déjà dit à l'empereur [99] ! »

N'ayant pu avoir les Affaires étrangères, il pressa Élisabeth de s'entremettre pour que soit rapidement constitué un ministère des Affaires hongroises entièrement responsable, bien entendu placé sous sa direction. Résignée, l'archiduchesse Sophie notait au début de février dans son Journal : « *Il paraît qu'on s'arrange avec la Hongrie en lui faisant des concessions* [100] ! »

C'est à la mi-février 1867 que les Hongrois obtinrent leur « convention ». Leur ancienne Constitution était rétablie et l'empire autrichien faisait place à un État double, l'« Autriche-Hongrie », avec deux capitales — Vienne et Budapest —, deux Parlements et deux cabinets ministériels. Seuls les ministères de la Guerre et des Finances étaient communs (ce dernier seulement pour les budgets qui concernaient l'ensemble de l'empire). Une structure étatique extrêmement compliquée accordait aux Hongrois (qui, contrairement aux peuples de la partie occidentale de l'empire, formaient un bloc national assez unifié) un pouvoir considérable, bien supérieur à l'importance relative de leur population. Les dépenses communes furent réparties à raison de 70 % pour la Cisleithanie et de 30 % pour la Hongrie. Cette clause devait cependant être renégociée tous les dix ans — ce qui par la suite se révéla être un grave inconvénient. Mais pour l'instant, plus rien ne s'opposait au couronnement de François-Joseph comme roi de Hongrie.

Hormis les Hongrois, le nouvel édifice politique ne réjouissait pas grand-monde. Dix ans plus tard, Alexander Hübner pestait contre la dénomination d'« Autriche-Hongrie » : « Un intitulé que je ne puis lire ni entendre sans que le sang me monte à la tête : honteuse trouvaille d'un misérable petit Saxon ! » [Beust] ; et encore : « Ainsi, la Hongrie, conquise avec l'aide de la Russie, a été remise en 1867 entre les mains des révolutionnaires vaincus en 1849 », François-Joseph s'étant « livré aux anciens rebelles [101] ».

Le 17 février 1867, Gyula Andrássy devint le premier président du Conseil hongrois. C'est ce jour-là que fut prononcé l'hommage plein de gratitude de Franz Deák à « mon ami Andrássy, cet homme providentiel qui nous a vraiment été octroyé par la grâce de Dieu ». Et, dans le même contexte, Deák rappelait les mots par lesquels on désignait à l'époque l'impératrice : « la belle Providence de la patrie hongroise ». Par ce parallèle et par bien d'autres expressions, les Hongrois mettaient l'accent sur le fait que les nouvelles structures étaient avant tout l'œuvre commune de deux individus : Andrássy et Élisabeth.

Il fallut, en revanche, fermer en mars les Parlements de Bohême et de Moravie, « *à cause de la marche des arrangements avec la Hongrie* [102] », écrivait Sophie avec colère. Le maréchal de Bohême, le comte Hugo Salm, ainsi que le prince Edmond Schwartzenberg, allèrent dîner chez l'archiduchesse — et laissèrent éclater auprès d'elle leur rancœur. Les hommes politiques viennois restaient impuissants devant la décision de l'empereur et de son président du Conseil.

L'aide de camp général Crenneville, qui, en mars, accompagna François-Joseph à Budapest pour la signature de la convention, tempêta contre tout ce qu'il vit en Hongrie. Situant Budapest en « Asie autrichienne », il débitait ses critiques : « Le *sans-gêne* * de tous ces Messieurs les ministres d'ici, pour ce qui est de la connaissance des affaires, est fabuleux. Le château est glacial, toutes les économies que l'on fait en matière de ravitaillement du personnel de la Cour sont au plus haut point irritantes. [...] L'empereur met un bonnet pour s'asseoir à son bureau, tant il a froid, et il ne peut chauffer son cabinet de toilette parce qu'il y a une fissure dans la boiserie et qu'on risquerait un incendie [103]. »

C'est que la Cour n'avait pas séjourné au château d'Ofen depuis presque vingt ans. L'archiduc Albert, qui y avait habité le dernier quand il était gouverneur, avait liquidé les fournitures lors de son départ. Si quelques salons de réception étaient intacts, en revanche les pièces d'habitation étaient en mauvais état, et les cuisines inutilisables. L'intendance de la Cour dut assurer, depuis Vienne, toute l'organisation de la visite impériale, depuis les gens de service jusqu'aux repas. Et les fonctionnaires de la Cour ne ménagèrent pas leurs sarcasmes quand ils constatèrent que ces difficultés subsistaient toujours au moment du couronnement, en juin 1867.

* En français dans le texte *(N.d.T.)*

Pendant ce temps, les amis d'Élisabeth, notamment Ida Ferenczy et Max Falk, gémissaient des tracasseries qu'on leur faisait subir. Ainsi, la calèche de la Cour, qui au printemps menait chaque jour Max Falk de son bureau de la Première Caisse d'épargne autrichienne au château de Schönbrunn, était la plupart du temps en retard. Quand il faisait chaud, c'était une voiture fermée, tendue de velours, qui arrivait, mais quand les pluies commencèrent, ce fut une calèche découverte. Falk qui, conformément à l'étiquette, paraissait toujours devant l'impératrice en frac et haut-de-forme, avec un plastron empesé, donnait ses leçons tantôt trempé jusqu'à l'os, tantôt en nage. Sa seule récompense était la cordialité d'Élisabeth, son amitié, sa solidarité avec la cause hongroise [104].

Le premier voyage d'Élisabeth en Hongrie après la conclusion de la convention fut un véritable triomphe. Joseph Eötvös, devenu entre-temps ministre du Culte du gouvernement dirigé par Andrássy, écrivait à Max Falk : « Votre distinguée disciple a été reçue chez nous avec des fleurs. L'enthousiasme croît de jour en jour. Si je suis persuadé que jamais pays n'eut de reine qui le méritât davantage, je sais cependant aussi qu'aucune reine ne fut jamais tant aimée. [...] Telle a toujours été ma conviction que, lorsqu'une Couronne s'est effondrée, comme celle de Hongrie en 1848, rien ne peut la rétablir sinon les sentiments ardents que l'on éveille dans le cœur du peuple. » La Hongrie, ajoutait-il, avait espéré pendant des siècles « que la nation aimerait véritablement, du fond du cœur, un membre de la dynastie ; maintenant que cela nous arrive, je n'ai plus de doutes quant à l'avenir [105] ».

A l'occasion de la convention, Élisabeth manifesta une certaine affection envers son mari. Ses lettres à François-Joseph sont pleines de tendresse : « Mon empereur bien-aimé, lui écrit-elle ainsi de Budapest, aujourd'hui encore je suis très triste, tout ici est infiniment vide sans toi. A chaque minute, je crois que tu vas arriver ou que c'est moi qui vais courir te retrouver. Mais j'espère vraiment que tu vas bientôt revenir, si le couronnement peut en effet avoir lieu le 5 [106]. »

Toutes ses lettres à son mari et à ses enfants étaient désormais rédigées en hongrois.

En mai 1867, dans un discours du trône, l'empereur demanda au Conseil d'empire de ratifier la convention avec la Hongrie et promit également à la moitié occidentale de l'empire — « aux royaumes et provinces représentés au Conseil d'empire », comme il fallait maintenant dire pour être exact — une extension de la Constitution qui dépasserait le décret d'octobre 1860 et les lettres patentes de février 1861. L'ordre nouveau devait « nécessairement avoir pour effet d'assurer la même sécurité aux autres royaumes et provinces ». L'empereur promit d'octroyer aux pays non hongrois « toutes les extensions de leur autonomie qui correspondraient à leurs vœux et pourraient être accordées sans mettre en péril l'ensemble de la monarchie ». François-Joseph définissait la nouvelle organisation comme « une œuvre de paix et de concorde » et demandait « que l'on tende un voile d'oubli sur le passé récent qui a porté à l'empire de profondes blessures [107] ».

Les préparatifs commencèrent des semaines avant le couronnement. Jour après jour, les Viennois de la « plaine des mégissiers », où accostaient les bateaux du Danube, assistèrent au chargement d'innombrables caisses, coffres, tapisseries, et même de carrosses enveloppés de couvertures, que l'on envoyait à Budapest. Des porcelaines aux meubles en passant par les couverts et le linge de table, il fallait tout apporter au château d'Ofen. C'est qu'il faudrait assurer là-bas, pendant ces jours de fête, l'entretien de plus d'un millier de personnes. Furent également acheminés par la même voie les chevaux d'attelage et de selle nécessaires aux équipages.

Ce n'étaient pas les seuls problèmes qui se posaient à Budapest. Il fallut aussi aménager (à des prix effrayants, se plaignirent les diplomates) des logements pour la foule des visiteurs. Et la police eut énormément à faire pour écarter de Budapest pendant les festivités les suspects et notamment les partisans de Kossuth, car celui-ci avait déclaré, de son exil, qu'il continuait de préconiser l'indépendance de la Hongrie et rejetait aussi bien la convention que le couronnement de François-Joseph.

Le cérémonial des festivités, qui devaient durer quatre jours, était si compliqué qu'il fallut une minutieuse répétition, à laquelle participèrent même Leurs Majestés. Le « chef du protocole des cérémonies de la Cour » donna lecture phrase par phrase, dans l'église Saint-Mathieu, de ce cérémonial, après quoi l'on mit au point chacune de ses étapes. L'empereur François-Joseph prit part de façon très détendue et amusée à cette activité inhabituelle, intervenant souvent pour corriger la maladresse de bien des participants. Louis de Przibram rapporte une scène où un évêque qui devait mener la reine de son prie-Dieu à l'autel, se montra totalement intimidé : « A l'instant où le maître des cérémonies lui fit signe de remplir son office, il se mit à chanceler, ne pouvant maîtriser son embarras. L'impératrice se leva de son prie-Dieu et lui fit un signe de tête encourageant ; le maître des cérémonies, perdant lui-même contenance, relut son paragraphe pour souffler, peut-on dire, à l'évêque ce qu'il devait faire. Mais en vain. Comme cette pause menaçait de devenir pénible, l'empereur quitta son trône, s'approcha du pauvre prélat et le prit familièrement par le bras : " Dites-moi, Monseigneur, que devez-vous faire maintenant ? " L'interrogé récita, d'une voix tremblante d'émotion, le passage du cérémonial, comme si c'était un extrait du catéchisme. " Eh oui, bravo ! " s'écria l'empereur en le tournant doucement vers l'endroit où l'impératrice, toujours souriante, continuait de l'attendre. " Regardez, c'est là que se trouve l'impératrice, alors allez-y, prenez son bras et ramenez-la ici. " Ces mots, prononcés dans un hongrois tout à fait familier, électrisèrent tant l'assistance qu'au mépris de toute étiquette, l'église retentit d'un *eljen* crié par de nombreuses voix [108]. »

Pendant cette répétition générale survint la nouvelle de la mort, au cours d'un incendie, de l'archiduchesse Mathilde, âgée de dix-huit ans et fille de l'archiduc Albert. Adulée des Viennois, elle était appelée à devenir une pièce importante sur l'échiquier de la grande politique. On projetait de la fiancer au prince héritier Humbert de Piémont-Sardaigne (futur roi d'Italie) pour qu'elle contribue à améliorer les rapports pour le moins inamicaux entre l'Autriche et l'Italie. Le bal de la Cour, ainsi qu'une représentation de gala au Théâtre national, furent donc décommandés ; cependant, rien ne fut changé au programme des dîners, soirées, réceptions et audiences.

Les solennités commencèrent par la réception des membres du Parlement hongrois dans la salle du trône du château d'Ofen. François-Joseph était en uniforme de général hongrois, Élisabeth vêtue d'une robe hongroise, avec une coiffe typique sous son diadème. Le prince impérial, lui, apparut dans un costume lacé à la hongroise, avec au cou l'Ordre de la Toison d'or. Parmi les dames du Palais entourant l'impératrice figurait notamment Katinka Andrássy, épouse du président du Conseil.

Les parlementaires prièrent officiellement Élisabeth de se laisser couronner. « C'est avec joie que j'accède au désir que la nation me fait connaître à travers vous, lequel coïncide avec mes propres vœux les plus ardents, et je bénis la Providence de me faire vivre ce moment grandiose », répondit-elle.

La seconde prière officielle du Parlement demandait au roi de reconnaître Andrássy comme suppléant du palatin lors du couronnement. Et lui aussi répondit : « C'est bien volontiers que je souscris à ce choix, vous n'auriez pu désigner personne de plus digne que le comte Andrássy [109]. »

Au palatin, élu par les États hongrois pour représenter le roi en Hongrie, revenait en effet, traditionnellement, la mission de mettre la couronne au nouveau roi, sacré par le primat. Mais le dernier palatin, l'archiduc Étienne-Victor, était mort en France, en exil : il s'était compromis comme « libéral » en 1848-1849 et, bien qu'il fût un Habsbourg, avait dû quitter l'empire après la révolution. Après d'amères années où il avait connu la maladie en plus du mépris de son impériale famille, il n'avait pas même eu le temps de rentrer triomphalement en Hongrie et de couronner le roi selon la tradition. Seule sa dépouille fut ramenée au château d'Ofen.

On avait alors discuté pour savoir s'il fallait attendre l'élection d'un nouveau palatin pour couronner le roi. La solution d'une suppléance avait finalement été retenue, et l'on avait d'abord proposé Franz Deák. Mais celui-ci ne prisait guère les apparitions officielles et les cérémonies. Il conseilla lui-même au Parlement hongrois de confier la charge à Andrássy. François-Joseph recevrait donc la couronne de Saint-Étienne des mains même de l'ancien révolutionnaire, devenu président du Conseil hongrois. Élisabeth avait aussi eu sa part dans cette décision, à laquelle elle avait prédit depuis un certain temps que les discussions du Parlement aboutiraient. Elle écrivait à son mari, une semaine avant le couronnement : « C'est avec un grand intérêt que je lis chaque jour les comptes rendus du Parlement et les différents discours relatifs à la question du palatin ; je me rends compte toujours davantage que je suis extrêmement avisée, bien que tu n'estimes pas à sa vraie valeur mon excellent jugement [110]. »

Les adversaires viennois de Sissi considéraient tous ces événements avec inquiétude et mépris. Ainsi Crenneville, s'il trouvait l'impératrice « très loquace et agréable, malgré ses bouffonneries et ses *caprices* », n'écrivait pas moins à Vienne qu'elle ne se tenait pas tranquille et voulait maintenant absolument se rendre, après le couronnement, à un bal chez Andrássy — « qui n'est peut-être plus un traître, mais bien pourtant une *canaille* peu digne de foi, sous la mauvaise influence des femmes [111] ».

La tradition faisait un devoir à la reine de Hongrie de raccommoder de ses propres mains les costumes du couronnement. La chose était particulièrement nécessaire en cette occasion, car les vêtements et emblèmes du couronnement, par ordre de Kossuth, étaient demeurés quatre ans dans la terre humide avant d'être retrouvés. On put lire dans les journaux hongrois qu'Élisabeth, assistée de sa fille Gisèle, âgée de dix ans, reprisait non seulement le manteau d'apparat de saint Étienne, mais encore les bas, pleins de trous, destinés au couronnement. Il est difficile de vérifier cette affirmation, mais cela ne paraît guère plausible compte tenu du peu de temps dont on disposait. Élisabeth aurait aussi remis en état le rembourrage de la couronne, pour l'ajuster au tour de tête de son époux. Le fait est qu'il y eut jusqu'au dernier moment des discussions sur le diamètre de la couronne, alors même que le roi et la reine étaient déjà entièrement parés. Selon la comtesse Hélène Erdödy, « la première question de l'impératrice fut de savoir si la couronne du roi lui allait et n'était pas trop large, sur quoi il se rendit aussitôt dans la salle voisine pour s'essayer, derrière la porte entrouverte, à tous les mouvements de tête possibles ; les cordelettes accrochées à la couronne voltigeaient de-ci de-là, produisant un effet des plus comiques [112] ».

La journée du couronnement — le 8 juin 1867 — commença, à quatre heures du matin, par 21 coups de canon tirés de la citadelle du mont Saint-Gérard. Dès l'aube, les gens de la campagne affluèrent dans la ville pour s'installer le long des rues. Les épouses des magnats firent travailler, alors qu'il faisait encore nuit, leurs tailleurs et leurs coiffeurs pour se rendre à six heures exactement, en longues colonnes de voitures, à l'église Saint-Mathieu.

A sept heures, le cortège s'ébranla et quitta le château. Onze porte-enseigne de la haute noblesse, puis Gyula Andrássy, arborant sur la poitrine la grand-croix de l'Ordre de Saint-Étienne et à la main la sainte couronne de la Hongrie, derrière lui les bannerets portant les emblèmes du royaume sur des coussins de velours rouge, enfin François-Joseph.

La grande attraction du cortège fut sans aucun doute la reine. Tous les journaux de Hongrie la décrivirent en détail, ainsi le *Pester Lloyd* : « Portant la couronne de diamants, éclatant symbole de grandeur, mais avec une expression d'humilité dans son attitude courbée et les marques d'une profonde émotion sur son noble visage, elle marchait, ou plutôt glissait ; on eût dit que l'une de ces images qui ornent les sanctuaires était descendue de son cadre, retrouvant la vie. L'apparition de la reine sur ces lieux saints suscita une profonde et durable impression [113]. »

Pendant la cérémonie religieuse, François-Joseph fut sacré roi de Hongrie par le primat, puis couronné par Andrássy.

Élisabeth le fut ensuite mais, selon l'ancienne coutume, la couronne fut seulement posée par Andrássy sur son épaule droite. Les solennités étaient accompagnées d'anciens psaumes et d'une composition moderne : depuis des années, Franz Liszt avait écrit, selon le vœu du prince primat de Hongrie, une « Messe du Couronnement » tout empreinte du sentiment national. Le chef d'orchestre cependant n'était pas hongrois, et l'œuvre fut interprétée par l'orchestre de la Cour de Vienne, ce qui suscita une vive irritation [114].

Un autre grand moment de ces longues cérémonies fut le passage du cortège officiel, après le couronnement, sur le pont suspendu entre Ofen et Pest — les deux villes étaient encore séparées et ne furent rassemblées sous le nom de Budapest que cinq ans plus tard, en 1872. Cette fois, les dames restèrent spectatrices. Tous les membres du cortège étaient à cheval, l'empereur sur le destrier blanc de rigueur. Przibam, témoin oculaire, rapporte : « La splendeur des costumes nationaux, la richesse des harnais et de la sellerie, la valeur des pierres précieuses serties sur les agrafes, les baudriers et les boucles de ceinture, le prix des armes anciennes et des sabres ornés de turquoises, de rubis et de perles, correspondaient mieux à l'image qu'on se fait des pompes orientales qu'aux descriptions qui agrémentaient les débats parlementaires, d'un pays appauvri et épuisé. Cependant, l'impression générale était celle d'une revue militaire féodale. On se croyait littéralement transporté au Moyen Age à la vue de ces barons du royaume et de ces bannerets fastueusement apprêtés, auxquels faisaient suite leurs vassaux et des hommes d'armes portant leurs armoiries avec une muette soumission. En particulier, le lignage des Jazygier et des Kumanier, vêtus partie de cottes de mailles, partie de peaux d'ours, et dont l'ornement principal était des têtes d'animaux ou des cornes de buffles, évoquait l'époque où l'Europe chrétienne devait se défendre des attaques venues de l'Est païen. Aucune trace d'éléments bourgeois, de corporations ou de métiers [115]. »

Ce luxe était en opposition criante avec l'extrême difficulté des temps. C'est ainsi qu'un banquier hongrois acheta, pour l'« *attila* » de son fils qui défilait à cheval dans le cortège, des boutons antiques valant à eux seuls 40 000 florins. Le comte Edmond Batthyány avait fait reconstituer son costume par le peintre Charles Telepy, selon des dessins du Moyen Age, et portait en dessous une cotte de mailles en argent composée de 18 000 anneaux patiemment assemblés à la main. Le comte Edmond Zichy avait mis sa célèbre parure d'émeraudes, qui valait plus de 100 000 florins et dont les pierres atteignaient la taille d'un œuf de poule. Le comte Ladislav Batthyány s'était fait confectionner un équipage en argent massif : les housses des chevaux pesaient à elles seules 24 livres [116]. Tout cela alors que dans le même temps les paysans hongrois connaissaient la plus profonde misère. Les observateurs étrangers trouvaient en ce faste large matière à critique, ainsi l'ambassadeur de Belgique : « Tout ce cortège, malgré sa splendeur et son effective grandeur, ne laissait pas de donner au spectateur impartial un peu l'impression d'une facétie de carnaval, et les archevêques à cheval n'y étaient pas pour rien. Ce fragment de Moyen Age ne s'accorde pas à notre époque, à notre degré de civilisation, à l'évolution politique contemporaine [117]. »

Przibam décrit les évêques à cheval, dont plusieurs avaient dû être attachés pour ne pas tomber : « Dès qu'une rosse s'énervait à cause du bruit et des coups de feu ou que simplement une courroie de selle glissait un peu, plus d'un de ces cavaliers se cramponnait avec angoisse au col de sa bête, de sorte que la haute mitre qui ornait sa tête, également attachée sous son menton par mesure de précaution, se mettait à pendre sur sa nuque, suscitant l'hilarité du public qui faisait la haie [118]. »

L'épouse de l'ambassadeur de Belgique décrit aussi l'éclat de cette fête : « *Ces costumes rendraient Vulcain un Adonis* », mais en souligne le revers : « *Quand j'ai vu tous ces beaux messieurs apparaître dans leur costume de tous les jours, c'est-à-dire des bottes, une espèce de redingote boutonnée, une laide petite cravate, presque pas de chemises, je leur ai trouvé l'air assez sale. [...] Il y a un fond de barbarie dans tout cela* [119]. »

Le cortège s'arrêta finalement devant le bâtiment du *Pester Lloyd*. Une tribune avait été dressée là pour le serment que prononça François-Joseph, qui avait revêtu le manteau presque millénaire et la couronne des rois de Hongrie : « Nous maintiendrons intacts les droits, la Constitution, l'indépendance juridique et l'intégrité territoriale de la Hongrie et de ses dépendances. »

Après la traditionnelle ascension du roi à cheval sur le mont du Couronnement, fut donné un somptueux banquet auquel les invités firent honneur, cependant que le couple royal buvait seulement un peu de vin. Pendant toute cette journée, Andrássy se trouvait à proximité immédiate du roi et de la reine ; ainsi lors du banquet, où sa fonction était de verser, avant et après le repas, de l'eau dans un bassin tenu par un page ; le prince primat, quant à lui, tendait à Leurs Majestés une serviette pour se sécher les mains.

Le peuple ne joua guère dans ces festivités qu'un rôle de spectateur. C'est seulement à la fête donnée la nuit sur le grand pré que tout le monde fut invité. Ludwig von Przibam : « On rôtit des bœufs et des moutons à la broche, ou sur de véritables bûchers ; le vin coulait des barriques, le goulasch mijotait dans des marmites géantes ; dans des poêles au diamètre de roues de voitures, on confectionnait une mixture de poisson, de lard et de paprika ; et toutes ces victuailles étaient offertes gratis. » Au sein de toute cette animation, on voyait « la personne du monarque entourée d'une troupe d'hommes et de femmes, vêtus pour la plupart en paysans, les uns agenouillés, d'autres qui levaient haut les bras en criant *eljen ;* ajoutez les frémissements des violons que des bandes de Tsiganes grattaient comme des fous, tout cela sous la lumière jetée par un des bûchers en plein air : c'était sans aucun doute un spectacle peu commun [120] ».

Deux mesures de clémence, consécutives au couronnement, suscitèrent « dans toute la Hongrie un enthousiasme presque frénétique », selon les termes de l'ambassadeur belge. La première était l'amnistie de tous les délits politiques commis depuis 1848, accompagnée de la restitution des biens confisqués pour ce motif. « Cette amnistie est l'une des plus générales jamais accordées dans l'empire, car aucun des condamnés ni des personnes compromises n'en est exclu.

Même Kossuth et Klapka, pourvu qu'ils jurent fidélité au roi et obéissance aux lois du pays, peuvent revenir dans leur patrie sans le moindre empêchement [121]. » (Peu de temps après, l'empereur accorda une amnistie semblable à la partie occidentale de l'empire, ou Cisleithanie.)

La seconde mesure représentait une véritable provocation pour les non-Hongrois et pour tous ceux qui, en 1848-1849, avaient fidèlement combattu pour la cause impériale : sur proposition d'Andrássy, le traditionnel présent de couronnement (une somme de 100 000 florins) fut versé aux veuves, aux orphelins et aux invalides de la Honvéd, l'armée nationale hongroise qui avait alors lutté contre l'armée impériale ! Ce cadeau devait marquer la réconciliation de l'empereur avec les idées nationales de 1848. Commentaire amer de Crenneville (qui pensait en cela comme tous les Autrichiens) : « C'est une infamie. Je préférerais être mort, au lieu d'assister à cette ignominie ! Jusqu'où devrons-nous aller ? Ce n'est pas gouverner que de suivre les conseils de pareilles canailles. Andrássy mérite la potence plus encore qu'en 1848 [122]. »

A l'instigation d'Andrássy, qui avait lui-même été officier de la Honvéd, celle-ci redevint l'armée royale de la nation hongroise, bien entendu sous la condition de s'intégrer, en cas de guerre, à l'ensemble des armées « impériales et royales ». Il ne fut pas question de semblables concessions à d'autres groupes nationaux.

On considéra, certainement pas à tort, qu'une large part de ces grâces impériales étaient dues à l'activité d'Élisabeth. Les journaux hongrois la couvraient d'ailleurs de lauriers : « Qui pourrait ne pas voir que l'amour de la nation va aussi, puissant et unanime, à l'impératrice ? » demandait le *Pester Lloyd,* qui continuait en ces termes : « Car cette femme si charmante est considérée comme une véritable fille de la Hongrie. On est convaincu que dans son noble cœur brûle l'amour de la patrie, qu'elle a fait siennes non seulement la langue hongroise, mais la façon de penser hongroise, qu'elle a constamment été une fervente avocate des souhaits de la Hongrie [123]. » L'ambassadeur suisse constatait qu'Élisabeth était « désormais la personnalité la plus populaire de toute la Hongrie [124] ».

La nation fit présent au couple royal, à l'occasion du couronnement, du château de Gödöllö, à titre de résidence privée. Il était situé à environ une heure de route de Budapest (il se trouve aujourd'hui dans les faubourgs). Construit au XVIIIe siècle, il comptait une centaine de chambres et était entouré d'un domaine forestier de quelque 10 000 hectares, tout à fait propice à la chasse à courre. Ce présent était un triomphe pour Élisabeth, car François-Joseph avait, faute d'argent, refusé de satisfaire son vif désir de l'acquérir. C'était maintenant Andrássy — au nom de la nation hongroise — qui réalisait son rêve. Sissi devait témoigner par la suite sa reconnaissance en passant de très nombreux mois de l'année non pas à Vienne, mais à Gödöllö ou à Ofen.

De son côté, elle fit un immense cadeau à la Hongrie et à son époux, en acceptant d'avoir à nouveau un enfant, ce à quoi elle s'était opiniâtrement refusée jusque-là. Mais elle ne laissa subsister aucun doute : elle ne consentait à ce grand sacrifice qu'en l'honneur de la nation hongroise, ce qui naturellement, suscita une certaine irritation en Cisleithanie. Et elle fit aussi savoir qu'elle entendait s'occuper de cet enfant autrement que des deux premiers, qui avaient en fait été élevés par l'archiduchesse Sophie.

Trois mois environ avant la date prévue pour la naissance, elle quitta Vienne pour descendre à Budapest, où tout était prévu pour son accouchement. Gisèle et Rodolphe restèrent à Vienne, l'empereur faisant la navette entre les deux villes pour voir tour à tour son épouse et ses enfants.

Cette décision d'Élisabeth, en apparence d'ordre tout à fait privé, procédait de considérations hautement politiques et eut des effets considérables, creusant l'opposition entre Transleithanie et Cisleithanie. L'ambassadeur de Suisse écrivait à Berne : « Mais plus l'impératrice cherchait à s'attirer la sympathie des Hongrois, plus elle perdait celle de la population des pays autrichiens. On entendait partout souhaiter que l'enfant fût une fille ; car nul ne se dissimulait que, malgré la

Pragmatique Sanction, un fils de la reine de Hongrie, né au
château d'Ofen, ne pourrait que devenir roi de Hongrie, ce
qui aurait signifié, à terme, la sortie des territoires de la
couronne hongroise hors de l'Autriche [125]. »

Ces craintes étaient entièrement fondées, comme le
confirme un poème d'Élisabeth intitulé « *Oh, puissé-je vous
donner votre roi !* » :

> *Hongrie, Hongrie, terre chérie !*
> *Je connais le poids de tes chaînes.*
> *Que ne puis-je tendre les mains*
> *Et te sauver de l'esclavage !*
>
> *Pour la Patrie et pour la Liberté,*
> *Combien sont morts, ô sublimes héros ?*
> *Que ne puis-je avec vous nouer un lien étroit*
> *Et maintenant offrir à vos enfants un Roi ?*
>
> *Héros de fer et d'airain forgé,*
> *Hongrois de pure souche il serait ;*
> *Fort serait l'homme, et la tête claire,*
> *Et c'est pour la Hongrie que lui battrait le cœur.*
>
> *Par-delà l'Envie il te fait libre,*
> *Libre et fier à jamais, ô peuple de Hongrie !*
> *Partageant avec tous et la joie et les peines,*
> *Que tel il soit enfin — votre Roi* [126] *!*

C'est dix mois après le couronnement, en avril 1868, que
naquit à Budapest la dernière enfant de Sissi : Marie-Valérie.
On fut très soulagé, à Vienne, que cet enfant offert aux
Hongrois fût une fille. Ainsi l'archiduchesse Sophie écrivait-
elle dans son Journal que la petite avait été saluée avec joie
« *surtout par les Hongrois fidèles qui craignaient la naissance d'un fils à
Bude, puisqu'il aurait pu être un prétexte de séparation de la Hongrie de
la monarchie* [127] ». Il ressort clairement de ce texte que l'entourage hongrois de la jeune impératrice n'était pas, selon le
sentiment de Sophie, composé de Hongrois « fidèles » à

l'empereur et plus favorables au pouvoir central qu'à celui de Budapest.

Les commérages, à Vienne, couraient bon train sur cette enfant « chérie », dont personne ne voulait admettre qu'elle pût avoir un autre père que Gyula Andrássy. Venue aux oreilles de l'impératrice, cette rumeur ne fit que renforcer sa haine de la Cour [128]. La paternité de François-Joseph est clairement établie par quelques lettres intimes de Sissi que l'on a retrouvées ; en outre, Marie-Valérie ressemblait particulièrement à son père sous plus d'un aspect. Malgré l'immense curiosité et les enquêtes quasi policières de nombreux fonctionnaires de la Cour, on n'a jamais pu jusqu'ici établir que l'impératrice aurait commis un « faux pas » avec Andrássy. Tant l'un que l'autre se trouvaient d'ailleurs sous le contrôle permanent (et guère bienveillant) d'innombrables courtisans. Que l'amour qu'ils éprouvaient incontestablement ait jamais donné lieu à une « faute » effective, cela paraît à peu près exclu par l'examen des sources, d'autant plus qu'Élisabeth n'avait jamais été femme à accorder grand prix à l'amour physique et qu'Andrássy, pour sa part, restait en toute situation un homme politique habile et calculateur.

Le baptême au château d'Ofen donna lieu à une grande fête, qui commença par l'arrivée des carrosses d'apparat de l'aristocratie, dans le plus grand cérémonial. Le président du Conseil, Gyula Andrássy, fut le seul à faire entrer sa voiture (où se trouvait aussi le chancelier Beust) directement dans le château, après avoir été tumultueusement acclamé sur son passage, comme il l'était toujours en Hongrie.

Les deux marraines étaient des sœurs d'Élisabeth : l'ex-reine Marie de Naples (qui portait fièrement la médaille de Gaète et, à la surprise générale, répondit en hongrois au prince primat, Élisabeth lui ayant péniblement appris les formules nécessaires), et la comtesse Mathilde Trani.

Les festivités s'achevèrent par un concours des tirailleurs d'Ofen, auquel participèrent aussi François-Joseph et Andrássy. Le meilleur tir à la cible de l'empereur et roi lui valut un modeste 2, tandis qu'Andrássy, le surclassant ici encore, obtint, avec un 4, le meilleur score [129].

Comme il fallait s'y attendre, ces nouvelles réjouissances hongroises furent plutôt mal commentées à Vienne. L'archiduchesse Thérèse, par exemple, écrivit à son père, l'archiduc Albert : « Ce baptême de Hongrie m'a vraiment indignée, et surtout le fait que l'empereur ait été si froidement accueilli au théâtre. On voit bien là combien cette nation est ingrate [130] ! »

A cette époque, on redoutait à Vienne l'influence d'Élisabeth sur l'empereur. Crenneville écrivait à sa femme, en juin 1868 : « L'empereur n'est venu en ville ni avant-hier ni aujourd'hui. Je crains fort qu'il ne se mette à détester Vienne par amour pour Sissi et que, pour la même raison, il ne décide de refuser lui aussi de participer à la procession [de la Fête-Dieu] [131]. »

Les journaux viennois donnèrent à diverses reprises des informations ironiques sur la prédilection d'Élisabeth pour la Hongrie ; on lançait aussi des fausses nouvelles : la comtesse Königsegg, première dame de la Cour, allait être renvoyée et remplacée par la femme d'Andrássy, Katinka. L'un de ces bruits au moins était vrai, comme le confirme Crenneville : « Tout ce que les journaux racontent à propos du cercle et du départ de Sissi est vrai à la lettre [132]. » Il s'agissait d'un compte rendu du *Neue Wiener Tagblatt*, selon lequel l'impératrice aurait dit, en quittant Budapest, à la comtesse Károlyi : « Je pars, mais je reviendrai à la maison au plus tard à l'automne [133]. » Le propos avait, en effet, de quoi ulcérer les Viennois, tout comme le très bref arrêt de l'impératrice à Vienne avant de poursuivre son voyage vers la Bavière (pas même vers Ischl), accompagnée, bien sûr, de son enfant « hongroise ». Thérèse Fürstenberg rapporte : « L'impératrice et sa fille vont prochainement s'installer dans une villa sur le lac de Starnberg, où elles jouiront pendant quatre semaines de leur bonheur, sans être aucunement dérangées, bien loin de tout ce qui pourrait les gêner. Cela fait un beau vacarme à Vienne, qu'on ne l'empêche pas d'agir de la sorte. Chacun est horrifié de cette affreuse complaisance. Car l'histoire montre bien que ce n'est jamais la main ferme, celle qui soutient l'ordre, fût-ce brutalement, qui succombe aux pièges : lorsqu'il faut tout obtenir, il faut aussi tout tenter [134]. »

La petite Valérie qu'on n'appela bientôt plus autrement à Vienne que « la chérie », ne fut pas reçue très chaleureusement en Cisleithanie. Crenneville écrit malicieusement : « Elle ressemble exactement à n'importe quel autre bébé, et elle n'a pas crié — ce qui certes ne démontre pas sa nationalité hongroise [135]. »

Élisabeth se consacra à sa plus jeune enfant avec un amour immense et exclusif. Elle devait dire quelques années plus tard à la comtesse Festetics : « Maintenant je sais quelle félicité apporte un enfant, car maintenant j'ai eu le courage de l'aimer et de la garder près de moi. » Et elle se plaignait à nouveau qu'on lui eût « tout de suite retiré [136] » ses deux premiers-nés. Son amour pour sa dernière fille paraissait si exalté que même Marie Festetics (pourtant d'une totale bienveillance) se faisait du souci : « Elle manque de mesure, et cette faveur de l'existence lui apporte plus de souffrance que de bonheur tant elle tremble pour la santé de Valérie, ou redoute qu'on ne veuille la lui enlever [137]. » Dans les années suivantes, la santé fragile de la petite tint en haleine l'entourage d'Élisabeth, car celle-ci réagissait avec excès au moindre mal de dents, à la moindre toux de l'enfant.

Pendant les mêmes années, l'impératrice manifesta également une telle préférence pour la Hongrie que c'en était de la provocation. Ainsi commanda-t-elle une messe à l'église paroissiale d'Ischl pour la Saint-Étienne, fête nationale des Magyars. La landgrave Fürstenberg écrivait : « Absolument aucun autre membre de la famille n'assista à cette petite cérémonie, *elle seule et ses fidèles* *. » Les gens d'Ischl, poursuivait-elle, en conçurent « le plus grand amusement, d'autant qu'on ne la voyait jamais à l'église paroissiale le dimanche ou les jours de fête [138] ».

L'impératrice maintint sa vie durant le contact avec les hommes qui comptaient en Hongrie — Deák, Andrássy, Falk, Eötvös — sans faire le moindre mystère de la consi-

---

* En français dans le texte. *(N.d.T.)*

dération qu'elle leur portait : « Aujourd'hui Deák vient déjeuner, c'est un grand honneur pour moi [139] », écrivait-elle à l'empereur en 1869. On notera sans surprise qu'aucun des hommes importants de Cisleithanie, que ce soit du monde de la politique, des arts ou des sciences, ne fut jamais convié à déjeuner par l'impératrice, et qu'elle n'aurait aucunement considéré leur visite comme un « honneur ». Le tableau de l'impératrice en larmes devant la civière de Deák, à la mort de celui-ci en 1876, devait donner lieu en Hongrie à une véritable légende patriotique. Quant à sa correspondance avec Andrássy (toujours par l'intermédiaire d'Ida Ferenczy), elle se poursuivit jusqu'à la mort de celui-ci en 1890. La vénération qu'il portait à Élisabeth ne fait aucun doute et ressort de chaque ligne de ses lettres : « Vous savez, écrivait-il par exemple à Ida, que j'ai de très nombreux maîtres : le roi, la Chambre haute, la Chambre basse, etc. Mais de souveraine, je n'en ai qu'une et, justement parce que je ne connais qu'une femme qui puisse me donner des ordres, je lui obéis volontiers [140]. »

Les séjours fréquents et prolongés de l'impératrice en Hongrie suscitaient toujours en Autriche de mesquines jalousies qui transparaissaient dans les journaux. Ainsi, en 1870, une feuille viennoise écrivit-elle avec une ironie mordante que l'impératrice était « de tous les hôtes de la Hofburg, celui qui provoquait les plus grands transports * [141] ». Le *Neue Wiener Tagblatt* se moquait aussi : « A lire les comptes rendus que font les journaux de Pest des séjours de Sa Majesté au château royal d'Ofen, à parcourir ces anthologies où s'expriment les sentiments les plus hauts et souverains ** et qui, chaque jour depuis des années, parsèment les agendas des gazettes hongroises, l'impression s'impose inexorablement que chaque interruption de sa résidence dans la capitale hongroise, chaque séjour temporaire à Vienne, est ressenti par la famille impériale comme une sorte de bannissement. » C'était là une critique à peine déguisée de l'impératrice. « Nous aussi,

---

* Jeu de mots : *reizend*, ravissant ; *reisend*, voyageur. (*N.d.T.*)
** *Höchste und allerhöchste*, formule consacrée. (*N.d.T.*)

" Autrichiens de seconde zone ", nous autres Cisleithaniens, poursuivait le journal, avons eu nos " afflictions pendant la révolution ", nos potences, nos exécutions par la poudre et le plomb, nos casemates et nos " rudes cachots ", nos confiscations et nos exils, mais il n'est jamais venu à l'idée de personne, pour autant, de nous dorloter et de nous récompenser [142]. »

On déplorait amèrement aussi la perte d'autorité de l'empereur. Les mêmes cercles qui avaient jadis accepté, voire approuvé, l'influence de l'archiduchesse Sophie, critiquaient à présent la faiblesse notoire de François-Joseph à l'égard de son énergique épouse. Élisabeth était allée trop loin, elle avait laissé voir trop clairement la puissance qu'elle exerçait sur lui.

Pour sa part, excessivement sensible aux critiques, l'impératrice tirait argument de la mauvaise humeur de son entourage pour s'isoler davantage encore et professer une véritable haine vis-à-vis de Vienne. Sa correspondance privée abonde en remarques péjoratives sur la Cour et l'Autriche. Ainsi écrivait-elle en 1869 à Ida Ferenczy que sa sœur Mathilde, « pas plus qu'une autre, ne pouvait supporter ce qui était autrichien [143] », en faisant clairement allusion à son propre cas.

Ses partisans hongrois, comme la comtesse Festetics, accusaient la Cour d'avoir « poussé [l'impératrice] à l'isolement » : « Tout cela à cause de cette malheureuse convention avec la Hongrie ? C'est fait, oui, et ce fut son œuvre ! Mais le crime est-il donc si grand d'avoir rendu à l'empereur la fidélité de ce pays qui constitue la moitié de l'empire ? Serait-il si délicieux de gouverner par la poudre, le plomb et la potence ? Est-il digne d'un être noble et généreux, lorsqu'on a promis à un pays une Constitution, de la lui refuser [144] ? » La comtesse n'exprimait là que ce qu'on entendait constamment dans la bouche de la majorité des Hongrois. Les Viennois avaient beau protester de plus en plus fort, les Hongrois, gens du peuple ou magnats, ne toléraient pas que l'on dît du mal de leur reine.

Indépendamment des mesquineries autrichiennes contre les Hongrois et la personne de l'impératrice, la formation de l'État bicéphale était critiquée par beaucoup de « vieux Autrichiens ». Le baron Prokesch-Osten, un orientaliste, écrivait en 1876 à l'écrivain Alexandre von Warsberg, dans une lettre que le baron von Braun, chef de la Chancellerie du cabinet impérial, estima si importante qu'il la recopia de sa propre main : « La destinée des peuples et des États, comme celle des individus, est de se construire eux-mêmes. La partition de l'Autriche a été pour elle un coup fatal. Tout ce qui arrive depuis lors en est la suite inévitable et, que l'on aille vers l'avenir avec lucidité ou aveuglement, cet avenir ne peut être qu'une seule et unique chose [145]. »

Les avis sur le caractère positif ou négatif, pour l'Autriche, de la convention, sont encore partagés aujourd'hui, plus d'un siècle après. L'autre possibilité aurait évidemment été, selon toute vraisemblance, une séparation de la Hongrie semblable à celle qu'avaient connue les possessions autrichiennes en Italie. Toute discussion sur ce problème conduit nécessairement à se demander si le maintien de la Hongrie dans le cadre autrichien fut une bonne chose [146]. Du point de vue de la Bohême et de la Slovaquie mais aussi de la Yougoslavie et de la Pologne actuelles, la convention ne pouvait être jugée que comme négative.

D'autre part, le désastre de Sadowa, ajouté à la convention, entraîna un affaiblissement de la puissance impériale : François-Joseph était ramené au rang de monarque constitutionnel. Or la nouvelle Constitution, avec les libertés concédées en 1867 tant à la Cisleithanie qu'à la Transleithanie, était indispensable au développement économique et intellectuel de la période suivante.

CHAPITRE VII

LE FARDEAU
DE LA REPRÉSENTATION

Les succès remportés par Élisabeth au milieu des années 1860 (l'éducation libérale donnée à Rodolphe, et la convention avec la Hongrie) irritèrent tant la Cour que la cassure entre l'impératrice et l'aristocratie devint irréparable. Et Sissi se mit à fuir plus que jamais ce qu'elle appelait la « *Kerkerburg* » (« le palais-cachot ») de Vienne, où elle ne sentait que trop clairement l'aversion générale dont elle était l'objet.

Le nouveau malheur qui frappa les Habsbourg, la mort de Maximilien au Mexique, ne parvint pas à atténuer cette hostilité mutuelle. C'est au début de juillet 1867 qu'on apprit que Max avait été fusillé à Queretaro. L'archiduchesse Sophie, alors âgée de soixante-sept ans, ne put surmonter ce coup du destin, car Max était son fils préféré. Elle tentait de se consoler en pensant que ce départ pour Mexico, « elle le lui avait sans cesse déconseillé, ne l'y avait jamais encouragé [1] ». Elle savait qu'aux dernières heures de sa vie il avait fait preuve de dignité, de piété, d'héroïsme. « Mais le souvenir des tourments qu'il avait dû traverser, de la solitude qu'il connaissait loin de nous, accompagne toute ma vie et me cause une douleur indescriptible [2]. » Sophie n'avait plus goût à la vie, et ses cinq dernières années furent remplies du deuil de Max. Elle se réfugia dans une piété plus grande encore et cessa de lutter, y compris contre Élisabeth.

L'affliction de François-Joseph fut plus modérée. Son frère cadet avait été pour lui, surtout pendant qu'il était son successeur désigné, un rival des plus incommodes et dangereux. Il possédait tout ce qui lui manquait : l'imagination, le charme, l'intérêt pour l'art et les sciences, des penchants libéraux — même en matière politique. Maximilien était aussi, de tous les fils de Sophie, le favori de la population, sur lui reposaient les espoirs des adversaires de l'absolutisme. Et l'empereur, qui ne le savait que trop, n'était pas le mieux placé pour consoler sa mère dans cette rude épreuve.

On attendait donc beaucoup de l'impératrice, dont Max avait été le beau-frère préféré jusqu'à son mariage avec la belle Charlotte. Élisabeth n'avait pas plus que Sophie compris l'aventure mexicaine : sa conclusion tragique aurait pu rapprocher les deux femmes. Mais Thérèse Fürstenberg écrivait en plaignant Sophie : « Il devient insupportable de voir sans réagir comment on l'abandonne à elle-même. [...] Une violente colère vous emporte parfois et, s'il n'y avait l'excellent empereur et la tendresse des enfants, on souhaiterait vraiment voir la foudre frapper [3] ! »

Ce fut finalement la duchesse Ludovica qui invita Sophie à passer quelques semaines chez elle, à Possenhofen, pour la consoler. Il y avait là-bas d'autres personnes en deuil : Hélène Taxis, complètement égarée par la mort subite de son mari, après la naissance de leur quatrième enfant, et le frère préféré de Sissi, Charles-Théodore, veuf depuis peu, seul avec sa toute jeune fille Amélie.

Les dames d'honneur viennoises, pleines de curiosité, s'aperçurent « de tout le chagrin et de toute la peine qui règnent maintenant ici aussi, et qui rendraient calme la société la plus turbulente. [...] Mais la vie y est singulière. On est entouré d'une foule de gens et de chiens plus nombreux encore, les premiers tout en noir [en raison des deuils], les seconds presque toujours blancs [4] » (Ludovica aimait par-dessus tout les loulous blancs).

Un messager de Mexico vint voir Sophie à Possenhofen pour lui raconter les dernières heures de Maximilien et lui remit un petit morceau du pardessus qu'il portait lors de son exécution, le drap dans lequel on l'avait enveloppé après sa mort, enfin une petite branche de l'un des arbres de la place où il avait été fusillé [5].

La landgrave Fürstenberg décrit les larmes de Sophie et de la jeune Hélène Taxis : « Un spectacle pitoyable, la véritable image de la détresse, pour ne pas dire du désespoir. [...] Cette pauvre créature est anéantie, écrasée par la douleur. » Même dans ces circonstances, l'archiduchesse lançait des piques à Élisabeth : Sophie, ajoute Thérèse Fürstenberg, était « édifiée par la piété d'Hélène, qui [avait] du moins aimé son époux avec conscience ; c'est tout de même déjà quelque chose [6] ! ».

Sophie confirme dans son Journal sa profonde sympathie pour Hélène : « *Je me dis : voilà bien les plus profondes douleurs l'une à côté de l'autre, celle de la veuve d'un mari adoré, et la douleur d'une mère de la perte et du martyre de son enfant tué* [7]. » Elle refusa énergiquement de rencontrer « le meurtrier de son fils », Napoléon III, lorsqu'il fit en août 1867 un voyage à Salzbourg pour exprimer ses condoléances à la famille impériale pour la mort de Maximilien. Sophie ne pouvait oublier que les souverains français l'avaient attiré au Mexique, mais ne lui avaient pas porté de réel secours lorsqu'il s'était trouvé en difficulté.

Élisabeth, pour sa part, avait d'autres raisons de se soustraire à cette rencontre spectaculaire, et elle mit en avant des malaises provoqués par une grossesse (un mois s'était en effet écoulé depuis le couronnement hongrois) ; elle écrivait à son époux : « Peut-être ai-je des espérances. Dans cet état d'incertitude, la visite de Salzbourg me pèse beaucoup. Je pourrais pleurer toute la journée, tant ma tristesse est infinie. Ma chère âme, console-moi, car j'en ai bien besoin. Toute envie m'a quittée, je ne veux pas monter à cheval ni me promener, tout au monde m'apparaît sans goût [8]. »

Mais, cette fois, les plaintes n'y firent rien, la rencontre eut lieu. Elle n'apporta guère de résultats politiques et fut loin de sceller cette alliance franco-autrichienne contre la Prusse que redoutait Bismarck. Les dames d'honneur de l'entourage

de Sophie elles-mêmes raillaient ce « parvenu » de Napoléon III, ainsi qu'Eugénie qui n'était guère de meilleure
extraction que lui. Thérèse Fürstenberg commentait : « Ainsi
donc, à Salzbourg, siègent ensemble, dans l'intimité, les
représentants de la plus stricte légitimité et ceux de sa parfaite antithèse — notre couple impérial, si simple, qui va se
coucher à neuf heures, et les Français accoutumés au faste et
aux fêtes [9] ! »

Il est certain que les Français l'emportaient largement sur
les Autrichiens pour se distraire en société. Le comte Hans
Wilczek, présent à cette rencontre, rapporte que lors d'un
déjeuner à Hellbrunn, le couvert de l'impératrice Élisabeth
avait soudain disparu : « La surprise était grande ; ce ne pouvait être qu'un tour de prestidigitation, mais qui parmi nous
était assez adroit pour l'exécuter ? » Napoléon III déclara
alors en souriant : « J'ai acquis quelques talents au cours de
ma vie, et je m'en sers pour amuser mes amis lorsque la gaieté
semble devoir se dissiper [10]. » Comme c'était souvent le cas à
la Cour viennoise, la conversation languissait dans l'entourage de François-Joseph et d'Élisabeth : Napoléon III avait
très habilement dissipé la gêne par son tour de passe-
passe.

La rencontre de Salzbourg , permit au moins aux deux
impératrices — réputées être les deux plus belles femmes de
leur temps — de capter toute l'attention. Chacun se sentait
tenu de juger laquelle était la plus belle.

Élisabeth et Eugénie, étant donné les circonstances politiques de la rencontre, ne manifestèrent en public aucune
sorte d'amitié ou d'intimité. Mais elles s'entendaient beaucoup mieux que ne le prétendaient les ragots sur leur supposée rivalité en matière de beauté. Un jour, à midi, rapporte le
comte Wilczek, Élisabeth avait rendu une visite impromptue
et tout à fait privée à Eugénie, et il avait été chargé de
monter la garde devant la porte pour écarter tout visiteur.
Napoléon III avait demandé à entrer, à titre absolument
personnel, et le comte avait hésité et voulu s'informer auprès
d'Eugénie si la consigne valait aussi pour l'empereur :
« J'ouvris très doucement les portes, et dus traverser deux

pièces vides de la suite, et même la chambre à coucher, jusqu'au cabinet de toilette, dont la porte était entrouverte. En face se trouvait un grand miroir et, tournant le dos à la porte derrière laquelle je me trouvais, les deux impératrices étaient occupées à mesurer avec des mètres-rubans les plus beaux mollets que l'on pût sans doute alors trouver à travers l'Europe entière. C'était un spectacle indescriptible, que je n'oublierai jamais [11]. »

L'Europe parlait alors beaucoup des mollets de l'impératrice Eugénie, car elle portait (ce qui paraissait « *demi-monde* » aux observateurs autrichiens) des robes assez courtes laissant voir ses chevilles. Sissi, au contraire, exhibait toujours des robes un peu démodées, qui descendaient jusqu'au sol, plus conformes à sa dignité de Majesté impériale. Pour le reste, l'opinion dominante était qu'Eugénie — plus âgée de treize ans — avait des traits plus réguliers qu'Élisabeth, mais que celle-ci l'emportait par son charme. D'autres observateurs trouvaient cependant à l'impératrice des Français des qualités qui s'ajoutaient à sa beauté, ainsi le prince Hohenlohe-Ingelfingen : « Mais ce qui conférait à ses traits un agrément particulier, c'était une expression pleine d'esprit et d'assurance, que l'on ne trouvait pas chez sa voisine, constamment embarrassée [12]. »

Élisabeth n'accepta pas l'invitation que lui fit Napoléon III à l'occasion de l'Exposition universelle de Paris : étant effectivement enceinte, elle trouva là une raison de laisser son mari faire le voyage seul. Elle évitait également ainsi de rencontrer Pauline Metternich, épouse de l'ambassadeur d'Autriche à Paris, qui organisa de la manière la plus brillante la visite impériale et recueillit un succès triomphal.

L'aplomb acquis par Élisabeth se traduisait aussi par les séjours réguliers et assez prolongés en Bavière qu'elle s'octroyait, comme si rien n'était plus normal, tandis qu'on la voyait de plus en plus rarement à Ischl, où séjournaient les parents de l'empereur. Elle ne s'inquiétait plus des commérages viennois sur « le train de gueux » de Possenhofen, « cet endroit d'où nous est venu plus d'un scandale [13] ». Elle montrait publiquement qu'elle se sentait mieux en Bavière qu'en Autriche et préférait la turbulente vie familiale autour de la duchesse Ludovica à la froideur ennuyeuse de la Cour de Vienne. Elle écrivait à Rodolphe, alors âgé de six ans, qu'elle se rendait avec joie « chaque jour avec grand-mère à la chapelle du château, où un franciscain dit la messe en beaucoup moins de temps que n'en prend notre messe dominicale [14] » — une remarque que ne dut guère goûter l'archiduchesse Sophie, qui lisait toujours ces lettres. Elle décrivait son existence au milieu de ses sœurs, qu'elle retrouvait chaque soir ; arrivait ensuite « oncle Mapperl [Max-Emmanuel, duc en Bavière], avec un paquet de livres, [la soirée] dure longtemps et tout le monde s'endort ; nous aspergeons Sophie d'eau, ce qui la met vraiment en colère, et c'est la seule distraction ». Elle restait souvent avec Sophie, sa plus jeune sœur, jusque tard dans la nuit, alors que les autres dormaient déjà « et nous babillons à cœur joie, ce que nous ne pouvons faire pendant la journée [15] ». Les dames d'honneur notaient quant à elles l'« enthousiasme » de l'impératrice pour Possenhofen.

C'est dans ces années 1860-1870 qu'Élisabeth entretint les rapports les plus étroits avec ses sœurs. Elle leur venait en aide dès que possible, se rendant ainsi à l'accouchement de Mathilde à Zürich en 1867, puis à celui de Marie à Rome en 1870 ; elle prenait bien davantage soin d'elles que de ses enfants Gisèle et Rodolphe. Les gens de sa suite la trouvaient, dans son cercle familial bavarois, « si gentille avec ses frères et sœurs que c'était une joie de la voir ainsi [17] ». De fait, ses deux premiers enfants l'intéressaient moins que jamais. Qu'il s'agît de leur première sortie au théâtre ou de la première communion de Gisèle, tous les événements importants de leur vie se déroulaient sous les yeux de leur père, de leur grand-mère, des éducateurs et des dames d'honneur, mais non de leur mère. Thérèse Fürstenberg les trouvait « adorables » : « Ce sont des êtres tout à fait gentils et charmants, des enfant si bons, si affectueux, qu'on croirait qu'ils ne tiennent que de leur père [18] ! » Et c'était bien leur père qui, malgré ses nombreuses obligations, prenait le temps d'aller se promener avec eux, d'emmener Rodolphe à la chasse, à l'école de natation ou au cirque Renz. Thérèse Fürstenberg rapporte aussi : « A peine arrivé, l'empereur a mené hier ses enfants au Renz ; cela n'aurait pas eu lieu si l'antre du dragon n'avait été vide [19]. » Sans doute veut-elle dire par là qu'Élisabeth non seulement ne se souciait pas de ses enfants, mais accaparait tant son époux, quand elle était à Vienne, qu'il n'avait plus le temps de rien faire avec les enfants. Thérèse Fürstenberg parle encore « d'un état de choses qu'il vaudrait mieux ne pas faire connaître, et qui, par le biais des séjours en Bavière et des innombrables rapports avec les sœurs [de l'impératrice], est devenu proprement incroyable ».

Les quatre sœurs de Sissi étaient toutes d'une beauté réputée et, à l'exception d'Hélène Taxis, pleines de joie de vivre. Chez les Viennois, Marie de Naples surtout n'était guère aimée, parce qu'elle encourageait l'impératrice dans son égoïsme. Thérèse Fürstenberg écrivait « qu'on ne sait si l'on a affaire à de la méchanceté, de la folie ou de la sottise ; qu'on voudrait pouvoir se cacher pour ne pas voir cela ; et qu'on ne peut assez admirer l'inépuisable patience et la bonté de " la mienne " [sa maîtresse, l'archiduchesse Sophie] [20] ». Même la préceptrice anglaise de Valérie, en qui Élisabeth croyait avoir une fidèle, remarquait avec mépris : « Les princesses de Possenhofen ressemblent toutes à des femmes du *demi-monde* * [21]. »

Les sœurs soignaient leur ressemblance avec l'impératrice. « Silhouette, voilette, coiffure, toilette, façon d'être : on ne sait jamais laquelle est laquelle ! » note Marie Festetics, qui ajoute : « Marie [de Naples] parle à voix basse. J'ai failli sourire, tant elle veut ressembler à l'impératrice. » Mathilde et Sophie ne le cédaient guère à leurs aînées en beauté. En revanche, Marie Festetics trouvait Hélène trop sévère d'allure, informe, négligée, laide et inamicale : « Elle ressemble à une caricature de ses sœurs, on voit tout de suite qu'elle est l'une d'elles [22]. »

---

* En français dans le texte. (N.d.T.)

Ces ressemblances frappantes faisaient de chaque apparition à Vienne des cinq sœurs de Bavière une manifestation de leur entente. Mais les conflits dans lesquels Sissi était engagée se multipliaient du fait de la présence de ses sœurs, car aucune d'elles n'était en mesure de jeter un pont vers la société viennoise.

Sissi passait la plus grande partie de l'année en Hongrie ou en Bavière avec sa dernière-née, laissant l'empereur assumer seul, à Vienne, toutes les tâches de représentation, ce qui donnait lieu à de constantes critiques, comme celle de Crenneville dans son Journal, pour le Jeudi saint de 1869 : « Office religieux et lavement des pieds. S.M. tout seul, puisque la reine ! ! réside à Ofen [23]. »

L'impératrice décevait sans cesse les Viennois en se décommandant lors d'importantes manifestations. En mai 1867, par exemple, eut lieu l'ouverture du nouvel Opéra, l'un des plus beaux et plus coûteux bâtiments du Ring. Les architectes avaient mis tout leur dévouement à la construction et à l'aménagement d'un salon particulier pour l'impératrice, en style Renaissance, avec aux murs des tentures de soie violette et de riches dorures. Tout était conforme aux goûts de Sissi : d'immenses tableaux représentant Possenhofen et le lac de Starnberg, une somptueuse table gravée à son monogramme, trois peintures au plafond inspirées de l'*Obéron* de Weber — au milieu, Obéron et Titania, souverains du royaume des fées, apparaissaient dans un carrosse en forme de coquillage tiré par des cygnes [24] : c'était une très délicate allusion au drame préféré d'Élisabeth, *le Songe d'une nuit d'été*, de Shakespeare, dont l'*Obéron* de Weber évoquait aussi le monde féerique. Étant donné le peu d'intérêt de Sissi pour la musique (exceptée celle des Tsiganes de Hongrie), ce détour par la littérature était nécessaire et soulignait la peine que s'étaient donné les artistes pour réaliser ce « salon de l'impératrice ». L'inauguration de l'Opéra fut reportée car, une fois de plus, elle prolongeait son séjour à Budapest. Comme si la construction n'avait pas déjà posé assez de problèmes (les critiques formulées publiquement avaient notamment coûté la vie à ses deux architectes : Van der Nüll s'était suicidé un an avant l'ouverture et Siccadsburg était mort quelques mois plus tard, miné par le souci), l'impératrice prit également ombrage de la nouvelle date choisie. Bien qu'elle eût donné son accord et se trouvât à Vienne, elle se décommanda juste avant la représentation inaugurale de *Don Juan*, prétextant une « indisposition » fort peu vraisemblable.

A la suite de cet éclat, l'impératrice dut apaiser les esprits en participant, pour la première fois depuis sept ans, à la procession de la Fête-Dieu. L'épouse de l'ambassadeur de Belgique de Jonghe, écrivait à Bruxelles : « *On était furieux et si elle n'avait pas paru ce matin, il y aurait eu une révolution, je pense.* » Élisabeth devait se trouver à la cathédrale Saint-Étienne à sept heures du matin, en grande toilette : robe à traîne mauve, garnie d'argent et de diamants, coiffure compliquée. Compte tenu du temps de trajet entre Schönbrunn et Vienne et des trois heures nécessaires à l'habillage et à la coiffure, elle se leva à trois heures pour pouvoir se joindre à la procession, où elle fut, au milieu de sa suite également habillée de façon fastueuse, le point de mire de tous les regards — nonobstant son attitude qui était, bien sûr, d'humble piété. La comtesse de Jonghe poursuit : « *La malheureuse était en robe décolletée, et il y avait un petit vent assez froid. Douze princesses la suivaient, toutes en grande traîne et décolletées. Si elles ne sont pas toutes malades ce soir, elles ont de la chance.* » Les spectateurs furent unanimes à admirer la beauté de l'impératrice. La comtesse ajoute encore : « *Elle marchait comme un beau cygne qui glisse sur l'eau. Jusqu'au dernier moment, on avait cru qu'elle ne viendrait pas, parce que la beauté n'aime pas le soleil ni à se montrer* [25]. »

Les spectateurs n'étaient pas les seuls à éprouver du dépit chaque fois qu'Élisabeth faisait faux bond, il y avait encore les participants à ces cérémonies de Cour : si l'impératrice se refusait à paraître, les dames d'honneur par exemple perdaient une occasion de parader en public à sa suite dans leurs robes somptueuses et leurs manteaux fastueusement brodés, en arborant leurs plus beaux bijoux de famille.

Les rites du Jeudi saint faisaient encore d'autres déçus. La coutume voulait que l'empereur lavât les pieds de douze vieillards de l'hospice, auxquels on distribuait ensuite un riche repas et de magnifiques cadeaux, cependant que l'impératrice faisait de même avec douze vieilles femmes misérables. Mais comme, la plupart du temps, seul l'empereur accomplissait cet acte public d'humilité, douze vieilles femmes pauvres perdaient chaque année le bénéfice des dons ainsi que le plaisir de cette grande fête. Après plus de quarante Jeudis saints où l'impératrice n'était pas venue, cela faisait en définitive une quantité non négligeable de laissées pour compte.

L'impératrice avait une façon bien personnelle de rendre visite aux orphelinats, hôpitaux et hospices. Elle tenait pour rien la représentation, les réceptions officielles, les allocutions des directeurs d'institutions, les comptes rendus flatteurs des journaux après ces visites aux pauvres et aux malades. Elle arrivait toujours à l'improviste, accompagnée seulement d'une dame d'honneur, et allait droit au fait, se rendant auprès des malades pour vérifier s'ils étaient correctement traités et soignés, ou encore se faisant apporter des plats de la cuisine pour les goûter elle-même et dispenser approbations ou critiques. Elle s'entretenait longuement avec les malades, se renseignait sur leur situation familiale, et leur apportait quand elle le pouvait une aide financière et des paroles consolatrices.

L'impératrice mécontentait de la sorte les administrations d'établissements autant que les organisateurs de la Cour (qu'elle négligeait purement et simplement), mais se taillait de grands succès auprès des malades. Ceux-ci voyaient en elle une véritable bonne fée, en particulier parce qu'elle entretenait avec les simples gens des relations très directes. Ce trait lui venait de son éducation bavaroise. Chacun de ses mots était avidement recueilli puis répété au sein des familles pendant des générations. La comtesse Festetics, qui l'accompagna très souvent dans ces visites, écrivait avec admiration dans son Journal : « Comment est-elle, en effet, lorsqu'elle se rend dans des hôpitaux ? [...] Comme elle est en tout. Elle ne fait preuve d'aucune ostentation devant le public, non ! Elle s'adresse au malade tout à fait tranquillement pour le

consoler et l'aider. Elle parle de façon si juste et naturelle [26] ! » L'assistance aux pauvres et aux malades, de tradition dans la famille ducale de Bavière, se distinguait chez
Sissi de la représentation propre à la famille impériale autrichienne par le fait qu'elle était d'ordre personnel et n'avait
rien à voir avec les institutions.

Mais elle associait aussi ces démarches charitables à un
intérêt grandissant pour les singularités de toute sorte.
Encore jeune, elle avait déjà visité à Vérone l'Institut pour
l'éducation des nègres, une école des missions où l'on formait des Noirs affranchis, que l'on renvoyait ensuite en Afrique, une fois chrétiens. De même, à Munich en 1874, sa
visite d'un hôpital de cholériques ne visait pas à remplir un
devoir charitable, mais à satisfaire une simple curiosité (avec
d'ailleurs quelque imprudence, si l'on songe aux risques de
contagion). Cette visite eut lieu à l'insu de l'empereur ;
accompagnée de sa fidèle Marie Festetics, la souveraine
s'approcha du lit des mourants. Ayant tendu une main
consolatrice à un jeune homme qui s'éteignit quelques heures plus tard, elle fit cette remarque à sa confidente : « Celui-
ci va mourir, un jour il m'accueillera joyeusement là-
haut [27]. » C'était pourtant bien la même Élisabeth qui, à
Vienne, s'était enfuie devant le choléra, en proie à une agitation inouïe !

Elle manifestait aussi un attrait croissant pour les asiles
d'aliénés (y compris à l'étranger, où il ne s'agissait plus du
tout de représentation mais de simples visites privées) et se
renseignait sur la destinée des malades mentaux. L'assistance
aux aliénés n'en était alors qu'à ses débuts : on se contentait
le plus souvent de les enfermer en leur assurant la nourriture
et les soins corporels. Élisabeth portait aux nouvelles théra-
peutiques un intérêt passionné ; ainsi assista-t-elle à une
séance d'hypnose — méthode alors inédite et sensationnelle.

Cette surprenante attirance pour les malades mentaux
aurait pu constituer le début d'un engagement actif en leur
faveur, mais elle ne franchit jamais le pas qui l'aurait
conduite à soutenir vraiment les recherches en cours, même

si elle présenta à l'empereur, en 1871, ce vœu bien singulier :
« Puisque tu me demandes ce qui me ferait plaisir [pour mon
anniversaire], je souhaite soit un jeune tigre royal (il y a trois
petits au Jardin zoologique de Berlin), soit un médaillon.
Mais ce qui me plairait par-dessus tout, ce serait une maison
de fous, complètement aménagée. Voilà, tu as amplement le
choix. » Et, quatre jours plus tard : « Avant tout, je te remercie pour le médaillon. [...] Malheureusement, tu ne sembles
pas avoir réfléchi un seul instant aux deux autres choses [28]. »
L'intérêt d'Élisabeth pour les « maisons de fous » alla rejoindre toutes ses autres excentricités et fut copieusement raillé
et critiqué comme indigne de sa condition.

Élisabeth ne se conduisit guère non plus en impératrice
lors des quelques visites qu'elle rendit à des artistes, ainsi au
peintre alors adulé de Vienne : Hans Makart, qui venait de
faire sensation avec son monumental tableau « Catarina Cornaro » (qui se trouve aujourd'hui dans la villa Hermès du
parc zoologique de Lainz). L'impératrice se présenta un jour,
sans se faire annoncer, à l'atelier du peintre. William Unger,
élève de Makart, rapporte la scène : « Elle resta longtemps,
aussi silencieuse qu'à son arrivée et presque immobile,
devant le portrait de Catarina Cornaro. Que ce tableau fît
impression à l'impératrice, je crois l'avoir observé avec certitude ; simplement, elle ne trouvait pas de mots à adresser à
Makart, qui de son côté n'était pas en mesure de rompre le
silence par quelque remarque légère. A la fin, l'impératrice
prit la parole pour lui demander : " A ce qu'on m'a dit, vous
avez un couple de lévriers écossais. Puis-je les voir ? " Makart
fit venir les chiens. L'impératrice, qui possédait elle-même
deux superbes spécimens de cette race, regarda les bêtes un
moment, remercia et prit congé ; à propos du tableau, elle ne
lâcha pas un mot [29]. » L'extrême insociabilité d'Élisabeth
laissait, en semblable cas, une impression offensante.

C'est surtout dans ses rapports avec la noblesse que, faute
d'efforts, elle se créa bien inutilement des inimitiés. Elle
commentait avec dédain les peu spirituelles conversations
des dames et des dignitaires de la Cour. Et son silence lors
des « cercles » traduisait clairement son mépris croissant

bien plutôt qu'une inaptitude à parler. On attribuait sa conduite à l'excentricité : elle refusait de se plier à l'étiquette se permettait de temps à autre une pique ironique et même un sourire moqueur lorsqu'elle était exaspérée par la raideur cérémonieuse qui régnait à la Cour.

La comtesse Larisch l'observa au cours d'un thé, dans un des châteaux de Bohême du prince Kinsky : « Elle avait l'expression froide et dédaigneuse qu'elle affichait toujours lorsqu'elle était " de service ", comme elle disait pour désigner ce cercle. Chaque fois que mon regard rencontrait le sien, un petit sourire méprisant se glissait sur son visage. Le thé fut au bout du compte un véritable fiasco, l'impératrice n'ayant rien fait pour dissiper la gêne de ses hôtes respectueux [30]. » Le prince Khevenhüller donne un autre exemple dans son Journal : à l'occasion d'une cérémonie, le couple impérial s'entretenait avec la princesse et celle-ci voulut faire une révérence mais « se prit le pied dans sa robe et tomba assise. L'empereur voulut lui venir en aide. La situation était ridicule. L'impératrice lui dit alors : " Vous ne pouviez tomber plus bas [31] ! " »

Dans un de ses poèmes, Élisabeth raille les dames de l'aristocratie viennoise (« Tandis qu'elles jacassent et criaillent/Et que retentit leur allemand de Bohême ») et se plaint de ses obligations d'impératrice dans un « cercle » du bal de la Cour :

L'esprit déjà de tracas accablé,
Je vais de pis encore l'alourdir
Et de potins viennois le rassasier.

Voici donc s'avancer les plus grands noms
Et la fleur de notre aristocratie,
Croix étoilées — dames du palais
(Grasses, et des sottes pour la plupart !).

Oh, comme je connais bien vos manières !
Je sais, depuis la plus tendre jeunesse,

Ce qu'est l'outrage de vos calomnies
Et la sainteté de vos contorsions.

Une fois qu'on sait à la perfection
Jeter comme il faut la pierre à autrui
Sous les apparences de la pitié,
On peut se montrer très accommodant [32].

Depuis 1867, l'impératrice se tenait éloignée de la politique, mais les sources ne permettent pas de savoir si c'était volontaire ou non. Même pendant l'été critique de 1870, après le début de la guerre franco-allemande, elle ne s'intéressa guère à la conjoncture très tendue ainsi créée et qui donnait lieu à Vienne à des discussions houleuses. Certains voyaient dans le conflit une occasion de réparer l'échec de 1866 en combattant la Prusse par une alliance avec les Français. Mais la Bavière se trouvait maintenant, par les traités secrets de 1866, du côté prussien, tout comme les autres États d'Allemagne du Sud qui, quatre ans plus tôt, étaient encore alliés à l'Autriche. Une intervention de l'Autriche aux côtés des Français aurait donc entraîné une guerre contre ses anciens alliés allemands et pas seulement contre la Prusse. Le choix était donc extrêmement difficile ; d'ailleurs la situation militaire de l'Autriche n'était guère favorable. De toute façon, les rapides succès de l'armée prussienne réduisirent bientôt à néant tout espoir de pouvoir encore vaincre la puissance rivale. L'Autriche-Hongrie resta donc neutre.

L'archiduchesse Sophie voyait s'effondrer l'idée qu'elle avait défendue avec tant d'ardeur surtout dans les années 1850 et 1860, d'une unité allemande sous direction autrichienne. Elle déplorait dans son Journal « *le triste enthousiasme des Allemands (excité en grande partie par les francs-maçons) qui croient combattre pour l'Allemagne et ne combattent que pour la Prusse qui finira par les écraser entièrement* [33] ». Les victoires prussiennes la précipitaient dans un désespoir complet : « *Toutes les nouvelles pour et contre sont minantes et me mettent un conflit de sentiments dans le cœur. Mes pauvres neveux de Saxe et ceux de Bavière. [...] devant combattre pour la cause prussienne ! ! qui est la ruine de la Saxe et de la Bavière ! ! [...] Que Dieu leur soit en aide* [34] ! » Trois semaines plus tard, au sujet des succès des régiments bavarois et saxons : « *Hélas ! S'ils défendaient une meilleure cause que celle du roi de Prusse, souillée par la guerre et les annexions injustes de l'an 66* [35] ! »

Tout cela ne contribua guère à améliorer les rapports familiaux dans la Maison impériale, bien au contraire. Élisabeth refusa de se trouver à Ischl avec sa belle-mère pendant l'été, et partit avec ses enfants à Neuberg-sur-la-Mürz, écrivant à François-Joseph : « Toi-même comprendras que je préfère éviter de passer tout l'été avec ta mère [36]. » Elle s'inquiétait surtout pour ses deux frères engagés du côté prussien contre la France. Pour l'avenir de l'Autriche, elle était extrêmement pessimiste, écrivant à son époux, en août 1870 : « Peut-être pourrons-nous encore vivoter quelques années avant que ne vienne notre tour. Qu'en penses-tu [37] ? »

Elle qui, depuis 1866, haïssait tout ce qui était prussien, reconnaissait pourtant la grandeur de Bismarck, quoique sans savoir au juste si celle-ci était un bien ou un mal. Quelques années plus tard, elle devait composer ce poème dédié et intitulé : « A Bismarck » :

Prédestiné et voué à la victoire,
Tu vas, toi, le plus grand esprit de notre temps,
Au-dessus de notre monde, vêtu de ta cuirasse,
Fauchant les peuples à ta guise.

Toi, étoile de fer sur un chemin de sang,
Toujours en tête, invincible !
Où donc s'arrêtera ta course triomphale ?
Te conduit-elle vers les hauteurs ? Ou vers le bas [38] ?

En septembre 1870, la République fut proclamée à Paris : l'empire de Napoléon III avait vécu. De leur côté, les troupes de l'Italie nouvelle entrèrent dans Rome et supprimèrent les États pontificaux. Marie, ex-reine de Naples et réfugiée à Rome, repartit pour la Bavière. Élisabeth se montra à peine concernée par ces événements, y compris par la proclamation, à Versailles, de Guillaume Ier comme empereur d'Allemagne. Elle alla même jusqu'à provoquer son entourage en quittant Vienne à l'automne, cette fois avec ses deux filles, pour se rendre à Méran en vue d'y passer l'hiver. A cette occasion, et malgré la réserve dont elle faisait généralement preuve, l'archiduchesse Sophie confia à son Journal : « *La nouvelle que Sissi compte encore passer l'hiver loin de Vienne et emmener ses deux filles à Méran pour y passer l'hiver. Mon pauvre fils, et Rodolphe en pleurs de devoir se séparer de sa sœur pour si longtemps* [39]. »

Le prince héritier, alors âgé de douze ans, manifesta pour la première fois son opposition à sa mère, écrivant précisément à Sophie : « Ainsi mon pauvre papa devra rester sans ma chère maman, en ces temps difficiles. Je me charge avec joie du beau service d'être le seul soutien de mon cher papa ! » — mots que l'archiduchesse consigna dans son Journal [40]. La déception du prince impérial se comprend sans peine. Le séjour d'Élisabeth à Méran dura du 17 octobre 1870 au 5 juin 1871 (avec une interruption en mars 1871, où elle revint à Vienne après la mort de sa belle-sœur Marie Annunziata) et, pour voir sa femme et ses filles, l'empereur était obligé de les rejoindre. L'été de 1871, Élisabeth le passa en grande partie en Bavière et à Ischl. Dès octobre 1871, elle retourna à Méran où (sauf un court intermède à Budapest pour les fiançailles de Gisèle) elle resta jusqu'au 15 mai 1872. Ses sœurs venaient tour à tour lui tenir compagnie. La comtesse Festetics se rendit avec elle à Méran après avoir longuement hésité à accepter sa fonction de dame d'honneur : « Le charme de l'impératrice est certes immense, mais si seulement le dixième de ce que raconte Bellegarde [successeur de Crenneville comme aide de camp général] est vrai, cela suffit à m'inquiéter. » Il fallut que Gyula Andrássy dissipât les préventions de la sévère comtesse et la persuadât qu'il était de son devoir de se sacrifier pour sa patrie (la Hongrie) en devenant dame d'honneur de l'impératrice :

« Vous pouvez faire là beaucoup de bien — et la reine a besoin de fidélité [41]. » S'il fallait tant exhorter une Hongroise pour la faire entrer dans l'entourage immédiat de l'impératrice, on imagine aisément les réserves que pouvait avoir la noblesse autrichienne, et plus encore celle de Bohême.

La comtesse avait entendu tant de commentaires négatifs qu'elle constata avec étonnement et même stupéfaction qu'Élisabeth certes fuyait Vienne, mais menait pendant ses voyages une vie complètement retirée et que rien n'indiquait qu'elle eût aucune aventure : « Jusqu'à présent, écrivait-elle dans son Journal, je vois seulement que l'impératrice sort souvent se promener seule avec son grand chien [...], qu'elle porte un épais voile bleu, que si elle emmène quelqu'un avec elle, c'est la Ferenczy, et qu'elle évite les gens ; tout cela est extrêmement affligeant, mais à vrai dire il n'y a là rien de mal [42]. »

L'une des rares — mais combien significative — distractions d'Élisabeth fut de faire amener en voiture une géante nommée Eugénie, qui pesait 200 kilos et que l'on exhibait dans une baraque à Méran, pour l'examiner dans son château de Trauttmansdorff [43].

Lors d'une promenade, Élisabeth demanda à la comtesse, en hongrois naturellement : « N'êtes-vous pas surprise que je vive en ermite ? Je ne pouvais plus faire autrement que de choisir cette existence. Tant, dans le grand monde, j'ai été pourchassée, calomniée, diffamée, offensée, blessée — alors que Dieu voit, dans mon âme, que je n'ai jamais fait le mal. Aussi ai-je voulu chercher une compagnie qui ne trouble pas ma paix et m'apporte quelque plaisir : je me suis retirée en moi-même, et je me suis tournée vers la nature. La forêt ne me fait pas de mal. [...] La nature est beaucoup plus généreuse que les humains [44]. »

Marie Festetics nota dans son Journal, après une de ses conversations avec l'impératrice : « Ce n'est pas quelqu'un de banal, on perçoit une vie contemplative à travers tout ce qu'elle dit ! Dommage qu'elle gaspille tout son temps à ce qui n'est que rumination et qu'elle n'ait absolument rien à faire. Elle est portée à l'activité spirituelle et son instinct de liberté est tel que toute restriction lui semble terrible [45]. » Et la dame d'honneur revenait constamment sur la chaleur humaine d'Élisabeth et ses remarquables capacités intellectuelles, qui s'exprimaient par des plaisanteries souvent sarcastiques mais toujours pertinentes. La dame d'honneur en voyait cependant les aspects négatifs : « On trouve tout en " Elle ", mais comme dans un musée en désordre : de véritables trésors, qui ne sont pas mis en valeur. Et elle non plus ne sait qu'en faire [46]. »

Par ailleurs, la comtesse comprenait parfaitement que l'impératrice eût une attitude de rejet vis-à-vis de la Cour ; tout le temps qu'elle passa à Vienne, elle critiqua le vide, le formalisme, la duplicité de la vie de Cour, « une existence mortelle pour l'esprit ». Elle déplorait que « l'inanité, la perte des valeurs vitales ne se manifestent nulle part autant que dans les Cours ; on s'y habitue aux brillantes apparences et, lorsqu'on y entre vraiment, cela vous dore tout juste l'extérieur, l'écorce, comme le vernis des noix et des pommes de Noël. Comme je comprends le peu de satisfaction qu'éprouve l'impératrice [47] ! »

Toutefois, de tels griefs ne suffisaient pas à expliquer que l'impératrice eût été absente si longtemps de Vienne. Sans doute avait-elle d'autres raisons, plus fortes, que nous ne pouvons qu'imaginer. C'est, en effet, précisément pendant cette période que la politique extérieure viennoise connut un complet revirement. Le comte Beust, chancelier d'Empire et ministre des Affaires étrangères, fut remercié, et son successeur ne fut autre que Gyula Andrássy, qui depuis 1867 aspirait — ardemment soutenu par Élisabeth — à ce poste.

Aucun document existant ne démontre que l'impératrice ait usé de son influence en faveur d'Andrássy. D'autres facteurs jouèrent sans doute, en particulier l'attitude plutôt belliciste de Beust lors du conflit franco-prussien alors qu'Andrássy avait préconisé la neutralité et qu'il avait réussi à s'imposer... Toujours est-il que ce dernier se considérait comme le sauveur de la monarchie. Et Élisabeth, pareillement, écrivit plus tard dans un de ses poèmes qu'en 1871 Andrássy avait « tiré la charrette de la boue [48] ». De fait, il mena une politique entièrement nouvelle. Tandis que Beust était un farouche adversaire de Bismarck, Andrássy rechercha une entente avec l'empire d'Allemagne. L'un comme l'autre travaillaient à réconcilier les ennemis de Sadowa et à conclure une alliance austro-allemande, qui devait voir le jour en 1879 avec la « Duplice ».

Malgré des recherches approfondies, on n'a pu déterminer par quelles voies au juste Andrássy avait été nommé en remplacement de Beust [49] ; il faudrait avant tout éclaircir le rôle joué par Élisabeth. On ne peut supposer qu'elle soit restée complètement en dehors de l'affaire car elle manifesta trop clairement son antipathie pour Beust et son accord avec Andrássy. Mais son influence politique avait, déjà en 1867, suscité des mécontentements, justement à propos de la personne d'Andrássy. Maintenant qu'il n'avait plus seulement la charge des Affaires hongroises mais de toute la politique étrangère de l'empire, on craignait fort à Vienne que ce libéral ne parvînt — comme il l'avait fait si magistralement en 1867 — à se servir à nouveau d'Élisabeth et à concentrer ainsi entre ses mains un pouvoir supérieur à celui de tous les ministres des Affaires étrangères avant lui. Il est possible (mais indémontrable, parce qu'aucune correspondance du couple impérial n'a été conservée pendant cette période critique) qu'Élisabeth ait voulu, par sa longue absence de Vienne, précisément au moment de la nomination d'Andrássy, éviter toute discussion quant à son influence politique ; une telle attitude aurait renforcé la position d'Andrássy.

Le parti conservateur de la Cour (que ses adversaires appelaient « la camarilla »), regroupé autour de l'archiduc Albert et de l'archiduchesse Sophie, déplorait évidemment la nouvelle orientation politique. Andrássy ne pouvait guère atténuer la haine de Sophie pour la Prusse, et la vieille dame souffrante devait pour sa part vivre des moments difficiles en voyant s'infléchir dans un sens nettement libéral la politique intérieure (jusqu'à entraîner bientôt l'abolition du Concordat). A la Saint-Sylvestre de 1871, après qu'Andrássy eut été nommé ministre, elle écrivait avec amertume dans son Journal : « Le libéralisme et tous ses coryphées reparaissant d'un coup sur l'horizon politique, avec tous ses non-sens, toutes ses impossibilités. [...] Que Dieu ait pitié de nous [50] ! »

Les contacts entre Élisabeth et Andrássy se poursuivaient, même si plus rien n'en transpirait publiquement. Ils continuaient à correspondre par le truchement de trois Hongrois de l'entourage immédiat de l'impératrice : Ida Ferenczy, sa nouvelle dame d'honneur la comtesse Festetics, enfin le nouvel aide de camp général, le baron Nopcsa, qui était un ami d'Andrássy. La plus grande partie de ces lettres (et la plus importante) fut détruite par Ida Ferenczy, certainement pour d'excellentes raisons. Dans celles qui ont subsisté, on voit, à côté de remarques anodines, Andrássy demander à l'impératrice de contribuer, par les moyens que sa position lui conférait, à l'amélioration des rapports avec l'empire allemand, notamment en y faisant des visites officielles. Et Élisabeth, malgré ses réserves à l'égard des « Prussiens », s'y employa effectivement, entretenant des relations convenables, voire cordiales, avec le prince héritier allemand et surtout avec son épouse Victoria, qui avait à peu près son âge. Elle le faisait certes parce qu'Andrássy considérait ces liens comme importants et utiles, mais aussi parce que la princesse héritière était tout à fait proche de ses positions politiques et de celles d'Andrássy.

Comme par le passé, elle continuait à transmettre à son époux les souhaits d'Andrássy. Ainsi, lorsqu'il s'agit en 1874 de trouver un nouveau président du Conseil hongrois, elle lui écrivait : « Si tu pouvais obtenir que ce soit Tisza : il serait à coup sûr le meilleur de tous. Andrássy est encore venu me voir hier [51]. » A la fin d'avril 1872, comme la trop longue absence de l'impératrice suscitait à Vienne une forte irritation, ce fut Andrássy qui écrivit à Ida Ferenczy, à Méran : « Je voudrais vous prier d'obtenir, grâce à votre influence auprès de Sa Majesté, qu'elle accepte de ne pas rester trop longtemps éloignée de la capitale [52]. » Quinze jours environ après réception de cette lettre, Élisabeth rentrait à Vienne...

Si l'impératrice s'était, on l'a vu, peu occupée de ses deux aînés, elle déploya néanmoins une grande activité pour trouver un parti convenable quand Gisèle eut atteint l'âge de quinze ans. Élisabeth se plaignait toujours du destin qui l'avait fait se marier si jeune ; elle ne permit pas pour autant à sa fille d'attendre ni de suivre ses propres inclinations. Seule la cadette, Marie-Valérie, devait trouver chez elle une réelle largeur de vues (si elle y tenait absolument, elle pourrait bien épouser même un ramoneur, devait expliquer Élisabeth). Mais pour Gisèle, l'impératrice fit jouer les relations familiales exactement comme avait fait sa propre mère, la duchesse Ludovica.

Gisèle n'était pas très jolie et, en ces années 1870, il ne se trouvait dans les dynasties catholiques européennes aucun prince qui pût lui convenir. Aussi en vint-on à songer à nouveau à la Bavière, en l'occurrence au deuxième fils du prince Luitpold, Léopold, qui avait dix ans de plus que la jeune fille.

Léopold, cependant, n'était pas libre, car des négociations étaient depuis longtemps engagées pour le marier avec Amélie de Cobourg. Personne, sans doute, ne savait à la Cour de Vienne que cette princesse suscitait, de la part du plus jeune frère de Sissi, Max-Emmanuel, une véritable passion. Aussi la surprise fut-elle grande lorsque l'impératrice, de façon tout à fait imprévue, invita Léopold, le quasi-fiancé de la princesse Amélie, à Ofen et à Gödöllö au printemps 1872. Le motif officiel était celui d'une chasse impériale à la bécasse. « De cette manière, on peut espérer que personne ne remarquera rien [53] », écrivait-elle à Léopold.

Léopold fit traîner en longueur les négociations avec les Cobourg, arguant de l'impossibilité de trouver un accord sur la question de la dot (dont le montant devait atteindre 50 000 florins), et Amélie ne se doutait de rien. Le hasard voulut qu'elle se trouvât à Ofen en même temps que Léopold, ce qui donna lieu à des situations pénibles...

Quelques jours suffirent pourtant à conclure les fiançailles de Léopold et de Gisèle. La comtesse Festetics écrivait : La fiancée « est heureuse, au sens où un enfant peut l'être — on ne saurait parler d'un beau couple [54] ». Et l'empereur rapportait à sa mère : « Tout cela était simple, cordial et patriarcal,

bien que Sissi et moi ne soyons point encore des patriar-
ches [55]. » Commentaire de l'archiduchesse Sophie : « *Le bonheur domestique de la petite et du brave Léopold me paraît assuré, mais
comme parti ce mariage ne compte pas* [56]. »

Le fiancé, malgré tout, avait mauvaise conscience et,
préoccupé, écrivit de Hongrie à l'une de ses tantes : « Pourvu
que cela ne nuise pas à A. Le fait est que je suis très soucieux.
[...] En sortant, j'ai rencontré A. dans l'escalier ; elle paraissait si contente. La pauvre... » Mais Léopold se rassurait tout
de suite : « Le destin en a un jour décidé ainsi, il ne pouvait
en aller autrement. Gisèle est si gentille, elle a tout à fait les
mêmes beaux yeux que papa [57]. » Pour lui, cette alliance avec
la fille de l'empereur d'Autriche était profitable à tous
égards. A eux seuls, l'archiduc François-Charles et Sophie,
les grands-parents de Gisèle, contribuèrent pour 500 000 florins au mariage [58].

Élisabeth, très habilement, commença par laisser passer
quelque temps, pour permettre à Amélie, ainsi délaissée, de
se remettre de ce choc. Puis, en mai 1875, avec l'aide de
Marie Festetics, elle négocia personnellement le mariage de
la jeune fille avec son frère [59]. Elle conservait pourtant sa
mauvaise opinion des liens conjugaux ; c'était « un étrange
désir, expliquait-elle, quand on est si jeune, que de renoncer
à sa liberté. Mais c'est précisément ce que l'on possède qu'on
ne sait jamais assez apprécier, avant de l'avoir perdu [60] ». Ce
mariage arrangé par Élisabeth fut du reste très heureux.

On ignore si l'impératrice se donna quelque peine pour la
préparation des noces de sa fille. Il semblait aller de soi
qu'elle ne s'occupât point de choses aussi prosaïques que la
composition du trousseau, et les abandonnât entièrement à
son personnel. Lorsqu'on songe au dévouement dont avait
jadis fait preuve en sa faveur la duchesse Ludovica, au soin
qu'avec Sophie elle avait mis, des mois durant, à tout préparer depuis la literie jusqu'aux tapis en passant par les bibelots,
pour la nouvelle impératrice, on comprend sans peine que
son entourage ait pu maugréer contre « l'insensibilité de
l'impératrice », comme l'indique le Journal de la comtesse
Festetics [61].

Il est de fait, d'autre part, que Gisèle était assez insipide à tout point de vue : on n'était guère porté à déployer de grands fastes pour une telle fille. Bien éloignée des aspirations spirituelles de sa mère ou de son frère, elle ressemblait à son père par sa simplicité bon enfant et, peu exigeante, ne se révoltait pas non plus contre sa mère. Elle fut une brave et tranquille épouse, un peu rondelette, et mit au monde quatre enfants. On ne connaît aucun mot d'Élisabeth qui traduise quelque disposition affectueuse à l'égard de sa fille aînée.

Peu de temps après les fiançailles de Gisèle mourut celle qui avait servi de mère aux deux premiers enfants du couple impérial : l'archiduchesse Sophie, la seule d'ailleurs à se soucier de cette fiancée qui n'avait pas encore seize ans. L'agonie de l'archiduchesse fut longue et pénible. Depuis la mort de Maximilien, elle avait perdu toute ardeur à vivre. Sans doute avait-elle fait preuve d'une courageuse persévérance et continué de remplir ses devoirs vis-à-vis de son mari, de ses enfants et petits-enfants et de toute la famille. Mais, dans ses dernières années, elle avait cessé de se mêler des affaires politiques, dont l'évolution la blessait intimement, et n'osait plus donner de conseils à Élisabeth. Ses liens avec l'empereur étaient restés étroits. Chacun, à la Cour, put constater le chagrin de l'empereur devant la maladie puis la mort de sa mère. Avec une immense sollicitude, il passa des heures à son chevet. Il avait même fait jeter de la paille sur la Burgplatz, afin d'atténuer le bruit des lourdes voitures sur le pavé. Élisabeth se trouvait alors à Méran mais, à la nouvelle de l'agonie de Sophie, elle interrompit sa cure et revint à Vienne.
Pendant dix jours et dix nuits, la famille impériale demeura auprès de l'archiduchesse, en proie à des convulsions cérébrales qui lui faisaient par moments perdre l'usage de la parole. Élisabeth passa, elle aussi, de nombreuses heures au chevet de sa belle-mère. Un jour qu'elle avait brièvement quitté la Hofburg pour aller voir sa fille Marie-Valérie qui était malade à Schönbrunn, elle reçut un télégramme annonçant que la fin était proche. Marie Festetics

raconte : « Le cocher fit du plus vite qu'il put ; l'impératrice était terriblement agitée, et je craignais mortellement que l'archiduchesse ne rendît l'âme et que les gens, dont on sait comment ils sont, ne racontent que l'impératrice s'était absentée à dessein ! » Élisabeth, arrivant hors d'haleine à la Hofburg et apprenant que l'archiduchesse était encore en vie, s'exclama : « Dieu soit loué ! Ils auraient dit que je l'avais fait exprès, par haine à son égard. »

« Toute la Cour était rassemblée, le ministre de la Maison impériale, tout le personnel, poursuit la dame d'honneur. Oh, c'était épouvantable ! » Lorsque midi arriva, un certain embarras saisit l'assistance, « grandissant à chaque minute. L'attente était pénible ! Et tous commençaient à avoir faim, tandis que la mort ne voulait pas venir. Non, je n'oublierai jamais cela. A la Cour, tout est différent de ce qui se passe aileurs, je le sais bien ; mais la mort n'est pas une cérémonie ou un rôle de Cour ». C'est vers sept heures du soir que « le mot salvateur » fut prononcé. « Non que la mort fût arrivée, mais quelqu'un dit d'une voix assez forte : " Si Leurs Seigneuries veulent passer à table. " Cela semblait presque ridicule, mais tout le reste de l'assistance se sentit délivré et déguerpit. »

Élisabeth, cependant, resta assise à sa place. Elle n'avait rien mangé non plus depuis dix heures, mais demeura là jusqu'à la fin, le lendemain matin. « En revenant de ses forêts, elle a apporté son cœur, s'enthousiasme Marie Festetics ; c'est pourquoi personne ne la comprend ici, où tout embryon de sentiment doit être étouffé dans le cérémonial d'usage [62] ! »

C'est au matin du 27 mai 1872 que mourut l'archiduchesse Sophie, que Crenneville décrivait comme « une femme d'une grande force d'esprit ». Tous purent constater le deuil profond où se trouvait plongé l'empereur. L'ambassadeur de Suisse mandait à Berne : « La perte de sa mère est un rude coup pour l'empereur, car elle seule lui procurait encore les agréments de la vie familiale, dont il se trouve privé dans son entourage le plus proche. » Sur son influence politique, surtout dans les années cruciales de 1848 à 1859, tous les commentateurs étaient d'accord. L'ambassadeur, qui pourtant trouvait à redire à la ligne politique de l'archiduchesse, nota avec force dans son rapport : « Sophie a sans nul doute été, de toutes les femmes qu'a comptées la Maison impériale depuis Marie-Thérèse, la figure politique la plus importante [63]. » A travers ce genre de commentaires, c'était aussi l'inactivité d'Élisabeth qu'on visait tacitement, en lui opposant la façon dont Sophie avait su remplir son devoir.

Ainsi le comte Hübner notait-il dans son Journal, faisant clairement allusion à l'impératrice, que la mort de Sophie était « une grande perte pour la famille impériale, pour ceux qui tiennent aux traditions de la Cour et en comprennent la signification [64] ». Après l'inhumation, Marie Festetics put entendre ces dures paroles : « Voilà, nous avons enterré notre impératrice [65] », ce qui montrait bien qu'Élisabeth, au bout de presque vingt ans, n'avait pas réussi à se faire accepter comme souveraine.

Sophie laissait une lettre d'adieu, rédigée en 1862, où elle résumait les principes qui étaient les siens et insistait notamment sur la position dominante que l'empereur devait aussi occuper au sein de sa famille : « Mes chers enfants, demeurez tous unis dans un amour inaltérable, et gardez fidélité et respect, les plus jeunes, à votre seigneur et empereur. » Elle réaffirmait son aversion du libéralisme, et en appelait à son fils : « Mon cher Franzi, une lourde responsabilité pèse sur toi, celle de ton empire catholique, car tu dois faire avant tout qu'il demeure catholique, même si tu prodigues des soins paternels aux quelques millions de croyants d'autres obédiences. » Elle faisait enfin l'éloge de la fermeté et du maintien des anciens principes : « Seuls la faiblesse et l'abandon de ceux dont les intentions sont bonnes [...] peuvent encourager les champions de la révolution [66]. »

Ces principes étaient ceux de temps révolus : les temps de la souveraineté de droit divin et du Concordat. L'Autriche-Hongrie était dotée depuis 1867 d'une Constitution libérale, le Concordat avait été aboli, l'empire avait connu une réforme scolaire d'orientation libérale. François-Joseph n'était plus un empereur à l'autorité illimitée, mais un monarque constitutionnel, respectueux de cette Constitution. Les ennemis de toujours de Sophie — le « parti constitutionnel », les libéraux — étaient maintenant au pouvoir, tant en Autriche qu'en Hongrie. Gyula Andrássy, jadis révolutionnaire et émigré, était ministre « impérial et royal » des Affaires étrangères. La mort de l'archiduchesse marquait visiblement la fin d'une époque, celle de l'État habsbourgeois catholique et conservateur.

On n'ignorait pas tout ce qui séparait Sophie d'Élisabeth, ni les effets politiques qu'avait produits ce conflit, à l'origine purement privé. Après la mort de la vieille archiduchesse, beaucoup attendaient (notamment les Hongrois) qu'Élisabeth mît cette occasion à profit pour prendre des initiatives politiques. Ses idées libérales étaient connues, et l'on comptait sur l'intelligence dont elle avait déjà fait preuve à diverses reprises, tout particulièrement en 1867.

Le lendemain des obsèques, la comtesse Festetics notait dans son Journal : « C'est sans aucun doute une sérieuse coupure : voilà rompus les liens solides qui attachaient le présent au passé ! L'impératrice voudra-t-elle faire ce qui lui est maintenant possible, à savoir se mettre en avant, ou bien a-t-elle abandonné cet interminable combat ? Sera-t-elle devenue trop indolente, aura-t-elle perdu tout goût d'agir [67] ? »

Qu'on espérât ou comme le parti de la Cour, redoutât ses décisions, Élisabeth continua à fuir Vienne. La comtesse Festetics, toujours portée à l'excuser, constatait avec inquiétude à quel point l'impératrice se retirait dans « une solitude matérielle et spirituelle » : « Tout cela nourrit aussi son penchant à la paresse. Ce qui est douloureux aujourd'hui deviendra insupportable demain, elle agira de moins en moins, les hommes feront de plus en plus la guerre ; et elle ? Malgré toutes ses richesses elle deviendra toujours plus pauvre, et personne ne se souviendra qu'on l'a poussée à cette solitude [68]. »

De fait, sa misanthropie commençait, depuis le début des années 1870, à prendre des proportions inquiétantes et rendait toute activité politique ou sociale de plus en plus improbable. Elle n'avait plus seulement peur des masses curieuses ou admiratives, mais même des fonctionnaires de la Cour. Marie Festetics note : « Je suis chaque fois frappée par sa peur de rencontrer des gens de la Cour : un aide de camp (et, bien sûr, l'aide de camp général) suffit pour qu'elle sorte toutes ses armes défensives ; elle déploie alors sa voilette bleue, sa grande ombrelle, son éventail, et s'engouffre dans le premier chemin de traverse qu'elle trouve. » Menacée de rencontrer un courtisan, Élisabeth s'exclamait : « Mon Dieu, sauvons-nous, c'est comme si je les entendais déjà nous adresser la parole. » Ou encore : « Oh, malheur, Bellegarde ! Celui-là me hait tant que je me mets à transpirer dès qu'il me regarde ! » On pourrait multiplier les exemples [69].

Plus Élisabeth s'enfonçait dans ses rêveries philosophiques, plus elle était désœuvrée, plus elle s'ennuyait, et plus la faille s'élargissait entre elle et l'empereur, constamment actif et conscient de ses devoirs : « Bien qu'il l'adore, il la froisse, traitant tout ce qui l'enthousiasme d'envol dans les nuages [70] », note Marie Festetics. Sur l'ennui désespérant des repas de la famille impériale, les témoignages nous sont parvenus par douzaines. Nul ne pouvait adresser la parole à l'empereur, que ce fût pour lui poser une question ou même lui raconter la moindre chose. Lui-même conservait un silence opiniâtre, car il n'avait pas le moindre talent de causeur. Il ne faisait à table que ce qu'il était venu faire : manger — et ce avec une modération et une rapidité extrêmes. Dès qu'il avait terminé son repas, on desservait la table, même si les autres convives n'en étaient pas arrivés au plat de résistance. C'est d'ailleurs à cette époque que l'hôtel Sacher prit un incroyable essor : les archiducs, affamés, s'y précipitaient pour manger enfin un peu plus ! Ce n'était guère mieux quand l'impératrice était présente, car elle mangeait encore moins que son mari et terminait son repas plus vite encore.

Élisabeth avait depuis longtemps renoncé aux conversations de table. Il faut dire qu'elle n'avait pas, au début, choisi les meilleurs sujets, en s'efforçant d'entretenir l'empereur de la philosophie de Schopenhauer et des poèmes de Heine.

Elle ne prenait plus guère part désormais aux repas en commun, d'autant qu'elle suivait des cures d'amaigrissement ; elle évitait ainsi les rencontres avec son mari et avec les courtisans. Les époux ne se retrouvaient que lors d'occasions exceptionnelles, telles qu'anniversaires ou fêtes religieuses. L'atmosphère était alors telle, au milieu des dames d'honneur et des laquais, que même la petite Marie-Valérie s'en plaignait ; ainsi, quand la famille se rassemblait sous l'arbre de Noël, c'était si insolite et embarrassant qu'aucune conversation ne s'engageait... C'est seulement une fois mariée que la plus jeune fille du couple impérial apprit ce qu'était une vie de famille et qu'elle comprit combien sa vie à la Cour de Vienne avait été affligeante. Elle écrivait avec émerveillement dans son Journal, à la suite de son premier Noël après son mariage : « La joie d'être ensemble, avec la domesticité, a rendu cette sainte veillée si heureuse que je n'avais jamais vécu cela. Quel contraste avec les arbres de Noël de la Hofburg, où tout était si rigide et si pénible [71] ! »

Bien d'autres témoignages expliquent cette réaction, par exemple celui de la landgrave Fürstenberg : « Hier, nous avons soupé à la Cour, au désespoir de tous et de chacun. " La chérie " [Valérie] est arrivée après le repas et s'est tenue debout, muette et apeurée, au milieu des siens qui, autour d'elle, réfléchissaient à ce qu'ils pourraient bien se dire, tandis que nous [les membres des suites], retirés contre les quatre murs de la salle, nous chantions tout au fond de notre cœur, mais en parfait unisson : " Un courtisan doit s'incliner très bas, très bas, très bas [72] ". »

Les Hongrois, depuis toujours méfiants vis-à-vis de Vienne, trouvaient les mots les plus critiques pour parler de la vie de la Cour ; ainsi Marie Festetics dans son Journal : « Le 10 a lieu le bal de la Cour. Tout ce qui peut exister de prétentieuses nullités, toutes les stupides mesquineries qu'il est possible d'exprimer, tout l'arrivisme inhérent à la nature humaine, tout le misérable vacarme du " paraître " et la vraie valeur du clinquant, voilà ce qui apparaît à la Cour de la façon la plus écœurante [73]. » Ou encore : « On ne trouve par ici à peu près que de francs égoïstes. Chaque archiduc constitue à lui seul une petite Cour bien fermée, avec son petit monde et ses aspirations ! Tous perçoivent la grande Cour impériale comme une chose devant laquelle eux aussi doivent s'incliner, donc une chose oppressive ; la " tradition " interdit les rapprochements vraiment intimes, de sorte que les qualités des individus n'apportent rien de positif, ou très rarement [74]. »

Sans doute peut-on expliquer cette froideur et cette vacuité de la Cour par la rigide étiquette. Mais celle-ci existait déjà par le passé, et certaines impératrices — y compris Marie-Thérèse, astreinte à bien plus d'occupations — avaient parfaitement réussi à ménager, pour elles et leurs familles, des moments de liberté. On peut aussi évoquer la vie familiale de la reine Victoria. Élisabeth ne remplissait pas non plus cette tâche qui revenait traditionnellement aux éléments féminins de la Maison de Habsbourg : à l'intérieur du protocole de la Cour, animer un cercle familial quasiment « bourgeois ». Sophie, au cours de petits déjeuners et de soupers dans la plus grande intimité, au cours d'entretiens avec ses enfants, beaux-enfants, petits-enfants, participait à leurs soucis, louait ou blâmait... Elle avait su, alors que tout s'y opposait, organiser une sorte de vie familiale. Sa disparition mit pratiquement fin à toute vie commune de la famille impériale. L'impératrice n'avait certes pas rejeté toute espèce d'étiquette, car elle veillait à maintenir les règles qui convenaient à sa condition. La comtesse Festetics le reconnaissait dans son Journal : « L'étiquette est, sans conteste, une très sage invention. Sans elle, l'Olympe se serait depuis longtemps écroulé. Dès que les dieux présentent des imperfections humaines, ils perdent leur place sur les autels et les hommes cessent de plier le genou devant eux. Il n'en va pas autrement dans le monde. Mais le monde ne réussit guère aux idoles et, lorsque celles-ci ne se satisfont plus du culte qu'on leur rend, les choses tournent mal. Elles veulent avoir l'une et l'autre chose : descendre parmi les mortels pour tout ce qui leur fait plaisir et flatte leurs appétits, mais conserver aussi le haut rang où les mettait l'ancien culte [75] ! »

Les noces de Gisèle, en avril 1873, ne suscitèrent guère chez Élisabeth d'autres réactions que d'activer ses craintes de paraître en public.La fiancée avait seize ans, sa mère trente-cinq. Comme d'habitude, c'est à peine si on prêta attention à la jeune fille : Élisabeth éclipsa tout le monde et fut le seul point de mire des festivités. « Il n'est pas de mots pour dire combien elle était belle dans sa robe brodée d'argent, avec sa chevelure vraiment resplendissante qui descendait en vagues sous le diadème étincelant, écrit Marie Festetics. Mais sa plus grande beauté n'est pas de nature physique ; non, c'est plutôt ce qui flotte au-dessus de sa personne. C'est comme une atmosphère, un souffle de grâce, de sublimité, de charme, de fraîcheur, de chasteté, et néanmoins de grandeur, qui est le plus saisissant en " Elle " [76]. »

A la gare eurent ensuite lieu les adieux au jeune couple. Le *Neue Wiener Tagblatt* écrivait : « C'est un spectacle des plus touchants qu'offrait le prince Rodolphe ; il pleurait sans désemparer et, quoique luttant visiblement pour garder bonne contenance, ne parvenait ni à contenir le flot de ses larmes, ni à réprimer ses sanglots. » Les deux aînés du couple impérial avaient à tel point grandi à l'écart du reste de la famille qu'entre eux s'étaient noués les liens les plus étroits. Cette séparation était extrêmement pénible tant pour les seize ans de Gisèle que pour les quatorze de Rodolphe. Gisèle sanglotait pendant ces adieux, et l'empereur avait aussi les larmes aux yeux. « Mais, en dépit de tout, la princesse s'avança d'un pas assuré, accompagnée de sa mère et saluant aimablement les spectateurs qui s'inclinaient profondément devant elle, jusqu'au coupé qui l'attendait et dans lequel elle monta [77]. » La mère de la mariée se montra de loin la plus calme de tous les membres de la famille. Tandis que tous les autres manifestaient leur émotion, le seul mouvement par lequel elle exprima ses sentiments fut de presser « son mouchoir sur ses yeux gagnés par les larmes ».

L'impératrice ne devait pas se montrer moins sereine lorsque, neuf mois plus tard, elle devint grand-mère pour la première fois. Après le baptême de la petite Élisabeth (future

comtesse Seefried), elle écrivait à Ida Ferenczy : « Dieu
merci, cette journée est passée. Il m'est cruel de rester ici,
toute seule et sans pouvoir parler avec personne. Tu me
manques au-delà de toute expression. Le baptême a eu lieu
aujourd'hui : la mère et l'enfant sont en si bonne santé qu'ils
vivront cent ans. Cela pour te rassurer : son état de santé ne
me retiendra pas ici [78]... » Quand Gisèle eut sa seconde fille,
l'impératrice manifesta la même remarquable indifférence
dans une lettre (en hongrois à Rodolphe) : « L'enfant est
d'une rare laideur, mais plein de vie — il ressemble tout à
fait à Gisèle [79]. »

L'empereur, quant à lui, saisit l'occasion de la naissance de
sa première petite-fille pour couvrir sa ravissante épouse de
compliments. Il écrivait à son gendre, le prince Léopold :
« Lorsque je contemple ta belle-mère et que je songe à nos
chasses au renard, je ressens d'une façon tout à fait étrange
l'idée qu'elle est déjà grand-mère [80]. »

Peu de semaines après le mariage de Gisèle, la Maison
impériale dut assumer une tâche de représentation de première importance, à l'occasion de l'Exposition universelle de
Vienne, dont la préparation avait pris des années. Au Prater
avait été édifiée une rotonde, symbole de la Vienne
moderne, pour marquer le centre de l'Exposition. « Un bâtiment gigantesque, devant lequel l'homme n'est qu'un
atome ! », remarquait la comtesse Festetics.

Comme on s'attendait à d'énormes profits, la Bourse
connut des spéculations d'une ampleur inconnue. Les gens
fortunés (dont le propre frère de l'empereur, l'archiduc
Louis-Victor) investirent alors des millions, espérant récupérer plusieurs fois leur mise. Leurs espoirs furent satisfaits
dans un premier temps, mais c'étaient des opérations parfaitement illusoires, comme il apparut peu après l'ouverture de
l'Exposition. Des milliers de gens perdirent leur fortune
dans un célèbre krach. Une épidémie de suicides parmi ces
riches ruinés assombrit les fastes de l'Exposition.

Vienne n'en continuait pas moins à festoyer. Marie Festetics s'indignait du « luxe effrayant » alors déployé : « Per-

sonne ne se montre guère deux fois dans la même tenue. Je croyais que c'étaient des gens terriblement riches qui emplissaient les loges, les foyers, les salons. On est proprement aveuglé par tous ces brillants, ces perles, ces dentelles. Mais voilà qu'il apparaît peu à peu qu'à de rares exceptions près, tout cela n'était que richesse de Bourse, une richesse qui n'appartient en fait à personne : aujourd'hui peut-être encore, mais plus demain. Quelle époque honteuse ! Chacun s'engraisse des pertes de l'autre [...], vit de profits qui réduisent autrui à la mendicité [81]. »

On attendait des visiteurs du monde entier et une extrême nervosité régnait partout, jusque chez l'empereur. Il était difficile de recevoir conformément à leur rang (aux frais de la Maison impériale) les nombreux invités de marque, sans provoquer de querelles de préséance.

Le prince héritier de Prusse, Frédéric-Guillaume, qui avait été l'un des principaux généraux de la bataille de Sadowa, fut l'un des premiers hôtes. Il fallait non seulement rentrer toutes les rancœurs contre l'ennemi de 1866, mais encore recevoir le prince allemand, comme le voulait la nouvelle politique d'Andrássy, avec cordialité et fraternité.

Or, dès l'inauguration, les impairs à l'égard du couple héritier, se multiplièrent. Les voitures partirent trop tôt de la résidence qui lui avait été attribuée — le petit château de Hetzendorf —, cependant que l'empereur et sa suite attendaient encore à la Hofburg. En conséquence, Frédéric-Guillaume et son épouse ne purent être accueillis par François-Joseph, comme il l'aurait fallu. Marie Festetics note : « L'empereur devint cramoisi de colère et, irrité au plus haut degré, rugit : " Il est incroyable que de telles choses puissent se produire [...] voyez cette immonde cochonnerie, il arrive là-bas et je n'y suis pas ! Mais qui donc a commandé les voitures si tôt, contrairement à mes ordres ? " Le comte Grünne, pâle comme un linge, répondit d'un ton calme : " C'est moi, Votre Majesté. " L'empereur se jeta sur lui avec emportement : " Je vous en ferai rendre raison. " Mais voilà que l'impératrice se trouvait à ses côtés. Elle était entrée sans que nul ne la remarque, tant nous étions absorbés par cette pénible scène, attentifs et sans voix. Elle posa la main sur le bras de son mari et, comme si elle l'avait touché d'une baguette magique, les mots expirèrent sur les lèvres [de l'empereur]. Elle le regarda d'un œil si affectueusement suppliant que ses traits menaçants se rassérénèrent, puis elle lui dit, l'entraînant à sa suite : " Je vous en prie, ne perdons plus de temps, allons-y. " Si calme et douce était sa voix qu'il la suivit docilement [82]. »

On retint un instant le cortège du prince héritier, et tout le reste se déroula comme prévu. Une fois de plus, la Cour avait eu la preuve de l'influence de l'impératrice sur les humeurs de François-Joseph ; il lui suffisait d'intervenir pour qu'il reprît ses esprits, quelque grand que fût son emportement, elle parvenait du premier coup à le calmer.

Discours d'inauguration, hymne impérial, promenade de plusieurs heures à travers l'Exposition et les pavillons de tous les pays : tout cela dans une chaleur étouffante et un état d'esprit malsain chez les badauds. Dîners, soirées et grands bals se succédaient, sans cesse il fallait répondre aux invitations et contre-invitations, rendre des visites de politesse. Au bout de quelques jours, Marie Festetics se demandait avec inquiétude dans son Journal : « Est-ce que l'impératrice tiendra ? Tout cela est trop et dure trop longtemps. On exige trop d'elle [83]. » A peine le couple héritier était-il reparti qu'arriva Léopold Iᵉʳ, roi des Belges. Marie Festetics poursuit : « Très aimable et spirituel, mais peu sympathique et, je crois, très médisant. [...] On n'a plus guère la force de réfléchir, avec tout ce monde. » Ne parvenant pas à mentionner tous les princes de moindre rang qui se trouvaient là, elle conclut : « On peut dire que toute l'Allemagne est passée par ici. »

Le prince de Montenegro et son épouse vinrent aussi : « Lui est un beau chef de brigands ; la princesse est de Trieste. [...] Tout le reste est aussi sauvage [84] », confiait de façon lapidaire la dame d'honneur, épuisée, à son Journal.

Le tsar Alexandre II, avec le couple héritier, le grand-duc Vladimir, « une suite de soixante-dix membres » (notait Marie Festetics) et le comte Gortschakov, arriva ensuite : cette visite devait être organisée avec « une totale vigilance policière, à laquelle on n'est pas du tout habitué [85] ». Élisabeth dut, avec l'empereur et les archiducs, accueillir à la gare la famille du tsar. Comme on put le lire le lendemain dans tous les journaux viennois, elle se montra dans une robe de soie lilas, avec une jaquette à broderies blanches fourrée de renard argenté de Sibérie, et un chapeau blanc. Elle se conforma exactement au protocole : légère révérence devant le tsar, qui à son tour lui fit un baisemain ; puis accolade et baiser avec la grande-duchesse, révérence devant Vladimir avec un baisemain du grand-duc, enfin « simple inclination de tête pour les dames de la suite ».

C'est à l'austère comte Crenneville que revint de prendre soin des Russes : « Quel mal on a, pour toutes les présentations, à retenir les noms et les visages de tous ces Moscovites [86] ! », se plaignait-il. Élisabeth, elle, ne se donnait guère de peine. Crenneville rapporte qu'après un dîner avec les Russes « elle faisait des mines d'ennui et avait l'air guindé ». Un jour, elle fit attendre la grande-duchesse de Russie, alors qu'elle devait l'accompagner en voiture à la parade : « à la contrariété générale », dit Crenneville, celle-ci dut y aller seule, Sissi voulant « dormir tout son soûl ». Crenneville, en revanche, louait l'empereur une nouvelle fois : « Ce pauvre homme fait preuve d'une amabilité inlassable ; pourvu que cela serve à quelque chose dans les rapports avec ces sournois de Russes [87]. »

Il y eut ensuite l'arrivée du prince Édouard, héritier du trône d'Angleterre, adulé des femmes mais terreur du protocole, car il arrivait partout en retard et, de façon générale, se comportait avec un grand sans-gêne. « On dit qu'au bal, parce qu'il faisait trop chaud, il a brisé une fenêtre avec une chaise [88] », écrit Crenneville. Il y eut encore l'impératrice d'Allemagne, Augusta : selon le même Crenneville, « une pimbêche ridicule, grandiloquente, jacassante, avec une voix d'outre-tombe [89] ».

C'est à Élisabeth qu'incomba la tâche de s'occuper tout spécialement de l'impératrice allemande. « A côté de celle-ci, notait Crenneville, Sissi paraît une sourde-muette envahie par l'ennui, tandis que l'empereur, tout à son devoir, fait preuve d'une amabilité et d'une prévenance touchantes [90]. »

Isabelle, reine d'Espagne, vint aussi à Vienne. Crenneville la décrit « très pomponnée et pourtant fort laide, en outre silencieuse. Le prince des Asturies, son fils, est un gamin bien éveillé [91] ». Il y eut aussi le couple royal du Wurtemberg, dont Marie Festetics écrivait : « Lui est parfaitement insignifiant. Tandis qu'elle en impose énormément [...] la seule qui paraisse une reine, à côté de l'impératrice [92] ! »

« Ce n'est plus une vie, on est comme enivré ! ! !, écrivait Marie Festetics. Cette Exposition universelle est une sorte de purgatoire où tout s'engloutit. Il semble que tout autre intérêt se soit évanoui et qu'on ne cherche qu'à s'adonner follement aux plaisirs, comme si tout sentiment de sérieux avait complètement disparu. C'en est presque angoissant [93]. » A la fin de juillet, Élisabeth se retira à Payerbach, près de Reichenau, quittant le tourbillon viennois pour l'air pur des montagnes. Les fonctionnaires de la Cour, qui voyaient l'empereur et le prince impérial, lequel allait sur ses quinze ans, s'acquitter infatigablement de leurs obligations, ne manquèrent pas de la critiquer. Cette fois, elle avait allégué son « malaise » mensuel. Les dates de ses « douleurs » étaient connues de la Cour, et il allait de soi qu'il fallait en tenir compte pour toutes les manifestations de société. Elle faisait toujours grand bruit de ses indispositions, allant jusqu'à en décrire en détail le déroulement dans ses lettres à Ida Ferenczy et également à l'empereur. Il lui arrivait de décommander, sans aucune hésitation, telle cérémonie officielle pour laquelle on avait pris des dispositions en son honneur, en alléguant ses règles le plus nettement et le plus officiellement du monde. Les dames d'honneur, que la précédente impératrice, Marie-Anne, et l'archiduchesse Sophie n'avaient ni l'une ni l'autre accoutumées à de telles manières, raillaient une impératrice aussi douillette et tenaient ces « douleurs » de Sissi pour ce qu'elles étaient en réalité : un prétexte pour pouvoir une fois de plus fuir la Hofburg, et rien d'autre.

De Payerbach, Élisabeth décida, au lieu de rentrer tout de suite à Vienne, de se rendre à Ischl. Lasse des princes étrangers, des soirées, des bals et des feux d'artifice, elle voulait se reposer et retrouver ses promenades solitaires à pied ou à cheval. Elle proposa même à François-Joseph de prendre lui aussi quelques vacances ; il ne pouvait évidemment pas accepter et elle lui en fit le reproche : « Tu en es venu à tant choyer tout le monde qu'on ne te remerciera même plus de ton excessive amabilité, tout au contraire. En vérité, tu sais que j'ai raison, mais tu ne veux pas en convenir. Il en va toujours ainsi quand on a commis une sottise [94]. »

L'absence d'Élisabeth provoqua à Vienne un grand émoi. N'était-elle pas une des principales attractions de l'Exposition universelle ? Tous les grands de ce monde qui venaient là souhaitaient certes y rencontrer l'empereur — fidèle au poste, lui —, mais plus encore l'impératrice, dont la beauté était célèbre dans le monde entier. Ils regrettèrent beaucoup d'apprendre qu'« indisposée », elle avait dû aller respirer le grand air, loin de Vienne.

Il n'y eut qu'une seule de ces Majestés à refuser d'admettre le motif invoqué : le shah de Perse, Nasr el-Din, qui arriva à Vienne à la fin de juillet avec une suite éminemment pittoresque. Une foule de dignitaires et de membres de sa famille, mais aussi deux « *ladies of pleasure* » (selon l'expression de Crenneville), l'accompagnaient, et il avait amené quarante moutons, quantité de chevaux, cinq chiens et enfin quatre gazelles qu'il entendait offrir à l'impératrice, dont on connaissait l'amour pour les animaux. Ce fut encore à Crenneville qu'il revint de s'occuper de ces invités (« la horde » ou « la canaille », disait-il) : « On n'imagine pas ce que c'est que cette bande ; en comparaison, les Turcs paraissent raffinés [95]. »

Le shah fut hébergé à Laxenburg, ce château où le couple impérial avait jadis passé sa lune de miel et où était né le prince Rodolphe. Pendant des semaines, on y avait opéré des transformations pour satisfaire aux vœux du « Centre du monde ». Au beau milieu des appartements impériaux avait été installée une cuisine avec un foyer ouvert pour rôtir à la broche les moutons, dûment consacrés, destinés au shah. Un cabinet adjacent servait d'étal de boucherie : un agneau y était chaque jour sacrifié en présence du souverain perse. On avait disposé à terre des plaques à braise, pour les narguilés. A la dernière minute, on avait même construit un poulailler, car le shah avait coutume, chaque jour au lever du soleil, de tuer de sa main trois chapons gras.

Le shah ne respectait que rarement ses rendez-vous et arrivait généralement en retard de plusieurs heures, et l'empereur et sa suite devaient l'attendre. Il s'excusait en arguant par exemple que, selon son astrologue, les astres n'étaient pas favorables et qu'il avait préféré venir une heure plus tard ou même davantage. Il faisait, de la manière la plus ostensible, du charme aux femmes ; les journaux consacrèrent des colonnes entières à ses entreprises successives. Visitant officiellement l'Exposition pour la première fois sous la conduite de l'empereur en personne, il jeta ainsi son dévolu sur une fille légère qui s'était avancée vers lui par curiosité. Le *Neue Wiener Tagblatt* rapportait : « Il se planta devant la dulcinée, qui lui souriait tendrement, l'examina attentivement derrière ses lunettes [...], la pinça au bras en riant de plaisir, lui toucha la poitrine, puis fit un signe de tête tout en s'humectant les lèvres avec la langue, comme il en avait coutume lorsque quelque chose lui plaisait », et la fille fut aussitôt intégrée à sa suite. François-Joseph, par discrétion, regardait ailleurs. Le journal conseillait à « certaines bonnes mères de famille de s'épargner l'envoi de lettres ou photographies de leurs filles au maître des cérémonies du shah », car le « Centre de l'univers » ne pourrait « satisfaire toutes les filles non établies et ayant de mauvais parents [96] ».

La patience de l'impérial amphitryon se trouvait mise à rude épreuve, et Crenneville était à bout de forces. Les critiques commencèrent à s'exprimer ouvertement dans la presse. Moriz Szeps, dans le *Neue Wiener Tagblatt,* calculait la valeur des diamants du shah et rappelait que « quatre millions de personnes tout juste étaient mortes de faim » sous le « glorieux régime » de ce « despote couvert de sang » animé de « folie des grandeurs » : « Il ne nous paraît guère noble qu'un prince abatte des moutons de ses propres mains et souille ainsi des appartements prestigieux et chargés d'histoire. Les mystères auxquels s'adonnent le shah et sa Cour sont si malpropres, si répugnants, qu'il convenait que nous disions ici haut et fort notre indignation [97]. »

En partant pour Payerbach, l'impératrice s'était soustraite à ces tracas et, en décidant de se rendre à Ischl, elle privait le shah de l'occasion de la voir. Celui-ci, cependant, s'était mis en tête de la rencontrer et ne se laissa pas décourager. La Cour craignait de le voir s'incruster tant qu'il n'aurait pu la rencontrer. On commençait à se demander si on parviendrait à le décider à repartir. L'impératrice négligeait, une fois de plus, ses devoirs, disait-on. Les journaux libéraux prenaient sa défense et trouvaient excessive la politesse de l'empereur envers un hôte aussi impudent : « Nous concevons fort bien que la Cour d'Autriche agisse selon les usages internationaux et réserve au shah les honneurs dus à tout important souverain ; mais, si l'impératrice refusait au shah de le recevoir, il pourrait du moins apprendre qu'on ne contrevient pas impunément aux mœurs et aux convenances » ; et encore : « Si l'on demande pourquoi l'Europe a témoigné tant d'honneur au shah — un tyran dont la puissance n'est au fond pas bien grande —, personne ne trouvera de réponse sensée [98]. »

La crainte de le voir prolonger encore son séjour était si forte qu'Élisabeth finit par céder aux pressions et se résolut à paraître lors de la soirée officielle d'adieu donnée à Schönbrunn en l'honneur du souverain de Perse. La journée fut marquée par une grande confusion, car le shah avait fait courir le bruit que, souffrant, il ne pourrait s'y rendre. « Ce malaise annonçait, disait-on, ce que l'on redoutait : une nouvelle demande d'audience auprès de l'impératrice. » Élisabeth, de son côté, s'était décidée à la dernière minute : « L'heure fixée pour le début de la fête était déjà passée quand on put enfin faire savoir à Laxenburg que le shah pouvait se présenter devant l'impératrice. Son malaise s'étant alors dissipé, le shah se fit conduire à la fête qui, par suite de ces péripéties, commença avec une heure et demie de retard [99]. »

« Quand il l'aperçut pour la première fois, la scène fut très amusante, raconte Marie Festetics. Il resta planté devant elle, tout éberlué, porta la main à ses lunettes cerclées d'or et l'examina longuement, de la plus haute boucle de sa chevelure jusqu'à l'extrême pointe de ses pieds — et s'écria en français : " *Ah, qu'elle est belle* [100] ! " ». Et le *Neue Wiener Tagblatt* écrivit : « Il paraît que lorsque Nasr el-Din s'est trouvé devant l'impératrice, il a fait preuve d'une timidité et d'un embarras qu'on n'avait jamais observés chez lui et que, pendant toute l'heure que l'impératrice l'a autorisé à passer à ses côtés, il a manifesté une retenue quasi puérile dans ses gestes et ses propos [101]. » La présence de l'impératrice et le feu d'artifice donné de la gloriette de Schönbrunn comblèrent le shah ; déclarant que c'était là la meilleure soirée de tout son voyage en Europe, il prit la décision de partir dès le lendemain matin. Élisabeth, quant à elle, s'en alla trois jours plus tard à Ischl et l'empereur, assisté du prince impérial, continua à recevoir les personnalités.

Au plus fort des festivités, circulèrent d'inquiétantes rumeurs selon lesquelles des cas de choléra s'étaient déclarés. Le 2 juillet Crenneville écrivait à sa femme : « A Schönbrunn (*ne le racontez pas* *), une nettoyeuse d'argenterie [...] est morte hier du choléra ; on exige un silence absolu là-dessus, ce ne serait pas une épidémie. » Mais la maladie progressa ; malgré les précautions prises pour garder le secret, les étrangers se prirent à craindre de venir à Vienne. L'affluence à la rotonde du Prater fut, inférieure aux prévisions. La perspective d'un énorme déficit se précisait. Une véritable hystérie au sujet du choléra s'empara bientôt de la Cour. Au moindre poids sur l'estomac, chacun se croyait gravement malade. L'impératrice, si préoccupée de sa santé et si douillette, ne fit bien sûr pas exception.

A son retour d'Ischl, alors qu'il fallait s'occuper du roi d'Italie Victor-Emmanuel, elle s'alita à cause de douleurs intestinales, craignant d'avoir le choléra — mais peut-être n'était-ce là qu'un prétexte. Crenneville écrivait à sa femme :

* En français dans le texte. (*N.d.T.*).

« Victor-Emmanuel n'a pu faire la connaissance de Sissi, elle souffre *effectivement* * de diarrhées [102]. » Le roi était « désespéré de ne pas la voir, tout comme Andrássy, notait Marie Festetics. Cela donne lieu à des articles et à des commentaires qu'il vaudrait mieux éviter, maintenant que le rapprochement est en bonne voie [103] ». On racontait que, si l'impératrice refusait de recevoir Victor-Emmanuel, c'était parce qu'il avait chassé sa sœur Marie de Naples, en 1860. Pareils ressentiments ne convenaient guère au ministre des Affaires étrangères — Andrássy —, qui manœuvrait en vue d'une alliance entre l'Autriche et son ancien adversaire.

Les malaises de Sissi durèrent si longtemps qu'elle ne fut pas non plus en mesure d'honorer de sa présence la visite, en octobre, de l'empereur d'Allemagne Guillaume Ier : elle resta à Gödöllö. Hormis la fête d'adieu donnée pour le shah, François-Joseph avait rempli seul, depuis la fin de juillet, les devoirs de représentation qu'avait exigés l'Exposition.

En décembre 1873, celle-ci était terminée, mais il y eut de nouvelles solennités, cette fois pour célébrer les 25 ans de règne de l'empereur. Ce fut encore l'occasion de feux d'artifice et d'illuminations, de cérémonies religieuses, mais aussi d'une amnistie pour tous les coupables de crimes de lèse-majesté. Trieste et Prague connurent « quelques manifestations fanatiques ou puériles » contre la Maison impériale, rapportait l'ambassadeur de Suisse, dont l'impression sur l'état de l'opinion publique dans la monarchie était malgré tout positive. Le jubilé lui semblait « prouver de façon indiscutable que les peuples d'Autriche conservent à l'égard de leur monarque une vive et chaleureuse sympathie, car, même s'il a connu un sort contraire dans la plupart de ses guerres, il apparaît, dans les temps de calme et de paix, comme animé d'un zèle sincère et constant pour la prospérité de ses possessions [104] ».

Les journaux dressèrent le bilan des réalisations attribuables à François-Joseph depuis 1848. Vienne surtout, « capitale et

* En français dans le texte. (*N.d.T.*)

résidence impériale », avait connu des transformations plus importantes qu'au cours des siècles écoulés. Sa population était passée de 500 000 (600 000 avec les faubourgs) à plus d'un million d'habitants. La démolition des remparts, remplacés par le Ring, avait permis de créer une ville moderne. La régulation du Danube était presque chose faite et on ne connaissait plus les fréquentes inondations d'antan. Comme l'écrivait le *Fremden-Blatt*, « dans un proche avenir, les larges étendues du Danube verront passer orgueilleusement les vaisseaux de commerce de toutes les nations [105] ». L'hygiène, jusque-là défectueuse, avait été radicalement améliorée par la construction d'un aqueduc assurant l'approvisionnement en eau de source. Un grand nombre d'écoles, d'églises, d'hôpitaux, avaient été édifiés. A la Schottentor (l'une des anciennes portes de la cité) on construisait la nouvelle Université ; l'Académie des Beaux-Arts, la Société de Musique, le nouvel Opéra impérial, le Théâtre de la Ville et l'Opéra populaire étaient achevés. En vingt-cinq ans, Vienne avait encore acquis onze nouveaux ponts.

Rien n'indique que l'impératrice ait montré quelque intérêt pour ces réalisations positives ou qu'elle en ait éprouvé quelque fierté. On remarqua avec déplaisir qu'à l'occasion de cette célébration, elle n'interrompit son séjour en Hongrie que pendant deux jours. Encore resta-t-elle aussi inaccessible que possible. Déjà, notèrent les journaux, à son arrivée à la gare, elle portait sous son chapeau « une impénétrable voilette de gaze gris argent ». Lors de la solennelle traversée par Leurs Majestés, de la ville illuminée, l'empereur était avec le prince impérial dans une voiture découverte, tandis que celle de l'impératrice, derrière, était fermée, ce qui la dissimulait aux regards.

Son comportement au cours d'une promenade sur le Ring fit particulièrement sensation. Marie Festetics, qui l'accompagnait, raconte : « On la reconnut, on l'acclama, on l'entoura ; au début, tout se passa bien. Elle souriait et remerciait. Mais voilà que les gens accoururent de toute part ; il n'y avait plus moyen ni d'avancer, ni de reculer, le cercle se faisait de plus en plus étroit, de plus en plus serré autour de nous ; nous étions en danger de mort ; je priais et suppliais, le souffle me manquait comme à elle. L'angoisse nous faisait couler des gouttes de sueur sur le front. On n'entendait pas du tout ma voix, mais je criais à tue-tête : " Mais vous étouffez l'impératrice ! Au secours, pour l'amour de Dieu, au secours ! Place, place ! " Ce n'est qu'au bout d'au moins une heure que nous pûmes nous frayer un passage jusqu'à la voiture. Elle y monta en toute hâte et nous pûmes enfin respirer, mais elle était mortellement épuisée et complètement malade [106] ! »

Cette foule était bien disposée, nullement hostile. Si la comtesse Festetics avait craint de périr, c'était manifestement par hystérie. Mais Élisabeth, tout au long de la scène, n'avait pas dit un mot et était restée entièrement passive, désarmée, angoissée. Aucune forme de communication n'avait été possible entre elle et le peuple. Les quotidiens présentèrent l'affaire tout autrement, ne confirmant nullement que les ovations eussent pris des allures menaçantes : « Son Altesse fut reconnue par le public et saluée par des vivats extrêmement nourris. Sa Majesté fut visiblement agréablement touchée par ces acclamations et y prit grand plaisir [107]. »

Ce court séjour avait encore suscité de nouvelles attaques contre l'impératrice. Un sévère article intitulé « Une femme rare * » souligna même qu'elle n'était pas bien souvent dans la capitale. L'empereur saisit ce prétexte pour admonester rudement la délégation d'une association de journalistes, « Concordia », venue lui présenter ses vœux, en déclarant qu'il était « d'accord pour lever les barrières opposées à la libre expression », mais espérait tout de même que la presse, « au lieu de s'immiscer dans la sphère de la vie privée et familiale, s'exprimerait, à propos des représentants de l'État, avec mesure, objectivité et patriotisme [108] ».

Plus les critiques s'affirmaient, plus Élisabeth s'emportait contre les Viennois, manifestant un véritable délire de persécution qui la conduisait à ne voir autour d'elle que des

---

* « *Eine seltsame Frau.* » *(N.d.T.)*

ennemis. Marie Festetics les énumérait : « Il y a un parti tchèque, qui soutient que c'est par sa faute que l'empereur ne se fait pas couronner en Bohême, car elle déteste autant ce pays qu'elle aime la Hongrie ! Il y a les ultramontains, qui affirment qu'elle n'est pas assez pieuse et que, sans son influence négative sur l'empereur, l'État serait depuis longtemps retourné sous la dépendance de l'Église. Il y a les centralistes, qui prétendent à nouveau qu'elle est opposée à l'absolutisme et que, si l'on pouvait briser son influence, il ne serait pas difficile de revenir aux anciennes formes de gouvernement ! Et le dualisme serait son œuvre ! Là seulement elle aurait mis la main. Je ne dis pas que cela soit faux. Mais le dualisme ne nuit certainement pas à l'Autriche ; si un jour tout s'effondre, il demeurera roi de Hongrie [109] ! »

Cette liste est dans l'ensemble exacte, mais la plupart des ennemis de l'impératrice ne s'en prenaient pas tant à ses idées politiques (rarement exprimées en public) qu'à son opposition ouverte à la Cour de Vienne et à son constant refus de remplir les devoirs traditionnels d'une souveraine. Elle se défendait en rejetant la faute sur les autres : sa belle-mère, la première dame de la Cour (la comtesse Esterházy), la Cour en général. Marie Festetics — dont il faut bien peser les propos, car elle l'admirait ardemment — écrivait de ce procédé de plus en plus fréquent chez Sissi : « Même quand elle est dans son tort, elle trouve toujours quelque motif de ne pas faire ceci ou cela [110] ! »

Élisabeth se dérobait aussi bien à ses devoirs d'épouse et de mère qu'à ceux d'impératrice, alors que rien de bien important n'occupait son temps. A juste titre, la comtesse Festetics s'en préoccupait : « C'est une rêveuse, et sa principale activité est de ruminer. Comme c'est dangereux ! Elle voudrait toujours aller au fond des choses et complique tout ; il me semble que l'esprit le plus sain souffrirait de ce genre d'existence. Il lui faudrait une occupation, une position et, comme la seule qu'elle pourrait avoir est contraire à sa nature, tout en elle reste en friche. » La dame d'honneur constatait encore qu'Élisabeth ne faisait « jamais rien à moitié » : « Comment a-t-elle appris et avec quelle énergie le

hongrois ! Une vraie mortification ! A présent, l'archiduchesse Valérie occupe entièrement son âme. Mais, pour un
être si doué, une telle relation avec son enfant n'apporte pas
une nourriture spirituelle suffisante ; or elle n'a guère
d'autres choses à faire. On voit bien qu'elle est insatisfaite [111]. »

CHAPITRE VIII

LA REINE AMAZONE

1873, année de l'Exposition universelle, fut celle où Élisabeth s'acquitta le mieux de ses tâches de représentation. A vrai dire, ce fut contrainte et forcée, nullement de son plein gré, et moyennant plus d'un caprice. Après cela, il lui fallut du repos, bien évidemment loin de Vienne. Son refuge préféré était à cette époque Gödöllö, cette propriété proche de Budapest que la nation hongroise avait offerte au couple royal après le couronnement de 1867. Elle écrivait à sa mère : « Ici on vit si tranquille, sans embarras familiaux ou autres, tandis que là-bas il y a toute la famille impériale ! De plus, je suis libre de mes mouvements comme on l'est à la campagne, je puis aller me promener seule, à pied ou en voiture [1] » (mais elle allait surtout à cheval).

Les sables de la steppe hongroise (la *puszta*) semblaient avoir été faits exprès pour les chevauchées de plusieurs heures qu'elle accomplissait chaque jour. On trouvait encore des chevaux sauvages dans cette région au paysage tout à fait conforme à ses goûts romantiques. Elle participait aussi aux chasses à courre les plus éprouvantes. La comtesse de Jonghe, épouse de l'ambassadeur de Belgique, en disait : « *On dit que c'est magnifique de la voir à la tête de tout le monde et toujours au plus dangereux. Aussi l'enthousiasme des Magyars ne connaît pas de bornes et ils se font casser le cou pour la suivre de plus près. Le jeune*

Élemér Batthyány a failli être tué ; heureusement son cheval seul a péri. Les Hongrois deviennent si royalistes auprès de leur belle reine qu'on dit que si ces chasses avaient commencé avant les élections, c'eût été une grande économie pour le gouvernement [2]. »

Gödöllö était le domaine d'Élisabeth. Là ne régnaient que ses lois, qui ignoraient presque totalement les questions de préséance et de protocole. Les visiteurs n'étaient pas choisis en fonction de leur noblesse et de leur rang, mais de leurs capacités équestres. Élisabeth rassembla autour d'elle l'élite des cavaliers de l'empire, de jeunes et riches aristocrates qui passaient quasiment la totalité de leur temps à chasser à courre car ils n'étaient soumis à aucune nécessité de travailler.

Depuis des années, son favori était le prince Nicolas Esterházy, célèbre sous le nom de « Nicky le Sportif » dont la propriété, immense, était voisine de Gödöllö. Possédant un célèbre élevage de pur-sang, il fournissait aussi des chevaux à l'écurie d'Élisabeth. Dans les années 1860 et 1870, Nicolas Esterházy apparaissait comme le premier cavalier de l'empire. Longtemps champion incontesté des chasses à courre, cofondateur du Jockey Club de Vienne, c'était un jeune lion du grand monde, énergique et de belle allure ; célibataire, il était de deux ans le cadet de l'impératrice.

On trouvait aussi Rodolphe Liechtenstein, dit « le beau prince » : célibataire également (il le resta toute sa vie) et cavalier réputé, un peu plus jeune qu'Élisabeth, il se fit aussi connaître en composant des chansons. Il manifesta toujours une véritable vénération pour la souveraine.

Plus étonnante semblait la présence à Gödöllö du prince Élemér Batthyány, dont le père, président du Conseil hongrois, avait été exécutée en 1849 de manière fort humiliante, sur ordre du jeune François-Joseph. Sa veuve comme son fils refusaient de voir l'empereur et le bravaient même ouvertement en omettant de le saluer lorsqu'ils le rencontraient par hasard.

Élisabeth ne laissa jamais subsister le moindre doute sur sa sévérité envers les méthodes politiques et judiciaires pratiquées par l'Autriche pendant la révolution de 1848-1849.

Elle manifestait beaucoup de compréhension vis-à-vis de l'attitude intransigeante du jeune Batthyány, et avait pour lui le plus d'égards possible. Elle continuait à l'inviter à Gödöllö même lorsque l'empereur s'y trouvait, bien qu'il se détournât chaque fois que François-Joseph approchait. Or, si rigide que fût l'empereur sur l'étiquette de la Cour, dans cette société qui était celle de sa femme il se laissait défier sans protester, et déployait même de réels efforts pour ne pas prendre ombrage de ces pénibles scènes.

Gyula Andrássy, bien entendu, était souvent l'hôte d'Élisabeth. Cavalier de premier ordre, il ne pouvait cependant guère soutenir la concurrence d'un Esterházy, d'un Liechtenstein ou d'un Batthyány : ministre « impérial et royal » des Affaires étrangères, il était débordé de travail et ne pouvait consacrer ses journées à l'équitation. Il avait, de plus, passé la cinquantaine et son goût pour la compétition équestre s'était affaibli.

Sissi invitait aussi sa nièce la baronne Marie Wallersee, fille de son frère Louis et d'Henriette Mendel. La petite Wallersee n'était pas seulement ravissante (ce qu'Élisabeth continuait d'apprécier hautement), mais aussi une remarquable cavalière. Et Élisabeth prenait plaisir à provoquer l'aristocratie en invitant cette jeune fille qui, malgré sa proche parenté avec elle, restait par ses origines maternelles une « bâtarde » de rang inférieur. Elle en fit pour ainsi dire sa créature, l'habillant à la dernière mode, lui inculquant les manières nécessaires en société et l'arrogance dont il convenait de faire preuve face aux hommes. Il était clair qu'elle aimait à voir l'impression que produisait cette belle jeune fille blonde à ses côtés. « Trois fois par semaine, il y avait une chasse, écrivait Marie Wallersee. Ah, c'était superbe ! Élisabeth, sur son cheval, était délicieuse. Ses cheveux étaient ramenés en longues tresses sur sa tête, et elle portait un haut chapeau en soie. Sa robe semblait être moulée sur elle, ses hautes bottines lacées étaient munies de petits éperons, elle avait enfilé trois paires de gants les unes sur les autres, et son éternel éventail était glissé dans la selle. » L'impératrice maniait cet éventail avec une prodigieuse rapidité, pour se dissimuler le visage dès que surgissaient des curieux.

Élisabeth fit aussi de la jeune fille sa confidente. Marie : « Je goûtais infiniment les longues courses à cheval avec l'impératrice. Elle prenait parfois plaisir à se déguiser en garçon et, naturellement, je devais suivre son exemple ; mais je me rappelle encore la terrible honte qui me saisit lorsque je me vis pour la première fois en pantalon. Élisabeth se figurait qu'on ne connaissait pas partout les caprices extravagants qu'elles se permettait à Gödöllö ; en réalité, tout le monde en parlait. Seul François-Joseph, à mon avis, était entièrement ignorant de ces secrets de polichinelle. »

D'autres habitudes d'Élisabeth furent elles aussi bientôt connues partout, en tout cas à la Cour de Vienne. Elle avait fait construire à Gödöllö un manège, comme jadis son père à Munich : elle y pratiquait des exercices de haute école, et travaillait aussi avec des chevaux de cirque. Sa nièce rapporte que « ce fut un spectacle charmant quand ma tante, dans un costume de velours noir, fit tourner son petit cheval arabe dans le manège, sur un pas de danse. Certes, c'était là une activité un peu inhabituelle pour une impératrice [3] ».

Même les Wittelsbach, pourtant habitués aux bizarreries du père de Sissi, furent passablement étonnés lorsque la petite Marie-Valérie raconta fièrement au prince-régent Luitpold : « Oncle Luitpold, maman réussit maintenant à sauter à cheval à travers deux cerceaux [4]. » Élisabeth s'initiait à ces acrobaties de cirque auprès des plus célèbres écuyères du Renz : Émilie Loiset et Élise Petzold. Cette dernière, surtout, était souvent invitée à Gödöllö, et passait pour être une confidente de l'impératrice. Entre autres signes d'attachement à Élise Petzold (qu'on appelait aussi Élise Renz dans les milieux de la Cour), Élisabeth lui fit présent d'un de ses chevaux favoris, nommé Lord Byron ; elle l'invitait également aux chasses à courre les plus huppées. Quant à Émilie Loiset, lorsqu'elle trouva la mort à 25 ans dans un manège parisien, presque tous les journaux mentionnèrent qu'elle avait fait partie de l'entourage immédiat de l'impératrice d'Autriche.

Le directeur du Renz, Ernest Renz, conseillait parfois Élisabeth pour l'achat de ses chevaux. Lui aussi devint par la grâce de l'impératrice une notoriété dans les milieux distingués.

C'est un ancien directeur de cirque, Gustave Hüttemann, qui enseigna à l'impératrice, à Gödöllö, l'art du dressage. François-Joseph acceptait tout cela avec résignation et parvenait même à garder son humour, ainsi lorsqu'il déclara à Gustave Hüttemann : « Eh bien, voilà les rôles distribués ! L'impératrice sera ce soir l'écuyère de cirque, vous nous ferez de la haute école et moi, je vous servirai de chef d'écurie. »

Élisabeth faisait aussi venir des Tziganes. Elle aimait leur musique, et passait avec générosité et bonne humeur sur les désagréments qu'apportaient ce genre de visites. Les laquais et les valets de chambre de l'empereur étaient horrifiés : « On voyait rôder à Gödöllö toute une racaille peu recommandable, des hommes, des femmes, des enfants crasseux et déguenillés. L'impératrice invitait souvent au château toute une troupe, qu'elle faisait nourrir et à laquelle on remettait encore de nombreuses victuailles [5]. »

Tout ce qui était curieux ou anormal suscitait son intérêt. Un jour, elle se fit envoyer à Gödöllö la dernière attraction du cirque d'Ofen, deux jeunes sœurs siamoises noires. « Mais l'empereur éprouvait une telle horreur à cette seule pensée qu'il a absolument refusé de les voir [6] », écrivait Élisabeth à sa mère qui avait à cause de son mari une longue habitude de ce genre de situations.

Bien qu'elle s'adonnât intensément à l'équitation, à l'exclusion presque totale du reste, et s'entourât essentiellement de cavaliers, Sissi finit pourtant par se lasser de Gödöllö. La saison de chasse était trop courte — elle commençait après les moissons, c'est-à-dire fin septembre, et s'achevait traditionnellement le 3 novembre, pour la Saint-Hubert — et les forêts étaient trop touffues pour y chasser aisément. Il n'y avait pas assez d'obstacles : surtout de petits fossés, sans rapport avec les hautes barrières que l'on franchissait dans la chasse à courre à l'anglaise, le *nec plus ultra* pour les cavaliers de la haute société autrichienne (si l'on ne pouvait, comme Nicolas Esterházy, faire étalage de ses succès ou au moins de sa participation à des chasses anglaises, on n'était pas vraiment pris au sérieux par l'élite des cavaliers).

La belle Marie, l'ex-reine de Naples, qu'aidaient les Rothschild, avait déjà acquis, pour suivre la mode, un pavillon de chasse en Angleterre. Elle fit miroiter aux yeux d'Élisabeth les merveilles de la chasse à courre et en 1874 l'invita à venir en Angleterre. La raison officielle donnée à ce premier voyage outre-Manche fut que la petite Marie-Valérie avait absolument besoin de bains de mer ; l'île de Wight semblait particulièrement convenir.

Pour éviter toute difficulté politique, Élisabeth voyagea sous un nom d'emprunt (comtesse Hohenembs), mais ne parvint pas à éviter une visite de courtoisie à la reine Victoria, qui passait elle aussi l'été dans l'île de Wight, à Osborne. Cependant, l'impératrice ne s'étant annoncée qu'au dernier moment, cette rencontre impromptue ne convint pas à la reine qui, non sans irritation, écrivit à sa fille : « L'impératrice a insisté pour me voir aujourd'hui. Nous sommes tous déçus. Je ne puis dire que ce soit une grande beauté. Elle a une très belle peau, une superbe silhouette, de jolis petits yeux, mais son nez est moins bien. Je dois dire qu'elle présente beaucoup mieux lorsqu'elle est *en grande tenue** et que l'on voit ses beaux cheveux, cela lui convient bien davantage. Je trouve Alix [la princesse de Galles] beaucoup plus jolie que l'impératrice. »

La princesse héritière de Prusse, Victoria, fille aînée de la reine d'Angleterre, se trouvait également dans l'île de Wight, à Sandown. Elle aussi fut déçue, et écrivait à la reine : « L'impératrice d'Autriche est aussi venue hier ici ; elle n'a voulu accepter aucun des rafraîchissements qu'on lui proposait. Mais nous avons appris ensuite qu'elle était allée à l'hôtel à Sandown et y avait dîné, ce que nous avons tout de même trouvé assez étrange. Elle ne m'a pas fait une impres-

* En français dans le texte. *(N.d.T.)*

sion extraordinaire, je trouve que sa beauté a beaucoup diminué depuis l'an dernier, même si elle reste jolie. Ele n'était pas non plus habillée à son avantage. » Et Victoria de Prusse convenait avec sa mère qu'Alix était plus jolie : « Toutefois, l'impératrice est plus piquante qu'aucune femme que j'aie jamais vue. Quant à son emploi du temps, celle belle souveraine est une fort étrange personne. Elle passe le plus clair de la matinée à dormir sur son sofa. Elle mange vers quatre heures et se promène à cheval, seule, toute la soirée — jamais moins de trois heures. Elle se fâche si quoi que ce soit d'autre a été prévu. Elle ne veut voir personne ni se montrer nulle part [7]. »

Sissi, pour sa part, écrivait à son époux que cette unique journée officielle avait été « la plus fatigante du voyage. [...] La reine s'est montrée très aimable et n'a rien dit de déplaisant, mais elle ne m'est pas sympathique. [...] J'ai été bien entendu très polie, ce qui a semblé surprendre tout le monde. Maintenant, j'ai fait ce qu'il fallait. Ils comprennent tous parfaitement que je veux me reposer, ils ne m'ennuieront pas [8] ». A sa mère, elle écrivit que « ce genre de choses » l'ennuyaient. Ses lettres évoquaient d'ailleurs souvent son ennui, qui lui faisait désirer, disait-elle, voyager plus loin : « Ce que j'aimerais le plus, c'est aller en Amérique ; la mer m'attire dès que je la regarde. Valérie serait tout de suite d'accord pour m'accompagner, car elle a trouvé charmante notre traversée. Tous les autres, à peu d'exceptions près, ont vomi [9]. »

Élisabeth ne retourna pas voir Victoria ; en revanche, elle visita des haras célèbres pour y examiner les chevaux anglais, sans pourtant en acheter aucun : « J'ai aussi vu de très beaux chevaux, mais tous très chers, écrivait-elle à son mari. Celui qui me plairait le plus vaut 25 000 florins, ce qui est bien sûr hors de question [10]. » Elle eut pourtant satisfaction, deux semaines plus tard à peine. Une riche lady anglaise insista pour lui offrir un grand cheval anglais. Sissi eut beau dire à Lady Dudley « qu'il n'était pas d'usage que j'accepte des cadeaux [11] », elle finit par accepter. Pour l'empereur d'Autriche, cette affaire était gênante, pour Sissi c'était un triomphe : tout comme les Hongrois lui avaient offert en 1867 le château de Gödöllö, des étrangers lui accordaient ce que François-Joseph lui avait refusé.

Lors de son séjour à Londres, Élisabeth se promena à cheval dans Hyde Park, ce qui fit grande sensation. Elle visita le cabinet de figures de cire, ainsi qu'un asile d'aliénés. Elle se rendit chez le duc de Teck, membre de la famille royale, dont elle railla l'épouse dans une lettre : « Elle est fabuleusement grosse, je n'ai jamais rien vu de tel. J'ai passé mon temps à me demander à quoi elle pouvait ressembler au lit. »

Elle prenait des bains de mer : « Pendant que je me baigne, écrivait-elle à François-Joseph, Marie Festetics et une autre de mes femmes sont toujours dans l'eau, afin que les spectateurs, sur le rivage et les hauteurs, ne puissent savoir laquelle je suis. En outre, contrairement à mon habitude, je me baigne ici en flanelle claire. » Elle essaya aussi de le convaincre, alors qu'il était très occupé, de venir la voir : « C'est vraiment dommage que tu ne puisses par venir. Mais après tous tes déplacements, dont je te remercie de m'avoir envoyé la liste, tu pourrais en fait venir pour une quinzaine, visiter Londres, faire un saut en Écosse, par la même occasion rendre visite à la reine, et chasser un peu dans les environs de Londres. Nous avons ici des chevaux et tout ce qu'il faut ; il serait dommage de ne pas en profiter. Penses-y quelques jours avant de me répondre négativement, avec ton entêtement habituel. »

François-Joseph ne pouvait inscrire ce voyage à son programme. Il alla, comme à l'ordinaire, se détendre à la chasse, ce qu'Élisabeth pouvait comprendre, comme l'atteste une lettre qu'elle lui envoya avant son départ : « Je t'en prie, ne te laisse plus déranger dans tes projets. La chasse est pour toi un délassement si nécessaire que je serais désolée que mon retour t'en ôte une seule occasion. Je n'ai pas besoin de démonstrations pour savoir que tu m'aimes et, si nous sommes heureux ensemble, c'est parce que nous ne nous gênons jamais l'un l'autre [12]. »

Il était à peine question de politique dans ces lettres. Elle

lui écrivit un jour qu'elle s'était fait expliquer par le prince
Édouard la « question d'Espagne » : ce pays avait connu,
après l'abdication d'Amédée Ier en 1873, des luttes sanglantes
entre républicains et carlistes, qui n'avaient pris fin qu'avec
l'avènement d'Alphonse XII. Elle avait trouvé les éclaicis-
sements donnés par le prince héritier bien utiles, « car, ces
temps-ci, je n'ai pas ouvert un journal ; mais la princesse
héritière [Alexandra] non plus, cela m'a rassurée [13] ».

L'ex-reine Marie de Naples fit connaître à sa sœur aînée
les milieux internationaux de la compétition équestre et de la
chasse à courre, en particulier les frères Baltazzi, de Vienne,
qui remportaient de véritables triomphes sur les hippodro-
mes et, pour cette raison, étaient reçus en Angleterre dans la
meilleure société — ce qu'ils n'avaient pas encore obtenu en
Autriche. Marie Festetics notait dans son Journal : « Il faut
vraiment y prendre garde. Ces frères se consacrent au sport,
montent magnifiquement, s'insinuent partout ; ils sont dangereux pour nous, parce qu'ils sont complètement
anglais [14]. »

La dame d'honneur savait pertinemment l'irritation que
susciterait le rapprochement entre l'impératrice et de semblables arrivistes. Mais le fait est que les Baltazzi — ainsi que
leur sœur Hélène Vetsera, qui n'avait pas moins d'ambition
— étaient entrés dans l'entourage de la reine Marie de
Naples : pour atteindre l'impératrice d'Autriche, ils
n'avaient plus qu'un pas à faire.

C'est donc en Angleterre que les Habsbourg et les Baltazzi-
Vetsera se rencontrèrent pour la première fois, sur l'hippodrome qui était à l'époque le plus célèbre du monde. C'est
Élisabeth elle-même qui remit sa coupe de vainqueur à Hector Baltazzi, après une course dans l'île de Wight. Le champagne coulait à flots. Cette société de gens riches, oisifs,
distingués, s'adonnait aux plaisirs de l'existence et se délectait de la présence de la belle Marie de Naples et de l'impératrice, plus belle encore. A cette époque, l'influence de
Marie sur Élisabeth était particulièrement forte. C'était
d'elle, d'après Marie Festetics, que venait « toute la polémique à propos de l'Angleterre [15] ».

Marie, qui n'avait eu de son mariage qu'un seul enfant,
mort en 1870 en très bas âge, et qui n'était pas plus à l'aise
dans son ménage qu'au début, vivait agréablement et sans
aucune sorte d'obligation avec l'aide financière des Rothschild, se consacrant entièrement à ses chevaux et à la vie
mondaine. L'ex-roi François se dévouait avec vénération à
cette épouse si belle et si intelligente. Marie Festetics notait :
« Son roi est devant elle comme devant moi le porteur de la
gare [16] ! »

La même dame d'honneur estimait l'impératrice « facilement influençable, si cela va dans le sens d'une certaine
commodité » ; Marie attisait son insatisfaction : « Elle trouve
en effet son existence beaucoup plus enviable que celle de
l'impératrice, parce qu'elle est plus libre et fait ce qu'elle
veut. » La comtesse n'attendait rien de bon de cette
influence ; qualifiant l'ex-reine d' « élément inquiétant » et
même de « méchant petit démon [17] », elle essayait de rappeler Élisabeth au sentiment du devoir.

Mais la comtesse ne parvint pas à se faire entendre. Le
voyage en Angleterre avait aiguisé les appétits de l'impératrice. Elle voulait maintenant, comme sa sœur, briller lors
des grandes chasses et elle se mit à consacrer plusieurs heures
par jour, aussi bien à Vienne qu'à Gödöllö, à s'entraîner
intensivement à la course et au saut : elle sautait notamment,
sur son cheval anglais, des obstacles plus élevés qu'il n'était
d'usage sur le continent, aidée par son écuyer Allen qui
venait d'Angleterre.

A Vienne, un tel entraînement n'était possible que sur
l'hippodrome de la Freudenau. Les Viennois ne se privèrent
pas d'accourir en foule au spectacle. La popularité d'Élisabeth ne s'en trouva pas précisément accrue, et elle voulut
bientôt s'entraîner plus discrètement : elle vécut davantage
encore à Gödöllö, au détriment, là encore, de sa popularité.

Dans l'été de 1875 survint un événement qui devait être
décisif pour la suite de l'existence d'Élisabeth : la mort de
l'ex-empereur Ferdinand à Prague. N'ayant pas d'enfants, il
avait institué son neveu et successeur François-Joseph son
légataire universel. Celui-ci déclara « tout naïvement » à

Crenneville : « Tout d'un coup, me voilà riche [18] ! » Les domaines laissés par Ferdinand rapportaient plus d'un million de florins par an et la fortune atteignait plusieurs millions.

Le premier soin de l'empereur fut de porter de 100 000 à 300 000 florins la rente de l'impératrice (qui continuerait à la percevoir en cas de veuvage). Il lui fit aussi un cadeau de 2 millions de florins, dont elle pouvait user à sa guise ; pour la première fois, l'impératrice disposait d'une fortune privée considérable. Jusque-là, elle avait dû vivre de sa seule rente et demander l'accord de son mari pour tout dépassement. Or, pendant les vingt années précédentes, François-Joseph avait toujours eu de puissantes raisons de se montrer économe : les guerres, le paiement des réparations à la Prusse après 1866, le krach boursier de 1873 et bien des choses encore. Maintes fois, il avait prié sa femme de ne pas dépenser tant d'argent.

Ces temps étaient désormais révolus. Les revenus de la succession de Ferdinand permirent à la famille impériale de dépenser à son gré. Plus jamais François-Joseph ne refusa d'accéder à un désir de son épouse, s'il pouvait le faire avec de l'argent. Pour sa part, elle s'entendait admirablement à lui en soutirer encore, sous tous les prétextes imaginables. Et, à partir de 1875, malgré des dépenses énormes, elle ne cessa d'accroître sa fortune ; elle fit acheter des actions et des obligations des chemins de fer nationaux et de la Compagnie des vapeurs du Danube, et ouvrit aussi une série de livrets, sous des noms d'emprunt tels que « Hermenegilde Haraszti », à la Première Caisse d'épargne Autrichienne [19]. Elle plaça aussi une partie de son argent en Suisse, à la banque Rothschild, au cas où elle serait un jour forcée d'émigrer. Rien ne semble indiquer que l'empereur ait été mis au courant de ces transactions.

Élisabeth cessa de mettre le moindre frein à ses désirs. Ainsi voulait-elle maintenant aller en Angleterre pour la chasse au renard, non plus en simple spectatrice, mais pour y participer. Et il fallait pour cela de nouveaux chevaux, les meilleurs que l'on pût trouver en Autriche-Hongrie.

Mais, comme elle ne se sentait pas encore assez experte pour faire brillante figure sur un terrain anglais, parmi l'élite des cavaliers internationaux, et qu'elle entendait un fois de plus surpasser tout le monde, elle commença par une étape intermédiaire : elle passa plusieurs semaines en Normandie, dans le vieux château de Sassetôt, où elle prit des bains de mer et put monter à loisir car le parc était assez grand pour accueillir de nombreux obstacles à l'anglaise. Le motif donné par la Cour à ce nouveau séjour à l'étranger fut encore que la petite Marie-Valérie avait besoin de prendre l'air marin pour se fortifier, comme l'année précédente. L'impératrice ne faisait que l'accompagner. Mais on ne fut guère surpris que, dans sa suite de soixante personnes son écuyer anglais et un personnel d'écurie accompagnant de nombreux chevaux fussent de ce voyage prétendu médical.

Les matinées étaient réservées aux bains de mer. « On se met à l'eau avec tous les autres baigneurs, hommes et femmes, mais chacun s'occupe de soi et c'est moins gênant, écrivait Sissi à son époux. [...] C'est seulement le premier jour que tout le monde regardait depuis le rivage, ce qui était très désagréable [20]. » L'après-midi, l'impératrice faisait des promenades à cheval et s'entraînait au saut d'obstacles. On ne faisait que très rarement des excursions dans les environs : « [Bien que la France soit en république], les gens d'ici sont plus curieux et importuns que dans aucun autre pays, de sorte qu'on m'ennuie partout où je vais [21]. » Et encore : « A cheval aussi, j'ai déjà eu bien souvent des désagréments ; sur les routes et dans les villages, des enfants et des cochers font tout pour effrayer les chevaux ; et quand on traverse des champs, ceux bien sûr où l'on ne peut faire de dégâts, les paysans se montrent terriblement grossiers. » Ces incidents faillirent tourner en affaire d'État, et l'ambassade autrichienne à Paris dut démentir que l'impératrice d'Autriche eût été insultée par des paysans français [22].

La comtesse Festetics voyait avec horreur Allen, le maître d'équitation anglais, pousser l'impératrice à des prouesses toujours plus téméraires. Lui-même se fit remarquer en menant son cheval jusque dans l'écume des plus fortes vagues, où il manqua se noyer [23]. L'impératrice fit même une chute sévère qui entraîna une passagère perte de conscience et une commotion cérébrale. Extrêmement inquiet, l'empereur songea à se rendre au chevet de sa femme. Mais la France était une république, et les rapports entre les deux puissances restaient plutôt froids et difficiles. Même s'il ne s'était agi que d'un déplacement strictement privé, il n'aurait pas manqué de présenter des inconvénients, et François-Joseph patienta. Au bout de quelques jours, il apparut que l'accident ne mettait pas en danger les jours de l'impératrice, qui lui écrivit : « Je regrette de t'avoir causé cette frayeur. Cependant, l'un comme l'autre nous savons que de tels accidents sont toujours possibles. » Elle ajoutait : « Je me réjouis déjà à l'idée de retrouver des chevaux en plus grand nombre. Je n'en avais pas assez ici pour travailler. [...] Je mets mon point d'honneur à faire la preuve que cette rosse ne m'aura pas fait perdre courage [24]. » Élisabeth n'envisageait pas de modérer sa passion de l'équitation, tout au contraire.

Cependant, la petite Marie-Valérie dut lui promettre de ne jamais monter sur un cheval. Et le précepteur de l'enfant, l'évêque hongrois Hyacinthe Rónay, recopia sur papier bible, en latin, le Psaume 91 ; l'impératrice dorénavant le porterait en permanence sur elle :

Celui qui demeure sous la protection du Très-Haut repose à l'ombre du Tout-Puissant. Je dis à Yahvé : « Tu es mon refuge et ma forteresse, mon Dieu en qui je me confie. » [...] Le malheur ne parviendra pas jusqu'à toi et nul fléau n'approchera de ta tente. Car il ordonnera pour toi à ses anges de te garder dans toutes tes voies* [25].

Les commentaires des journaux viennois sur cet accident furent respectueux, comme on pouvait s'y attendre, car le texte sur la lèse-majesté était toujours en vigueur. Seul le *Neue Wiener Tagblatt* (sous-titré « Organe démocratique ») se permit une critique très prudente et allusive : « Il convient sans conteste de se féliciter que Son Altesse ne se sente pas crain-

---

* Traduction Crampon.

tivement confinée à son terroir, refuse de laisser sa haute position lui confisquer sa liberté, fasse preuve d'une conception moderne du monde en aspirant à visiter l'étranger et en découvrant par elle-même l'Europe occidentale. On s'est souvent plaint que les femmes s'immiscent dans la politique : l'impératrice a su ne pas mériter ce reproche. » Après une longue introduction, venait cependant une objection : l'équitation était un passe-temps dispendieux, celui « du grand monde » et « d'une certaine classe sociale » ; l'impératrice, appartenant à « tout le peuple », ne devrait peut-être pas s'afficher ainsi comme faisant partie de cette caste aristocratique : « Les préceptes des milieux distingués n'ont rien de commun avec les devoirs qui seuls confèrent à la vie sa vraie dignité et sa véritable beauté [26]. » Cela signifiait clairement que l'impératrice, à qui l'on ne pouvait cependant reprocher un sentiment de classe ou une morgue aristocratique, s'attirait par sa passion du cheval une réputation imméritée : en s'adonnant presque exclusivement à un sport aussi cher et réservé essentiellement à la noblesse, elle heurtait la bourgeoisie — dont pourtant elle était bien proche sur les choses fondamentales, mais qui l'ignorait.

L'article (intitulé « La course à cheval de l'impératrice »), déclencha toute une polémique. « Voilà tout de même une grossière impertinence de la part de ce type [le rédacteur en chef Maurice Szeps, qui devait devenir, quelques années plus tard, le plus proche ami du prince Rodolphe], protestait un ami de Crenneville. Sur ses trois colonnes, ce gars-là a-t-il utilisé une seule fois le mot " Majesté " ? Pour cet organe démocratique, l'impératrice n'est qu'une sorte de conseillère à la Cour ; bref, tant le fond que la forme de cet article m'ont dégoûté, bien qu'on ne puisse lui dénier une certaine vérité [27]. » Crenneville, lui aussi, était tiraillé entre sa loyauté à l'égard de la Maison impériale et ses griefs envers l'impératrice. Si l'aristocratie, dans les couloirs, ne ménageait pas ses remarques, rien ne devait cependant transpirer et un journaliste juif comme Szeps n'avait, aux yeux de Crenneville, pas le droit d'émettre la moindre réserve.

Élisabeth ne facilitait guère la tâche de ses défenseurs. A

peine était-elle rentrée de Sassetôt que déjà elle donnait à nouveau aux journaux l'occasion de faire leurs titres sur elle. Comme elle passait par Paris, le président Mac-Mahon avait mis à sa disposition, pour un soir, sa propre loge à l'Opéra de Paris ; mais elle n'y avait envoyé que des membres de sa suite. Son absence avait été mise sur le compte de la fatigue, mais deux jours plus tard elle s'était montrée au bois de Boulogne, à cheval, sautant obstacle sur obstacle. Aux reproches circonspects de la comtesse Festetics, complètement affolée, elle avait répondu : « Ce que vous voudriez, c'est que je ne monte plus. Mais que je monte ou non, je mourrai conformément à ma destinée [28]. » Les réactions furent tout à fait négatives. Lors de son passage à Munich, sa fille Gisèle la reçut de manière « raide, froide, compassée », selon Marie Festetics. A Vienne elle ne fit que passer, continuant dès le lendemain vers Gödöllö, où l'empereur se rendit lui aussi afin de la revoir après toutes ces émotions. Il ne lui fit aucun reproche, n'eut aucune manifestation d'humeur. « Il est si heureux que l'impératrice soit de retour, et entière, qu'il ne se tient pas de gaieté [29] ! », écrivait Marie Festetics.

Quoi que pût faire Élisabeth, l'affection de François-Joseph demeurait la même. Marie Festetics écrivait encore : « Elle sait le tenir en haleine, de mille façons différentes. Sans doute son caractère étrange, singulier, ne lui est-il pas toujours bien agréable. Mais il est certain qu'elle ne l'a jamais ennuyé. *Elle sait se faire désirer**, et sans aucune pose : c'est sa façon d'être. Et il est sous son charme, comme un amoureux, plein de bonheur s'il peut l'effleurer en lui rappelant quelque souvenir [30] ! »

Élisabeth s'était donc préparée au mieux à la chasse à la mode anglaise. Elle se sentait désormais sûre de pouvoir figurer parmi les meilleurs. Elle chargea alors l'ex-reine Marie de Naples de trouver dans les Midlands un gîte convenable pour elle et son importante suite. Marie trouva, à Towcester, Easton Neston, et s'installa elle-même dans la

---

* En français dans le texte. *(N.d.T.)*

propriété voisine. Cette fois, l'impératrice emmenait ses amis cavaliers les comtes Hans et Henri Larisch, le prince Rodolphe Lichtenstein, Tassilo Festetics, Ferdinand Kinsky et d'autres nobles avec leurs chevaux. Un tel déplacement ne pouvait plus être dissimulé sous le prétexte d'une cure marine pour la petite Marie-Valérie. Ce second voyage en Angleterre, en 1876, était de toute évidence uniquement voué à la distraction et au sport, ce qui donna lieu à de gros titres dans les journaux du monde entier et à des commentaires désagréables à Vienne. François-Joseph avait beau démontrer sa modestie personnelle en vivant comme un petit bourgeois, les coûteuses extravagances de sa femme réduisaient ses efforts à néant.

Arrivée en Angleterre en mars 1876, Élisabeth se sentit obligée de demander à Victoria de la recevoir, mais c'est elle qui cette fois essuya un refus. Elle s'en indigna dans une lettre à son mari : « Jamais je ne me suis montrée aussi impolie qu'elle ! Et tous ceux à qui j'ai rendu visite ce soir même s'en sont scandalisés, voyant que j'étais assez aimable pour être déjà allée partout [31]. »

Tout avait été préparé pour que l'impératrice pût prendre part à une chasse à courre dès le premier jour. On avait engagé comme « mentor » l'un des meilleurs cavaliers d'Angleterre, Bay Middleton : ce robuste sportif d'à peine trente ans et dont les manières rudes étaient connues ne fut nullement ébloui par cette fonction auprès d'une souveraine étrangère. Bien loin d'être honoré des « ennuyeuses factions », disait-il, que comporterait sa tâche, il se montra sec et arrogant. Ce n'est qu'après de longues discussions qu'il avait accepté, « pour cette fois [32] ».

Ces dispositions peu cordiales revinrent aux oreilles d'Élisabeth. Mais, malgré sa sensibilité, elle n'en conçut aucun dépit, se montrant au contraire curieuse de connaître cet homme si imbu de lui-même et entendant bien lui prouver que, toute impératrice qu'elle fût, elle s'y connaissait vraiment en chevaux. Les manières grossières et présomptueuses de Bay lui avaient déjà valu le respect d'Élisabeth, avant même qu'ils ne se rencontrent.

Les courses d'obstacles épuisantes sur de grands et puissants chevaux se faisaient à un rythme intense en utilisant les hautes barrières de bois qui fermaient les pâturages. C'était particulièrement difficile pour Élisabeth, gênée par sa longue robe et sa selle de dame. Peu de femmes en Europe étaient capables de participer aux chasses à courre anglaises. Sur cent cavaliers, bien souvent seuls six ou sept parvenaient à faire tout le parcours ; de plus en plus l'impératrice d'Autriche, conduite par le sûr instinct de Bay Middleton, en fait partie.

La comtesse Festetics, cependant, n'était pas au bout de ses soucis : « Je tremble toute la journée, et ne suis rassurée que le soir, quand je sais que Sa Majesté est enfin couchée. Certes, cela lui réussit, elle est d'excellente humeur et oublie la haute société [33]. » Il faut songer à l'énergie farouche avec lequel Élisabeth s'adonnait à ce sport depuis près de dix ans, pour comprendre ses relations avec l'homme qui se trouvait à ses côtés aux heures de ses plus grands triomphes, et à qui elle devait la plupart d'entre eux. Bay Middleton était un homme qui inspirait à Élisabeth du respect, ce qui était chez elle une chose plutôt rare.

L'aide de camp général et les dames d'honneur voyaient passer les semaines en Angleterre, sans guère rencontrer l'impératrice. Bay était constamment auprès d'elle. Il lui sellait son cheval, la tirait des fossés quand elle tombait, l'encourageait ; contrairement aux autres, il n'essayait pas de modérer son goût pour la chasse. Il avait le droit de la féliciter ou de la blâmer, elle acceptait tout cela de bon cœur, comme une enfant. Il achetait aussi pour elle les chevaux les plus chers de toute l'Angleterre : elle en avait maintenant les moyens. A François-Joseph, qui se consumait d'inquiétude, elle écrivait : « Tes chevaux sont tous incapables, lents et languissants ; ici on a besoin de tout autres montures [34]. »

Non contente de susciter des ragots en ne se séparant jamais de son mentor, non contente de dépenser des sommes insensées pour acheter des chevaux avec tout ce que cela entraînait, elle provoqua encore des complications diplomatiques. Comme elle ne voulait pas renoncer à une seule journée de chasse, elle se fit annoncer à Windsor un dimanche, jour où Victoria et la famille royale ne recevaient pas. Qui plus est, elle arriva avant l'heure, alors que le service religieux était en cours. La reine sortit de l'église pour accueillir Élisabeth — « très chic, en noir, avec des fourrures » — en personne, mais s'entendit alors dire que l'impératrice avait changé d'avis et n'entendait pas rester à déjeuner comme convenu [35]. Cette visite, extrêmement impolie, dura exactement trois quarts d'heure. Cela n'était guère fait pour améliorer les relations entre les souverains autrichien et anglais.

Il y eut plus grave encore : le train qui ramenait Élisabeth et sa suite à Londres resta pris dans la neige. On dut rester assis dans le wagon « presque quatre heures durant, dans la crainte mortelle qu'un autre train n'arrive [36] », écrivait la comtesse Festetics. Personne n'avait rien mangé depuis le matin. Le chef de gare procura quelque nourriture, bien peu pour treize personnes. Les journaux anglais s'emparèrent de l'affaire et reprochèrent sévèrement à la reine d'avoir une fois encore évité d'inviter à déjeuner l'impératrice d'Autriche. Tout cela donna lieu à plusieurs communiqués et contre-communiqués, dans une atmosphère de vive irritation. Et Élisabeth aggrava encore cette situation en se rendant le lendemain même chez le baron Ferdinand de Rothschild, pour visiter son célèbre haras, passant en sa compagnie plus d'une journée.

Au milieu de ses amis cavaliers, l'impératrice était plus gaie qu'elle n'avait jamais pu l'être à Vienne. Au dernier jour de son séjour, elle donna une grande fête non pas pour la haute société, mais pour tous ceux qui, depuis l'aide de camp général jusqu'aux garçons d'écurie, l'avaient aidée. Ce geste lui gagna beaucoup de cœurs en Angleterre, mais lui aliéna encore des sympathies à Vienne. La fête se conclut sur une course récompensée par la « coupe Hohenembs », remise par l'impératrice et ainsi nommée d'après le pseudonyme qu'elle utilisait parfois. Celui qui gagna la course et reçut la coupe ne fut autre que Bay Middleton...

A son retour, l'impératrice ne fut guère accueillie chaleureusement par les Viennois. Tout le monde maintenant la critiquait, y compris les gens modestes qu'avaient indisposés ses grosses dépenses à l'étranger. Même les diplomates firent chorus, ainsi l'épouse de l'ambassadeur de Belgique de Jonghe : « *Cette femme est vraiment folle, et si elle n'amène pas la République en Autriche, c'est qu'on y est de bien braves gens encore. Elle ne vit que pour son cheval. Ce serait un bonheur si elle se cassait le bras de façon à ne plus pouvoir le raccommoder* [37]. »

Entre ce voyage en Angleterre et le suivant, Élisabeth ne fit guère que s'entraîner à la course et à la chasse, à Göding, à Pardubitz, à Gödöllö. A l'été 1876, Bay Middleton invité par l'impératrice fit son apparition à Gödöllö. L'empereur lui-même le rencontra en Hongrie, mais ne sut de quoi lui parler ; il ignorait d'ailleurs l'anglais autant que Middleton l'allemand et le hongrois. Les amis hongrois d'Élisabeth se montrèrent plus jaloux que François-Joseph. C'est surtout avec l'ancien « favori » (de quelque façon que l'on veuille désigner la délicate position d'admirateur privilégié), le comte Nicolas Esterházy, que Middleton se trouva bientôt dans une situation de rivalité passablement tendue. Car ici, en Hongrie, c'était Esterházy le plus grand, le premier des chasseurs. Il renvoyait l'Écossais à sa position subalterne et veillait jalousement à ce qu'il n'occupe pas une trop grande part du temps de l'impératrice.

Bay Middleton, qui tenait la vedette partout en Angleterre et en Irlande, ne se sentait pas à l'aise à Gödöllö malgré la faveur d'Élisabeth. Il se voyait entouré de gens méfiants et même hostiles, se sentait seul et frustré, même quand il était en compagnie de cette femme ravissante qui lui demeurait inaccessible, mais faisait de temps à autre la coquette avec lui.

Bay finit par s'évader : il se rendit à Budapest, où il se débarrassa de ses accompagnateurs avant de se volatiliser ; émotion au château, inquiétude de l'impératrice, jusqu'à ce qu'un télégramme du chef de la police de Budapest annonce qu'un certain Bay Middleton se trouvait au poste, sans ressources. Il s'était rendu dans un bordel où, ignorant les lieux autant que la langue, il s'était promptement fait dévaliser. Il lui fallut revenir à Gödöllö comme un pauvre diable, pour la plus grande joie de ses rivaux. L'impératrice était furieuse, elle se sentait personnellement offensée. Mais Bay agit habilement et tourna toute l'affaire en dérision, riant de lui-même avec les autres et insistant sur ses manières paysannes ; il obtint le pardon de l'impératrice [38]... Nicolas Esterházy s'était réjoui trop tôt. L'Écossais continua, jusqu'à la fin de son séjour, à sortir à cheval aux côtés de l'impératrice, comme s'il ne s'était rien passé.

A la fin de janvier 1878, Élisabeth repartit pour l'Angleterre, cette fois à Cottesbrook, dans le Northhamptonshire, toujours avec Bay Middleton pour mentor. « Si seulement tu étais ici, écrivait-elle à François-Joseph ! J'y songe à chaque chasse : tu serais très populaire, avec ta façon de monter et ton intelligence de la chasse. Mais ce serait également dangereux, car tu ne te laisserais pas gouverner par Middleton et tu sauterais par-dessus tous les obstacles sans considérer la largeur ou la profondeur des fossés [39]. »

Le prince héritier Rodolphe, qui avait maintenant dix-neuf ans, ne croyait évidemment pas que la chasse à courre pût contribuer à la popularité de la Maison impériale. En tout cas, au moment d'effectuer un voyage d'études outre-Manche, il fit savoir qu'il n'avait pas l'intention d'imiter la passion de sa mère pour l'équitation : « J'éviterai vraiment, en Angleterre, de participer aux chasses à courre ; notre opinion publique ne trouve pas que ce soit une grande prouesse de se casser le cou de cette façon, et je tiens trop à ma popularité pour la gâcher ainsi [40]. »

Les talents équestres de Rodolphe n'étaient d'ailleurs pas comparables à ceux de sa mère. Le duc Khevenhüller, par exemple, observait à propos des chasses à courre en Bohême : « Le prince héritier fera sans doute triste figure à Pardubitz. Mais aussi, Heini Larisch [qui invitait, et était un des cavaliers amis d'Élisabeth] se comporte étrangement : il laisse toujours le prince en arrière et lance son propre cheval [41]. »

A l'hiver 1878, la mère et le fils se trouvèrent en Angleterre en même temps mais, comme d'habitude, suivirent des chemins différents : tandis que l'impératrice chassait dans les Midlands, Rodolphe faisait un studieux voyage touristique et culturel, en compagnie de son vénéré précepteur, le professeur d'économie Carl Menger. C'est aussi pendant ce séjour qu'il rédigea un pamphlet anonyme contre la noblesse autrichienne, critiquant l'oisiveté d'une grande partie de ses membres et son intérêt excessif pour l'équitation : « A la fin de l'automne, beaucoup de ces messieurs, et aussi quelques dames, vont chasser à courre à Pardubitz, haut lieu de ce sport. Une partie de la noblesse tient pour l'aspect le plus sérieux de la vie le fait de courir ainsi, par beau temps, derrière des animaux [42]. »

Les rares visites que rendit Rodolphe à sa mère pendant qu'ils étaient en Angleterre donnèrent lieu à de sévères différends au sujet de Bay Middleton. C'est par la propre bouche de l'ex-reine Marie de Naples que le prince héritier, qui jusque-là n'avait pas songé à mal, apprit les ragots qui couraient sur une prétendue liaison entre sa mère et Middleton. Marie aggrava encore le conflit en rapportant à l'impératrice certaines remarques du prince qui la blessèrent profondément.

La comtesse Festetics donne libre cours, dans son Journal, à sa colère contre la famille de Sissi, « toujours victime de ses sœurs. [...] Sa Majesté me fait l'effet de Cendrillon face à ses trois méchantes sœurs. Elles sont envieuses les unes et les autres. Quand elles ont besoin de quelque chose, elles accourent auprès d'elle. Elles outragent et calomnient tout ce que lui confère sa position, mais elles voudraient ensuite en tirer pour elles-mêmes tout le parti possible ». Elle la traitait, continue-t-elle, « comme une balle à jouer », et « tout ce qu'elle a comme désagréments, tout ce qui lui opprime le cœur [43] » était de leur fait.

La comtesse Festetics accusait encore Marie de Naples d'être jalouse de Sissi car elle était plus belle et plus sportive, de souhaiter avoir Middleton pour elle-même, à la fois comme mentor et comme adorateur : « Notre sœur [c'est ainsi que l'on appelait Marie de Naples dans le jargon de la Cour] a amplement fait la coquette avec Bay Middleton et l'a attiré auprès d'elle [44] », écrivait-elle à Ida Ferenczy, restée en Hongrie.

Le prince impérial était si révolté par ce qu'on lui avait révélé qu'il se montra agressif à l'égard de Middleton, lequel à son tour en fut mortellement touché. La comtesse Festetics, que Rodolphe avait toujours beaucoup appréciée, finit par s'en mêler et obtint de discuter avec lui en confiance. « Je ne reconnais pas Son Altesse Impériale, lui dit-elle, l'air de l'Angleterre ne lui fait guère de bien ». Il rit, puis « vida son cœur comme un enfant, me disant, moitié en colère, moitié affligé au point d'en avoir les larmes aux yeux, qu'il regrettait d'être venu en Angleterre, car il avait perdu ses illusions et se sentait terriblement malheureux ». Comme la dame d'honneur, surprise, lui en demandait la raison, il répondit brutalement : « Quoi, vous me demandez... Vous, précisément vous... » « Il n'alla pas plus loin car, je le vis bien, il était si étonné que cela le fit réfléchir. Il poursuivit alors plus calmement et me raconta [...] la chose la plus infâme que j'aie jamais entendue. J'en restai muette. Mais mon étonnement et mon indignation face à ces mensonges devaient être si manifestes qu'il me dit comme pour s'excuser, avant que j'aie pu ouvrir la bouche : ' C'est tante Marie qui me l'a dit. ' [...] Je répondis d'un ton glacial, alors même que je bouillais intérieurement, que ce n'en était que plus abject. — Mais alors, pourquoi m'a-t-elle dit cela, si ce n'est pas vrai ? Et elle a été si gentille, si bonne, elle m'aime vraiment beaucoup... Tout cela n'est que mensonge ? » La dame d'honneur était trop discrète pour confier, même à son Journal, le contenu de ces calomnies : « Je ne me pardonnerais pas le fond de l'affaire ; je ne me pardonnerais pas d'avoir sauvé de l'oubli une histoire pareille. Et si l'impératrice savait cela ! Ce serait terrible [45] ! »

Les deux sœurs en arrivèrent à un conflit violent, qui devait se prolonger leur vie durant. L'atmosphère était si tendue, dans cette société pratiquement coupée de l'extérieur et oisive, dont les membres se jalousaient, que l'impératrice perdit pendant plusieurs jours tout plaisir à la chasse et à l'équitation, ce qui en dit long sur son humeur. Indignée, elle annula sa participation à plusieurs courses et, comme souvent dans les situations difficiles, se prétendit malade et s'alita. Sa décision tombait d'ailleurs bien, pensait-elle : « Comme je ne vais pas chasser de plusieurs jours, les gens diront que c'est à cause du pape. C'est très bien [46] », écrivait-elle à François-Joseph. (Pie IX venait en effet de mourir). Rodolphe présent, on n'invitait pas Middleton, pour éviter tout nouvel éclat. Mais dès que le prince eut quitté la résidence de chasse de sa mère, tout recommença. Et Middleton remporta pour la seconde fois la course instituée par Élisabeth, qui lui remit à nouveau elle-même la coupe.

Dans ses lettres à son père, Rodolphe ne parlait pas de tous ces incidents ; tout au contraire, il le rassurait, écrivant par exemple qu'Élisabeth « monte beaucoup plus prudemment cette année, et le capitaine Middleton mène un train plus tranquille ». Il ne cachait pourtant pas ses craintes, « depuis que j'ai vu les obstacles anglais et que j'ai tant entendu parler d'accidents [47] ». Élisabeth, à la suite de toutes ces disputes, avait perdu tout enthousiasme pour la chasse à l'anglaise. Elle cherchait surtout à éviter sa sœur, qui avait à Althorp une propriété et participait à toutes les chasses importantes ; c'est pourquoi elle décida d'aller chasser en Irlande, en compagnie de Bay Middleton. De plus, les membres de la Maison impériale de passage en Angleterre ne pourraient s'y rendre aussi facilement que Rodolphe pendant son voyage culturel.

Outre ses exigences en matière d'équitation, Sissi intrigua la Cour de Vienne par la passion des animaux qui l'anima dès les années 1870. Elle avait toujours aimé s'entourer de perroquets, mais aussi de chiens-loups et de lévriers qui, malgré les protestations de l'empereur, étaient admis dans les pièces les plus intimes de la Hofburg et restaient constamment à ses côtés (mais elle n'était pas parvenue à se faire offrir un tigre royal lors de la naissance d'une portée au zoo de Berlin, non plus qu'un ours dressé à la danse — « il coûte 700 florins [48] »). Comme pour protester contre le refus de satisfaire ces désirs qu'elle nourrissait depuis longtemps, elle s'acheta un macaque qui, tout comme ses chiens, effrayait dames d'honneur et femmes de chambre, mais devint, comme elle le souhaitait, le compagnon de jeux de la petite Marie-Valérie.

Les difficultés, cependant, ne tardèrent pas. Rodolphe écrivait à son ami le zoologue Alfred Brehm : « Malheureusement, cet animal étrangement docile et tout à fait agréable est assez maladif et, en plus, se comporte de façon si inconvenante qu'il est devenu vraiment impossible de le laisser dans une pièce où se trouvent des femmes ! » Le singe fut « destitué de ses fonctions », selon l'expression railleuse du prince, et envoyé au jardin zoologique de Schönbrunn.

A la suite de cet épisode, Élisabeth chargea son fils de lui procurer un autre singe après avoir demandé à Brehm « quelle espèce de singe serait la plus sûre pour ce qui est de la santé, et par ailleurs la plus agréable et la plus correcte quant au comportement. Un singe qui, en outre, ne se rende pas insupportable par ses cris. Elle voudrait aussi savoir si une petite femelle ne serait pas plus facile à garder en intérieur qu'un petit mâle ». Le prince n'appréciait guère d'importuner ainsi un savant qu'il révérait : « Excusez-moi de vous ennuyer pour cette affaire ; mais vous ferez ainsi un immense plaisir à l'une des lectrices les plus assidues de votre *Vie des animaux* [49]. » Quand, quelque temps plus tard, l'impératrice renonça à sa « passion des singes », comme disait Marie Festetics, nombreux furent les membres de la Cour à en être soulagés.

Mais à cette excentricité en succéda bientôt une autre : la nouvelle mode était Rustimo, un Nègre rabougri qui, selon certaines versions, était un présent du shah de Perse. Déjà Max, le père de Sissi, avait jadis trouvé plaisir à se faire accompagner de quatre valets noirs, pour effrayer les bourgeois de Munich. Il les avait même fait solennellement baptiser dans la Frauenkirche, sans que l'on sache si c'était par esprit missionnaire ou par simple amusement. Élisabeth suivait les traces de son père. Elle fit de Rustimo le compagnon de jeu de Marie-Valérie, et les fit même prendre en photo ensemble, afin que personne à la Cour n'en ignore rien.

A la demande expresse de l'impératrice, Rustimo accompagnait l'enfant dans ses sorties, ce qui ne laissait pas d'inquiéter dames d'honneur et préceptrices. Ainsi la landgrave Thérèse Fürstenberg écrivait-elle à sa sœur : « L'archiduchesse a récemment emmené le nègre avec elle en promenade ; dans la voiture on l'a placé près de l'institutrice française qui, toute honteuse et triste, a dû rester assise près de ce païen. L'impératrice distribue toujours des bonbons aux enfants sur son passage. Mais là, aucun n'osait s'approcher, parce qu'ils avaient vu le Noir, et ils essayaient par tous les moyens de contourner ce monstre qui montrait les dents, pour atteindre les bonbons ; cela amusait fort la petite [50]. »

Marie Festetics elle-même trouvait le pauvre Rustimo « abominable [...] trop pour un singe, pas assez pour un être humain [51] ». Élisabeth, au contraire, s'en amusait ; elle finit même par le faire baptiser, pour ôter toute portée aux remarques sur les peu chrétiennes relations de sa fille avec ce païen. « Aujourd'hui a eu lieu le baptême de Rustimo dans le salon de Valérie, écrivait Sissi à sa mère. [...] Rodolphe était le parrain. Tout était solennel et ridicule, on a ri et on a pleuré. Lui-même était très ému et il pleurait [52]. » Lors du mariage de Marie Wallersee avec le comte Georg Larisch, à Gödöllö, l'archiduchesse Marie-Valérie apparut à l'église accompagnée de Rustimo, ce qui était vraiment une provocation.

Rustimo resta de longues années dans l'entourage immédiat de la famille impériale ; les dames d'honneur lui reprochaient d'être devenu présomptueux et insolent, gâté qu'il était par l'excessive bienveillance de l'impératrice. En 1884, il devint appariteur, mais tomba en disgrâce un an plus tard. Mis à la retraite en 1890, il entra à l'hospice d'Ybbs, où il mourut dès 1892. On ne sait pas grand-chose sur lui, mais il est certain, si rares que soient nos informations, que son destin fut tragique. Il n'était pour Élisabeth qu'une attraction, un divertissement, un moyen de provoquer. Quand il cessa d'agir comme elle l'entendait, elle le laissa tomber et le renvoya, exactement comme le singe qui s'était comporté de façon inconvenante.

Pendant que l'impératrice se fâchait avec ses proches, s'entraînait à l'équitation, soignait sa beauté et se plaignait de son ennui, en Bosnie les soldats autrichiens luttaient contre des partisans. Andrássy, appuyé par Bismarck, avait obtenu au Congrès de Berlin le droit d'occuper la Bosnie et l'Herzégovine. Après la guerre de Crimée, cette décision avait encore irrité l'empire des tsars. Élisabeth, sous l'influence d'Andrássy, était également dans des dispositions inamicales vis-à-vis des Russes et écrivait à son époux : « Seulement, n'envoie pas trop d'amis des Russes en Bosnie, comme des Croates, des Bohémiens, etc. [53] » Elle exprimait là sa profonde aversion des Slaves et en particulier, des Tchèques.

Les troupes autrichiennes ne furent pas reçues comme si elles venaient arracher la Bosnie au joug turc, mais bien en ennemies. Le nombre des morts et des blessés augmentait de jour en jour et il fallut à nouveau ouvrir des hôpitaux d'urgence, y compris à Schönbrunn. Élisabeth rendait visite aux soldats blessés, ce qui faisait écrire à Marie Festetics : « C'est vraiment comme l'ange de la consolation qu'elle allait de lit en lit. J'ai vu des larmes couler sur le visage des gens. Aucune plainte ne leur venait aux lèvres, aucune parole de découragement ! Ils disaient même qu'ils ne souffraient pas ! [...] Et, les yeux brillants, ils suivaient ses mouvements, la bénissaient, la remerciaient, sans rien demander ! » La comtesse croyait voir les choses comme l'impératrice en écrivant dans son Journal ces mots empreints de scepticisme : « Je m'incline devant ces hommes qui risquent leur vie pour une idée, qui s'exposent à être estropiés ou abattus. [...] Et c'est presque honteuse que je m'interroge : et nous, quel est notre sacrifice ? Vivant dans l'abondance, nous daignons venir au chevet des mourants et leur demander s'ils souffrent. Et pour atténuer leurs douleurs, nous leur tendons un cigare, nous leur disons un mot aimable. Non ! Cela incite à la réflexion, on se demande qui sont " les grands ". » Et la fidèle dame d'honneur concluait sur une phrase à la louange de l'impératrice : « Mais l'impératrice... l'impératrice comprend cela [54]. »

Ces instants de compréhension, cependant, ne durèrent pas longtemps. Deux jours plus tard, Marie Festetics constatait, résignée : « La vie continue ! Chasse, manège (avec beaucoup de monde), dîners, thés. Je n'en ai pas moins de méchants soucis, et je vois les blessés flotter devant mes yeux pendant que je joue du piano dans ce manège où tout le monde s'agite dans le plaisir et la gaîté. [...] L'impératrice est charmante dans ses efforts pour distraire ses hôtes [55] ! »

Le rayonnement d'Élisabeth était tel, cependant, que ses détracteurs les plus sévères eux-mêmes se transformaient en admirateurs dès qu'elle apparaissait officiellement comme impératrice. Il en fut ainsi lors du bal de la Cour de 1879. L'empereur avait alors quarante-huit ans et, selon Hübner, « avait l'air fatigué et très vieilli. " Je deviens vieux, je perds la mémoire ", disait-il avec mélancolie ». Au contraire, Élisabeth, âgée de quarante et un ans, était « très belle et, surtout de loin, avait une allure très poétique avec sa magnifique coiffure qui coulait sur ses épaules et lui descendait jusqu'à la ceinture. Impératrice jusqu'au bout des ongles [56] ». Cependant, elle passait de moins en moins d'heures « sous le harnais », dans ses grandes toilettes garnies de diamants, avec un diadème sur ses cheveux artistement frisés...

Les préparatifs de son voyage en Irlande occupaient maintenant le plus clair de son temps. Neuf de ses chevaux, en particulier ceux que Middleton avait achetés pour elle à grand prix, se trouvaient en Angleterre, où on les entraînait ; or, en Irlande, il y avait surtout des murs à sauter et non pas de hautes barrières comme en Angleterre. Aussi fallait-il les rééduquer. Le nouveau dressage de ces chevaux — habitués à des exercices bien particuliers et accoutumés au faible poids de l'impératrice — par des cavaliers irlandais, fut si difficile que seuls trois d'entre eux s'y soumirent ; Middleton dut en trouver d'autres. Cela coûta beaucoup d'argent et ne passa pas inaperçu — surtout au moment où l'occupation de la Bosnie donnait lieu à de nombreux combats.

A Vienne, l'empereur passait la plupart de son temps seul, levé à quatre heures du matin, prenant seul ses repas — souvent, sans manières, pendant son travail à son bureau. Sa solitude suscitait autant de pitié que l'absence de sa femme de réprobation. Hübner écrivait dans son Journal : « Il met fréquemment à profit les dernières heures de la journée pour se rendre à Laxenburg. Il y va seul, et se promène seul également dans le parc. Ainsi voit-on ce prince, fait pour la vie familiale, réduit à la solitude par l'absence de l'impératrice, qu'il continue d'aimer passionnément [57]. » Crenneville et ses amis se joignaient à nouveau aux lamentations générales : « Ni les circonstances extérieures, ni les événements intérieurs, ni sa vie intime ne me plaisent. Pauvre Autriche, pauvre empereur ! Il aurait vraiment mérité un autre destin, car personne ne peut mettre en doute ses nombreuses qualités éminentes. Le plus grand de ses malheurs a eu lieu en 1854. Sans cela, peut-être bien des choses auraient-elles été évitées [58]. » (Cette date était naturellement celle de son mariage avec Élisabeth.) Et encore : « Les journaux sont déjà informés que l'impératrice va partir pour l'Irlande. Pour l'anniversaire de l'empereur, elle est venue à Schönbrunn un peu moins de vingt-quatre heures ; pour la Fête-Dieu, elle n'a trouvé ni le temps ni l'envie de réjouir les Viennois en se montrant à eux ! [...] Je n'imagine pas comment elle peut, au milieu de cette misère générale, songer à un voyage en Irlande, ni comment on peut la laisser faire. Quel résultat aurait-on obtenu en répartissant les frais de ce voyage (peut-être un demi-million) entre les comités de secours de la monarchie, combien de faims aurait-on apaisées, combien de bénédictions du ciel aurait reçu une telle bienfaitrice ? Notre maître a-t-il renoncé à toute influence, à tout pouvoir, pour opposer ici son veto ? [...] Mais les plaintes ne servent à rien ; je voudrais, sur cette affaire, pleurer des larmes amères [59]. »

La fidèle Marie Festetics s'efforçait à nouveau de soutenir malgré tout sa maîtresse : « Elle a besoin de la totale liberté et du repos que procurent l'indépendance, d'être détachée de toutes les choses de ce monde qui lui amènent soucis et responsabilités, dispensée de toutes les petites tâches qu'elle n'a pas assez de contrôle de soi pour accomplir et qu'elle ne peut non plus délaisser sans scrupules [60]. » Des lettres de Sissi, cependant, de tels scrupules sont absents. Tout au plus, et une seule fois, y trouve-t-on l'indication que sa passion pour l'équitation avait pu naître d'une rébellion contre l'empereur, qui la tenait depuis 1867 à l'écart de la politique. Elle le lui reprochait en tout cas avec beaucoup d'irritation : « Je ne me mêle plus de politique, mais dans ces questions [il s'agissait des chevaux], je veux avoir encore mon mot à dire [61]. »

Ce n'est certainement pas un hasard si l'intérêt exclusif d'Élisabeth pour l'équitation coïncida avec la période où Andrássy était ministre « impérial et royal » des Affaires étrangères et se trouvait surveillé dans tous ses mouvements, essentiellement par crainte que, comme en 1866-1867, il n'utilisât l'impératrice à ses fins. Manifestement, c'était à la demande de l'empereur qu'elle évitait soigneusement d'avoir l'air de mener la moindre activité politique ; mais elle continuait maintenant de provoquer à sa manière, en ne s'occupant que de chevaux. Elle n'usait pourtant guère de ménagements diplomatiques. Ses séjours en Irlande étaient une provocation ouverte vis-à-vis de la reine Victoria ; son incognito de « comtesse von Hohenembs » n'y était pas de grande utilité. L'Irlande, à cette époque, menaçait de se soulever contre l'Angleterre. Les tensions sociales entre les Irlandais, pauvres et catholiques, et les riches propriétaires britanniques et anglicans, risquaient d'éclater violemment, et la visite d'une impératrice catholique aggravait les risques de troubles. Mais Élisabeth ne s'en souciait pour ainsi dire pas et, dans les lettres qu'elle envoyait à Vienne, minimisait ces problèmes : « Pour ce qui est des troubles, dans cette région on n'en voit aucun. Dans la partie occidentale de l'île, où la récolte a été mauvaise, règnent un plus grand mécontentement et une sorte de terrorisme. Les fermiers ne payent pas et se soutiennent mutuellement avec discipline [62]. » Elle voulait monter à cheval, tout le reste l'ennuyait.

Elle commit maladresse sur maladresse, annulant par lettre la visite à la reine prévue lors de son passage (« J'ai été forcée, pressée par le temps, de gagner en toute hâte ma destination [63] »), mais honorant plusieurs fois de sa présence le monastère de Maynooth, dont les moines étaient soupçonnés d'être des agitateurs anti-anglais. Certes, elle ne s'y était rendue que par politesse, afin de s'excuser d'avoir, pendant une chasse au cerf, franchi le mur du monastère et d'être retombée presque sur la tête du maître des novices ; mais, répétées, ces visites n'en firent pas moins une impression politique défavorable. Les journaux nationalistes irlandais tirèrent tout le parti possible du séjour d'Élisabeth, s'en prenant à la Maison royale britannique dont les membres ne se montraient pas en Irlande.

Il est manifeste que ni elle-même ni son entourage n'étaient bien informés de la situation politique et confessionnelle particulière de l'île. Le comportement respectueux des Irlandais catholiques à l'égard de cette impératrice également catholique frappa jusqu'à la comtesse Festetics, qui rend compte dans son Journal d'une rencontre entre Élisabeth et un lord irlandais : « L'impératrice lui tendit sa main et lui, s'agenouillant, baisa cette main avec une visible émotion et une profonde vénération. Ce lord catholique ne lui rendait pas seulement hommage comme impératrice, mais aussi comme autorité religieuse... A la vérité, cela s'est produit plus d'une fois ici en Irlande. Dans les villages les plus misérables, on revêt ses habits du dimanche, on décore les rues avec amour, on dresse de petits arcs triomphaux. Les gens s'agenouillent dans la rue et baisent le sol là où elle est passée. C'est au point que nous devons être très prudents et qu'elle évite très soigneusement toute sorte d'ovation [64]. »

La figure de la belle impératrice autrichienne est restée en Irlande, aujourd'hui encore, nimbée de légende, comme celle d'une mystérieuse et féerique amazone. Maintes familles irlandaises conservent un de ces mouchoirs de dentelle qu'elle lançait souvent en remerciement des petits services qu'on lui avait rendus.

En mars 1879, la Hongrie connut une inondation catastrophique, qui fit de nombreux morts. Le voyage d'agrément de l'impératrice devenait injustifiable. Elle écrivit à François-Joseph : « C'est pourquoi j'estime qu'il vaut mieux que je parte, et cela te semblera aussi préférable. C'est là le plus grand sacrifice que je puisse faire, mais dans le cas présent c'est nécessaire [65]. »

Les chevaux, cependant, restèrent sur place. Élisabeth laissa égalemement son lit, ce que la comtesse Festetics nota dans son Journal (non sans préoccupation, car les voyages en Irlande ne lui convenaient absolument pas). Mais la loyauté de la dame d'honneur était telle qu'elle ne manqua pas, même en cette occasion, de louer sa maîtresse avec excès et de critiquer la pressse autrichienne : « Quand l'archiduchesse Sophie prenait sur son superflu un morceau de pain pour le donner à un garçon cordonnier, les journaux en étaient remplis. Mais quand la jeune impératrice sacrifie quinze jours d'un séjour prévu pour durer six malheureuses semaines parce qu'une ville a été victime d'un malheur, cela semble tout naturel [66]. »

Sur le trajet de retour, les difficultés menaçaient de se reproduire avec la reine Victoria ; Élisabeth résolut la question en faisant preuve d'un sens inhabituel de l'économie : « Voudrais-tu donc aussi que je m'arrête à Londres, écrivait-elle à François-Joseph ? Je m'en serais bien passée, afin de limiter les notes d'hôtel. Ainsi, j'aurais fait tout le voyage, aller et retour, sans être descendue à l'hôtel [67]. » Les dépenses du voyage se montaient à 158 337,48 florins : les quelques florins qu'aurait coûté un hôtel londonien n'y changeaient donc pas grand-chose ! Mais l'impératrice savait se montrer ingénieuse lorsqu'il s'agissait de se soustraire à une cérémonie comme une visite à Buckingham Palace.

En avril 1879, le couple impérial fêta ses noces d'argent ; selon l'empereur François-Joseph, c'était « une véritable fête de famille pour tous les peuples de mon empire ». Il demanda que l'on évite « tout faste coûteux » et que l'on songe plutôt aux pauvres.

Il y eut toutefois une exception : la ville de Vienne leur offrit un cortège d'hommage, conçu par Hans Makart, le grand pontife de la vie artistique viennoise. Il ne s'agissait pas d'une manifestation de la noblesse, comme les carroussels à cheval, mais de la bourgeoisie. Dix mille personnes vêtues de costumes du Moyen Âge paradèrent sur des voitures magnifiquement ornées devant la tente d'honneur dressée sur la nouvelle avenue du Ring, avec à leur tête un héraut de la ville et une fanfare d'instruments à vent, montée sur des chevaux blancs. Outre les anciennes corporations — boulangers, meuniers, bouchers, potiers, etc. —, il y avait aussi les industries nouvelles : le clou en était la voiture des cheminots, ce qui ne manquait pas de surprendre dans un cortège évoquant le Moyen Âge. Makart résolut ce problème en représentant les chemins de fer par une voiture ailée, « sur laquelle l'eau et le fer s'allieront pour produire cette énergie qui meut la roue avec une vitesse vraiment ailée [68] ». Les commentaires ne furent pas entièrement favorables, surtout en ce qui concernait l'impératrice. Selon un mot qui courut pendant ces jours de fête — mais seulement en privé, bien entendu —, ailleurs on fêtait les vingt-cinq ans d'un *ménage*, mais à Vienne vingt-cinq ans de *manège*.

Parmi cette agitation, Élisabeth se montra impassible ; selon Marie Larisch, elle faisait « le plus souvent une mine semblable à celle d'une veuve indienne que l'on mène au bûcher ; et, comme je profitais d'un moment où personne ne nous entendait pour le lui dire, elle voulut bien rire, mais dit que c'était déjà bien assez d'être mariée depuis vingt-cinq ans et qu'il était inutile de célébrer une fête pour si peu [69] ». A la grande soirée donnée la veille du jour anniversaire, elle ne resta qu'un quart d'heure, laissant son époux remplir seul toutes ses obligations.

Cette fête de famille n'était pour Sissi qu'une pénible charge. Rien ne montre non plus qu'elle se soit réjouie des réalisations qui avaient été accomplies en Autriche-Hongrie depuis son mariage. La vie était plus libre, il existait une Constitution et une vie parlementaire, la personne de l'empereur était à peu près incontestée, et les comparaisons avec les autres dynasties européennes étaient favorables aux Habsbourg, ce qui n'avait pas été le cas, et de loin, entre 1850 et 1870. Bismarck lui-même reconnaissait cette année-là, dans une lettre privée à Guillaume Ier : « En matière sociale, c'est peut-être l'Autriche qui, de toutes les grandes puissances, a la situation intérieure la plus saine, et l'autorité de la Maison impériale est bien ancrée dans chacune des nationalités de l'empire [70]. »

Élisabeth, elle, se plaignait de son âge, de son mariage terne ; elle sentait la désapprobation de la Cour et s'en plaignait. La comtesse Festetics en était de plus en plus inquiète : « Elle ne sait pas suffisamment apprécier sa position d'impératrice ! Elle n'a pas saisi ce qu'il y a là de beau et de sublime, parce que personne ne le lui a montré ; elle n'en perçoit que les ombres les plus froides, elle n'en voit pas les lumières ; c'est pourquoi ses sentiments ne sont pas en accord avec les circonstances, ce qui lui interdit toute tranquillité, toute paix, toute harmonie [71] ! » La fidèle dame d'honneur essayait toujours d'excuser l'impératrice, qui avait maintenant plus de quarante ans, au nom des expériences malheureuses qu'elle avait vécues, alors que d'autres témoins n'y étaient plus disposés.

L'impératrice ne répondait que par le mépris aux commentaires malveillants. Au début de 1880, elle retourna en Irlande. Elle demeurait sportive et résistante et se sentait assez en forme pour continuer à figurer parmi l'élite internationale des cavaliers. Ses chevaux étaient restés en Irlande, ce qui lui permettait de voyager sans beaucoup de bagages (encore que le train de marchandises qui suivait son train spécial, doté d'une voiture-salon, n'ait pas transporté moins de quarante tonnes de fret).

L'empereur inquiet recommença à recevoir, au milieu des crises gouvernementales, de peu rassurantes nouvelles de son épouse, qui lui écrivait par exemple : « Rudi Liechtenstein a lui aussi fait une chute, sans se faire mal, et Lord

Langford, notre hôte, depuis qu'il est tombé sur le visage, a des difficultés pour avaler. » Ou encore : « Middleton a fait une chute et moi aussi. [...] Mais le sol était très mou. Beaucoup d'autres ont dû tomber aussi. [...] Mais étant, bien entendu, remontée tout de suite en selle, je ne l'ai pas vu. Ce que j'ai vu, c'est Lord Langford debout dans un autre fossé, en train de repêcher son cheval [72]. »

Les rapports envoyés à l'empereur par le prince Liechtenstein et la comtesse Festetics parlent eux aussi beaucoup de chutes, de mâchoires brisées et de jambes cassées, de sauts téméraires au-dessus des fossés et des murs. Lors d'une chasse particulièrement difficile, Élisabeth monta même sans gants, afin de mieux mener son cheval. A Gödöllö, elle portait trois épaisseurs de gants ; ici, en Irlande, elle supportait d'avoir les mains écorchées jusqu'au sang. Personne désormais n'était plus surpris qu'elle l'emportât sur toutes les autres cavalières.

Ses triomphes à la chasse à courre lui permettaient de s'affirmer elle-même d'une part comme sportive et comme jolie femme, d'autre part comme libérée des contraintes de la Cour. A la fin de ses séjours équestres, elle tombait le plus souvent dans le désespoir et se plaignait amèrement de son existence d'impératrice : « Pourquoi faut-il que je retourne dans la cage ? Si je pouvais me briser tous les os, pour mettre fin à cela — à tout ! »

Ces éclats, proches de l'hystérie, effrayaient toujours autant son entourage. Il n'y avait alors d'autre recours que de lui rappeler l'existence de Marie-Valérie. Elle écrivait ainsi à Marie Larisch : « Ce serait pécher que de vouloir l'abandonner. Ma *kedvesem* * est tout ce qui me reste au monde. Tout ce qu'on m'a laissé [73]. »

Pendant ces moments de joie de vivre effrénée parmi les sportifs, le dédain d'Élisabeth à l'égard de l'humanité s'accroissait encore. Middleton mis à part, personne dans son entourage n'aurait osé lui parler franchement. On la flattait,

---

* « Chérie », en hongrois. (N.d.A.)

l'utilisait. Marie Festetics était impuissante : « Lorsqu'on apprend à juger petitement ceux qui sont autour de soi, comment pourrait-on respecter les gens et ne pas se considérer comme supérieur à eux ? Et, ce qui est le pire, ne pas les mépriser comme des marionnettes... C'est là pour elle un grand danger, car ceux qu'elle ne respecte pas, elle n'a pas besoin d'avoir d'égards pour eux, et c'est bien confortable [74] ! ! ! »

Il y eut bientôt aussi des brouilles entre l'impératrice et la comtesse, qui ne pouvait s'intéresser aux cavaliers et venait toujours rappeler avec précaution, et le plus souvent en vain, telle ou telle tâche à accomplir.

Avant de quitter l'Irlande, Élisabeth avait ordonné que l'on y fît venir d'Autriche quatre chevaux de plus, afin qu'ils puissent être dressés pour elle avant la prochaine saison de chasse. A son retour, elle fit pour une fois des concessions à la Cour de Vienne. Elle s'arrêta à Londres, où elle rencontra le Premier ministre, Disraëli, et l'ambassadeur d'Autriche. Elle se montra aimable et plaisante, se conciliant les sympathies comme toujours lorsqu'elle s'y employait. Elle rendit visite au prince de Galles et même à la reine Victoria. Ce qui ne l'empêchait pas d'écrire à sa mère : « Malheureusement, je dois pendant mon voyage de retour aller voir la reine à Windsor, cela m'ennuie terriblement. Un des grands avantages de l'Irlande est aussi qu'il n'y a pas là-bas de grands personnages [75]. »

A Londres l'attendait un télégramme : le prince impérial Rodolphe venait de se fiancer, à Bruxelles, avec la princesse Stéphanie, âgée de seize ans et fille du roi des Belges. « Dieu merci, ce n'est pas un malheur », commenta Marie Festetics en apprenant la nouvelle ; à quoi Élisabeth répondit : « Dieu veuille que ce n'en soit pas un [76] ! » Elle dut s'arrêter à Bruxelles en revenant d'Angleterre, afin de féliciter le jeune couple. Mais la Maison royale de Belgique lui était extrêmement antipathique, parce que sa belle-sœur Charlotte, l'ex-impératrice du Mexique, qu'elle n'aimait guère, en était issue.

La brève visite d'Élisabeth à Bruxelles ne fut qu'une pénible obligation. Le roi, la reine, la fiancée et le fiancé se tenaient sur le quai de la gare pour l'accueillir. Marie Festetics décrit une fois de plus avec enthousiasme la beauté de l'impératrice (alors âgée de quarante-trois ans) et la vénération que lui portait Rodolphe : « Il lui sauta littéralement au cou, l'embrassant, baisant ses mains ; puis ce fut le tour de la fiancée — une toute jeune enfant, fraîche et peu formée, d'ailleurs mal habillée. L'impératrice se pencha pour enlacer et embrasser la petite, qui levait le visage, avec une admiration non dissimulée, vers sa ravissante belle-mère ; sur sa petite face écarlate se lisaient le bonheur et la joie ! »

Dès cette première rencontre, si contrainte et si pénible, l'impératrice l'emportait sur sa belle-fille. « J'étais si fière, je voulais contempler le prince impérial, qui regardait sa mère, puis sa fiancée, écrivait Marie Festetics. J'avais de la peine, car cette situation ne pouvait être à l'avantage de cette dernière ! Mais je trouve qu'il a plutôt l'air de s'amuser que d'être heureux ! »

La halte à Bruxelles dura exactement quatre heures, de huit heures du matin jusqu'à midi. Ce temps fut consacré à un petit déjeuner au palais royal de Bruxelles, pendant lequel Marie Festetics se sentit tout aussi mal à l'aise que sa maîtresse : « Tout cela m'a paru si théâtral, si parvenu ! ! [...] Cela ne m'a pas plu, tout était si banal, si routinier, si dissimulé ». (Malgré son immense fortune, la monarchie belge était, en effet, considérée comme nouveau-riche). D'accord sur ce point avec sa maîtresse, Marie Festetics ajoutait : « Nous autres Autrichiens ne sommes pas très portés vers les Belges [77]. » Et les rapports entre Élisabeth et son fils ne furent guère améliorés par l'attitude de sa belle-fille, loin de là.

Pour 1881, Élisabeth préparait un nouveau séjour de chasse. Elle s'entraînait comme à son habitude, mais souffrait de plus en plus de rhumatismes ; c'étaient les premiers signes de l'âge. Son humeur ne cessait de s'assombrir. Elle était également victime, plus souvent qu'autrefois, de troubles nerveux qui effrayaient son entourage, y compris la petite Marie-Valérie. Cette dernière écrivait dans son Journal, le 1er janvier 1881 : « Maman avait pris un bain très fort et, quand je suis allée la voir, elle riait sans arrêt, car son bain l'avait rendue toute nerveuse. J'ai eu peur, mais, heureusement, aujourd'hui elle va bien à nouveau. »

Élisabeth se fit un souci exagéré pour une chute qui valut à Middleton une fracture du crâne, mais ne l'empêcha pas d'être en selle un mois plus tard : il ne faisait aucun doute qu'il recommencerait bientôt à entraîner l'impératrice... Mais, cette fois, elle ne put imposer sa volonté, car un nouveau voyage en Irlande n'aurait pas été politiquement tolérable. Elle se résolut alors, non sans réticences, à se rendre en Angleterre. On trouva le manoir de Combermere Abbey, dans le Cheshire, dont le propriétaire venait de partir pour les Antilles. Des ouvriers autrichiens y furent envoyés comme d'habitude. Il fallait en particulier construire une chapelle et une salle de gymnastique, et équiper toute la maison de sonnettes électriques.

Dans la chambre de l'impératrice fut installé un escalier en colimaçon pour qu'elle puisse descendre discrètement dans sa cuisine particulière et y prendre tranquillement ses sobres repas. On ajouta à la petite gare de Wrenbury une deuxième salle d'attente : c'est là que les chasseurs monteraient dans les trains spéciaux qui les emmèneraient sur le terrain. Il fallait aussi une voie de triage pour les wagons transportant les chevaux ; il y avait maint et maint autres aménagements du même genre, tout comme naguère à Easton Neston et à Cottesbrook. Comme on n'avait pas renoncé à l'espoir de pouvoir tout de même se rendre en Irlande, de coûteux préparatifs furent également effectués à Summerhill. Mais finalement tous les chevaux furent amenés de Vienne, de Gödöllö et d'Irlande jusqu'à Combermere Abbey. Le prince Rodolphe Liechtenstein, qui figurait à nouveau parmi la suite d'Élisabeth, fit également venir huit chevaux de ses écuries, et Middleton dix.

Sur vingt-huit jours ouvrables, l'impératrice chassa vingt-deux, dont deux furent gâchés par la neige [78]. Middleton était constamment à ses côtés. A quarante-trois ans, elle était extraordinairement bien entraînée, mais ces chasses éprouvantes, en compagnie d'un homme de trente-trois ans la harassaient beaucoup plus que naguère. Middleton, de son côté, avait des soucis d'ordre privé : l'héritière d'une riche famille de propriétaires terriens, qui était sa fiancée depuis des années, se montrait jalouse. Elle voulait enfin se marier et ne tolérait plus la vénération de Bay pour l'impératrice. Plusieurs articles très critiques pour l'impératrice parurent dans la presse anglaise. « Je ne suis plus surprise que lorsque l'on dit ou écrit du bien de moi [79] », répondit-elle.

Élisabeth devait encore chasser une dernière fois en Angleterre en 1882. Mais Middleton n'était plus là et, avec un autre, la chasse ne l'amusait plus. Elle abandonna soudain la chasse à courre et fit mettre en vente tous les chevaux de ses écuries anglaises. Ainsi s'acheva cette période de sa vie.

L'impératrice retourna en Autriche, où elle accéda aux prières des militaires, qui souhaitaient qu'elle apparût à cheval, avec l'empereur, le prince héritier et la princesse, à une revue militaire sur le Schmelz.

Il est piquant de noter qu'elle montait un de ses chevaux favoris, dont le nom était « Nihiliste ». Marie Festetics n'en pouvait plus de fierté : « C'était si solennel et grandiose qu'on en avait le cœur gonflé. De tous côtés des tambours et des trompettes, des drapeaux qu'on agitait, et les " Attention... " tonitruants des colonels ! Quel beau tableau, cette belle, si belle impératrice qui, comme coulée dans le bronze, se tenait là à cheval et remerciait de la tête avec sa grâce majestueuse et une amabilité sans pareille. Je n'oublierai jamais cette journée [80]. »

On savait à Vienne qu'Élisabeth nourrissait des griefs envers l'armée, et la comtesse Festetics avait « beaucoup entendu dire qu'elle n'aime pas l'armée ». Ainsi, lors des « cercles » officiels à la Hofburg, la souveraine fuyait-elle les officiers de haut rang (en particulier son principal opposant, l'archiduc Albert) et leur refusait-elle l'honneur de s'adresser à eux. Compte tenu de l'importance considérable qu'avait l'armée de la monarchie « impériale et royale », cette attitude revenait à s'opposer à François-Joseph. De leur côté, à en croire Marie Festetics, « les généraux se retiraient presque ostensiblement dans un recoin » lorsque l'impératrice apparaissait [81].

Les archiducs Albert et Guillaume l'avaient priée avec insistance de se montrer aux cérémonies militaires : Andrássy lui avait également dit que ce « serait très enthousiasmant pour les troupes ». En tentant une conciliation, Marie Festetics se heurta « plus qu'à une répugnance, à une résistance ». Elle ne s'expliquait le refus qu'opposait sa maîtresse à apparaître à une revue militaire — ce que faisaient pourtant d'autres souveraines européennes — qu'ainsi : « Je crois que l'empereur n'a pas exhorté Sa Majesté à être présente. L'armée est son affaire et il ne veut pas partager ce domaine ; elle-même ne veut pas être une intruse [82]. »

Malgré les efforts de la dame d'honneur pour innocenter sa maîtresse, l'aversion d'Élisabeth pour l'armée ne fait aucun doute. Dans ses poèmes, elle se reconnaissait ouvertement pacifiste, et, par exemple, approuvait la politique de la Suède :

> *En Suède, au moins, les choses vont mieux !*
> *C'est vraiment avec envie*
> *Que l'on voit baignés par ces eaux*
> *Vivre heureux les braves gens.*
>
> *Leur souverain peut avouer fièrement*
> *Qu'il épargne des millions.*
> *C'est aussi qu'on manque là-bas*
> *D'armées et de canons [83]...*

Et ailleurs, dans un poème écrit pendant la crise de Bulgarie au milieu des années 1880, elle s'exprimait plus clairement encore :

> *Les pauvres paysans s'éreintent*
> *A cultiver leurs lopins.*
> *En vain ! Aussitôt leur argent*
> *Leur est à nouveau dérobé.*

Les canons coûtent fort cher
Et il nous en faut beaucoup,
Spécialement cette année
Où les choses deviennent sérieuses.

Qui sait ! S'il n'y avait pas de princes,
Il n'y aurait pas non plus de guerres ;
Plus de ces rêves ruineux
De batailles et de victoires [84] *!*

Il est indubitable que l'impératrice dut particulièrement prendre sur elle pour se montrer en public lors des exercices militaires. Mais elle désarma ainsi nombre de critiques.

Pendant cette même année 1882, elle fit une seconde fois preuve de bon vouloir en accompagnant l'empereur, en septembre, dans un voyage officiel à Trieste, en vue de fêter les cinq siècles d'appartenance de la ville à l'empire. L'archiduchesse Marie-Valérie, alors âgée de quatorze ans, exprimait ses soucis dans son Journal : « J'ai si terriblement peur. [...] C'est épouvantablement dangereux. Car les Italiens veulent se rendre maîtres de Trieste et haïssent l'Autriche. Déjà, quand oncle Charles [Charles-Louis] est allé là-bas, ils ont lancé une bombe contre un général autrichien, et l'on craint maintenant... Oh, non ! je ne veux pas même y penser [85]. »

Ces craintes étaient fondées. On découvrit deux Italiens porteurs de bombes « pour accueillir l'empereur d'Autriche ». Marie Festetics décrit ainsi les émotions de ces journées : « Puis il y eut le théâtre. Très désagréable ; était-ce que l'on craignait un attentat, qu'on s'y attendait ? A l'arrivée au théâtre ? à l'intérieur ? à la sortie ? On n'avait pu arrêter que l'un des suspects — devant le bâtiment ! Les officiels voulaient dissimuler l'événement, mais ils étaient si agités qu'ils n'y parvinrent pas. Leurs Majestés étaient magnifiques ! » L'empereur ordonna que seule une suite réduite au strict minimum l'accompagnât aux différentes manifestations : « On ne pourrait vraiment exiger pareille chose de personne [86] ! » Pendant le voyage, l'impératrice fit preuve d'un très grand courage. Elle ne se laissa pas dissuader d'accompagner son époux partout ; elle écrivait à sa fille : « Dans la voiture, je me suis assise du côté de la terre [celui où l'on craignait le plus un attentat aux armes à feu] et j'ai laissé l'empereur prendre place du côté de la mer. Cela n'aurait pas beaucoup servi, mais peut-être tout de même un peu. » Marie-Valérie était fière de sa mère : « Oh, si j'avais un mari, je chercherais aussi à me sacrifier, comme maman. Que sa vie me soit plus chère que la mienne propre. »

Selon Marie-Valérie, Élisabeth était « tellement fâchée de la fausseté des Italiens » qu'elle les saluait à peine : « Ils sont toujours là à crier *"Eviva, eviva"*, puis ils vous mettent un poignard dans le dos ». « Je n'ai jamais encore vu maman ainsi, poursuit-elle. Elle avait les larmes aux yeux et était encore en colère contre cette affreuse racaille [87]. »

La décision de l'impératrice d'abandonner la chasse à courre fut un grand soulagement pour ceux qui se préoccupaient de sa réputation. C'est avec la meilleure conscience que la *Neue Freie Presse* apaisa les critiques en écrivant que dans les écuries d'Ischl ne se trouvaient, à l'été 1882, que 50 chevaux, « soit exactement 100 de moins qu'en 1837, lorsque l'empereur Ferdinand y résidait et qu'on avait construit plusieurs grandes baraques de bois [...] pour loger les chevaux et les équipages [88] ».

Pour ceux qui connaissaient les détails, cela voulait dire que le manège de saut et de dressage d'Élisabeth à Ischl était vide, et qu'aucun de ses chevaux de cirque n'avait été amené dans le Salzkammergut... Au Nouvel An de 1882, comme elle était venue à l'Opéra avec son mari, sa fille et sa belle-fille pour assister de la « loge incognito » à l'*Obéron* de Weber, le comte Hübner constatait : « C'est un événement que l'impératrice puisse être aperçue autrement qu'à cheval, et le public se montre reconnaissant de ce spectacle rare [89]. »

Mais la fin des chasses à courre et de l'entraînement quotidien créa un vide soudain dans une existence qui, pendant presque dix ans, avait été celle d'une sportive d'élite ne vivant guère que pour ses chevaux. Son corps avait du mal à s'adapter à une tranquille vie « impériale ». Élisabeth prit alors l'habitude de satisfaire son extraordinaire besoin de mouvement par des promenades quotidiennes de plusieurs heures sur un rythme incroyablement rapide, épuisant pour les dames d'honneur. Elle allait sous le vent et la pluie, par les montagnes et les prairies des plus belles régions d'Autriche, de Bavière et de Hongrie, mais aussi sur des routes poussiéreuses. Afin de ménager les dames d'honneur, guère entraînées, elle se faisait souvent suivre d'une voiture où celles-ci pouvaient monter quand leurs pieds criaient grâce. Pour sa part, elle marchait pendant des heures, ni les orages ni les tourmentes de neige ne pouvaient l'arrêter.

Elle portait de robustes chaussures de marche, une robe sombre et solide et une veste : tenue inspirée des costumes d'équitation. Ainsi fut-elle l'une des premières femmes à se vêtir de « tailleurs ». Pour se protéger du soleil (mais plus encore des regards indiscrets), elle avait de grandes ombrelles de cuir, très malcommodes. Elle faisait évidemment son possible pour garder l'anonymat, pressant farouchement le pas quand elle rencontrait du monde. Lorsqu'elle entrait dans une auberge de campagne, elle choisissait toujours une place dans le coin le plus reculé. Et elle n'était jamais aussi contente que quand elle pouvait boire un verre de lait puis reprendre son chemin sans avoir été reconnue.

Les dames d'honneur, dès lors, ne furent plus choisies selon leur rang dans l'aristocratie, car cette fonction n'était plus guère enviée. De bons pieds, un corps et un moral à toute épreuve, telles étaient désormais les principales qualités requises pour accéder à ce qui avait jadis été un poste très convoité. La comtesse Festetics, qui pendant les chasses anglaises n'avait rien eu d'autre à faire que d'attendre dans des auberges pendant des heures, eut toutes les peines du monde à s'adapter. Petite et dodue, elle s'époumonnait à courir derrière l'impératrice ; de plus, elle avait constamment faim, car sa maîtresse ne prenait pas le temps de manger et poursuivait d'ailleurs ses cures d'amaigrissement. Après une excursion qui avait duré presque six heures, l'empereur accueillit un jour la dame d'honneur par ces mots compatissants : « Êtes-vous encore en vie, comtesse ? Vraiment cela n'a pas de nom [90]. »

Mais François-Joseph manifestait pour cette nouvelle marotte patience, humour et indulgence, même lorsque Élisabeth, importunée par les curieux, se mit de plus en plus souvent à faire des marches après la tombée de la nuit (ce qui n'était pas sans rappeler les excursions nocturnes de Louis II de Bavière). Ainsi, pendant l'été 1885, fit-elle une heure de marche depuis Zell am See vers la Schmittenhöhe, accompagnée d'une dame d'honneur et de quelques guides de montagne, qui portaient les lanternes[91].

Des scènes cocasses survenaient bien souvent. Ces dames avançant presque au pas de course formaient un tableau peu banal, qui pouvait donner lieu à méprise. Un jour, au retour d'une excursion (Sophienalpe, Haltertal, Hacking, Hietzing, Schönbrunn), un policier crut que ces deux femmes qui couraient — c'étaient l'impératrice et la comtesse Festetics — étaient poursuivies par un malfaiteur. Marie Festetics nota : « Mais il reconnut qu'il s'agissait de l'impératrice et cessa de vouloir intervenir, non sans nous suivre en haletant jusqu'au château[92]. »

L'autre façon d'Élisabeth d'apaiser son besoin de mouvement fut, au cours des années 1880, la pratique de l'escrime. Elle se mit à en faire deux heures par jour, auxquelles s'ajoutait encore l'entraînement quotidien, sans parler des exercices de gymnastique.

Elle retourna encore deux fois en Angleterre, mais seulement pour y prendre des bains de mer. Là aussi, elle en faisait tant qu'elle s'attira les railleries, y compris de l'empereur Guillaume Ier, qui « riait de son mode de vie excentrique, estimant que peu de gens auraient supporté de se baigner trois fois par jour une demi-heure dans la mer[93] ».

Bay Middleton se maria à la fin de 1882. Manifestement, il entretint une correspondance secrète avec l'impératrice, et ils se rencontrèrent même encore un certain nombre de fois. Marie Larisch mentionne ainsi une « surprenante » rencontre à Amsterdam, où tous deux suivaient une cure de massages chez le célèbre professeur Metzger — Élisabeth en raison de sciatiques et Middleton pour soigner les séquelles d'une chute de cheval. Cette promenade à quatre ressemblait, rapporte Marie Larisch, à « une sorte de marche funèbre ». Élisabeth, sarcastique, désignait tant elle-même que Bay Middleton comme « estropiés [94] ». Son grand chambellan, le baron Nopcsa, se plaignait : « Sa Majesté est malheureusement si nerveuse [...] que Metzger se réjouit de nous voir partir, il a même dit qu'il aimerait autant que nous ne revenions jamais [95]. » Marie-Valérie mentionne encore, en la désapprouvant, une visite de Bay Middleton à Gödöllö, le 20 mars 1888 : « Cela évoque des temps anciens, qui n'étaient guère bons. »

Middleton se rompit le cou en 1892, lors d'une chasse à courre. Sa veuve détruisit toutes les lettres de l'impératrice et ne conserva que quelques cadeaux : un anneau, des boutons de manchette et un médaillon.

CHAPITRE IX

LA FÉE TITANIA

« Je n'avais [...] certes pas été élevée pour devenir impératrice, et je sais qu'il manque bien des choses à mon éducation, mais je n'ai jamais rien fait de mal, Dieu m'en est témoin ! L'occasion m'en a été donnée, et on aurait bien voulu me séparer de l'empereur [1] », avait dit Élisabeth en 1872 à Marie Festetics, confidence renouvelée à d'autres personnes en d'autres circonstances. Il n'y a pas de raison de douter que la véracité de ces propos, malgré les racontars qui circulaient à Vienne sur les prétendues « liaisons » d'Élisabeth et malgré les allusions de sa propre nièce Marie Larisch (qui les fait en termes voilés dans ses livres). Aucun indice sérieux n'étaye de telles rumeurs.

L'impératrice était l'une des plus belles femmes de son temps, malheureuse en ménage, inassouvie, oisive, voyageant presque constamment, fuyant la compagnie et s'entourant d'une aura de mystère. Tout cela était bien fait pour enflammer les imaginations.

Mais, où qu'elle se trouvât, elle restait sous les regards de très nombreuses personnes, des valets de chambre et des laquais jusqu'aux dames d'honneur et aux membres de la famille. Chacun à la Cour savait comment allaient les choses entre l'empereur et l'impératrice, on notait et commentait leurs disputes et leurs réconciliations ; comme ils avaient des appartements séparés, chacune de leurs rencontres était observée par une haie de curieux — du moins était-ce le sentiment d'Élisabeth.

De tous ces ragots, le suivant pourrait servir d'exemple. Il est significatif car y étaient mêlés des familiers très proches, le grand chambellan Nopcsa et la préceptrice de Marie-Valérie, Miss Throckmorton. Marie Festetics ne put contenir son indignation lorsque cette dernière, sans provoquer d'autre réaction du baron Nopcsa, qui était là, lui demanda « si [son] repos nocturne n'avait pas été dérangé ». « Naturellement, raconte la dame d'honneur, je lui demandai pourquoi, et elle me raconta, avec des mines aigres-douces, que Leurs Majestés se seraient disputées, que l'impératrice ne lui avait pas ouvert sa porte et barricadait *le passage* * ! » Miss Throckmorton tenait cela d'un jardinier. « Ces gens sont payés pour tout savoir de ce qui se passe chez Leurs Altesses [2]. »

Nombreux à la Cour étaient ceux qui entretenaient de ténébreuses affaires, animaient des coteries, allumaient des conflits jusqu'au sein de la famille impériale et cherchaient à en tirer parti. La comtesse Festetics n'était pas seule à se plaindre de la difficulté de se tenir en dehors des intrigues et même, tout simplement, de savoir la vérité. Elle ne pouvait confier son irritation qu'à son Journal : « Le principe monarchique est celui de la ruche, avec la différence que les abeilles ouvrières tuent les faux bourdons inutiles et les jettent dehors. Ici c'est différent, ce sont les faux bourdons qui tuent les ouvrières et vivent de ce qu'elles ont amassé. » Elle se demandait avec colère « pourquoi la prétendue noblesse d'âme interdit que l'on taille parfois dans le vif en leur ôtant une bonne fois le masque du visage [3] ». Ainsi cette Hongroise qui méprisait la Cour s'efforçait-elle d'excuser sa maîtresse qui était de plus en plus étrangère au monde officiel où elle vivait.

En voyage, les choses n'étaient pas bien différentes, quoiqu'il y eût bien entendu des différences de degré car l'impératrice pouvait choisir sa suite et ses plus grands enne-

---

*En français dans le texte. (*N.d.T.*)

mis restaient à Vienne. Mais le nombre des accompagnateurs était toujours considérable : grand chambellan, dames d'honneur, femmes de chambre, secrétaires, coiffeurs, filles de bains, cuisinières, pâtissier, cochers, lads et « garçons à chiens ». Marie-Valérie était la plupart du temps du voyage, avec ses précepteurs et professeurs. Il y avait presque toujours aussi un médecin et un prêtre. Les suivants haut placés avaient bien sûr aussi leur propre personnel, laquais et soubrettes. Aussi la suite de l'impératrice comprenait-elle généralement cinquante à soixante personnes, logées dans le même bâtiment ou à proximité immédiate. Il est proprement impensable que l'impératrice ait pu, dans ces conditions, tenir secrète une « liaison ». Cette raison toute simple suffirait déjà, indépendamment de raisons plus profondes dont nous parlerons en détail, pour accorder foi à ses protestations.

Il est certain qu'elle donnait abondamment matière aux rumeurs par son mode de vie excentrique. Son insociabilité avec tout ce qu'elle entraînait (ses fréquentes absences de Vienne, les grillages posés aux allées du jardin, son célèbre voile bleu sur la tête, ses éventails et ses ombrelles) la rendaient presque ridicule, écrivait Marie Festetics. Mais surtout, et c'était là le plus grave, cet étrange comportement éveillait la méfiance. On cherchait la raison de ce jeu de cache-cache, et c'est ainsi que naissaient des histoires sur ses aventures. « On cherche autre chose là-derrière, ou du moins on laisse carte blanche aux esprits malveillants [4] », disait Marie Festetics.

Il n'était guère possible de dissimuler la dysharmonie du couple impérial. La réconciliation lors du couronnement de Hongrie et de la naissance de Marie-Valérie ne fut qu'un feu de paille. Les disputes ne cessèrent jamais et se terminaient le plus souvent par le départ d'Élisabeth.

Marie Festetics, dans son Journal, reste extrêmement discrète. Il faut songer à tout le contexte pour comprendre, par exemple, cette observation de 1874 : « Hier, la question s'est un moment posée de savoir si elle allait rester ici. Elle voulait partir. Comment et pourquoi, je n'ai pas le droit de le dire. Mais c'est le bon ange qui l'a emporté, et elle est restée [5] ! »

Chacun à la Cour, savait aussi combien puissante était l'influence d'Élisabeth sur son mari, à quel point elle le dominait, et avec quelle humilité il briguait ses faveurs. Il l'adorait et se pliait à ses humeurs ; pour sa part, elle se montrait extrêmement avare de bonnes grâces. Quand François-Joseph se trouvait à proximité, elle souffrait le plus souvent de quelque indisposition (migraine, mal de dents, malaise intestinal ou autre) : toujours plein d'égards, il n'osait alors rien lui demander. Dès les années soixante, il signa ses lettres à Élisabeth : « ton pauvre petit », « ton petit homme solitaire », « ton petit bonhomme », et elle l'appelait : « mon petit », « cher petit »...

Voici deux extraits de lettres d'Élisabeth qui datent de 1869 et qui reflètent bien son comportement : « Tu me manques bien, mon cher petit ; ces derniers jours je t'avais si gentiment rééduqué. Maintenant, quand tu rentreras, il faudra que je reprenne ton éducation par le début [6]. » Quinze jours plus tard : « Tu me manques bien, cher petit, mais notre solitude plus encore. Tu me connais, tu sais mes habitudes. [...] Mais si je ne te conviens pas telle que je suis, eh bien, je prends ma retraite [7]. »

La jalousie de François-Joseph la poussait à le taquiner constamment. Ainsi lui écrivait-elle de Zurich, en 1867 : « Il y a encore ici quelque chose de réputé : de très chics étudiants, de toutes nationalités, qui saluent très galamment ta chère épouse [8]. » De Hongrie, en 1868 : « Rentrée tard du théâtre chez moi où, pour ton apaisement, le beau Bela ne se trouvait pas [9]. » De Possenhofen, la même année : « Bellegarde est arrivé. Rassure-toi, je ne lui fais aucun charme, pas plus qu'à n'importe qui [10] ! » De Rome, en 1870 : « Mon grand favori ici est le comte Malatesta. Tu n'as pas idée combien il est gentil et aimable. Quel dommage que je ne puisse te l'amener [11] ! » Elle montrait en même temps sans ambiguïté qu'elle était informée de ses faiblesses. Depuis leur spectaculaire crise conjugale et sa fuite de Vienne, elle ne manifestait plus de jalousie, mais une compréhension ironique : « Hier soir [...] j'étais au Moulin Rouge, où nous avons mangé des bagatelles et où j'ai vu une fort jolie personne. Heureusement que tu n'étais pas là, tu lui aurais couru après ! » Et encore : « Tu dois avoir des audiences très distrayantes, vu toutes les jolies filles que tu reçois. [...] Pourquoi Agotha Ebergenyi était-elle auprès de toi ? Je le sais. Te plaît-elle ? N'oublie pas de dire à Andrássy qu'il doit venir avec moi à Paris [12]. »

La compréhension d'Élisabeth devait même aller, plus tard, jusqu'à favoriser et soutenir énergiquement l'amitié de François-Joseph pour Catherine Schratt. Cette largeur d'esprit démontrait aussi qu'elle n'éprouvait décidément plus, contrairement à lui, le même amour qu'au début de son mariage.

Cette femme d'une extrême sensibilité, hautement cultivée et perdue dans ses rêveries, avait pour époux un homme raisonnable et travailleur, à qui cette vie intérieure compliquée était totalement étrangère. Au fil des années s'était creusé un abîme, que masquaient mal leurs marques de gentillesses et leurs manières courtoises. Élisabeth devenait toujours plus excentrique, François-Joseph toujours plus prosaïque, taciturne et impersonnel ; la première se plaignait toujours davantage de la rigidité et de l'insensibilité du second. Cependant, de nombreux poèmes de Sissi montrent clairement qu'elle se sentait coupable vis-à-vis de lui et ne minimisait nullement la part qu'elle-même avait prise dans cette évolution. Marie Festetics, qui vécut pendant plus de vingt ans dans son intimité mais n'avait pas connu ses premières années de mariage, définissait ainsi les relations des deux époux : « L'impératrice a toujours accordé son estime à son mari, et lui est restée sincèrement attachée. Non [...] il ne l'a pas ennuyée, ce n'est pas le mot qui convient. Mais elle trouvait naturel qu'il ne prît pas part à sa vie intérieure et ne parvînt pas à la suivre dans sa quête de biens plus élevés, dans ses ascensions " dans les nuages ", pour reprendre l'expression de l'empereur. Dans l'ensemble, je dois dire qu'elle le respectait et l'aimait bien, mais sûrement pas d'amour [13]. »

C'est Gyula Andrássy qui passait pour le « grand amour » de l'impératrice. Il est certain qu'il occupa sa vie durant une place privilégiée dans sa vie. Les circonstances du sacre de François-Joseph comme roi de Hongrie parlent d'elles-mêmes. Mais il faut considérer comme assuré que même cette relation, la plus profonde entre Élisabeth et un homme, resta platonique. L'impératrice devait par la suite souligner avec fierté, devant diverses personnes : « Oui, ce fut une amitié fidèle, et elle n'était pas empoisonnée par l'amour [14]. » Elle entendait par là l'amour physique, dont, jamais dans sa vie, elle n'avait pu tirer satisfaction.

Tous les autres hommes restèrent tout au plus des adorateurs. Elle acceptait les hommages adressés à sa beauté, aimait être adulée, mais demeurait une souveraine inaccessible et froide. Marie Larisch rend très exactement compte de son attitude : « Élisabeth était amoureuse de l'amour, parce qu'il signifiait pour elle le feu de la vie. Elle considérait les sentiments que lui offraient ses adorateurs comme un tribut à sa beauté. Mais ses enthousiasmes ne duraient jamais longtemps, sans nul doute parce qu'elle les vivait de façon trop esthétique pour en rendre ses sens prisonniers. [...] Elle aurait dû trôner parmi les divinités, se faire courtiser sur les hauteurs du Parnasse, ou se voir élue comme Léda et Sémélé par un Zeus triomphant [15]. »

En dépit de ce sentiment d'être une élue et de sa position impériale, Élisabeth ne cessa jamais d'aspirer à connaître la vie des gens « ordinaires ». Elle était très fortement attirée par ce qui se passait en dehors de l'ordonnancement du protocole. Elle y cherchait le contraire de la vie de Cour : la simplicité, la droiture, la vérité. Ce plaisir de jouer les Haroun al-Raschid et d'apprendre ce qui était interdit aux cercles de la Cour trouva son accomplissement dans la plus grande aventure qu'elle se permit jamais : se rendre en cachette (avec masque et déguisement) à un bal masqué, la « Rudolfinaredoute », donné dans la salle de la Société de musique, le Mardi-Gras de 1874. Étaient seules dans le secret Ida Ferenczy, qui l'accompagnait, ainsi que sa coiffeuse Fanny Feifalik et sa femme de chambre Schmidl, qui toutes deux la préparèrent. La chose se passa dans l'hiver qui sépara l'Exposition universelle de Vienne et les chasses à courre en Angleterre. Cette aventure est largement évoquée par les témoins. Élisabeth la jugeait si importante qu'elle en tira plusieurs longs poèmes. Le « flirt » de cette soirée, Frédéric Pacher von Theinbourg, conserva la correspondance qui s'y rapportait (avec des lettres autographes où elle déguisait son écriture) et en fit un compte rendu détaillé au comte Corti, biographe de l'impératrice. La nièce de celle-ci, Marie Larisch, et sa fille Marie-Valérie relatent également cette affaire, dont elle leur avait elle-même parlé.

A en juger par l'importance qu'elle attribuait à cette aventure, ce fut la seule de cette sorte. Alors âgée de trente-six ans, elle venait de devenir pour la première fois grand-mère.

Fritz Pacher, jeune fonctionnaire célibataire de vingt-six ans, raconta qu'il avait été entraîné dans une conversation avec un domino rouge. Celui-ci dissimulait Ida Ferenczy, Élisabeth étant bien trop timide pour prendre elle-même l'initiative. Toutes deux avaient déjà passé un certain temps sur la galerie à observer le déroulement du bal, mais sans lier connaissance avec personne. Vers les onze heures, comme cela devenait ennuyeux, Ida proposa à Élisabeth de désigner un jeune homme, qu'elle-même aborderait : « A un bal masqué, il faut parler aux gens et nouer des intrigues. » Le choix de l'impératrice se porta sur Fritz Pacher [16].

Ida s'assura d'abord auprès du jeune homme qu'il n'appartenait pas à l'aristocratie et n'avait pas non plus de relations personnelles avec la haute société. Puis elle parla encore de choses et d'autres et en vint finalement à son « amie », « qui est assise toute seule là-haut sur la galerie et se morfond terriblement », puis elle le conduisit dans une loge où était assise une dame, « dans une toilette inhabituellement élégante » du plus lourd brocart jaune et une traîne « fort peu pratique en pareille occasion ». Elle était si bien masquée que Pacher ne put distinguer ni son visage ni sa coiffure : « Mon domino était dissimulé à tel point qu'on ne pouvait le reconnaître, et il devait souffrir énormément de la chaleur. »

Le domino rouge s'éclipsa discrètement, et alors, selon Pacher, une conversation « plutôt ennuyeuse » s'ébaucha. Ils s'approchèrent tous deux de la balustrade et regardèrent le tourbillon du carnaval. « Et tandis qu'au milieu de ces propos tout à fait indifférents je me tourmentais avec une seule idée — qui pouvait-elle donc être ? —, elle me posa tout à trac cette question : " Je suis complètement étrangère ici à Vienne, dis-moi : connais-tu l'impératrice, te plaît-elle, qu'en pense-t-on, qu'en dit-on ? " » Elle n'aurait guère pu trouver plus maladroite entrée en matière... La question éveilla les soupçons du jeune homme, qui répondit prudemment : « L'impératrice ? Je ne la connais, naturellement, que de vue, je l'ai aperçue à cheval au Prater. Ce que l'on pense d'elle ? En fait, on n'en parle pas beaucoup, parce qu'elle n'aime pas se montrer en public ni se laisser voir, et qu'elle s'occupe surtout de ses chevaux et de ses chiens. A part cela, je ne saurais que dire ; peut-être la juge-t-on mal. En tout cas, c'est une belle femme. »

Le domino jaune demanda encore à son cavalier quel âge il lui donnait. Mais comme il donnait son âge véritable, elle réagit avec mauvaise humeur et, peu après, lui dit brusquement : « Eh bien, à présent tu peux t'en aller ! » Mais ce que tous les courtisans auraient supporté de l'impératrice, Fritz Pacher ne l'accepta pas de ce masque inconnu. « Mais c'est vraiment très aimable, répondit-il. Tu commences par me faire monter auprès de toi, puis tu me questionnes, et tu me donnes mon billet ! » Élisabeth, qui n'était guère habituée à de telles réactions — quelle humilité montrait l'empereur lui-même, lorsqu'elle exprimait ses désirs ! —, se ravisa ; à vrai dire, il semble bien que cette façon de la traiter lui en imposait, et d'ailleurs Pacher crut percevoir chez elle de l'étonnement. Toujours est-il qu'elle lui dit : « Bien, tu peux rester, assieds-toi, puis tu me conduiras dans la salle. »

« Dès cet instant, poursuit Pacher, il sembla que les barrières invisibles qui nous séparaient étaient tombées. Mon domino jaune, jusque-là guindé et cérémonieux, était comme transformé, et notre conversation, qui touchait aux questions les plus diverses, ne tarit plus. Elle prit mon bras, auquel elle ne s'appuyait que très légèrement, et nous circulâmes pendant au moins deux heures, sans cesser de bavarder, dans la salle pleine à craquer et les salons voisins. Je pris bien soin de ne pas lui faire la cour de façon trop pressante et j'évitai toute parole équivoque, tant sa conversation portait le cachet d'une grande dame. »

Ils ne dansèrent pas. Pacher observa que le domino jaune se sentait fort mal à l'aise dans la foule : « Elle frémissait de tout son corps quand on ne s'effaçait pas devant elle. Visiblement, elle n'y était pas habituée. » Sa silhouette mince, élancée, extraordinairement élégante, attirait l'attention et « un intérêt manifeste parmi les aristocrates ». Pacher poursuit : « Le sportif bien connu Niki Esterházy, tout particulièrement, compagnon constant de l'impératrice dans les chasses au renard auxquelles elle participait alors avec passion, ne la quittait pas des yeux, et il sembla la transpercer du regard lorsque nous passâmes près de lui. Déjà en cet instant, j'eus l'impression qu'il soupçonnait, voire qu'il savait qui se cachait sous ce déguisement. »

La conversation entre le domino jaune et Fritz Pacher prit un tour plus personnel : la vie de Pacher, leur commun amour des chiens, enfin Heine, thème inépuisable chez Élisabeth. Celle-ci manifesta une franche sympathie, sans toutefois se trahir aucunement. Elle complimenta son compagnon en se plaignant des autres hommes : « Oui, les hommes ! Lorsqu'on a eu l'occasion de les connaître comme moi, on ne peut que les mépriser, ces flatteurs ! » Lorsqu'il voulut au moins voir sa main dégantée, elle refusa, mais lui laissa espérer un éventuel rendez-vous à Stuttgart ou à Munich : « Car il faut que tu le saches, je n'ai pas de patrie et passe ma vie en voyage. » Pacher n'en soupçonna que davantage que derrière le masque se cachait l'impératrice. Il garda par ailleurs l'impression que c'était « une femme intelligente, cultivée, intéressante, une nature originale [...] en tout cas bien éloignée de tout ce qui est ordinaire ».

Longtemps après minuit réapparut le domino rouge qui,

selon Pacher, « s'était approché de nous de façon quelque
peu timorée ». Tous trois descendirent le grand escalier
jusqu'à l'allée principale et durent attendre un fiacre quelques minutes. Lors des adieux, Pacher eut l'audace de chercher à découvrir, sans succès, le menton du masque, ce qui
provoqua chez le domino rouge, « extrêmement agité, un cri
déchirant qui m'en dit long ».

L'aventure ne devait pas s'arrêter là. Le masque jaune, qui
se faisait appeler « Gabrielle », envoya quelques jours plus
tard à son cavalier une lettre de Munich. C'était la propre
écriture d'Élisabeth, quoique déguisée ; elle continuait son
jeu avec lui, mentionnant à nouveau un rendez-vous à Stuttgart, et ne se montrait pas précisément modeste quant à
l'effet qu'elle avait pu lui faire : « Vous avez parlé à des
milliers de femmes et de jeunes filles, vous avez cru vous
divertir, mais votre esprit n'a jamais rencontré l'âme sœur.
Enfin vous avez trouvé, dans un rêve étincelant, ce que vous
cherchiez depuis des années, et c'est peut-être pour le perdre
à jamais. »

La lettre suivante arriva de Londres un mois plus tard,
avec des excuses pour ce retard : « Mon esprit était mortellement las, mes pensées manquaient d'élan. J'ai passé mainte
journée assise des heures à la fenêtre, à regarder dans le
morne brouillard ; puis je redevenais enjouée et je me préci-
pitais d'une distraction à l'autre. [...] Tu veux savoir ce que je
fais, comment je vis. Ce n'est pas intéressant. Quelques vieilles tantes, un bouledogue hargneux, de multiples lamentations sur mon extravagance, une promenade solitaire à Hyde
Park chaque après-midi, pour me détendre. Le soir, après le
théâtre, une réunion mondaine : voilà mon existence, dans
son vide, sa platitude, son désespérant ennui. » On reconnaît
bien là le style et les sarcasmes d'Élisabeth. « Rêves-tu de
moi en cet instant, ou bien envoies-tu des chants nostalgi-
ques dans la nuit silencieuse ? Dans l'intérêt de ton voisinage, je souhaite que tu rêves de moi. »

Il y eut encore une dernière lettre, pleine des railleries
habituelles et de renseignements erronés, dont émerge
cependant un fragment de vérité : « Ainsi, tu veux savoir ce

que je lis. Je lis énormément, tout à fait sans système, de même que ma vie est sans système, au jour le jour. »

Il n'y eut plus ensuite que l'apparition d'un domino nommé « Henriette », deux ans plus tard, pour réclamer (en vain) les lettres de Gabrielle à Pacher. De cette innocente histoire de masque, l'imagination d'Élisabeth fit, au cours des années, une dramatique histoire d'amour. En 1885, presque dix ans après, elle revint sur cet épisode dans un poème :

> *Et maintenant suis-moi, viens à la mascarade.*
> *Que nous importe à nous qu'il fasse froid dehors !*
> *Nous portons l'été dans nos cœurs*
> *Et la salle scintille de mille lumières.*
>
> *Au milieu de tous ces masques bigarrés,*
> *Quelle rumeur, quel tapage, quel vacarme, quels cris !*
> *Sur une folle musique de valse, heureux,*
> *Ils tourbillonnent comme des moucherons.*
>
> *Mais nous deux avons choisi le meilleur lot ;*
> *Nous nous sommes assis dans la voiture,*
> *Y trouvant bientôt comme la chaleur d'un nid ;*
> *Et l'obscurité nous enveloppait* [17]*...*

Pas plus dans la relation de Pacher que dans celle d'Ida Ferenczy, il n'est dit que le jeune homme monta dans le fiacre et encore moins qu'Élisabeth s'y trouva seule avec lui. Au contraire, Pacher prit congé des deux dominos à l'arrivée de la voiture. Élisabeth et Ida, de crainte d'être suivies, empruntèrent quelque temps une autre direction avant de revenir à la Hofburg par des détours. Ce tête-à-tête dans une voiture est sans rapport avec la réalité. Selon toute vraisemblance, il n'arriva qu'une fois dans sa vie à Élisabeth de se trouver seule dans une voiture avec un autre homme que son époux : c'était avec Andrássy, en 1872.

Cet épisode nous est connu par des témoignages. Andrássy lui-même écrivit à Ida Ferenczy qu'après une chasse en Hongrie, il avait offert sa voiture au couple impérial. François-

Joseph avait refusé pour lui-même, mais accepté pour « la reine » : « C'est ainsi que j'eus le bonheur de pouvoir l'accompagner jusqu'au train. Lorsque nous arrivâmes, la gare était pleine de gens qui attendaient Leurs Majestés. Représentez-vous leurs drôles de têtes quand l'impératrice descendit avec moi et que je l'accompagnai dans le hall. Ils ne se calmèrent que lorsque l'empereur et l'archiduc Guillaume arrivèrent à leur tour. Voyez quel vieux monsieur est devenu votre ami : on se fie même à lui pour accompagner de jolies femmes dans la nuit et le brouillard. » Et Andrássy ajoutait : « D'ailleurs, je dois avouer qu'un long trajet dans l'obscurité, sur une route cahoteuse, peut devenir une scène scabreuse, même pour le plus raisonnable des pères de famille [18]. » Cependant, le trajet ne dura que quelques minutes, qui firent tant d'impression à Élisabeth qu'elle y vit une extrême intimité, en tira des poèmes et transposa aussi cet épisode dans l'affaire Pacher.

Pacher mentionne dans ses récits qu'il l'avait revue par la suite, au Prater, alors qu'il était à cheval et elle en voiture. Il était sûr qu'elle l'avait reconnu, comme le confirment ces vers d'Élisabeth :

> *Je te vois grave et triste, sur ton cheval,*
> *Fouler la neige profonde. Par cette nuit d'hiver*
> *Souffle un vent sinistre et glacé.*
> *Ah, que mon cœur est lourd, que j'ai de peine !*
>
> *A l'orient, voici qu'une aube blême*
> *Écarte les ténèbres indistinctes.*
> *Le cœur chargé d'un accablant fardeau,*
> *Tu reviens avec la même plainte amère [19].*

En vérité, il ne ressort nullement du récit de Pacher qu'il ait ressenti « cette plainte amère ». Il était surtout curieux de savoir si c'était bel et bien l'impératrice en chair et en os, comme il le soupçonnait, qu'il avait rencontrée. Jamais il ne prétendit s'être consumé d'un grand amour disparu, comme le laissaient entendre certains poèmes de l'impératrice.

Grande fut la surprise de Pacher lorsque, onze ans plus tard, en 1885, il reçut une nouvelle lettre du domino jaune, le priant d'envoyer poste restante son adresse et sa photographie. « Je suis devenu un époux respectable et chauve, mais heureux, répondit-il. Ma femme te ressemble par la taille et la silhouette, et j'ai une fillette délicieuse » ; il ne joignit pas de portrait. Quatre mois plus tard, « Gabrielle » lui redemanda de faire photographier sa « paternelle calvitie ». Cette fois, Pacher se fâcha : « Je suis vraiment peiné qu'après onze ans tu juges encore utile de jouer à cache-cache avec moi. Se démasquer, après tout ce temps, aurait été un amusement charmant, qui aurait fort bien conclu l'aventure du Mardi-Gras de 1874, mais une correspondance anonyme, si longtemps après, manque tout à fait de charme [20]. » Élisabeth s'attendait à une tout autre réaction et fut si furieuse qu'elle écrivit sur le compte de Pacher ces vers pleins d'acrimonie et bien peu impériaux :

> *C'est une bestiole très vulgaire ;*
> *Chauve, avec cela, et difforme,*
> *Sa place est sur le fumier.*
> *Nulle limite à sa bassesse,*
> *Tous les échos du Tyrol*
> *Le claironnent de roc en roc.*
> *Et il est une femme pour partager ça* [21] !

Pacher ne lut évidemment jamais ces vers. Mais, deux ans plus tard, pour conclure l'aventure, il reçut du Brésil un poème imprimé, sans nom d'expéditeur ni signature :

> Le chant du domino jaune
> Long, long ago
>
> *T'en souviens-tu ? Cette salle illuminée dans la nuit,*
> *Il y a longtemps, longtemps, si longtemps,*
> *Où deux cœurs se rencontrèrent,*
> *Il y a longtemps, longtemps, si longtemps*.*

* Ce vers se répète entre chacun des suivants (*N.d.A.*)

Là commença notre étrange amitié, ô mon ami,
T'en souviens-tu parfois encore ?
Te souviens-tu des mots si intimes
Que nous échangions au rythme de la danse ?
Une pression de main encore, et je dus m'enfuir,
Non, je ne pouvais te dévoiler mon visage,
Mais j'illuminai ton âme.
Cela, mon ami, était bien plus encore !
Des années, depuis, se sont écoulées, enfuies,
Mais sans jamais nous réunir.
Mon regard scrute les étoiles dans la nuit,
Mais elles restent muettes et sans réponse.
Parfois je te crois proche, puis de nouveau si loin.
Peut-être es-tu déjà sur une autre étoile ?
Es-tu en vie ? Alors un signe, à la lumière du jour !
A peine j'ose l'attendre, l'espérer.
Il y a si longtemps, oh, si longtemps,
Ne me laisse plus attendre,
Plus attendre [22] *!*

Personne ne vint chercher la réponse de Pacher en poste restante, également versifiée. Lorsqu'en 1913 la nièce d'Élisabeth, Marie Wallersee-Larisch, dans son livre *Mon Passé,* dévoila cette histoire de domino, Fritz Pacher eut enfin la preuve que derrière le domino jaune s'était cachée l'impératrice. Mais il protesta sans équivoque contre la version qui en faisait une véritable affaire amoureuse : « Si les autres aventures de l'impératrice furent aussi innocentes que cette facétie de Mardi-Gras à la Haroun al-Rachid, elle n'a vraiment rien à se reprocher. »

La question n'était pas en fait celle d'un plaisir aussi bénin que de se rendre à un bal masqué. A Munich, quand Sissi était jeune, la duchesse Ludovica elle-même s'était amusée à fréquenter secrètement de telles fêtes. L'impératrice Eugénie, elle aussi, à Paris, y était allée avec Pauline Metternich, l'une et l'autre dissimulées sous un masque. L'important était plutôt les motifs et les conséquences de ces distractions :

l'impératrice d'Autriche souffrait d'un tel ennui, d'une telle insatisfaction, que ce plaisir ne fut pas seulement pour elle l'amusement d'un instant (comme c'était sans doute le cas pour Eugénie), mais dégénéra en rêveries masquant la rude réalité.

La société de Cour ne pouvait se contenter des fantasmes de l'impératrice, et les ragots faisaient état d'habitudes assez communes chez les grandes dames, oisives et malheureuses : les « liaisons ». Ainsi racontait-on que « c'était un secret de polichinelle, au château, que Sa Majesté avait une liaison avec Niky Esterházy, et tout le monde savait qu'il traversait le jardin déguisé en prêtre, les rendez-vous ayant lieu chez la comtesse Festetics [23] ». La colère de cette dernière, très à cheval sur les principes, prit alors des proportions proprement inquiétantes. Depuis des décennies, non seulement l'impératrice mais aussi son entourage immédiat, et surtout les Hongrois, devaient supporter d'être constamment surveillés avec malveillance. Aucune rencontre secrète, même chez une intermédiaire telle qu'elle-même ou Ida Ferenczy, n'était pensable.

Il en allait de même au sujet de Bay Middleton. Là aussi les sources sont muettes. Marie Larisch elle-même évoquait simplement un rendez-vous qu'ils auraient eu à Londres et qui aurait été l'aboutissement d'une aventure amoureuse. Sous prétexte d'aller dans un salon de beauté, Élisabeth se serait rendue dans la capitale britannique dans le plus strict incognito en compagnie du comte Henri Larisch, de sa nièce Marie et de deux domestiques : « Ma tante avait pris l'apparence d'une jeune pensionnaire qui, pour une fois, serait partie en vacances seule [24]. » Arrivée en ville, l'impératrice décida de ne pas aller au salon, mais à Cristal Palace, à bord de deux voitures. Soudain Bay Middleton se trouva parmi la petite troupe ; Élisabeth leva sa voilette au-dessus de son visage et, aux côtés de Middleton, disparut dans la cohue. Ainsi se trouva-t-elle quelques instants — fait ô combien choquant pour une impératrice ! — seule avec un homme qui n'était pas de l'aristocratie, au milieu des baraques de singes savants, de diseuses de bonne aventure, des stands de tir, dans un monde de saltimbanques et de magiciens qu'elle aimait depuis son enfance, mais qui lui était interdit. Il n'y a rien de bien répréhensible dans cet épisode, pas plus que dans celui du bal masqué.

Après avoir plongé quelques moments dans le monde du commun, l'impératrice se permit encore, toujours en présence d'un roturier même s'il y avait là deux personnes convenables (le comte Henri Larisch et Marie), d'entrer dans un petit restaurant. « Je restai abasourdi que tante Sissi, raconte Marie Larisch, adepte fanatique de la diète et surchargé d'occupation, souhaitât aller au restaurant ! » Henri Larisch apaisa l'émoi de la jeune femme en lui représentant « qu'on devait bien passer à l'impératrice l'innocent plaisir de jouir pour une fois de sa liberté ». A la stupeur de sa nièce, Élisabeth mangea « à cette heure avancée, en plus d'un morceau de poulet rôti, une salade italienne ; elle but du champagne et prit un nombre considérable de pâtisseries fines, toutes choses qu'elle proscrivait habituellement ». Jamais elle n'avait tant mangé à la table de la Cour.

Au retour (sans Bay Middleton), l'impératrice était « extrêmement satisfaite, trouvant que ç'avait été un grand plaisir que de pouvoir, pour une fois, vivre pareille journée sans traîner derrière soi la queue de la comète ». Mais Marie Larisch fut vraiment médusée quand Bay Middleton, rentré à Brighton par le train du soir, se trouva là pour accueillir l'impératrice, le visage innocent, et lui fit une respectueuse révérence en disant : *« I hope your Majesty had a good time. »*

On ne peut guère dénier à l'impératrice le sens de l'humour lors de ses escapades. Ainsi prit-elle grand plaisir à jouer un tour au prince de Galles (le futur Édouard VII), toujours en quête d'aventures, et écrivit ce poème pour conter cette scène (sans doute enjolivée par son imagination) :

There is somebody coming upstairs*

Nous étions confortablement assis dans le drawing-room*,
Le prince Édouard et moi.
Il me faisait la cour avec exaltation
Et disait qu'il m'aimait.
S'avançant très près et me prenant la main,
Il me chuchota : « Dear cousin*, *comment serait-ce ?* »
Je ris de bon cœur et l'inquiétai :
« There is somebody coming upstairs*. »
Nous tendîmes l'oreille, mais ce n'était rien,
Et notre jeu plaisant se poursuivit.
Sir Édouard se fit hardi
Et même, oui, se permit beaucoup.
Je ne me défendis point, c'était intéressant
Et je riais : « Dear cousin*, *comment serait-ce ?* »
Alors, embarrassé, il murmura doucement :
« There is somebody coming upstairs* [25]. »

Quelqu'un d'aussi bien informé que le comte Charles Bombelles, grand chambellan du prince Rodolphe, écartait comme mensongères ces rumeurs à caractère sensationnel. Il n'était pourtant nullement un partisan de Sissi. Il parlait en 1876, note Hübner dans son Journal, des « extravagances au demeurant fort innocentes de l'impératrice ». Lui aussi expliquait en grande partie l'évolution de Sissi par les premiers moments, si malheureux, qu'elle avait vécus à Vienne et par l'excessive sévérité de l'archiduchesse Sophie : « On a entouré cette bouteille de champagne de liens toujours plus nombreux, et le bouchon a fini par sauter. Il est déjà heureux que cette explosion n'ait pas eu d'autres conséquences que celles que nous constatons : un goût immodéré des chevaux, de la chasse et du sport, ainsi qu'une existence retirée qui ne peut s'accorder convenablement aux devoirs d'une impératrice [26]. »

A mesure qu'Élisabeth avançait en âge et devenait plus

---

* En anglais dans le texte (*N.d.T.*).

misanthrope, elle s'enfermait davantage dans ses rêveries. Parmi les mythes qui la fascinaient particulièrement figurait l'histoire d'une légendaire reine d'Égypte qui ne vieillisssait jamais et demeurait voilée, en un lieu mystérieux. Son nom était depuis longtemps oublié ; sa faculté de ne pas vieillir lui resta acquise aussi longtemps qu'elle ne se laissa pas aller à aimer un homme [27]. De même, Élisabeth se montrait inaccessible, redoutant profondément d'être privée de sa force et de son aura par l'amour.

Dans ses poèmes, elle se voyait le plus souvent dans le personnage de Titania, la reine des fées. Ses soupirants éconduits étaient représentés comme des ânes — comme dans le *Songe d'une nuit d'été* de Shakespeare. Dans chacun des châteaux où elle séjournait se trouvait un tableau représentant Titania avec son âne. Elle dit un jour à Christomanos : « C'est la tête d'âne de nos illusions, que sans cesse nour caressons... Je ne me lasse pas de la voir [28]. » Sans cesse elle plaignait le sort de la reine des fées, la solitaire, qui jamais ne trouvait satisfaction en l'amour :

> *Moi seule, comme une maudite,*
> *Moi la reine des fées,*
> *Moi seule ne trouve jamais*
> *L'âme sœur que je cherche.*
>
> *En vain de mon trône de lys*
> *Maintes fois suis-je descendue ;*
> *Jamais longtemps je n'ai trouvé plaisir*
> *Auprès d'un fils de la terre.*
>
> *Souvent dans les somptueuses nuits d'été,*
> *Sous le voluptueux clair de lune,*
> *J'ai pensé : « Voici celui qu'il me faut ! »*
> *Et je me réjouissais déjà.*
>
> *Mais toujours, au petit matin,*
> *Chaude et serrée contre mon cœur,*
> *Je découvrais avec horreur*
> *Dans mes bras la tête d'âne.*

Je vais maintenant solitaire
Depuis bien de longues années.
Même dans l'Hadès, il n'est pas
Homme qui ait compté pour moi [29] !

Elle se vit même une fois — c'était tout à fait dans la manière de Heine — sous les traits d'une « Madame Barbe-bleue » qui ne rendait visite, dans son cabinet, qu'à ses peaux d'ânes : « Ils me font presque pitié, les pauvres, quand je les contemple ainsi ! »

Voici un poème où il faut reconnaître dans le premier adorateur le comte Imre Hunyady dont elle louait la beauté et qui, en 1860 à Madère, était tombé amoureux de la jeune Sissi solitaire et malheureuse :

Il fut à moi sous les Tropiques,
Je le couronnais de grenades,
Il dévorait les bananes dans ma main,
Mais j'en fus bientôt rassasiée [30].

Son second soupirant lui avait laissé une impression très positive, mais on ne peut l'identifier :

Le second, ah, qu'il était aimable !
Celui-là m'a fidèlement servie.
Si telle chose existait sur terre,
Il aurait mérité de vivre à jamais.

Qu'il faille peut-être songer à Andrássy en lisant ces vers, c'est ce qu'indique un autre poème qui n'a pas été conservé dans le legs d'Élisabeth, mais fut publié par Marie Larisch (avec une variante hyperbolique) :

Ma main ne caresse que celui-là,
La seule « bonne pâte » qui soit,
En toi, venu de ma chère Hongrie,
En toi totale est ma confiance.

> *Tu renonças au rang et aux honneurs,*
> *Tu n'aimais que moi seule,*
> *Pour toi j'étais plus qu'une reine*
> *Et tu t'es offert en sacrifice* [31].

La troisième peau d'âne était Fritz Pacher, on l'a vu plus haut. Suivait Bay Middleton :

> *C'est de l'Ouest que me vint celui-là,*
> *Un joyeux compère !*
>
> *Il était roux, mon ami Aliboron,*
> *Au hennissement clair et fort.*
> And never was he sick nor sore
> But jumped and pranced about *.

Dans presque tous les poèmes, François-Joseph apparaissait en Obéron — le roi des fées, qui se tient aux côtés de Titania. Élisabeth l'incluait aussi à l'occasion dans la succession de ses adorateurs ; c'était d'ailleurs bien l'attitude qu'il avait avec elle devant leur entourage. Elle lui réservait cependant une place spéciale dans son cabinet des têtes d'ânes :

> *Mais voici maintenant un entracte,*
> *Le dernier a une place à part.*

Elle considérait avec une grande sympathie :

> *Le petit âne pur sang*
> *Si entêté et si enjoué :*
>
> *En fin de compte, c'était un trésor,*
> *Malgré toutes ses tracasseries.*
> *Aussi a-t-il la place d'honneur*
> *Dans mon cabinet !*

Un autre poème, à propos de l'empereur, reprenait avec

* En anglais dans le texte. (N.d.T.)

tristesse et sentiment de culpabilité le thème de l'âne de
Titania :

> *Et dans la chambre, en haut,*
> *Nous nous tenions, tristes à mourir.*
> *Pas de plainte, pas de reproche,*
> *Nous nous étions trop aimés.*
>
> *La vie cruelle mettait à tes yeux*
> *Des larmes amères. Je les vis,*
> *Des pleurs qui brûlaient comme du feu,*
> *Et j'en aurais péri de douleur.*
>
> *Tes cheveux trop tôt blanchis*
> *Étaient un silencieux reproche ;*
> *Tant d'années de loyauté,*
> *Les ai-je jamais méritées ?*
>
> *Pourtant tu me parus alors,*
> *Justement par ta tête grise,*
> *Ressembler absolument à l'âne,*
> *Jusqu'au moindre de ses crins* [32].

Dans tous ces textes, l'influence de Heine se fait sentir
avec la plus grande netteté : on y retrouve ses lamentations
sur les amours insincères, le mensonge, la déception. Après
avoir brutalement abandonné l'équitation, elle vivait maintenant dans une totale retraite, toujours loin de Vienne,
recherchant la solitude et la nature.

Elle dédiait aussi des poèmes à des gens morts depuis
longtemps ou à des figures légendaires : Heine ou Achille.
Où s'arrêtait le sentiment amoureux et où commençait le
désir de mort — qui transparaît aussi dans ses activités de
spiritisme —, il est difficile de le savoir. Parmi les vivants,
elle ne trouvait plus personne qui la comprît, elle était trop
sensible pour avoir une relation affective normale avec un
homme. Elle s'évadait alors à travers des liens imaginaires
avec des héros morts, qui ne pouvaient lui causer de souffrance. Ainsi doit-on comprendre les vers suivants, dédiés à

la statue d'Achille mourant qui se trouvait à la villa Hermès, son château privé de Vienne. A minuit, pendant que l'empereur François-Joseph, imaginait-elle, s'agenouillait avec ferveur devant le portrait de Catherine Schratt, elle-même courait vers Achille :

> *A pas légers elle gravit le large*
> *Escalier recouvert de tapis.*
> *Et son fiancé gît là,*
> *Elle voit sa pâleur de marbre.*
> *Dans la mate clarté de la lanterne,*
> *Il lui semble qu'il bouge à nouveau ;*
> *Elle étreint ce corps adoré,*
> *Presse son cœur sur la pierre glacée.*
> *« Quand sonnera la douzième heure,*
> *Viens à moi, depuis si longtemps*
> *J'attendais de t'enlacer,*
> *Ton baiser me rendra la vie* [33]. *»*

Si ampoulés que soient souvent ces poèmes et ces images, la réalité était fort terre à terre. De nombreux textes traduisent une attitude d'extrême crispation vis-à-vis de la sexualité. Ce n'est que dans ses poèmes que Titania descendait voir ses « ânes » ; dans la réalité, Élisabeth détestait l'amour :

> *Je ne veux pas d'amour,*
> *Je ne veux pas de vin ;*
> *Le premier fait dépérir*
> *Et le second vomir !*
>
> *L'amour tourne à l'aigre,*
> *L'amour devient amer ;*
> *Le vin, on le frelate*
> *Pour un gain misérable.*
>
> *Souvent plus que le vin*
> *L'amour aussi est frelaté ;*

On s'embrasse pour l'apparence
Et l'on se sent comme un voleur !

Je ne veux pas d'amour,
Je ne veux pas de vin ;
Le premier fait dépérir
Et le second vomir [34].

On pourrait citer bien d'autres passages du même genre. La maladie d'Élisabeth telle qu'on peut la diagnostiquer après coup — une anorexie mentale accompagnée de cures d'amaigrissement extrêmement sévères, pendant des décennies, et une forte manie de mouvement — relève selon les psychologues modernes d'une profonde aversion à l'égard de toute volupté physique et particulièrement sexuelle.

Même quand sa fille préférée, Marie-Valérie, se maria et fut enceinte, Élisabeth ne parvint pas à dissimuler sa réserve : à une jeune épouse bientôt mère, elle ne trouva rien de mieux à dire, sinon qu'elle « regrettait " le bon vieux temps où j'étais encore une jeune fille innocente " [...] et souvent aussi elle disait, sur le ton qui était le sien pour plaisanter, qu'elle trouvait exaspérant de voir ma silhouette déformée et qu'elle avait " honte de moi " [35] ».

Ces idées se manifestèrent également à l'occasion d'un scandale familial déclenché par sa jeune sœur Sophie (l'ex-fiancée de Louis II de Bavière, devenue en 1868 duchesse d'Alençon), qui vivait à Paris avec sa famille et était réputée pour ses talents musicaux et pour sa beauté. En 1887, alors qu'elle avait la quarantaine et de grands enfants, elle tomba amoureuse d'un médecin de Graz, le Dr Glaser, qui était en outre marié. L'affaire s'ébruita, Madame Glaser menaça de faire un scandale public et de quitter son mari. Le couple s'enfuit à Méran, mais fut aussitôt séparé et surveillé. Lorsqu'on découvrit ensuite qu'ils échangeaient une correspondance secrète, on enferma la duchesse dans la clinique du célèbre neurologue et aliéniste Krafft-Ebing, spécialisé dans l'étude et le traitement des déviations sexuelles. Il n'était pas inhabituel à l'époque d'enfermer les femmes adultères ; ce devait être le sort, quelques années plus tard, de la princesse Louise de Cobourg. Un mari vindicatif pouvait compter sur l'appui total de la police et des autorités. A l'inverse de 1862, où son autre sœur, Marie de Naples, avait vécu une amère histoire d'amour, Élisabeth, cette fois, loin de prendre Sophie sous sa protection — alors qu'elle entretenait avec elle d'excellents rapports —, la blâma sans équivoque :

> *Tu as cessé d'être loyale*
> *A ton bon maître et époux,*
> *Tu lui as percé le cœur ;*
> *Oui, lourd est ton péché* [36] *!*

Autant que nous sachions, elle ne fit aucune tentative pour intervenir en faveur de sa sœur auprès des autorités. Elle lui témoigna certes sa compassion, mais aucune indulgence ni même compréhension :

> *Horrible est cette image que je vois aujourd'hui,*
> *Ma poitrine s'emplit d'une douleur profonde ;*
> *Malheur, oh oui, malheur ! Dix et dix fois malheur !*
> *Hélas, tu n'as pas su te maîtriser toi même...*
>
> *Parmi les aliénés, prisonnière que tu es,*
> *Victime te voilà de ta folle passion.*
> *Moi, j'ai le cœur brisé de l'affreux désespoir*
> *Qui t'étreint et t'oppresse au fond de ta prison.*
>
> *Tu voulais lâchement quitter mari, enfants,*
> *Et t'en aller au loin avec ton séducteur.*
> *Mais ton coupable espoir doit maintenant pâlir,*
> *Car on ne peut s'enfuir de là où tu te trouves* [37] *!*

Quelque temps passa et Sophie se calma un peu. Les Wittelsbach la tenaient pour irresponsable, sans doute pour l'excuser, mais il n'est guère possible de dire si elle l'était effectivement. Toujours est-il qu'elle retourna auprès de son mari. Sa nièce Amélie écrivait dans son Journal, deux ans plus tard : « Tante Sophie est redevenue ce qu'elle était. L'histoire avec Glaser n'a été qu'un mauvais rêve. Seule demeure cette paisible mélancolie qui, hélas, l'a toujours caractérisée [38]. » Cette mélancolie devait encore s'aggraver dans les années suivantes. Elle devint fort pieuse, et perdit la vie dans l'incendie du Bazar de la Charité à Paris en 1897. Elle aussi fut bientôt une figure de légende.

En d'autre cas, Élisabeth se montra beaucoup plus tolérante, notamment vis-à-vis de la liaison de son mari avec Catherine Schratt, et elle fit même preuve de largeur d'esprit (plus que les intéressés), lorsqu'il fut question de censurer certaines pièces représentées au Burgtheater. En 1892, *l'Esclave*, de Louis Fulda, fut ainsi suspendue après trois représentations, « fortement et avec raison », selon l'empereur, pour avoir justifié l'amour libre. Catherine Schratt s'était indignée de ce spectacle [39]. Élisabeth, au contraire, s'en était fait envoyer le texte, le lut et, à titre d'exercice, le traduisit en grec [40].

Elle discutait avec Christomanos de la question de l'infidélité féminine : « On se demande toujours pourquoi les femmes deviennent infidèles à leurs maris ! La réponse est simple : parce qu'elles sont contraintes de leur rester fidèles. Cette règle provoque directement l'infidélité, justement parce que c'est une règle. Sait-on si le mari était bien l'élu désigné par le destin ? La plupart des jeunes filles ne se marient finalement que pour être libres. En outre, si l'amour a des ailes, c'est aussi pour s'envoler [41]. »

Les aventures d'Élisabeth n'avaient lieu que dans son imagination. Le jeu qu'elle affectionnait, celui d'une déesse inaccessible et d'un âne amoureux, tourna parfois à la pure et simple farce. A la fin des années 1880, alors qu'elle avait déjà atteint la cinquantaine, un jeune Saxon nommé Alfred Gurniak, seigneur de Schreibendorf, la combla d'assiduités. Il la suivit même dans un voyage en Roumanie, lui adressa d'interminables lettres d'amour emphatiques, pleines de pressantes demandes. Elle resta hors d'atteinte, mais conserva ses lettres, qui lui servirent de point de départ pour un poème réellement cynique resté inachevé et intitulé « Titania et Alfred. »

Ce jeune homme ne fut pour l'impératrice, indubitablement, qu'un sujet de raillerie. Il n'empêche que cette affaire occupait tant ses pensées qu'elle lui consacra de nombreuses pages et entretint le sentiment d'Alfred (ce « verrat ensorcelé ») par de minuscules signes de faveur, comme des fleurs intentionnellement abandonnées sur le banc d'un parc. Elle considérait cet épisode comme une distraction dans une existence vide d'amusement. Parmi les nombreux vers consacrés à cet adorateur, se trouvent ceux-ci, fort révélateurs :

> *Aurais-tu la hardiesse*
> *De penser jamais m'obtenir ?*
> *Ma froide ardeur est mortelle*
> *Et je danse sur les cadavres.*

De même, un autre poème, « la Chanson de fileuse de Titania » :

> *C'est un jeu d'amour que tu veux,*
> *Insensé fils de la terre ?*
> *Quand déjà de fils d'or*
> *Je tisse ton linceul...*
>
> *Sous l'emprise de ma beauté,*
> *Tu te débats avec la mort,*
> *Et je m'amuse à regarder*
> *En attendant venir l'aurore* [42].

Cette farce sur « Titania et Alfred » n'est pas aussi dénuée d'intérêt qu'il y pourrait sembler de prime abord, car elle exprime bien les rapports d'Élisabeth avec ses divers soupirants, ainsi que son incapacité à distinguer la réalité de l'imaginaire. Le fait qu'elle ait passé tant d'heures à écrire des vers consacrés à Alfred donne aussi la mesure de sa solitude, de son ennui, de son détachement des problèmes de sa famille comme de l'empire sur lequel elle régnait.

Cet épisode eut lieu en 1887-1888, alors que les Balkans connaissaient une crise, que la guerre y menaçait et que les alliances européennes se modifiaient sensiblement, par le traité d'assistance mutuelle conclu entre la Russie et l'Allemagne derrière le dos de l'Autriche-Hongrie. Deux hommes fort proches de l'impératrice et de ses idées politiques, Gyula Andrássy et le prince Rodolphe, s'opposaient à la politique extérieure alors menée. L'un et l'autre attendaient et espéraient aide et protection de la seule personne capable de se faire entendre de l'empereur. Mais Élisabeth se déroba à cette attente et à cet espoir, abandonnant tant Andrássy que Rodolphe, tout comme elle avait laissé, pendant des décennies, son époux seul face à ses problèmes. Elle ne manifestait pour le monde que mépris et consacrait à Dresde son temps à cette farce qu'était l'amour d'Alfred.

La tragédie de Rodolphe approchait. Élisabeth était si occupée de ses fabulations sur Titania et ses ânes amoureux, qu'elle ne prit pas un instant conscience du malheur de son unique fils, bien que celui-ci lui eût à plusieurs reprises, quoique très prudemment et timidement, demandé son aide...

La fascination qu'exerçait Élisabeth sur les hommes survécut même à sa beauté. Dans les années 1890, alors qu'elle était depuis longtemps ridée et que sa vue se troublait, elle faisait encore le même effet quand elle s'en donnait la peine. Ainsi, les jeunes lecteurs grecs qui la servirent pendant ces années-là en tombèrent-ils amoureux. Leur vie durant, ils devaient songer avec exaltation aux heures qu'ils avaient eu le privilège de passer à ses côtés. Constantin Christomanos, notamment, écrivit sur elle des livres passionnés. L'entourage prenait ces jeunes gens en pitié : le grand chambellan Nopcsa écrivait à Ida Ferenczy que l'impératrice gâtait les Grecs « comme je n'ai jamais vu le faire à Sa Majesté. J'en suis désolé pour ce pauvre jeune homme, parce qu'il sera malheureux [43] ». L'écrivain Alexander von Warsberg — pourtant extraordinairement critique à l'égard de l'impératrice au début — ne tarda pas, après quelques voyages en Grèce à ses côtés, à donner d'évidents signes de passion.

Il n'est guère besoin de souligner que l'amour de François-Joseph avait perduré à travers les décennies, malgré les « ascensions dans les nuages ». Chacun à la Cour savait que l'empereur (malgré Catherine Schratt et, plus tard, à cause d'elle) demeurait le premier des adorateurs de Sissi, son « ange ».

CHAPITRE X

L'AIGLE ET LA MOUETTE

Plus Élisabeth cherchait à fuir le monde et autrui, plus elle se rapprochait de son cousin le roi Louis II de Bavière, dont l'évolution était tout à fait semblable à la sienne. Au départ, leurs rapports n'étaient pas spécialement étroits, et même empreints de divergences notables, avant tout pour des raisons d'ordre familial. La rivalité entre les deux branches de Bavière, royale et ducale, durait depuis des générations. Leur degré de parenté était plutôt éloigné : le grand-père de Louis II (le roi Louis Ier) était le frère de Ludovica, la mère de Sissi, ce qui faisait de cette dernière la cousine germaine du père de Louis, le roi Maximilien II. Les huit années qui les séparaient avaient aussi joué un grand rôle. Lorsque Élisabeth quitta la Bavière en 1854, elle était âgée de seize ans, tandis que le prince héritier Louis n'en avait que huit.

Dix ans plus tard, Louis monta sur le trône. Il avait dix-huit ans et Élisabeth vingt-six. C'est à peu près vers ce moment-là que se nouèrent des contacts plus étroits. Peu après son couronnement en 1864, le jeune roi rendit visite à sa cousine à Bad Kissingen, où il séjourna quelque temps ; il fit des promenades avec elle et lui parla si longuement et avec tant de confiance qu'elle confia à des membres de sa famille qu'elle avait été « ravie de leur communauté de sentiments, après ces nombreuses heures passées ensemble », ce qui excita la jalousie de son frère préféré, Charles-Théodore [1].

Élisabeth et Louis faisaient sensation partout où ils apparaissaient : le jeune roi était d'une remarquable beauté, grand, grave, d'allure romantique, et sa cousine Wittelsbach, maintenant pleinement épanouie, était grande et mince, mélancolique et un peu maladive. Louis produisait à Munich un effet semblable à celui que Sissi faisait à Vienne. Selon les termes du prince Eulenburg, il se promenait, « beau comme un faisan doré, parmi toute la volaille domestique [2] ».

L'un comme l'autre méprisaient leur entourage et aimaient à le choquer sans cesse par de nouvelles excentricités ; tous deux étaient passés maîtres dans l'art d'esquiver les rencontres officielles en s'en allant peu avant ou en se prétendant malades. L'un comme l'autre — surtout Louis — manifestaient de la façon la plus claire leurs sympathies et antipathies. Ainsi, lorsqu'un invité lui déplaisait, Louis faisait orner la table de gigantesques bouquets de fleurs, pour ne pas être obligé de voir le fâcheux, qui devait déployer des efforts désespérés pour se faire écouter [3].

Ils aimaient la solitude et détestaient les contraintes de la Cour. Ces lignes de Louis II pourraient aussi bien être signées d'Élisabeth (mais il s'agit là de Munich et non de Vienne) : « Enfermé dans ma cage dorée. [...] Je n'en puis plus d'attendre ces jours bénis de mai où je quitterai pour longtemps cette ville funeste, exécrée, à laquelle rien ne m'attache et que je n'habite qu'avec une insurmontable aversion [4]. »

Élisabeth, elle aussi, aimait à se montrer peu conformiste ; elle suscitait l'irritation de son entourage, tellement soucieux de cérémonial, en parlant de façon si inhabituelle que beaucoup en concluaient qu'elle était au moins aussi « bizarre » que son cousin de Bavière. Marie Larisch notait : « L'impératrice était à bien des égards semblable à Louis II, mais contrairement à lui elle possédait assez de force, physique et mentale, pour ne pas succomber à des idées excentriques. Elle avait coutume de dire en riant à moitié : " Je sais que de temps à autre on me prend pour une folle. " Elle souriait alors d'un air moqueur, et ses yeux mordorés scintillaient d'une sorte de malice contenue. Tous ceux qui l'ont bien connue ont noté le plaisir qu'elle prenait à se gausser de gens inoffensifs. Ainsi lui arrivait-il souvent de dire les choses les plus incroyables en gardant une expression parfaitement sérieuse, ou de lancer à la face de quelqu'un une élégante sottise avec un sourire enchanteur ; elle se délectait alors, selon ses propres termes, des réactions ahuries que cela suscitait. Quand on ne la connaissait pas bien, il était parfois difficile de savoir si elle parlait sérieusement ou pour rire [5]. »

Le prince Philippe Eulenburg soulignait également la similitude de tempéraments entre Sissi et Louis II : « L'impératrice, si douée et souvent occupée de choses si singulières, comprenait toujours mieux son cousin que le commun des mortels. Elle qui était capable de faire des heures de trapèze dans son salon, revêtue d'une sorte d'habit de cirque, ou de partir soudain à pied de Feldafing à Munich (soit une distance de 50 kilomètres) en jetant seulement un long imperméable sur ses vêtements de tricot (il m'arriva une fois de la rencontrer dans cette tenue), pouvait tout naturellement juger " compréhensibles " les extravagances de son cousin, dont sans doute les pires aberrations n'étaient pas venues à sa connaissance [6]. »

Élisabeth et Louis étaient tous deux très épris de culture et avaient beaucoup lu, surtout des ouvrages de la littérature classique. L'un comme l'autre admiraient la philosophie de Schopenhauer, l'un comme l'autre étaient antimilitaristes, l'un comme l'autre avaient des idées bien arrêtées sur l'Église — Louis écrivait à Rodolphe : « Il convient certes que le peuple reste fidèle à son excellente foi catholique, avec le bienfaisant réconfort qu'apporte l'idée d'un au-delà, avec ses miracles et ses sacrements ; mais, comme tu le disais si justement, ces conceptions dépassées ne sauraient suffire à une personne cultivée [7]. » Et, pour parler de sa belle-mère Sophie, Élisabeth ne pouvait guère trouver meilleur interlocuteur que son cousin royal qui tenait l'archiduchesse pour « aveuglée par l'ultramontanisme [8] ».

Cependant, malgré toutes les spéculations auxquelles ont donné lieu leurs relations, une chose demeure certaine : ici encore, la sexualité ne joua aucun rôle. Louis, qui aimait à se surnommer lui-même « le roi vierge », avait des penchants homosexuels — quoique, au nom d'un idéal de pureté morale, il les combattît de toutes ses forces. Il écrivit un jour que, n'ayant « grâce à Dieu » aucune attirance sensuelle pour le sexe féminin, il en éprouvait « une vénération d'autant plus profonde pour la pureté des femmes [9] ». Pour se faire une idée de leurs étranges relations, il faut constamment garder présente à l'esprit l'aversion sexuelle de Louis à l'égard des femmes. Entre le beau Louis II, qui dès les années 1870 avait franchi la frontière entre la normalité et la folie, et l'impératrice dont les habitudes, du moins à l'approche de la vieillesse, étaient de plus en plus bizarres, régnait un amour « pur », au sens où l'entendait Louis, c'est-à-dire dénué de tout érotisme. Leur proximité était celle de deux êtres de légende, éloignés de la réalité et des « gens normaux ».

Dans les années 1860, toutefois, Élisabeth restait pour le jeune roi, par son âge et son rang, un « personnage respectable » et elle le savait. Elle put ainsi le réprimander, de la façon la plus claire et énergique, après que la Bavière eut reconnu la monarchie italienne. Pour un Wittelsbach, Louis ne lui paraissait pas assez solidaire des princes italiens dépossédés, et tout particulièrement du couple royal des Deux-Siciles. « Je ne puis te dissimuler, lui écrivait-elle, que cette reconnaissance de l'Italie, précisément par la Bavière, m'a beaucoup surprise, car chacune des Maisons princières dépossédées compte des membres de la famille royale de Bavière ; je pense cependant que les motifs qui t'ont poussé à ce geste inexplicable doivent être si forts que mon modeste point de vue sur ton attitude ne peut être pris en considération, face aux puissants intérêts et aux devoirs sacrés qu'il t'appartient de défendre. » Elle n'en assurait pas moins ensuite le roi du « profond amour qui m'attache à ma patrie » et de la « sincère et cordiale amitié que je nourris tout particulièrement à ton égard [10] ».

Mais ce n'était guère là que des formules de politesse

convenues. La plupart du temps, les commentaires de Sissi sur les faits et gestes de son théâtral cousin étaient empreints d'ironie ; ainsi écrivait-elle de Bavière à son fils Rodolphe, âgé de six ans : « Hier, le roi m'a rendu une longue visite et si ta grand-mère n'était finalement arrivée elle aussi, il serait encore là. Il est à nouveau dans les meilleures dispositions, et moi j'ai été très aimable ; il m'a tant baisé la main que tante Sophie, qui regardait de derrière la porte, m'a demandé s'il m'en restait encore quelque chose ! Il portait l'uniforme autrichien et était tout parfumé de Chypre [11]. »

« Tante Sophie » était la plus jeune sœur d'Élisabeth. Sa beauté et la haute position de sa sœur lui valaient de nombreux prétendants, auxquels elle distribuait sans compter les refus (le duc Philippe de Wurtemberg et le plus jeune frère de François-Joseph, l'archiduc Louis-Victor, entre autres). La duchesse Ludovica ne se consolait pas de l'obstination de sa fille à refuser un Habsbourg, et elle avait dû faire des excuses à sa sœur, l'archiduchesse Sophie, que la chose avait offensée : « Il m'en a coûté bien des larmes, un tel gendre aurait été pour moi un bonheur. » Mais elle trouvait son « unique consolation » dans le fait que Dieu « te veut du bien, toi ma sœur si éprouvée », même si la capricieuse Sophie ne faisait pas elle aussi son entrée à la Cour de Vienne : « Peut-être Sophie, malgré des qualités certaines, n'aurait-elle pas entièrement répondu à ton attente, et le Bon Dieu t'enverra-t-il quelqu'un de supérieur à elle, qui saura vous rendre heureux, toi et ton excellent Louis, ainsi que vous le méritez tous deux. Que Dieu t'accorde une fin de vie heureuse, calme, agréable et de grandes compensations pour tous les sacrifices que ton pauvre cœur a dû consentir en silence [...] et à ton Louis un bel avenir [12]. » Mais Louis-Victor demeura célibataire.

Sophie se fiança en 1867 au roi Louis II. Il l'aimait à sa façon, d'un amour exalté, coupé du monde, dénué de cette « sensualité » qu'il exécrait. Sophie était très musicienne, elle adorait Wagner ; dotée d'une belle voix, elle pouvait chanter des heures durant pour Louis. Mais elle était avant tout la sœur d'Élisabeth, à laquelle elle ressemblait beaucoup.

Même pendant leurs brèves fiançailles, les lettres du roi de Bavière à l'impératrice étaient nettement plus ardentes que celles qu'il adressait à la jeune fille, qu'il appelait toujours « Elsa ». Mais, et c'est bien significatif, Louis ne se percevait pas comme Lohengrin amoureux, et signait ses lettres à « Elsa » d'un « Heinrich » qui évoquait le roi Henri l'Oiseleur. Pendant ses fiançailles, il écrivait à Élisabeth : « Chère cousine, mon cœur exige que je te dise encore, de toute mon âme, ma très profonde et chaleureuse reconnaissance pour le bien que tu m'as fait en me permettant de t'accompagner lors de ton dernier voyage de retour. Tu n'imagines pas combien cela m'a rendu heureux. Les heures que nous avons passées ensemble en voiture à cette occasion comptent parmi les plus belles de ma vie. Jamais ce souvenir ne s'éteindra en moi. Tu m'as autorisé à te rendre visite à Ischl ; si vraiment approche ce moment, pour moi si heureux, où cet espoir pourra se réaliser, je suis le plus heureux des mortels. Le sentiment de sincère et respectueux amour, de fidèle attachement, que je te portais déjà quand j'étais tout jeune garçon, me fait croire au paradis sur terre et ne prendra fin qu'avec ma mort. De tout mon cœur je te prie de me pardonner le contenu de ces lignes ; mais je ne pouvais faire autrement [13]. »

Le roi parlait de moins en moins de mariage, bien qu'un magnifique carrosse nuptial eût déjà été construit. Le duc Max finit par faire acte d'autorité en adressant un ultimatum au fiancé indécis. Blessé dans sa majesté, Louis vit là l'occasion de rompre les fiançailles, tout en assurant sa « chère Elsa » qu'il l'aimait « comme une sœur adorée » : « J'ai eu maintenant le temps d'éprouver mes sentiments, de délibérer avec moi-même, et je sais que dans mon âme reste enraciné un fidèle et sincère amour fraternel à ton égard, mais non pas cette sorte d'amour qui est nécessaire à une union conjugale [14]. » Soulagé, il nota dans son Journal : « Mis les choses au clair avec Sophie. Cette sombre image s'efface ; j'avais besoin de liberté, soif de liberté, de revivre après cet affreux cauchemar [15]. » Et il jeta par la fenêtre le buste de sa belle fiancée. « Tu imagines combien je suis indignée à l'égard du roi, et l'empereur de même, écrivit Élisabeth à sa mère. Il n'est pas de mots pour qualifier une telle conduite. Je ne puis même concevoir comment il peut encore paraître à Munich, après tout ce qui s'est passé. La seule chose qui me fasse plaisir, c'est que Sophie prenne la chose ainsi ; Dieu sait qu'elle n'aurait pu être heureuse avec un pareil homme [16]. »

Il fallut quelques mois à Sophie pour se consoler et se fiancer avec le duc d'Alençon, qui était également fort bel homme. Louis ne devait plus jamais tenter de trouver une reine. Mais sa vénération pour l'impératrice ne fut nullement modifiée par cette fâcheuse affaire. Après 1872, il ne manqua pas de se rendre à Possenhofen, chaque fois qu'Élisabeth s'y trouvait. Cela donnait toujours lieu à de nombreuses rumeurs, car le roi ne voulait rencontrer personne d'autre qu'elle, et non ses frères et sœurs (notamment celle qui avait été sa fiancée), ni ses parents, ni ses domestiques. La comtesse Festetics : « Il troquait vivement contre un shako la casquette posée en équilibre instable sur ses beaux cheveux ondulés. Vêtu de l'uniforme autrichien, il portait, à l'envers, la grand-croix de Saint-Étienne et, par-dessus, son écharpe militaire. Il descendait de voiture, bel homme aux allures de roi de théâtre, ou de Lohengrin en cortège nuptial. »

Élisabeth lui présenta contre son gré la comtesse Festetics, qui évoque dans son Journal ses « merveilleux yeux sombres, qui changent rapidement d'expression, d'abord d'une exaltante douceur puis, en un éclair, luisants d'une sorte de joie maligne, et, pour tout dire, ce regard brûlant, étincelant, apparaît soudain froid, chargé même de cruauté ! Avant de redevenir doux et mélancolique. [...] Ses paroles montrent de l'esprit, il s'exprime bien et avec assurance [17] ». A cette époque, son frère cadet, Otto, était déjà devenu fou, et Louis présentait lui aussi de plus en plus de traits de caractère peu conformes à la « norme ». Dès sa visite de 1872, Marie Festetics ressentit de la compassion face à l'étrange comportement du roi.

Les liens entre Louis et Élisabeth n'allaient pas toujours sans tensions. Ainsi, à plusieurs reprises, cette dernière ne se laissa pas dissuader d'amener avec elle sa « chérie », la petite

Marie-Valérie, quand elle rencontrait le roi de Bavière, que son amour maternel outrancier agaçait considérablement : « Je ne sais vraiment pas pourquoi l'impératrice me parle continuellement de sa Valérie, qui voudrait bien me voir, ce qui n'est pas mon cas [18] », se plaignait-il à l'un de ses confidents. Élisabeth, pour sa part, écrivait en 1874 à son époux : « Si seulement le roi de Bavière me laissait en paix [19] » ; et devant ses dames d'honneur elle se lamentait du caractère contraignant de ses visites. Elle aussi, selon Marie Festetics, était pleine d'une « immense pitié » pour son cousin : « Il n'est pas assez fou pour être enfermé, mais trop anormal pour vivre sans problème dans le monde des gens raisonnables. » Ses longues visites, le plus souvent silencieuses, la fatiguaient, mais elle découvrait entre eux — au grand effroi de la comtesse Festetics — de plus en plus de points communs : « Et comme il aime la solitude et se dit " incompris ", elle croit qu'il y a une ressemblance entre eux, dont son caractère sombre serait aussi une marque ! Dieu nous préserve d'une telle ressemblance ! » La comtesse se consolait pourtant : « Ce n'est qu'une idée à elle, une sorte d'excuse de son propre penchant à s'isoler. Il y aurait là comme un trait de famille, dont on serait dispensé de devoir rendre compte [20] ! »

Au début des années 1870, c'est surtout par l'intermédiaire du prince Rodolphe que les relations entre Élisabeth et Louis restèrent fortes. Agé de quinze ans, éveillé et cultivé, Rodolphe avait énormément plu au roi, qui parlait avec lui des drames de Grillparzer, ou encore de Richard Wagner, et lui envoyait de nombreuses lettres pleines de déclarations d'amitié et d'hymnes de louange à Élisabeth : « Baise la main à l'impératrice. Que je t'envie de pouvoir être près d'elle ! Les instants où me fut accordé ce bonheur, je continue de les compter parmi les plus heureux de ma vie [21]. » Ou encore : « Que ton bonheur est enviable, toi à qui il est donné de tant séjourner auprès de l'impératrice adorée ! Oh, je t'en prie, jette-toi pour moi à ses pieds et supplie-la en mon nom d'avoir une pensée bienveillante pour son fidèle esclave, qui l'adore depuis toujours et pour toujours. » La témérité d'Élisabeth lors des chasses à courre inquiétait Louis II ; il espérait « qu'elle mettrait un frein à cette fougue. Jamais de ma vie je ne pourrais supporter que lui arrive un accident... Car personne sur la terre ne m'est aussi précieux que toi et elle [22] ».

Si les liens avec Rodolphe se relâchèrent à mesure que le prince impérial manifestait une indépendance d'esprit croissante, en revanche ceux avec l'impératrice devinrent plus forts que jamais dans les années 1880. L'un et l'autre se sentaient incompris et élus, libres de toute loi et de tout devoir humain. A l'heure de ses plus grands triomphes, Élisabeth s'était gaussée du roi à cause de ses extravagances. Mais voilà que, vingt ans plus tard, elle aussi se retirait en elle-même, fuyait toute société et s'enivrait précisément de ses soucis et ses angoisses. Aussi redécouvrait-elle les mérites de son cousin. Cette relation de plus en plus intime avec un malade mental se révéla pour l'impératrice extrêmement dangereuse, à l'approche de la vieillesse.

Toutes leurs rencontres à cette époque furent empreintes de bizarrerie. En 1881, Sissi se rendit en barque à l'île des Roses, sur le lac de Starnberg, où Louis II avait fui le fardeau des affaires publiques. Elle n'avait emmené que le nègre Rustimo mais, au retour, le roi les accompagnait. Au milieu du lac, Rustimo chanta des chansons exotiques en s'accompagnant à la guitare ; pour le remercier, le roi lui passa un anneau au doigt. Élisabeth en fit un poème où elle se voyait en mouette de la mer du Nord et Louis en aigle... Elle ne lui envoya pas ce poème par la poste, mais le lui déposa lors d'une nouvelle visite à l'île des Roses, en 1885, alors que le roi ne s'y trouvait pas :

> *Ô toi, l'aigle qui plane sur les montagnes,*
> *Reçois de la mouette des mers*
> *Le salut des vagues écumantes*
> *Aux hautes neiges éternelles* [23].

Louis II ne trouva ces vers qu'en septembre 1885. Il en composa en retour sur le même thème de l'aigle et de la mouette accompagné d'une lettre : « Il y a des années que je n'ai pu moi-même me rendre à l'île des Roses ; il y a seulement quelques jours, j'ai appris quelle joie m'attendait là-bas. Dès que j'ai su la nouvelle, j'ai volé à tire d'ailes ves l'île idyllique, où j'ai trouvé le précieux salut de la mouette marine. Mes remerciements les plus profonds et sincères [24] ! »

Les rencontres étaient devenues très rares. Louis II vivait désormais à l'écart du monde, dans ses châteaux fabuleux, dormant le jour et passant ses nuits à cheval dans les montagnes. Selon les mots d'Élisabeth,

> *Sur les montagnes, dans les forêts,*
> *J'ai donné des fêtes licencieuses.*
> *Je prenais l'air au clair de lune,*
> *Vivant non point le jour, mais la nuit* [25].

C'est précisément à cette époque — où Louis, totalement isolé, laissait libre cours à ses bizarreries et où plus personne ne le soutenait même au sein de sa famille — qu'Élisabeth prit la défense de son « cousin royal ». Elle s'intéressait depuis longtemps aux maladies mentales — et elles firent à cette époque de nombreuses victimes chez les Wittelsbach. Elle avait à maintes reprises visité des asiles, où elle écoutait avec un mélange d'horreur et d'intérêt les délires des aliénés. Au vrai, elle ressentait comme une attirance magique pour les êtres qui avaient franchi la frontière entre « normalité » et « folie ». C'est précisément avec la mère de Louis II et d'Otto — fou lui aussi —, la reine Marie de Bavière, qu'elle s'était rendue en 1874 dans un asile de Munich. La comtesse Festetics, qui assistait à cette visite, rapporte : « L'impératrice était pâle et grave, mais la reine, ô mon Dieu ! la reine, qui a deux fils déments, s'amusait et riait. » Élisabeth fut cependant si fascinée par cette visite qu'elle la renouvela dès qu'elle en eut l'occasion à Londres, six mois plus tard. Marie Festetics exprimait, non sans précautions, son inquiétude quant à l'évolution de l'impératrice : « Qui peut dire où se

trouve la frontière entre folie et raison, quand l'ordre disparaît de l'esprit humain, quand cesse le sentiment de ce qui est
véritable, de ce qui est douleur vraie ou imaginaire, joie
réelle ou fictive [26] ? »

Élisabeth percevait bien le danger qui la guettait elle-
même du fait de son hérédité. Sans doute la maladie de Louis
et d'Otto leur venait-elle de leur ascendance maternelle (la
reine Marie était une Hohenzollern), avec laquelle la branche ducale des Wittelsbach n'avait aucun lien de parenté.
Mais le grand-père d'Élisabeth avait eu lui aussi l'esprit
dérangé et avait vécu ses dernières années en ermite, dans un
isolement total. Certaines des sœurs de l'impératrice étaient
pour le moins instables ou en tout cas sujettes à une forte
mélancolie : Hélène, après la mort d'un fils en 1885, fut prise
de graves troubles mentaux ; selon l'archiduchesse Marie-
Valérie, « dans sa terrible passion, elle était comme folle [27] »,
tout comme sa cadette Sophie lors de l'affaire Glaser. Les
sœurs « italiennes », Marie et Mathilde, furent également
atteintes de langueur dans leurs vieux jours. Chez Sissi, la
crainte du monde, la méfiance et le penchant pour la solitude
revêtirent des aspects quasi morbides à partir de 1880, quoique moins graves que chez Louis II... Toujours est-il qu'elle
prit constamment le parti de son cousin « fou ».

> *Tant les fous que les prophètes*
> *Sont honorés des Orientaux ;*
> *Mais ici, dans notre pays,*
> *On accable les uns et les autres* [28].

Elle revenait souvent sur cette question. Ainsi développa-
t-elle un jour sa pensée devant Christomanos : « N'avez-vous
pas remarqué que, chez Shakespeare, les déments sont les
seuls êtres sensés ? De même, dans la vie, ignore-t-on où se
trouve la raison et où la folie, si la réalité est un rêve ou le
rêve réalité. J'incline à tenir pour raisonnables tous ceux que
l'on nomme fous. La véritable raison est souvent tenue pour
une " dangereuse folie " [29]. »

En juin 1886, lorsque le cas de Louis II s'aggrava au point qu'on lui retira la couronne, Élisabeth se trouvait précisément en Bavière, à Feldafing, sur l'autre rive du lac de Starnberg, là où Louis devait trouver la mort. On raconta qu'elle avait voulu l'aider à s'enfuir et lui avait fait préparer une voiture à Feldafing ; ces rumeurs ne sont pas confirmées par les sources. Elles ne semblent pas en outre très vraisemblables, car on l'imagine mal trouvant l'énergie nécessaire pour réaliser un enlèvement aussi spectaculaire dans des circonstances aussi compliquées. En revanche, elle fit bien une tentative pour s'entretenir avec le roi interné, mais y renonça lorsqu'on l'en dissuada [30].

Sa réaction à la mort de Louis fut bien dans sa manière : elle se répandit en lamentations sur la dureté du monde et manifesta un grand désespoir, une violente douleur, qui effrayèrent son entourage. L'archiduchesse Marie-Valérie raconte dans son Journal la soirée qui suivit l'annonce de ce décès : « Le soir, alors que je me trouvais auprès de maman pour la prière, elle se jeta par terre de tout son long ; je poussai des cris, pensant qu'elle avait vu quelque chose, et m'accrochai à elle avec une telle angoisse que nous finîmes toutes deux par être prises de rire. Maman me dit qu'elle voulait seulement demander pardon à Dieu, [car elle se sentait] pleine de remords et d'humilité, pour ses idées de révolte : elle s'était tant torturé l'esprit sur les insondables décrets divins, sur le temps et l'éternité, sur la récompense promise dans l'au-delà, elle était si fatiguée de ses réflexions stériles et coupables, qu'elle voulait désormais, dès que le doute l'assaillerait, dire humblement : " Jéhovah, tu es grand, tu es le dieu de colère, de grâce, de sagesse ! " [31]. »

D'après un correspondant remarquablement informé du *Berliner Tagblatt*, Élisabeth se serait évanouie devant le catafalque de Louis : « Mais lorsqu'elle rouvrit les yeux et recouvra la parole, elle demanda catégoriquement que l'on sorte le roi de la chapelle, car il n'était nullement mort, mais feignait seulement de l'être afin que les insupportables humains le laissent en paix pour toujours. » L'information était parfaitement digne de foi, de même que la phrase suivante : « Mais le mal de l'impératrice avait soudain progressé de façon considérable [32]. »

Le grand chambellan d'Élisabeth, le baron Nopcsa, alla jusqu'à informer Andrássy de l'état préoccupant de l'impératrice : elle allait certes « bien, Dieu soit loué, mais sa disposition d'esprit n'est malheureusement pas telle que j'aimerais la voir. Elle n'a aucune raison d'être ainsi, sans doute, mais n'en est pas moins atteinte. Elle vit dans une telle solitude qu'elle se replie toujours davantage sur elle-même ».

La branche ducale des Wittelsbach, parentèle la plus proche d'Élisabeth, fut aussi préoccupée (à juste titre) au cours de ces journées de son état mental. Amélie, fille du duc Charles-Théodore, nota dans son Journal : « Tante Sissi est complètement bouleversée. Je redoute souvent, à entendre ses propres paroles et celles de Valérie à son sujet, qu'elle n'aille pas tout à fait bien. Cela serait vraiment épouvantable ! » Et elle remarqua « le regard trouble, l'expression nerveuse et sombre » de Sissi [33]. Le prince impérial Rodolphe était venu à Munich pour les obsèques du roi. Selon sa sœur Marie-Valérie, il lui dit d'un air soucieux qu'il « trouvait maman encore plus nerveuse qu'il ne s'y attendait, et il me posa beaucoup de questions [34] ». Élisabeth mit un certain temps à se rétablir suffisamment pour pouvoir écrire à nouveau, mais bien entendu, des vers sur la mort de Louis II :

Oui, j'étais un roi de légende,
Trônant sur un haut rocher,
Un lys gracile était mon sceptre,
De scintillantes étoiles ma couronne.

Des profondes et douces vallées,
Des vastes et riches cantons,
Le peuple respectueusement
Se tournait vers son roi.

Mais la lâche racaille de Cour
Et la famille elle-même en secret

Tissaient perfidement leurs filets,
Ne souhaitant que ma chute.

Ils envoyèrent sbires et médecins
S'emparer de « l'insensé »
Comme traîtreusement le braconnier
Prend dans ses rets le noble cerf.

Cette liberté qu'ils voulaient me ravir,
Cete liberté, je l'ai trouvée dans les flots ;
Mieux valait qu'ici mon cœur s'arrête,
Que de dépérir dans un cachot [35] !

L'impératrice couvrit de terribles reproches le gouvernement bavarois, qu'elle accusait d'avoir poussé le roi à la mort (dont elle ne doutait pas que ce fût un suicide). Elle en rendait principalement responsable le prince régent Luitpold. Sur ce point, elle rejoignait complètement l'opinion générale des Bavarois. Car Louis II, en dépit de ses excentricités, était très populaire dans le peuple, tandis que Luitpold (bien que sa loyauté personnelle envers la population ait été indiscutable) traîna pendant des années la réputation d'avoir fait interner le souverain sans raison, le poussant ainsi à la mort. Luitpold ne devint d'ailleurs jamais roi de Bavière mais resta sa vie durant « prince régent », parce que le successeur officiel de Louis II, son frère Otto, était hors d'état de gouverner. Élisabeth ne devait jamais se réconcilier avec Luitpold, ce qui entraîna quelques difficultés, car celui-ci était le beau-père de sa fille Gisèle. En 1891 encore, l'ambassadeur d'Allemagne mandait à Berlin : « Son Altesse a évité de rencontrer le prince régent de Bavière qui se trouve ici [à Vienne], il est bien connu qu'elle ne peut lui pardonner son attitude lors de la malheureuse catastrophe qui aboutit à la mort de Louis II [36]. »

Contrairement à Élisabeth, la vieille duchesse Ludovica prit parti pour le prince régent, ce qui donna lieu à des dissensions entre la mère et la fille. La première pensait qu'il fallait espérer que Louis II était bien fou, « pour ne pas avoir à l'accuser de manquer de façon si effrayante et désolante à ses responsabilités, en abandonnant un pays florissant et en affaiblissant un peuple qui lui vouait une fidélité presque incroyable [37] ».

Charles-Théodore, le frère préféré de Sissi, qui connaissait très bien Louis II et, en tant que médecin, avait dès les années 1860 diagnostiqué son mal, penchait totalement du côté de la « raison d'État » et du prince régent Luitpold. Selon Marie-Valérie, il assurait toujours « qu'il ne pouvait y avoir de doute sur la démence complète du roi, et essayait de calmer maman, qui est terriblement nerveuse et dans une disposition d'esprit qui me rend toute triste [38] ». Ses tentatives restèrent vaines et produisirent même l'effet contraire : Élisabeth était maintenant sérieusement brouillée avec toute sa famille bavaroise, y compris avec lui. Sissi ne mit évidemment pas à exécution sa menace de ne plus revenir en Bavière, mais elle portait désormais un regard critique sur tout ce qu'elle avait tant aimé autrefois. Seul son amour pour sa mère résista à ces conflits ; elle écrivit à l'occasion de son quatre-vingtième anniversaire (à la fin d'août 1888) ; l'un de ses plus beaux poèmes.

Élisabeth souffrit pendant des années de la mort de son « cousin royal », ce qui provoqua même chez elle une mélancolie sans rapport avec ce qui l'avait liée à lui. Alors qu'elle ne l'avait rencontré que très rarement, elle vouait maintenant à la mémoire de « l'aigle » un véritable culte. En 1888, elle fit même le pèlerinage de Bayreuth (pour la première et la dernière fois de sa vie), afin d'assister à une représentation de *Parsifal*. Elle reçut cette musique d'une manière très sentimentale : « Depuis, je suis pleine de nostalgie, tout comme pour la mer du Nord. C'est là quelque chose qui ne devrait jamais finir, mais se poursuivre ainsi pour toujours [39]. » L'archiduchesse Marie-Valérie nota : « Maman était si enchantée qu'elle exprima le désir de rencontrer le chef d'orchestre Mottl et les acteurs qui jouaient Parsifal et Amfortas.[...] Leur apparence physique dénuée de poésie lui ôta un peu de ses illusions [40]. » Elle s'entretint aussi longuement avec Cosima Wagner, en particulier sur Louis II.

Cosima Wagner devait ensuite dire à Amélie, la nièce d'Élisabeth, qu'elle « n'avait jamais vu si grande émotion que celle de tante Sissi après la représentation de *Parsifal* [41] ». Elle souligna également l'espèce de similarité qu'elle voyait entre Louis II et Élisabeth.

La figure de Louis II occupa une place d'autant plus croissante dans l'imagination d'Élisabeth qu'après 1880, elle fut de plus en plus portée vers le spiritisme. Elle prétendit à plusieurs reprises que le défunt lui était apparu et lui avait parlé. Dans sa solitude croissante, elle trouvait le destin de Louis enviable :

> *Et cependant, oui, malgré tout je t'envie ;*
> *Tu vivais si à l'écart des humains*
> *Et, maintenant que le divin soleil t'a quitté,*
> *Ce sont les étoiles qui là-haut te pleurent* [42].

Son commerce spirite avec Louis II lui apporta quelque apaisement et l'amena à une sorte de piété que Marie-Valérie évoquait dans son Journal en 1887 : « Dieu merci, maman a combattu plus vaillamment que moi toute sa lassitude et tous ses doutes des dernières années ; sa foi en Jéhovah, dans les bras duquel elle s'est jetée après la mort du roi pour apaiser les tourments qui la minaient, est absolue ; tout la ramène à l'obéissance à Ses décrets, elle s'en remet entièrement à Lui. Jamais je n'avais vu maman si pieuse que depuis ce temps-là, cela me donne à croire que son commerce spirituel avec Heine et avec le roi a été le fait de Dieu. [...] Cependant, la piété de maman n'est pas semblable à celle des autres gens [...] elle est exaltée et abstraite, tout comme son culte des morts [43]. »

Marie-Valérie écrivait encore, un peu plus tard : « Depuis ses échanges spirituels intimes, maman est vraiment [...] plus calme et plus heureuse, et elle a trouvé dans la méditation et la poésie [...] une orientation à son existence qui la satisfait [44]. »

L'impératrice se trouva encouragée dans son inclination pour le spiritisme par une amie de jeunesse, la comtesse

Paumgarten, de Munich. Dans un rapport « tout à fait confidentiel » à Bismarck, le prince Eulenburg dévoilait ce que « peu d'initiés » savaient : « La comtesse Paumgarten se prétend " médium par l'écriture ". Elle a la faculté d'écrire de façon " automatique ", sa main est dirigée par des " esprits " lorsqu'elle tombe dans un état de somnambulisme. Lorsqu'on lui pose une question, elle écrit alors la réponse des " esprits ". L'impératrice est en rapport depuis des années avec ce médium. Elle met à profit ses séjours à Munich pour assister à des " séances ", mais elle adresse aussi à la comtesse des questions par écrit lorsque des difficultés apparaissent dans sa vie [45]. »

L'intérêt d'Élisabeth pour le spiritisme n'était pas un cas isolé. L'évocation des esprits par des tables tournantes ou nombre d'autres moyens était à la mode dans ces années-là parmi les gens distingués. De célèbres médiums faisaient d'excellentes affaires, même si certains étaient parfois démasqués, comme Bastian en 1884, convaincu de supercherie par le propre fils de l'impératrice, Rodolphe, au cours d'une séance mémorable. Le prince comptait en effet parmi les adversaires les plus déterminés de ces pratiques et alla jusqu'à écrire une brochure intitulée *Quelques mots sur le spiritisme*, publiée anonymement en 1882. Il visait indirectement sa mère, mais celle-ci ne connaissait évidemment pas plus ce texte que les autres écrits de Rodolphe.

Le prince Eulenburg ne trouvait d'ailleurs nullement extraordinaire que l'impératrice Élisabeth fût spirite. A ses yeux comme à ceux de Bismarck, la seule question importante était de savoir si la comtesse Paumgarten exerçait ou non sur elle une influence politique, ce qui l'amenait à rassurer le chancelier : « Je ne saurais qualifier d'aberration l'écriture automatique de la comtesse, car elle agit *bona fide* et son caractère plaide en faveur de son honnêteté. La comtesse n'utilise d'ailleurs pas ses hautes relations à des fins personnelles. Mais il ne fait aucun doute que Sa Majesté pourrait en certaines circonstances attribuer une grande valeur aux messages venus du monde des esprits. »

Sissi emmena même une fois Marie-Valérie à une séance

de spiritisme. La jeune fille, âgée de quinze ans, pleine de bon sens, ne fut nullement conquise ; c'est avec un certain étonnement qu'elle rapporte, dans son Journal, le dialogue de sa mère et d'Irène Paumgarten. « Appelle devant nous ce soir l'impératrice Marianne », demanda l'impératrice (Marie-Anne, épouse de l'empereur Ferdinand Ier, était morte en 1878). « Oh, celle-là erre encore en de sombres régions [46] », répondit Irène.

Dans son Journal (toujours inconnu à ce jour, mais que cite Marie Larisch), l'impératrice expliquait son penchant pour le spiritisme : « Je ne suis pas de ceux dont les facultés spirituelles sont muettes. C'est pourquoi j'entends, ou plutôt ressens, les pensées de mon esprit et ce qu'il veut de moi. C'est pourquoi je vois la blonde Else et Bubi [ses neveux Taxis, morts prématurément] ; j'ai aussi vu une fois Max [l'empereur du Mexique Maximilien], mais il n'avait pas la force de me dire ce que manifestement il souhaitait me dire. [...] Ces images me viennent à l'état de veille, tout comme le souvenir apporte pendant le sommeil des " images oniriques ". Mais ce que je vois alors ne relève nullement des images oniriques ou des hallucinations, comme le soutiennent certaines personnes qui manquent de notions suffisantes et, en guise d'explication logique, ne donnent qu'un mot sans signification. [...] Cela m'apporte une grande satisfaction et un profond apaisement de pouvoir si souvent entrer en communication avec des esprits de l'au-delà. Mais les gens, à de rares exceptions, ne comprennent pas cela. Et ce que les ignorants ne comprennent pas, ils l'appellent folie [47]. »

L'impératrice essayait par tous les moyens de recevoir des messages de l'autre monde, notamment sur l'avenir, et elle était extrêmement superstitieuse. « Souvent [...] elle laissait tomber un blanc d'œuf dans un verre d'eau, et ensemble nous essayions de lire des présages dans les formes qu'il prenait, notait Marie Larisch. Chaque fois qu'Élisabeth voyait une pie, elle lui faisait trois révérences ; et, à la pleine lune, elle demandait que soient satisfaits des vœux longuement nourris. L'impératrice croyait fermement au pouvoir protecteur du fer battu et ne passait jamais à côté d'un clou ou d'un fer à cheval sans le ramasser. Sa crainte du mauvais œil était sans limites, et elle redoutait les terribles pouvoirs de ceux qui l'avaient [48]. » L'impératrice croyait aussi à certaines prophéties, comme celle du légendaire moine du lac de Teger, dont l'âme n'échapperait à la damnation qu'avec la fin de la lignée des ducs en Bavière. Elle raconta plusieurs fois ce que le moine lui aurait prédit : « Avant que cent ans ne s'écoulent, notre lignée sera éteinte [49] ! » Les jeunes princes que comptait cette lignée étaient si nombreux que cela semblait invraisemblables, mais aujourd'hui cette branche s'est effectivement éteinte : l'actuel chef de la Maison, le duc Max en Bavière, descend en fait de la branche royale, ayant été adopté par le dernier représentant de la branche ducale.

Élisabeth parla des « apparitions » du roi Louis à Marie-Valérie, mais également à sa nièce Marie Larisch. Elle avait, une nuit, entendu un bruit d'eau, comme un gargouillis : « Peu à peu, ce léger chuintement envahit toute la pièce, et je vécus toutes les affres de la noyade. Râlant, étouffant, je me débattis pour trouver de l'air ; puis l'horreur prit fin et, rassemblant mes dernières forces, je pus m'asseoir dans mon lit et reprendre souffle. La lune s'était levée et éclairait la chambre comme en plein jour. Je vis alors la porte s'ouvrir lentement et Louis entrer dans la pièce. Ses vêtements étaient trempés, l'eau qui en ruisselait se répandait en petites flaques sur le parquet. Ses cheveux mouillés étaient collés à son visage blême ; pourtant c'était bien Louis, tel qu'il était avant sa mort. »

Elle se serait alors entretenue avec l'esprit de Louis, qui lui aurait parlé d'une femme plongée dans les flammes : « Je sais que c'est une femme qui m'a aimé et que je ne serais pas libre tant que son destin ne sera pas accompli. Mais après, tu nous rejoindras, et tous trois nous serons heureux au paradis. » Comme son livre parut en 1913, il n'est pas surprenant que Marie Larisch ait pu parler d'une prophétie relative à la mort par le feu de l'ex-fiancée de Louis (Sophie d'Alençon mourut dans l'incendie du Bazar de la Charité) et à celle de l'impératrice qui survint un an plus tard, en 1898. Élisabeth lui aurait encore dit : « Mais, pendant que je parlais, la forme disparut ; j'entendis à nouveau le bruissement d'une eau invisible, et le murmure d'un lac. Je fus prise d'épouvante, car je sentais la proximité des ombres de l'autre monde, tendant leurs bras de fantômes pour attirer la consolation que peuvent leur apporter les vivants [50]. »

Vers le milieu des années quatre-vingts, l'impératrice se mit à revenir fréquemment sur la question du suicide. C'était surtout les eaux du lac de Starnberg, où Louis II avait trouvé la mort, qui la fascinaient, comme il apparaît dans le poème intitulé « Tentation » :

> [...] *Assise sur le rivage, je regardai trop longtemps.*
> *Fascinantes, bruissaient les eaux vertes.*
> *La tentation, trop séduisante, s'approcha,*
> *M'obligeant à écouter les mots magiques des nixes.*
>
> *Et chaque vague me murmurait doucement :*
> *Laisse donc enfin ton corps épuisé*
> *Trouver calme et repos en nos eaux de jade,*
> *Cet instant libérera ton âme.*
>
> *...*
>
> *L'heure de la tentation a pris fin*
> *Et, lâche comme un chien, je suis rentrée* [51].

Elle se laissait aller à des rêveries macabres :

> *Voilà que mon corps gît là-bas,*
> *Sous la mer profonde,*
> *Ce corps que déchiraient, écorché,*
> *Ces récifs bigarrés.*
>
> *Les araignées de mer ont tissé*
> *Leur lit dans mes nattes ;*
> *Une armée de visqueux polypes*
> *Envahit mes jambes.*
>
> *Et sur mon cœur rampe une bête immonde,*
> *Mi-ver mi-anguille ;*

Je sens que flaire mes talons
Une langouste royale.

Mon cou, mes bras, sont enlacés
Par des méduses
Et des poissons, petits et grands,
S'approchent en essaim.

Des sangsues longues et grises
Me sucent les doigts,
Un cabillaud au regard glauque
Fixe mes yeux vitreux.

Et tandis qu'entre mes dents
Se glisse une moule,
Ma dernière larme, comme une perle
Te parviendra-t-elle jamais [52] *?*

La dernière fille du couple impérial, Marie-Valérie, était une des rares personnes à savoir combien l'état mental d'Élisabeth était inquiétant. Très préoccupée, elle évoquait par exemple dans son Journal la violence avec laquelle l'impératrice, âgée alors de quarante-huit ans, avait réagi à une crise de sciatique : « Bien pires que le mal sont l'indescriptible désespoir et l'alarmisme de maman. Elle dit que la vie est un tourment et même qu'elle voudrait se suicider. " Mais alors, tu iras en enfer ! ", lui a dit papa. Et elle de répondre : " L'enfer, on l'a déjà sur terre ! " ». La jeune fille, qui avait dix-sept ans, ajoutait pour se rassurer : « Je suis bien persuadée que maman ne se suicidera jamais ; mais que la vie lui pèse et que papa souffre autant que moi de le savoir, cela suffirait à me faire pleurer des heures durant [53]. »

CHAPITRE XI

DISCIPLE DE HEINE

Quand, au milieu des années 1880, l'impératrice renonça à l'équitation, on s'attendait à ce qu'elle mène enfin une existence « impériale ». Ceux qui pensaient du bien d'elle et appréciaient son intelligence et ses conceptions politiques n'avaient que trop déploré qu'elle dissimulât au public ces capacités et se laissât réduire à l'image d'une sportive élégante.

Parmi les plus chaleureux admirateurs de ses dons intellectuels figurait toujours Gyula Andrássy. Affligé de la voir ainsi à l'écart, il écrivit au baron Nopcsa, grand chambellan de l'impératrice, ces lignes qu'il destinait certainement aussi à cette dernière : « Mais qu'elle cherche tellement à cacher son esprit et son grand cœur — auprès desquels les capacités de la célèbre Marie-Thérèse n'apparaissent que celles d'une bonne maîtresse de maison — et qu'elle agisse comme s'il était inconvenant de les montrer, je ne saurais assez le regretter [1]. »

Mais ces propos flatteurs restèrent sans effet. L'impératrice se considérait toujours comme une personne privée et cultivait son moi le plus loin possible de Vienne. Marie Festetics excusait sa maîtresse, car elle l'aimait par-dessus tout : « Ses fautes ne sont que des péchés par omission ;

elles viennent d'un manque de discipline intérieure et, par conséquent, d'une difficulté à garder la mesure [2]. » On ne pouvait guère s'exprimer avec plus de clarté et de bienveillance en même temps.

L'empereur François-Joseph s'employait de toutes ses forces à rendre à sa femme la vie viennoise aussi agréable que possible et à satisfaire ses désirs. Comme elle ne se sentait à l'aise ni à la Hofburg, ni à Schönbrunn, ni à Laxenburg, ni à Hetzendorf, il fit bâtir, après 1880, au centre du parc zoologique de Lainz, une villa d'été personnelle où elle pouvait se soustraire entièrement à la vie de Cour. C'était un petit château conçu par Hasenauer, l'architecte du Ring, selon les goûts d'Élisabeth. Devant le bâtiment se trouvait une statue d'Hermès, le dieu grec qu'elle préférait et dont la villa portait aussi le nom ; sur le balcon avait été placé un buste d'Henri Heine et dans le hall un « Achille mourant », héros qu'elle affectionnait particulièrement. Les murs et les plafonds de sa chambre à coucher étaient couverts de fresques représentant des scènes du *Songe d'une nuit d'été*, sa pièce de prédilection ; elles avaient été peintes, d'après des dessins de Makart, par le jeune Gustav Klimt, encore inconnu. Au-dessus du lit d'apparat, un grand tableau montrait Titania et son âne, une plaisanterie que l'empereur n'avait guère dû apprécier. Aux murs de l'inévitable salle de gymnastique, d'autres fresques avec des combats de gladiateurs témoignaient de l'amour d'Élisabeth pour la Grèce, tout comme les nombreuses statuettes grecques dont elle s'entoura à la villa Hermès.

Ce qu'elle appréciait surtout dans ce petit château de Lainz — « le château magique de Titania », comme elle l'appelait —, c'était son isolement au sein d'un massif forestier intact, où le gibier se trouvait en abondance. Le parc zoologique était ceint d'un mur, aux portes duquel se tenaient des gardes : du vivant d'Élisabeth, aucun étranger ne put apercevoir la villa. L'impératrice pouvait se promener pendant des heures et observer les animaux (pour se protéger des sangliers, elle avait constamment avec elle des crécelles destinées à les effrayer).

En revanche, elle manifesta d'abord une certaine réticence pour les installations sanitaires (qui n'existaient encore dans aucun des autres châteaux impériaux) : il y avait là trop « de femmes de bains ayant pour tâche de préparer et de remplir les baignoires ». Elle n'était pas non plus habituée aux conques disposées dans les couloirs ; l'architecte Hasenauer l'observa un jour en train de manipuler les robinets avec un plaisir évident, parce qu'elle n'avait jamais rien vu de semblable [3].

En mai 1887, la famille impériale passa une nuit à Lainz pour la première fois. Marie-Valérie regrettait Ischl : « Je me couchai tristement dans mon lit blanc, qui se trouve dans une lugubre alcôve et sur lequel, d'un ciel bleu où flottent des nuages, un angelot joufflu [...] jette un regard parfaitement affecté. » Elle n'aimait pas non plus les chambres d'apparat de l'impératrice : « Les chambres de maman cherchent à paraître prodigieusement agréables, mais je déteste leur maniérisme rococo. Ah, si nous pouvions retourner à la maison [4] ! » Elle trouvait la villa Hermès « belle et moderne, mais de façon déplaisante ; cela ne nous ressemble pas, ni aux endroits que nous avons habités jusqu'ici [5] ». Quant à François-Joseph, il eut, une fois de plus, une réaction désabusée : « J'aurai toujours peur de tout abîmer. »

Si elle disposait maintenant de son propre château, Élisabeth ne songeait pas pour autant à séjourner davantage à Vienne. Elle ne passait que quelques jours chaque année à la villa Hermès, qui pourtant avait coûté des sommes folles, et aspirait à nouveau à partir, non plus pour chasser à courre, mais pour de longs voyages d'agrément, de préférence à l'étranger.

Il est évident qu'elle traversait une grave crise. Elle approchait de la cinquantaine, et l'éclat de sa beauté s'était terni : elle dissimulait ses rides derrière des éventails et des ombrelles. La vivante amazone de naguère souffrait maintenant de sciatique et de graves troubles nerveux. Malgré ses remarquables capacités intellectuelles, elle se trouvait isolée, sans influence, insatisfaite à tous égards. Dans un ultime sursaut, elle entreprit de donner un sens à son existence, mais non

pas, bien entendu, à sa vie d'impératrice ni à sa vie de mère :
elle se consacra plus que jamais à la poésie.

Ayant perdu l'espoir d'être comprise des vivants, elle
s'entretenait plus que jamais avec les esprits des morts et
mettait toute son espérance dans les « âmes du futur », à qui
elle destinait ses poèmes. Elle décida que ceux qu'elle aurait
écrits dans les années 1880 devraient être (contrairement à
ceux de sa jeunesse) publiés, mais en 1950, c'est-à-dire après
la mort de tous ses contemporains. C'est de la postérité
qu'elle entendait gagner la compréhension et la gloire qu'on
lui refusait de son vivant.

Les hymnes à la liberté, souvent confus, qui parsèment ces
poèmes, prenaient pour modèle ceux de Heine. Élisabeth
souhaitait qu'ils puissent consoler les affligés des temps
futurs ; elle s'adressa même parfois directement aux hommes
du XXe siècle :

Aux âmes du futur

Je chemine solitaire sur cette terre,
Depuis longtemps détachée du plaisir, de la vie ;
Nul compagnon ne partage le secret de mon cœur,
Jamais aucune âme n'a su me comprendre.

[...]

Je fuis le monde et toutes ses joies,
Je suis bien loin aujourd'hui des humains ;
Leur bonheur et leur peine me restent étrangers ;
Je chemine solitaire, comme sur une autre planète.

[...]

Et mon âme est pleine à éclater,
Les songes muets ne lui suffisent plus ;
Ce qui l'émeut, elle doit le mettre en chants
Et ce sont eux que je couche dans ce livre.

Lui, il les gardera fidèlement et à jamais
Des âmes qui aujourd'hui ne les comprennent pas,

Jusqu'à ce qu'un jour, après de longues années agitées,
Ces chants renaissent et refleurissent.

Oh, puissent-ils alors, comme voulait le maître *,
Vous consoler, vous qui pleurez et gémissez
Pour ceux qui tombèrent au combat de la liberté,
Pour ceux dont la tête porte la couronne du martyr !

Ô vous, chères âmes de ces temps lointains,
Auxquelles s'adresse aujourd'hui mon âme,
Bien souvent elle vous accompagnera,
Et vous la ferez vivre grâce à mes poèmes [6].

Élisabeth consacra un soin extraordinaire à la sauvegarde posthume de ses œuvres. Pendant les hivers de 1886 et 1887, elle en fit faire des copies, dans le plus strict secret, par deux parentes qu'elle avait fait venir tout exprès de Bavière : Marie Larisch et sa cousine Henny Pecz, une bourgeoise. La version, à première vue improbable, de la comtesse Larisch, selon laquelle ces copies auraient servi de manuscrit pour un tirage secret [7], ne peut plus désormais être portée au compte de l'imagination : le legs qui se trouve à Berne dans les Archives fédérales comporte effectivement, à côté des manuscrits originaux, des tirages jusque-là inconnus de deux recueils (*Chansons d'hiver* et *Chansons de la mer du Nord*), conformes aux manuscrits.

En 1890, l'impératrice déposa les originaux et les tirages dans une cassette scellée à la Hofburg, et ordonna qu'après sa mort cette cassette fût remise à son frère le duc Charles-Théodore ; elle priait ce dernier de faire en sorte que, après un délai de soixante ans, la cassette fût transmise au président du Conseil fédéral helvétique, ce qui eut effectivement lieu en 1951. Des exemplaires imprimés devaient être remis à quelques-uns de ses familiers, notamment le « beau prince » Rodolphe Liechtenstein. C'est ainsi que, par le biais de la succession du prince et de l'Académie des Sciences

---

* « Le maître » n'est autre que Heine. (*N.d.A.*)

autrichienne, un second exemplaire des *Chansons d'hiver* et des *Chansons de la mer du Nord* parvint en Suisse en 1951.

On ignore combien d'exemplaires sont passés en d'autres mains et combien se sont perdus. On peut supposer qu'il s'en trouvait un dans la succession du comte Hans Wilczek, car, selon les indications tout à fait dignes de foi de la comtesse Larisch, Wilczek avait servi d'intermédiaire à l'impératrice. Contrairement à son fils Rodolphe en de semblables occasions, elle ne s'occupa pas elle-même de l'impression. Malheureusement, les archives de la famille Wilczeck ont été pillées par les Soviétiques en 1945, à Seebarn, et il ne reste aucun indice... A la cassette destinée à Charles-Théodore, l'impératrice avait joint une lettre destinée à la personne qui découvrirait un jour ces vers :

Chère âme du futur,

C'est à toi que je lègue ces écrits. Le maître me les a dictés, et c'est lui aussi qui a fixé leur destination : ils devront être publiés soixante ans après cette année 1890, au profit des condamnés politiques les plus méritants et de leurs proches dans le besoin. Car il n'y aura pas dans soixante ans plus de bonheur et de paix, c'est-à-dire de liberté, sur notre petite planète qu'il n'y en a aujourd'hui. Peut-être sur une autre ? Je ne suis pas en mesure de te le dire aujourd'hui. Peut-être quand tu liras ces lignes...

Avec mon cordial salut, car je sens que tu me veux du bien,

Titania

Écrit en plein été 1890, dans un train spécial qui file à vive allure [8].

Ces dispositions compliquées montrent la valeur que l'impératrice accordait à ses poèmes et l'espoir qu'elle mettait dans leur publication : celui d'être comprise par la postérité et de permettre à l'histoire de rectifier son image. Mais elles révèlent aussi combien elle se sentait persécutée et se méfiait des autorités autrichiennes et de la famille des Habsbourg, qu'elle ne jugeait pas assez loyale pour assurer la conservation de ses textes. François-Joseph lui-même, comme le révèlent toutes ces cachotteries, ignorait tout des dispositions secrètes de son épouse à l'égard des « âmes du futur ».

Élisabeth ne semblait guère croire non plus à la stabilité de la monarchie. De même qu'elle avait transféré à la banque Rothschild, en Suisse, à l'insu de l'empereur, une grande partie de sa fortune, afin de pouvoir faire face à une éventuelle émigration, c'est à la Suisse qu'elle destina le plus précieux de ce qu'elle laisserait au monde, ses écrits. Dans plusieurs poèmes, elle avait glorifié comme « asile de la liberté » ce pays dont le régime lui paraissait promis à plus d'avenir que le régime monarchique.

Dans une courte note d'accompagnement destinée au président du Conseil fédéral, l'impératrice indiquait aussi la destination des sommes que rapporterait la publication : « Le produit des ventes, dans soixante ans, devra exclusivement servir à aider les enfants en détresse de condamnés politiques de la monarchie austro-hongroise [9]. »

Ce vœu n'éclaire guère les « âmes du futur » qui l'examinent aujourd'hui. S'il est assez évident qu'Élisabeth entendait ainsi critiquer la situation politique de l'empire, on peut se demander à quelle catégorie de « condamnés politiques » elle songeait. Quels « condamnés politiques » trouvait-on en 1890 ? Des socialistes, des anarchistes, des nationalistes allemands ; ce ne pouvait être à eux qu'elle pensait. Peut-être, une fois de plus, aux familles des révolutionnaires hongrois qui s'étaient soulevés en 1848-1849 contre le pouvoir central ? Mais, en ce cas, il serait bien difficile de retrouver aujourd'hui leurs descendants.

Les mesures prises prouvent en tout cas qu'elle était persuadée de la qualité de ses vers. Elle n'était pas consciente que ce n'étaient guère que les rimailleries d'une dilettante, d'une femme plongée dans l'ennui, la solitude et le malheur.

Élisabeth consacra presque dix ans à son œuvre poétique. Comme elle le disait elle-même, l'impératrice d'Autriche, reine de Hongrie et de Bohême, fit place à Titania, la reine des fées du *Songe d'une nuit d'été*, et son impérial époux devint, bien que cela ne fût guère en accord avec sa personnalité, le roi Obéron. La vie d'Élisabeth était désormais emplie de fées et de gnomes — et bien sûr du « maître » Heine. La population de l'empire lui était devenue étrangère, tout comme sa famille, et notamment son fils Rodolphe, dont le destin tragique fut consommé pendant ces mêmes années 1880, sans que sa mère en prît conscience ni même soupçonnât ses problèmes.

Seuls quelques familiers connaissaient ses poèmes. François-Joseph, d'une intelligence toute pratique, ne savait comment prendre les « ascensions dans les nuages » de sa femme et réagissait avec affection et indulgence, comme toujours quand le comportement inhabituel de sa femme le déroutait. L'archiduchesse Marie-Valérie, qui participait la plupart du temps aux auditions et récitations poétiques de sa mère, la tenait pour une grande poétesse, mais se moquait à l'occasion de sa tendance à faire part aussitôt aux « âmes du futur », sous forme de poèmes, de ses moindres contrariétés et déceptions. C'était, selon elle, « un trait de famille que de tout rapporter à la postérité. Celle-ci nous appellera peut-être un jour *a funny family* [10] ». Elle se lamentait : « Une singulière vie que celle de ma mère ; le passé absorbe ses pensées, le lointain avenir ses ambitions. Le présent n'est pour elle qu'une ombre inconsistante, et sa plus grande fierté est que personne ne soupçonne qu'elle écrit des vers [11]. »

Élisabeth commença par ne rien dire à son époux de ses travaux littéraires, mais elle lui montra les premiers bouts rimés de Marie-Valérie (elle voulait la persuader qu'elle aussi était douée pour la poésie). La jeune fille, qui avait plutôt hérité du bon sens de son père que de l'exaltation de sa mère, hésitait, écrivant avec perplexité dans son Journal : « Maman veut que je remette demain mon poème à papa, mais cela me rend malheureuse ; car j'ai dans l'esprit que papa trouve affecté d'écrire de la poésie [12]. » La comtesse Festetics écrivait prudemment, de son côté : l'empereur « n'a pas la veine poétique très développée [13] ».

Gyula Andrássy, qui comptait également parmi les initiés, trouvait dans les poèmes de l'impératrice l'occasion de lui adresser des compliments, écrivant ainsi, en 1889, au baron Nopcsa : « Tu sais la haute opinion que j'ai toujours eue de son esprit et de son cœur ; mais, depuis que j'ai lu quelques-uns de ses poèmes, cette opinion s'est transformée en très vive admiration ; une telle intelligence, dont le plus grand homme se trouverait honoré, s'allie chez elle à tant de sensibilité, tout cela m'incite à dire qu'une femme comme elle ne saurait avoir sa pareille sur cette terre. Une seule chose me désole pourtant : que si peu de gens sachent qui elle est. Je voudrais que le monde entier en ait connaissance et l'admire autant que le mérite une personnalité si exception-nelle [14]. »

Le frère d'Élisabeth, Charles-Théodore, considérait cette nouvelle occupation avec beaucoup plus d'objectivité et même avec quelque préoccupation. Sans doute trouvait-il beaux les poèmes qu'elle lui avait montrés, mais il déconseil-lait « qu'elle cultive à l'excès les idées excentriques dans les-quelles elle vit, car ce commerce spirituel imaginaire avec Heine pourrait surexciter ses nerfs au point de la faire " sau-ter en l'air " à nouveau [15] ». Dans le cercle familial, il disait sans plus de gêne que Sissi « était intelligente, mais avait un " petit grain " [16] ». Quant à son père, le duc Max, il s'était toujours montré extrêmement critique à l'égard de ses filles, y compris Sissi. A l'occasion de ses noces de diamant, en 1888, il lut à la famille rassemblée un passage qu'il appréciait beaucoup dans l'ouvrage récemment paru de Mantegazza, *le Siècle nerveux* : « La nervosité des oisifs ne guérira que progres-sivement, quand les ducs, comtes et barons auront appris à leurs enfants que le travail est la meilleure des lettres de noblesse et, en même temps, le moyen le plus sûr pour mener une vie longue et heureuse [17]. » Publié peu après dans un article du *Wiener Fremdenblatt* qui relatait les cérémonies de cet anniversaire, ce texte apparut comme une critique ouverte de l'attitude de l'impératrice. Les rapports de cette dernière avec son père étaient tels que quand, en novembre de cette année 1888, il tomba malade et mourut, elle ne se rendit pas même à Munich pour les obsèques, prétextant des raisons de santé.

Les poèmes qu'elle composa au cours de ces années quatre-vingts avant de s'arrêter en 1889, date de la mort de Rodolphe, occupent quelque 660 pages imprimées. C'est un vaste hymne au « maître » Heine, envers qui elle nourrissait une passion qui dépassait largement la simple admiration littéraire. Elle connaissait par cœur de longs passages de ses œuvres et s'intéressait beaucoup à sa biographie. Il était mort à Paris en 1856, mais elle se croyait étroitement liée à lui, se considérant comme sa disciple et pensant même qu'il lui « dictait » ses vers. « Chaque mot, chaque lettre, tout ce qui vient de Heine seul est un joyau, écrivait-elle à Marie-Valérie, [il] est toujours et partout avec moi [18]. » Dans cette relation à un maître bien-aimé, mais défunt, il faut voir une nouvelle forme d'évasion, tout comme dans l'équitation ou les longs voyages. Toujours plus résignée et solitaire, Élisabeth fuyait la réalité pour le royaume des rêves :

A mon maître

Je me hâte vers le royaume des songes,
Ô mon maître, c'est là que tu es,
Mon âme enthousiasmée
Déjà vole vers toi.

C'est ton esprit qui m'a conduite
Et commandée chaque jour,
J'ai senti quel empire
Il avait sur mon âme.

Ses mots d'or ont pénétré
Au plus profond de mon être,

Et leur enseignement
S'est gravé dans ma tête.

[...]

Longtemps encore, chaque soir,
Je me tiens devant ton image
Et l'ensevelis dans mon cœur
Pour qu'elle apaise mon supplice.

Partons au royaume des songes !
Là seulement ma pauvre âme
Trouvera le repos ;
Car, mon maître, c'est là que tu es [19] !

Élisabeth partait si loin dans ses rêves qu'elle était fermement convaincue d'entretenir une relation avec l'esprit du « maître ». Ainsi décrivit-elle en détail à Marie-Valérie une apparition du poète. Un soir, alors qu'elle était au lit, elle aurait soudain aperçu devant elle le profil de Heine, tel qu'elle le connaissait par l'un de ses portraits, et ressenti « l'impression étrange [...] mais agréable [...] que cette âme voulait délivrer la sienne de son corps. Le combat dura quelques secondes, mais Jéhovah ne permit pas à l'âme d'abandonner le corps. L'apparition s'effaça et laissa à maman pour longtemps, malgré la déception de devoir continuer à vivre, un bienfaisant renforcement de sa foi, un plus grand amour pour Jéhovah, la certitude que l'âme de Heine se trouvait auprès de Lui et aussi qu'Il lui permettait de commercer avec celle de maman. Et elle affirme aujourd'hui encore qu'elle pourrait, sous la foi de n'importe quel serment, répéter que tout cela était absolument vrai, qu'elle a assisté à cette apparition en état de veille et qu'elle l'a de ses yeux vu [20] ».
Un poème comme celui qui suit ne peut se comprendre qu'à la lumière d'un spiritisme mêlé d'érotisme :

A mon maître — le 5 mars

Mon âme soupire, elle exulte, elle pleure,
Elle était cette nuit réunie à la tienne ;

Elle t'embrassait si fort, si tendrement,
Tu l'as pressée ardemment contre la tienne,
Tu l'as fécondée, tu l'as réjouie,

Et, satisfaite, elle frissonne et tremble encore.
Oh ! Qu'après des lunes puissent d'elle éclore
Des chants aussi charmants qu'il en naquit de toi !
Comme elle les chérirait, celle à qui tu les donnas,
Ces enfants que toi, que ton âme avez imprégnés [21] *!*

L'impératrice avait rassemblé des ouvrages du poète mais aussi des portraits et des bustes de lui. Elle alla voir à Hambourg sa vieille sœur, Charlotte von Embden, et se rendit aussi sur sa tombe à Paris. Sa connaissance de l'œuvre de Heine ne surprenait que ceux qui ne savaient encore rien du culte qu'elle lui vouait, comme ce déclamateur alors célèbre, Alexander Strakosch, qui à Ischl avait récité devant la famille impériale le *Pèlerinage à Kevelar*, de Heine, mais en sautant la strophe suivante :

Beaucoup vont à Kevelar sur des béquilles,
Qui sont maintenant danseurs de corde ;
Beaucoup même jouent à présent du violon,
Qui ne pouvaient alors bouger un doigt.

Aux protestations d'Élisabeth, il répondit avec embarras « qu'il n'avait pas voulu rompre la merveilleuse atmosphère de ce poème par l'ironie qui se fait jour dans cette strophe [22] ». Si ces vers inoffensifs risquaient d'être tenus pour insupportables à la Cour, on imagine le scandale qu'auraient suscité certains poèmes, autrement incisifs, d'Élisabeth...

Sissi épousait les inclinations et aversions de son maître. C'est ainsi qu'elle s'intéressa au poète hébraïque Juda ben Halevy, dont Heine avait fait l'éloge dans son *Romanzero*. A cette époque vivait à Vienne l'un des meilleurs connaisseurs de Halevy, le professeur Seligmann Heller. Elle se rendit un jour chez lui, sans s'être annoncée ni avoir jusque-là échangé la moindre correspondance avec lui. Heller se trouvait « à la fenêtre, dans une confortable robe de chambre, en train de regarder dans la rue, quand il vit un équipage arriver devant chez lui et s'arrêter. Myope, il ne distingua pas que c'était une voiture de la Cour ; il dit seulement à son fils, en plaisantant, qu'un élégant véhicule stationnait devant cette vieille maison des faubourgs, et que c'était peut-être un visiteur de qualité qui venait le voir. Quelques minutes plus tard, on frappa à la porte, et le savant poète, stupéfait, trouva devant lui l'impératrice. Avec la simplicité qui lui était propre, et dissipait aussitôt tout embarras, elle lui exposa le but de sa visite : elle ne connaissait Juda ben Halevy que par les vers de Heine, mais aurait voulu que Heller lui fasse connaître son œuvre. Au pied levé, Seligmann Heller fit alors à l'impératrice un exposé sur la vie et l'œuvre de Halevy, non sans lui dire combien il était difficile de pénétrer dans un monde spirituel aussi différent : l'impératrice devrait peut-être s'en tenir au « jugement sincèrement élogieux » de Heine [23].

Si grande était la réputation d'Élisabeth comme spécialiste de Heine qu'il arrivait qu'on lui demandât conseil. Ainsi un historien de la littérature berlinois lui soumit-il un jour trois pièces inédites du poète en lui demandant s'il fallait, selon elle, publier ces vers quelque peu épineux. Dans une longue lettre manuscrite, elle en écarta un comme apocryphe (avec raison, d'ailleurs, comme le montrèrent des recherches ultérieures) et recommanda la publication des deux autres : « Car le public de Heine, ce sont les peuples de la terre, et ils ont le droit de le connaître entièrement, d'autant que lui-même, à la différence de la plupart des autres poètes, dédaignait toute hypocrisie et entendait se livrer toujours tel qu'il était, avec ses grandeurs comme avec ses humaines faiblesses [24]. »

Malgré son culte pour Heine, elle s'intéressait aussi à d'autres poètes. Elle lisait toujours avec enthousiasme les drames de Shakespeare et connaissait presque entièrement par cœur le *Songe d'une nuit d'été*. Elle lisait le *Faust* de Goethe avec Marie-Valérie (et en version intégrale, ce qui à l'époque était considéré comme inconvenant pour une jeune fille, à cause de la tragédie « immorale » de Marguerite). A la fin des années 1880, elle entreprit l'étude du grec ancien afin de pouvoir lire Homère dans le texte, puis elle porta ses efforts sur le grec moderne. Ainsi, en 1892, traduisit-elle dans cette langue — à titre d'exercice — *Hamlet*, ainsi que des textes de Schopenhauer. Et elle se plaignait : « Si seulement les jours pouvaient être deux fois plus longs ! Je ne puis lire et étudier autant que je le voudrais [25]. » Elle justifiait ainsi les longues heures qu'elle consacrait à l'étude du grec pour maîtriser vraiment cette langue : « Il est si salubre de devoir peiner sur quelque chose de vraiment difficile, pour oublier ainsi ses propres pensées [26] ! »

Comme pour le hongrois, Élisabeth préférait dans le grec le parler populaire. Elle s'en expliquait à l'un de ses lecteurs avec des arguments qui auraient pu être ceux de Heine : « L'unique raison de ma prédilection pour la langue du peuple, c'est que je souhaite parler comme les neuf dixièmes de la population, et non comme les professeurs et les politiciens. S'il est quelque chose que j'abhorre, c'est bien la dissimulation dans les pensées, les écrits, etc. [27] »

Un étudiant grec l'accompagnait dans ses promenades, dont la tâche n'était pas seulement de converser avec elle, mais aussi de lui faire des lectures (ce qui, compte tenu de la rapidité du pas de l'impératrice, n'était pas une mince affaire et suscitait chez les témoins plus d'un regard étonné).

Comme elle demandait un jour à son frère Charles-Théodore pourquoi il ne mettait pas lui aussi à profit ses promenades pour se faire faire des lectures en langues étrangères, Élisabeth s'entendit répondre : « Mais on croirait que je suis devenu fou ! » A quoi elle répliqua : « Et cela importe-t-il ? Ne suffit-il pas de savoir soi-même qu'on ne l'est pas ? » Marie Redwitz, qui rapporte cette conversation, commente : « Elle donnait là la clef de bien des aspects de sa vie. Elle agissait comme il lui plaisait et laissait les autres croire ce qu'ils voulaient. En dépit de toutes ses bizarreries, elle était simple et parfaitement naturelle [28]. »

L'amour de la Grèce était de tradition dans la famille

Wittelsbach. Le roi Louis Ier, oncle d'Élisabeth, n'avait pas moins de passion pour ce pays que son fils Othon, qui y régna de 1832 à 1862. Nombreux étaient les Bavarois qui se rendaient en Grèce, contribuant ainsi au développement d'un pays appauvri par une longue occupation turque. Et le duc Max lui aussi connaissait bien la Grèce, non seulement par ses voyages, mais aussi par ses études sur l'histoire et la littérature de ce pays.

L'amour d'Élisabeth pour la Grèce était solidement étayé par ses connaissances linguistiques, mythologiques et historiques. L'un de ses poètes de prédilection était Lord Byron, sans doute le plus célèbre des étrangers qui participèrent à la Guerre d'indépendance grecque. L'impératrice traduisit en allemand de nombreux poèmes de Byron, suivant là aussi les traces de son maître Henri Heine.

Parmi les germanophones, le meilleur connaisseur de la Grèce était sans doute, dans les années 1880, le consul d'Autriche à Corfou, Alexander von Warsberg, dont les livres, notamment *Paysages de l'Odyssée,* étaient connus de l'impératrice. En 1885, elle le pria de l'accompagner dans ses voyages en Grèce, en tant que « conseiller scientifique ». L'écrivain rapporte qu'avant la première audience, le grand chambellan lui expliqua, un peu anxieux, « qu'il fallait que je sois bref, concis ; l'impératrice ne supportait pas les grands discours. Je lui fus donc présenté. Elle m'adressa quelques brèves paroles, nullement désagréables. Je la trouvai laide, vieille, desséchée, mal habillée, et j'eus l'impression de me trouver devant non pas une vraie folle, mais une détraquée, ce qui m'attrista profondément ».

Mais Warsberg changea très vite d'opinion. Au cours des visites qu'ils firent ensemble, « l'impératrice était une autre femme : loquace, simple, intelligente, vraiment remarquable, chaleureuse, sans préjugés, bref, l'une des figures les plus fascinantes que j'aie rencontrées dans ma vie. Je marchais avec elle quatre heures durant, à ses côtés ou, quand le sentier était trop étroit, juste derrière elle, et elle me faisait parler sans interruption, au point que, le soir, j'en avais le larynx tout enflammé. Elle me faisait les observations les plus singulières et les plus pertinentes. C'est à coup sûr une nature d'un très haut niveau spirituel, et qui m'intéresse au plus haut point. Elle semble avoir conscience de sa valeur et se sentir en droit, de ce fait, de ne se laisser gêner en rien. Sans cela, il serait incompréhensible que l'empereur lui témoigne tant d'égards [29]. »

Alexander von Warsberg ne tarda pas à présenter lui aussi des symptômes de passion : « Elle est adorable, enchanteresse. Ne puis résister à cette femme. [...] Mes pensées ne sont que pour elle, pour cette femme », écrivait-il dans son Journal en 1888 [30].

Élisabeth faisait sensation partout où elle apparaissait. Dans ces régions qui ne connaissaient pas encore le tourisme, on imagine ce que pouvait provoquer la vue de cette grande étrangère d'une extrême minceur qui, vêtue de noir, parcourait à grandes enjambées les chemins les plus difficiles, traînant derrière elle le savant Warsberg, constamment souffrant, et la comtesse Festetics, dodue et essoufflée. Selon Warsberg, les Grecs l'avaient surnommée « la locomotive [31] ». C'était là une expression pleine de respect, car cette récente invention venait tout juste d'apparaître en Grèce et sa vitesse presque incroyable suscitait l'émerveillement.

Les deux accompagnateurs d'Élisabeth devaient supporter de constantes complications. Ainsi, lors de la pénible ascension du rocher de Sapho, dont Warsberg s'était fait une joie : vingt ans plus tôt, il était déjà venu là et avait rendu visite à un ermite dont la misérable cellule était située tout en haut du rocher ; et voilà qu'il revenait voir cet ermite qui n'avait rencontré aucun étranger depuis lors ; « pour cette seconde visite, écrivait-il avec fierté, c'était l'impératrice d'Autriche !... J'engageai le moine, dont les longs cheveux et la grande barbe étaient devenus blancs comme neige, à nous conduire comme la première fois sur le site du temple d'Apollon et à l'endroit d'où Sapho s'était précipitée dans le vide. J'avais trouvé jadis ce paysage le plus beau du monde, et ce jour le plus heureux de ma vie. » Mais, comme le rocher de Sapho est également intéressant du point de vue maritime, l'impératrice avait autorisé quelques cadets du *Miramar* à l'accompagner. « Cette bande de jeunes gens se mit à tant bavarder, raconte Warsberg, et sur des sujets si peu accordés à ces lieux, qu'ils rendaient impossible tout sentiment poétique. Pendant que nous nous trouvions sur le rocher, l'impératrice me glissa qu'elle avait l'impression de se trouver dans un buffet de gare. [J'étais] très vite devenu tout mélancolique de voir gâchée ma joie de pouvoir guider l'impératrice de façon sainte et solennelle [32]. »

Le récit de la comtesse Festetics n'est guère plus empreint de poésie : « Pendant les trois heures que nous prit l'ascension, le ciel se couvrit complètement et il plut un peu, suffisamment pour rendre le chemin glissant et pénible. Nous ne vîmes en fait que l'endroit d'où Sapho s'était jetée : pendant la montée, nous nous pressâmes autant que si nous avions été à Gödöllö, et nous devions prendre garde où nous marchions, pour ne pas nous briser bras et jambes [33]. » Le même ton se retrouve dans des douzaines de lettres.

Infatigable, Élisabeth suivait les traces de ses héros grecs. Elle envoya à Marie-Valérie des cyclamens d'Ithaque, en précisant qu'elle s'était rendue le matin même au lieu où Ulysse avait abordé. « Et c'est là que j'ai cueilli pour toi ces deux cyclamens. Tout comme à Corfou, la nature est couverte de ces fleurs. Nous avons lu en route l'*Ithaque* de Warsberg, je parle beaucoup avec lui, c'est un vrai voyage de formation [34]. »

François-Joseph, cependant, lui écrivait : « [Je ne puis] me représenter ce que tu fais à Ithaque au long de tant de jours. Je suis heureux qu'Ithaque te plaise tant. Je crois volontiers que le lieu est calme et reposant pour les nerfs, mais il me semble impossible qu'il soit plus beau que Hallstatt, en particulier parce que la végétation méditerranéenne est trop pauvre. » Dans sa lettre suivante, l'empereur revenait sur Hallstatt sur un ton véritablement enthousiaste. Il ne parvenait à trouver sympathiques ni Ithaque ni Ulysse : « J'avais donc bien raison de dire qu'Ithaque ne peut se comparer à Hallstatt, car le prince héréditaire de Meiningen, qui a parcouru toute la Grèce et se passionne depuis longtemps pour ce pays, m'a assuré que l'île est toute pelée et rien moins que belle [35]. »

En 1888, l'impératrice déclara à son époux qu'elle considérait la Grèce comme « sa future patrie ». Elle fit de longues
croisières en mer Egée et se fit même tatouer une ancre sur
l'épaule, ce que l'empereur considéra comme « une affreuse
surprise [36] ». Élisabeth entendait signifier que son amour de
la mer était ineffaçable.

On ignore ce que l'impératrice pensait de la littérature de
son temps. Seules nous sont connues les étroites relations
qu'elle entretenait avec des écrivains hongrois comme Jokai
et Eötvös, et dont il n'est pas d'exemple avec ceux de langue
allemande, à la seule exception de Carmen Sylva, dont toutefois la production ne saurait être considérée sans réserve
comme littéraire.

Carmen Sylva était le pseudonyme de la reine Élisabeth de
Roumanie, née princesse de Wied et épouse de Carol Ier. Elle
avait dix ans de moins que Sissi. Dans les années 1880, ses
drames en français, ses poèmes en allemand, ses contes en
roumain, ses romans, et aussi ses prêches — tout cela écrit
avec pathos et grandiloquence — avaient connu un grand
succès. Mais elle devint un modèle pour Élisabeth. Avec son
« amie en poésie », l'impératrice, d'ordinaire si farouche, sortait de sa réserve ; elle ne faisait pas mystère de la préférer à
toutes les autres têtes couronnées. A propos de la visite que
fit à Vienne en 1884 la reine de Roumanie, elle écrivait :
« Ainsi c'est elle qu'on appelle un bas-bleu ! me disais-je en
contemplant ses grands yeux verts enjoués, ses joues encore
colorées de fraîcheur juvénile, ses superbes dents d'un blanc
éclatant. Ô Carmen Sylva, si tu sais lire dans les cœurs, tu
dois savoir que dès cet instant le mien t'appartenait — à toi
entièrement. » De son côté, Marie-Valérie décrit Carmen
Sylva : « Sa toilette était un peu étrange. Sous son grand
manteau de fourrure, la reine portait un ample vêtement en
velours d'un rouge très sombre, presque semblable à une
robe de chambre, orné de broderies bariolées, avec à la taille
une ceinture de soie fine comme une ficelle. Elle arborait un
chapeau serré [...] et une voilette à laquelle elle avait fixé son
pince-nez [37]. » La reine de Roumanie fut raillée par la société

viennoise, ce qui était pour Élisabeth une raison supplémentaire de s'attacher spécialement à elle. Nombreux sont ses poèmes qui témoignent de sa très grande affection pour Carmen Sylva, « la sœur », « l'amie », pour laquelle elle avait plusieurs fois entrepris le long voyage de Roumanie.

> *Je n'allais pas voir la Cour,*
> *Et pas davantage la reine,*
> *Non, c'était la poétesse,*
> *Je venais pour Carmen Sylva* [38].

Les deux amies avaient de nombreux points communs : le spiritisme, leur goût pour la poétesse grecque Sapho (sur laquelle Carmen Sylva fit un récit en vers), enfin leur distance vis-à-vis des honneurs mondains et du régime monarchique. Carmen Sylva écrivait, par exemple, dans son Journal : « Je ne puis que sympathiser avec les sociaux-démocrates, surtout quand je vois combien les grands seigneurs sont fainéants et dépravés ; ces braves gens ne veulent, au bout du compte, que ce qui est donné de nature : l'égalité. Le régime républicain est le seul raisonnable ; je ne comprendrai jamais les peuples insensés qui nous supportent encore [39]. » On trouve des déclarations tout à fait semblables chez Elisabeth.

Carmen Sylva était aussi l'une des rares personnes non seulement à admettre, mais à comprendre l'amour d'Élisabeth pour Heine. « Il était tout naturel qu'elle préférât Heine à tous les autres poètes, tant il était lui aussi désespéré par la fausseté de ce monde et ne trouvait pas de mots assez durs pour en fustiger la vacuité, écrivait-elle après la mort de l'impératrice. Elle ne pouvait oublier combien notre position nous plonge dans l'apparence et le mensonge, nous empêchant d'aller au fond des choses et d'admettre que les hommes tiennent à nous considérer comme des divinités de l'Olympe et n'aiment pas nous voir pleurer et soupirer comme eux. Ils ne nous ont placés si haut que pour nous contraindre à toujours sourire, afin de leur apporter l'assurance que l'on peut être joyeux sur cette terre. Mais c'est justement là que gît un mensonge cruel, affreux. [...] Elle trouvait précisément chez Heine le mépris des apparences qu'elle-même ressentait si profondément, l'amertume qui emplissait son lourd destin solitaire, la malice qui animait son esprit et lui inspirait tant de propos originaux et surprenants [40]. »

Dans leurs fonctions officielles, les deux femmes ne se ressemblaient pourtant guère. Élisabeth de Roumanie avait grandement conscience des responsabilités inhérentes à sa position. Elle était énergique et efficace, en dépit de certains traits de caractère peu réalistes par lesquels elle aussi donnait prise à la critique. En Roumanie, elle passait, par ses recueils de chansons populaires et de contes, pour prendre la défense des exigences de la nation roumaine — elle qui composait surtout des poèmes en allemand... Lors de sa visite à Vienne, elle écrivit dans le Journal d'Amélie, la jeune nièce de l'impératrice :

> *De ta propre énergie*
> *Avec la force tranquille de la volonté*
> *Malgré le carcan de ta condition*
> *Sers les œuvres de Dieu*
> *Avec une sainte passion.*

Ces lignes pouvaient apparaître comme un avertissement à son homonyme autrichienne. Elle précisait d'ailleurs : « Nous autres princes devons doublement lutter contre le monde, afin que les hommes voient que nous pouvons servir à quelque chose [41]. »

Carmen Sylva n'encourageait en rien la tendance d'Élisabeth à se cloîtrer dans le monde solitaire de l'imagination et de la poésie, et même lui demandait d'accomplir, très concrètement, ses devoirs de souveraine. L'impératrice cependant ne se laissa pas influencer par son « amie en poésie », comme en témoignent ces mots à Marie-Valérie : « Carmen Sylva est très aimable, amusante, intéressante, mais elle a les pieds sur terre ; elle ne pourrait pas me comprendre, alors que je la comprends et l'aime. Elle adore raconter et inventer des histoire, c'est un grand plaisir pour elle, et le roi [Carol] est si prosaïque qu'un abîme spirituel les sépare. Naturellement, elle ne m'a pas dit cela ainsi, de but en blanc, mais je lui ai tiré les vers du nez [42]. »

Les deux « reines poétesses » étaient insatisfaites et malheureuses avec leurs époux — raison suffisante pour que Carmen Sylva, après une longue conversation avec son amie, décidât d'écrire « sur l'absurdité du mariage [43] ».

Chaque fois qu'elle en avait l'occasion, Élisabeth montrait la sympathie que lui inspiraient les femmes conscientes et cultivées, qui ne se contentaient pas de vivre pour leur famille comme la plupart des bourgeoises du XIXe siècle. L'empereur s'inquiétait de cette inclination de sa femme. Ainsi écrivait-il à Catherine Schratt, à propos d'une visite de la femme de lettres bavaroise von Redwitz : « J'ai d'abord été un peu effrayé par cette visite, car face à une semblable personne il faut beaucoup se contraindre à paraître spirituel et cultivé [44]. »

François-Joseph ne parvenait pas plus à apprécier la reine de Roumanie. Il déclara un jour sans ambages, toujours à Catherine Schratt, que Carmen Sylva lui avait « tapé sur les nerfs. [...] Et, naturellement, je me suis montré de plus en plus froid, presque impoli [45] ».

La soif de culture d'Élisabeth, ses intérêts philosophiques, littéraires et historiques, l'éloignaient considérablement de son mari et de la Cour viennoise — c'était aussi le cas du prince impérial. La société viennoise, à l'époque, n'était pas seulement inculte, mais hostile à la culture. Les observateurs étrangers ne manquaient pas d'en parler longuement, ainsi le comte Hugo Lerchenfeld : « J'ai souvent été déconcerté, à Vienne, d'entendre des gens évolués, fort intelligents, discuter avec le plus grand sérieux, des heures durant, de véritables enfantillages. Dans une certaine mesure, il m'a semblé que cette absence de notion sérieuse de l'existence tenait à l'éloignement de la vie publique dans lequel la noblesse a été tenue par le régime [46]. » Dans ce contexte, une femme aussi cultivée qu'Élisabeth ne faisait pas seulement figure de curiosité, mais de véritable provocation.

Pour le Nouvel An de 1893, l'impératrice agrémenta d'une citation de Schopenhauer ses vœux à l'empereur. Celui-ci convint que le philosophe avait « raison sur ce point », mais ne changea point sa façon de voir : « Mais par ailleurs, comme tu l'observes à juste titre, je ne fais nul cas de telles œuvres philosophiques, qui ne peuvent que pousser à la confusion [47]. » François-Joseph continuait sa longue lettre par ses habituelles considérations météorologiques.

L'empereur et l'impératrice avaient de moins en moins de sujets de conversation. Même les quelques jours ou semaines qu'ils passaient chaque année sous le même toit — mais dans des suites fort éloignées —, bien loin de les rapprocher, rendaient plus évidentes leurs différences.

Presque tous les poèmes de l'impératrice expriment son dégoût du monde et de l'humanité, mais aussi son isolement. Bien souvent, elle s'efforçait, en écrivant, de se venger de son entourage, caricaturant les faiblesses de ses ennemis vrais ou supposés et surtout de l'aristocratie viennoise et des Habsbourg. Par ces vers ironiques, elle entendait se justifier devant les « âmes du futur » et leur permettre de connaître la dynastie autrement qu'à travers l'histoire officielle : par un regard critique s'exerçant dans le cercle le plus intime. On ne trouve chez elle aucun sentiment d'appartenance à la noblesse et à la Cour ; elle apparaît comme une adversaire de son propre milieu, le jugeant comme si elle n'en faisait pas partie — sans doute d'ailleurs Heine se serait-il exprimé de façon analogue s'il avait pu observer les mêmes gens : dans ses vers consacrés aux aberrations de la vie aristocratique, Élisabeth prétend souvent que « le maître » les lui aurait dictés.

Les descriptions les plus impitoyables de la famille habsbourgeoise, en cette « fin de siècle » viennoise que Hermann Broch baptisa « joyeuse apocalypse », ne sont dues à nul autre qu'à la souveraine de cet empire. Dans ses poèmes, elle coiffait de « bonnets de fous à grelots » tous ceux par lesquels elle se sentait persécutée — tout son entourage, en fait —, pour les ridiculiser, longtemps après sa mort, auprès des « âmes du futur ».

Prenant modèle sur Heine, elle critiquait l'égarement des hommes — l'hypocrisie, l'affectation, la fausse culture, la soif de décorations, l'arrogance. Tout comme Heine — mais aussi comme son père et comme son fils —, elle rencontrait ces travers haïssables essentiellement chez les aristocrates. A ces gens oisifs et assoiffés de plaisirs, selon sa propre expression, elle opposait la rude existence des travailleurs et des pauvres :

Visite.

Il était venu pour moi une visite,
Pourtant je voulais aller en bateau.
Aussi j'ai embarqué aussi le visiteur,
La mer houleuse était si attirante !

Sur notre bateau les pauvres marins
Déployaient de terribles efforts.
Le vent luttait contre le mât et la voile,
Leur donnant bien de la peine.

C'est une vie dure et amère
Que mène le pauvre marin ;
Le sort ne lui a rien donné de bon
Et maigre sera toujours son salaire.

Parmi les rudes orages et les tourmentes,
Bravant l'intempérie en toute saison,
Il doit rester serein et, sans trembler,
Se tenir prêt à affronter la mort.

Combien différent est le destin
De ce polichinelle à mes côtés !
Il ignore la peine en ce bas monde,
La faim et la soif lui sont étrangères.

Il soigne son corps si bien nourri,
On le connaît dans chaque salon,

Il folâtre légèrement sur cette terre
Tel un inconsistant papillon.

Oui, bien injustes sont les moulins de Dieu.
Il faut voir ceux-ci pâtir de la misère,
Tandis que l'autre se vautre sur sa chance,
Si prospère qu'il en empeste presque [48].

Élisabeth s'en prenait surtout aux scandales dans la famille des Habsbourg. François-Ferdinand et Othon, les deux fils aînés de l'archiduc Charles-Louis, lui fournirent après 1880 une ample matière par des fredaines de mauvais goût qui nuisirent prodigieusement à l'image de la dynastie. Ainsi, l'archiduc Othon (père du futur empereur Charles), au cours d'une beuverie, jeta par la fenêtre les tableaux du couple impérial. Une autre fois, également pris de boisson, il tenta d'entraîner ses compagnons dans la chambre à coucher de sa très pieuse épouse (pour leur montrer une « nonne »), et l'aurait fait si son aide de camp ne l'en avait empêché. Élisabeth réunit ces deux scandales en un seul poème intitulé *Une histoire vraie, survenue à Klagenfurt en 1886,* et dont la dernière strophe était :

Morale

Ô, chers peuples de ce vaste empire,
Combien je vous admire en secret
De donner volontiers votre sueur et votre sang
Pour nourrir cette engeance dépravée [49] !

L'un de ces deux archiducs (François-Ferdinand, selon certaines versions, son cadet Othon selon d'autres) déclencha en 1886 un scandale — qui connut une vaste publicité — en sautant à cheval par-dessus un cercueil que l'on portait au cimetière. Élisabeth célébra également ce haut fait par un long poème, *Un incident véridique, survenu à Enns* [50]. Aux Habsbourg, qui se sentaient supérieurs aux autres en vertu de leur naissance bien plus que de leurs actes, l'impératrice ne ces-

sait d'opposer les vertus bourgeoises de l'ère libérale : le travail et l'effort, qui seuls « éclairent notre planète » :

Pourtant, sur cette terre souvent
Même le bien est surabondant.
Mon Dieu ! Que fera dans cette mêlée
La descendance des Habsbourg ?

Et de ce coûteux ornement
Qui accable chaque pays
Et qu'on appelle monarchie
(A qui le peuple doit de jeûner [51]*.)*

Suivant là encore Heine, Élisabeth mettait en cause le
régime, au point de se montrer républicaine convaincue. Les
notations de son Journal rapportées par Marie Larich
s'accordent tout à fait avec certaines formules de ses poèmes,
ce qui leur confère de la vraisemblance :

« Les belles phrases sur le roi, ou l'empereur, et sur son
peuple ! J'ai un étrange sentiment : pourquoi donc le peuple
— je veux dire le peuple des pauvres, des humbles —
devrait-il nous aimer, nous qui vivons dans l'abondance et le
luxe quand les autres, par leur dur labeur, gagnent à peine
leur pain quotidien et restent dans l'indigence ? Nos enfants
vivent dans le velours et la soie, les leurs, bien souvent, sont
en haillons !

« Assurément, on ne peut aider tout le monde, même s'il y
a bien des moyens d'adoucir la misère. Ainsi, le fossé
demeure ! Et ce n'est pas notre gracieux sourire qui permet-
tra de le combler.

« L'effroi me saisit quand je vois le peuple. Je voudrais
aider chacun en particulier et même, souvent, échanger ma
place avec la plus pauvre des femmes. Mais le " peuple " dans
sa masse, je le redoute. Pourquoi ? Je ne sais. Et notre " cote-
rie " ! Celle-là, je la méprise, et toutes ces futilités autour de
nous.

J'aimerais dire à l'empereur :
« Le mieux serait que tu restes chez toi,

Ici dans le vieux Kyffhäuser,
Car si j'y songe bien sérieusement,
Nous n'avons pas besoin d'empereur [52]. »

[Ces vers de Heine sont extraits de son *Konès Ier*, célèbre poème satirique sur la royauté.] »

Les conceptions d'Élisabeth se transmirent à ses enfants. Non seulement le prince impérial, Rodolphe mais aussi « la chérie », l'archiduchesse Marie-Valérie, étaient d'avis que « la république était le meilleur régime », et se réclamaient de leur mère [53].

Le premier poème des *Chansons d'hiver* suffit déjà à ruiner complètement la légende d'une impératrice dépourvue d'intérêt pour la chose politique. Élisabeth y fait parler — bien sûr dans le cadre d'un rêve — un homme qui est de toute évidence son époux, et le stigmatise impitoyablement, ainsi que sa politique. Il est inimaginable que François-Joseph ait jamais eu ces lignes sous les yeux. Et les derniers vers, selon lesquels l'auteur serait enfermé à Brünldfeld (célèbre asile viennois d'aliénés) si ce poème était connu, montrent qu'elle était bien consciente de la contradiction entre sa position de reine et impératrice.

Mon rêve

Je fus empereur cette nuit,
Rien qu'en rêve assurément.
De plus, empereur si sage
Que de tels il n'en est guère.

Approchant de la cinquantaine,
Me voilà donc sur le trône.
Et je médite qu'à dire vrai
Cela n'apporte rien à personne.

Mais où gît alors le lièvre ?
Dieu sait que je fus sans paresse.

Quand il fallait équiper l'armée,
Je n'ai jamais mâché mes mots.

[...]

L'aube à ma table de travail
N'a jamais manqué de me trouver ;
Et, pour me montrer consciencieux,
Je veille à chaque paperasse.

Ce fut, dès ma prime jeunesse,
Mon lot que de savoir renoncer.
Observant de près la vertu,
Je n'ai vécu qu'en famille.

Combien d'heures interminables
Souvent, au Conseil des ministres,
Mon esprit s'est-il épuisé
De discours sots et plats.

Allaient et venaient les ministres
Que j'ai chacun mis à l'essai ;
Et si j'ai oublié leurs noms,
Je sais qu'ils médisaient de moi.

Un seul pouvait remettre à flot
*Le pauvre vaisseau de l'État * ;*
Mais je n'ai pas su le retenir
Et nous sommes à nouveau misérables.

Après y avoir longtemps songé,
Je prends maintenant la décision
De faire qu'avec l'aide de Dieu
Il se passe ici quelque chose.

[...]

J'ai donc par le vaste monde
Alerté toutes les républiques

---

* Élisabeth veut parler d'Andrássy.

Et mandé au soin de mes affaires
Tout ce qu'on trouve de bons cerveaux.

Ils devront tenir conférence
De l'aube jusques à la nuit
Et me rendre compte à la fin
De ce qui rend heureux les peuples.

Dussent-ils alors décider
Qu'il nous faut une république,
Avec joie je consentirai
Qu'il en soit selon leurs vœux.

Et je dirais : « Mes chers enfants,
Je vais maintenant me retirer,
Ne soyez plus un troupeau de bœufs,
Mettez à profit votre chance. »

De ce rêve, à mon réveil,
Je n'ai soufflé mot à personne,
Sans quoi l'on m'eût doucement
Internée à Bründlfeld [54].

Un autre long poème politique se rapportant à l'empereur
figure en bonne place : à la fin du second volume des *Chansons
de la mer du Nord*. Il date également de l'époque de la crise
bulgare, pendant laquelle la monarchie danubienne —ce
vieux « chêne vénérable » — se trouva une nouvelle fois
menacée dans son existence. On craignait à l'ouest une nouvelle guerre franco-allemande, qui aurait également affecté
l'Autriche-Hongrie, alliée de l'empire allemand. L'atmosphère de Jugement dernier qui caractérise ce poème est à
l'évidence à mettre en parallèle avec les écrits politiques du
prince impérial Rodolphe au même moment. Il est remarquable que, même dans ce contexte, Élisabeth ait représenté
son époux comme un « oiseau de malheur », une expression
que lui-même avait employée à plusieurs reprises.

J'ai vu en rêve une contrée
Si vaste, si riche, si belle !
Par la mer, la bleue, baignée
Et de montagnes couronnée.

Au milieu de cette contrée
Chacun pouvait contempler
Un grand chêne vénérable
Presque aussi vieux que le pays.

Déjà la tempête et l'orage
L'avaient méchamment tourmenté ;
Il était presque sans feuilles,
L'écorce durcie et lacérée.

Seule sa cime, tout là-haut,
N'était pas encore défaite,
Tissée de maigres rameaux,
Squelette d'une spendeur passée.

Un oiseau était posé dessous,
On l'appelle oiseau de malheur
Peut-être parce que ses ailes
Portent de nombreuses blessures.

Vers l'est-nord-est s'entassait
Une noire paroi de nuages
Tandis qu'attaquait de l'ouest
Un rougeoyant incendie.

Et le sud paraissait de souffre
Car, dans la lumière livide,
Soudain brillèrent des éclairs
Tels ceux du Jugement Dernier.

J'entendis le chêne craquer
En ses plus profondes veines
Comme si on l'eût abattu
Pour faire son propre cercueil.

Cet arbre doit à la fin tomber
Car vraiment il a fait son temps ;

Mais c'est pour le pauvre oiseau
Qu'alors mon cœur a frissonné [55].

Élisabeth ne percevait que trop clairement l'amertume de
son époux, son « inquiétude affligée » quant à la situation de
l'empire à la fin des années 1880. Mais c'était elle aussi qui le
consolait, se référant ici encore à la postérité qui lui rendrait
certainement justice :

> *Ainsi, quand seront depuis longtemps ces années passées,*
> *Tes actions vivront encore de siècle en siècle ;*
> *Nous nous souviendrons reconnaissants de ton existence*
> *Et te bénirons bien souvent dans nos prières* [56].

Dans les années 1890, elle avoua à son lecteur grec Marinaky, totalement étranger à ces affaires : « Quand je pense [à
l'empereur], je suis préoccupée par mon incapacité à lui
venir en aide. Pourtant, je tiens en horreur la politique
moderne, je pense que c'est une parfaite imposture : une
simple compétition dans laquelle le plus rusé reçoit la meilleure part au détriment de celui qui hésite à agir contre sa
conscience. De nos jours, les nations, tout comme les individus, ne peuvent aller de l'avant qu'en se montrant dénuées
de scrupules [57]. »

Elle s'exprima de la même manière en présence d'un autre
Grec, Christomanos : « C'est aussi que j'ai trop peu de respect
pour la politique, je ne l'estime pas digne d'intérêt. » Elle
portait un jugement péjoratif sur les ministres : « Ah, ceux-là
ne sont destinés qu'à tomber, après quoi il en viendra
d'autres ! » Elle disait cela, rapporte Christomanos, « avec
une curieuse inflexion de la voix, qui était comme un rire
intérieur, et ajoutait : " Tout cela est d'ailleurs une telle illusion ! Les politiciens croient conduire les événements, et
ceux-ci les surprennent toujours. Chaque ministère porte en
lui sa propre chute, dès le premier instant. La diplomatie ne
vise qu'à obtenir du voisin quelque butin. Mais tout ce qui
arrive procède d'une nécessité interne, du fait que les choses

ont mûri ; les diplomates ne font que constater les
faits [58] ". »

Élisabeth prenait pourtant des précautions pour ne pas
impliquer son époux dans les critiques qu'elle adressait à la
Cour viennoise. Elle le respectait, le plaignait, et ne le mettait jamais sur le même plan que le reste de la dynastie ou que
les courtisans. Dans ses poèmes, François-Joseph apparaît tel
qu'il était en réalité, un monarque d'une grande intégrité
personnelle, plein de bonne volonté, conscient de ses
devoirs. Elle qui le connaissait mieux que personne ne pouvait ni ne voulait rien dire de négatif sur lui. Mais elle ne
considérait la fonction impériale que comme un fardeau sans
signification. Sans aucun doute elle pensait que la monarchie
« impériale et royale » (et même toute monarchie en général)
n'était guère que le « squelette d'une splendeur passée »
(citation) et appartenait à un temps bien révolu, car elle ne
convenait plus aux hommes du XIXᵉ siècle et encore moins,
bien sûr aux « âmes du futur ». En mai 1888, à l'occasion de
l'inauguration du monument à Marie-Thérèse, sur le Ring,
elle confronta le temps de l'aïeule de François-Joseph, disparue cent huit ans plus tôt, avec les années 1880 et prêta ces
mots à la grande impératrice :

> *Vous m'avez fait venir aujourd'hui,*
> *Cependant qu'y a-t-il à voir ?*
> *Toute cette lourdeur a-t-elle changé*
> *Depuis ces cent et huit années ?*
>
> *Je vous vois aussi hautains et bornés*
> *Qu'en ces temps si reculés*
> *Où, poudrée et en grande coiffure,*
> *Je me montrais en crinoline.*
>
> *Or, dans la république du Ciel,*
> *Depuis ces cent et huit années,*
> *J'ai eu la chance de séjourner*
> *Et j'ai là-bas beaucoup appris.*
>
> *Au lieu des chevaliers de la noblesse,*

J'ai vu ceux de l'Esprit saint.
Ce que je vous dis démontre
Que vous devriez bien me rejoindre.

C'est à toi que je m'adresse, fils,
Mon successeur sur le trône,
Qui depuis toujours aspiras
Aux mêmes choses que je voulais.

Toi qui te dévoues loyalement
Depuis des décennies, sans repos
Ni faiblesse, mais à qui la chance
A manqué déjà dès ta jeunesse !

Ordonne donc à tes armées
Qu'elles déposent les armes,
Honore aujourd'hui ton peuple
Et cela te portera bonheur.

Vois comme vient un joyeux orage,
Comme se défont les tribunes
Qu'il déchire et met à bas
Pour vous rappeler vos péchés.

[...]

Race des Habsbourg, avancez !
Sortez de l'ombre de vos tentes
Servez aujourd'hui en chœur
Le peuple de droit divin.

Quand celui-ci aura bu à sa guise,
Qu'il rende alors à Dieu hommage,
Qu'à pleine gorge il entonne
Le cantique des chœurs célestes.
Magnificat anima mea Dominum [59].

Faire de la race des Habsbourg un chœur de serviteurs pour « le peuple de droit divin » : Élisabeth n'aurait guère pu exprimer plus fortement sa pensée, ni mieux faire ressortir le contraste avec l'époque de l'archiduchesse Sophie.

Si l'impératrice se tenait à l'écart de la politique, c'était par mépris. Elle tenait pour erronée toute forme d'engagement : « A la vérité, il n'est rien de plus ridicule que les enthousiasmes des hommes. Les enthousiastes sont les gens les plus insupportables. » Son scepticisme la poussait jusqu'à plaider pour une complète inaction : « Il faut renoncer à l'action. Seul est éternel ce qui n'est pas survenu [60]. » Même des progrès techniques de son temps, elle n'attendait rien de bon : « Les hommes croient maîtriser la nature et les éléments grâce à leurs navires et à leurs trains express. Tout au contraire, c'est la nature qui les tient maintenant sous son joug. Autrefois, on était comme des dieux dans les vallées isolées dont on ne sortait jamais. Aujourd'hui, globe-trotters, on roule comme les gouttes d'eau dans la mer, et l'on finira par reconnaître que nous ne sommes rien d'autre [61]. »

Dans ses poèmes transparaissent aussi son goût du naturel et son refus de tout artifice humain. La grande majorité de ses vers sont consacrés à la nature. Les titres de ses deux recueils imprimés rappellent les thèmes de son grand modèle, Heine : *Chansons d'hiver ; Chansons de la mer du Nord.* Élisabeth écrivit un jour que son « maître » l'avait initiée aux « mystères de la nature ». Celle-ci était pour elle une amie, une consolatrice, un refuge loin des hommes et de sa position impériale. De longues strophes sont consacrées aux lacs bavarois de Tegern et de Starnberg, aux îles grecques, à la mer du Nord, à la forêt, à l'eau, aux étoiles ; on trouve aussi de très poétiques évocations d'excursions en montagne dans les environs d'Ischl, notamment au Dachstein et au Jainzen. « Le Jainzen est vraiment la montagne magique de maman, écrit Marie-Valérie, c'est là qu'elle écrit et qu'elle rêve, c'est là que, moi-même, plus grand-chose ne pourrait m'étonner [62]. »

Plus Élisabeth s'enfermait dans ses rêveries et s'écartait du monde, plus aussi les séjours à Vienne lui devenaient insupportables. Elle ne séjournait jamais bien longtemps à la villa Hermès de Lainz. Plus que jamais elle cherchait la solitude et plus que jamais voyageait en Grèce. C'est à Corfou qu'elle partit chercher la paix spirituelle qu'elle ne trouvait pas à Vienne :

Mais me voilà de retour chez moi, dans tes criques,
Quand les orages de la vie me deviennent déplaisants.
Ce que nous cherchions, mes mouettes et moi-même,
C'est ici que je le trouve : que le monde nous laisse en paix [63].

A Corfou, elle se fit construire un château sur une colline en bord de mer, qui faisait face aux montagnes de l'Albanie ; la propriété était complètement isolée du monde : invisible depuis la terre, elle disposait de son propre débarcadère, ainsi que d'un générateur électrique. Les plans avaient été tracés par un architecte napolitain sur les instructions précises d'Alexander von Warsberg : le style s'inspirait des vestiges de Pompéi et de Troie qui figuraient au musée de Naples.

Élisabeth dédia ce nouveau château au héros grec Achille, qu'elle admirait particulièrement, et le baptisa Achilleion : « Car pour moi il personnifie l'âme grecque, la beauté du paysage et des hommes. Je l'aime aussi parce qu'il avait le pied si léger. Fort et hautain, il méprisait les rois et les traditions, tenait pour rien les masses humaines ; la mort le faucha comme un brin d'herbe. Il ne considérait comme sacré que son propre vouloir, ne vivait que ses propres rêves, et son deuil lui était plus cher que la vie tout entière [64]. »

Dans son Achilleion, elle s'entoura des bustes des poètes et philosophes qu'elle vénérait : Homère, Platon, Euripide, Démosthène, Périandre, Lysias, Épicure, Zénon, Byron, Shakespeare. Des reproductions de pièces de musée représentant Apollon et les Muses trouvèrent également place dans son « Jardin des Muses » et dans une colonnade de marbre blanc dont les murs étaient couverts de fresques évoquant les mythes grecs. Certaines statues provenaient des collections du prince Borghèse. « Il a fait banqueroute, écrivait-elle à Christomanos, aussi a-t-il dû vendre ses dieux. Ne trouvez-vous pas que c'est terrible ? Aujourd'hui, même les dieux sont à vendre, ils sont devenus esclaves de l'argent [65] ! »

Cette remarque était elle aussi inspirée des idées de Heine, plus particulièrement de son texte *les Dieux en exil*.

Le peintre viennois Franz Matsch, disciple de Makart, exécuta pour le grand escalier de l'Achilleion un « Achille triomphant » géant (huit mètres sur quatre). Lors de ses entretiens avec elle, le peintre fut surpris de constater qu'Élisabeth était très au fait des fouilles grecques de Schliemann [66] ; elle fixa très précisément les grands traits du tableau : Achille serait représenté dans l'attitude d'un vainqueur sur son char tiré par des chevaux, devant les murailles de l'antique Troie, traînant derrière lui le cadavre d'Hector. Matsch peignit également le retable de la chapelle, où il figura la Vierge Marie en sainte patronne des marins, sur le modèle de la « *Stella maris* » de Marseille ; le yacht impérial *Miramar* était également représenté.

La plupart des statues étaient des copies de modèles antiques. Les meubles eux-mêmes furent confectionnés dans le style pompéien par des artisans napolitains. La seule concession au XIXᵉ siècle concernait les appartements de François-Joseph, qui eut droit à des meubles de style contemporain. « L'empereur n'aime pas les meubles grecs, expliqua Élisabeth à la comtesse Sztáray, dame d'honneur, il les trouve incommodes, ce qu'ils sont en effet. Mais, quant à moi, j'aime beaucoup voir autour de moi ces objets aux formes nobles ; et comme je suis bien rarement assise, peu importe qu'ils soient confortables ou non [67]. »

Cette fois encore, l'impératrice ne se soucia nullement de favoriser l'économie autrichienne, et alla même jusqu'à provoquer les Viennois en faisant d'abord transporter à grands frais ces meubles napolitains destinés à la Grèce dans la capitale et en les faisant exposer au Musée autrichien des Arts et Métiers pour qu'ils servent de modèle à l'artisanat national — lequel était pourtant nettement plus évolué. Le directeur du musée, Édouard Leisching, raconte : « Il nous a donc fallu de toute urgence vider une salle pour [...] y placer ces objets peu réjouissants. Cela provoqua consternation et mécontentement dans les milieux de l'industrie et de l'artisanat, dont justement la situation n'était guère florissante. »

Alors qu'elle n'avait jamais été une visiteuse assidue des musées viennois, elle apparut en cette occasion (sans s'être annoncée, comme à l'accoutumée) et « traversa rapidement les salles avant d'arriver à ses meubles, dont elle fit l'éloge. Après quoi elle repartit tout aussi rapidement en déclarant qu'il faisait trop chaud et qu'elle ne le supportait pas, et qu'elle reviendrait une autre fois, mais cela ne s'est jamais produit [68] ». De plus, elle dissimulait son visage derrière son inévitable éventail. Sa misanthropie avait pris de telles proportions qu'elle n'eut pas même le courage de prononcer un bref discours de convenance.

Avant même l'achèvement de la construction, Élisabeth invita à Corfou le jeune couple que formaient Marie-Valérie et François. La jeune femme fut émerveillée par la splendeur des paysages : « Un coin de terre merveilleux ; quand on connaît maman, quand on sait son besoin de beauté, de bon climat, de tranquillité du corps et de l'esprit, on ne peut que se réjouir et bénir cet endroit magnifique qu'est Gasturi ! De la terrasse, elle m'a montré la vue que l'on a sur la mer entre deux grands cyprès noirs : c'est là qu'elle voudrait être ensevelie [69]. » C'est avec fierté que l'impératrice conduisit le jeune couple sur ses lieux de prédilection, leur faisant visiter Ithaque et « la pittoresque petite calanque où Télémaque s'était lavé les mains en saluant le soleil levant », puis Corinthe et Athènes, bien entendu, avec l'Acropole au clair de lune.

Mais ce qu'elle préférait, c'était être seule à l'Achilleion. Elle passait l'aube, chaque jour, dans la colonnade et le jardin du château, auprès de ses statues de dieux antiques, à rêver et écrire des poèmes. Une fois, comme Christomanos avait fait son apparition vers cinq heures du matin, « elle s'approcha rapidement, comme un ange noir qui aurait eu à défendre un paradis », et le renvoya en des termes aimables.

« Je m'éloignai en silence, raconte-t-il ; j'étais effrayé et comme perdu dans un rêve, j'avais l'impression d'avoir revécu la légende de Mélusine [70]. »

A la fin des années 1880, Élisabeth ne se laissait plus guère accompagner dans ses promenades par ses dames d'honneur mais, le plus souvent, par ses lecteurs grecs. Dans tous ses voyages, que ce fût en Autriche, en Hongrie, en France, en Hollande, en Italie, en Suisse ou ailleurs, elle s'entretenait en grec avec son accompagnateur et se faisait lire du grec. Lorsque quelqu'un s'enquérait de ses origines (car rares étaient ceux qui la reconnaissaient encore), elle se prétendait grecque ; pour justifier cette réponse, elle déclara à son lecteur Marinaky : « A bien y regarder, ce n'est pas une contre-vérité, car je possède une propriété en Grèce et pourrais me faire naturaliser [71]. » Curieuses paroles dans la bouche d'une impératrice d'Autriche, reine de Hongrie et de Bohême.

Sans le vouloir, Élisabeth fut impliquée, à la fin des années 1880, dans une affaire politique, à propos de l'érection à Düsseldorf d'un monument à Heine, qui devait prendre la forme d'une fontaine de la Lorelei. Elle avait évidemment accordé son soutien au comité constitué à cette fin, et c'est elle qui fournit la plus grande partie de l'argent : les comptes révèlent qu'elle avait remis 12 950 marks au sculpteur berlinois Ernst Herter (l'auteur de la grande statue d'Hermès à Lainz, et d'un « Achille mourant » à Corfou, chaque fois pour la somme de 24 000 marks) [72]. Pour susciter les donations en faveur du monument à Heine, elle composa plusieurs poèmes. Cet engagement public suscita un scandale en cette époque d'antisémitisme virulent. La décision d'honorer le Juif Heine, auteur d'un *Rêve d'hiver* très critique à l'égard des princes allemands, fut ressentie comme une provocation non seulement par les antisémites, mais aussi par les nationalistes allemands et les monarchistes. Il y eut des polémiques dans la presse et des manifestations en vue de s'y opposer. Élisabeth s'y vit rangée parmi les « valets des Juifs » et soumise aux mêmes attaques. Le dirigeant des pangermanistes autrichiens, Georg von Schönerer, pesta, au cours d'un meeting (« Entrée interdite aux Juifs »), contre « la dégradation de la véritable essence germanique, du caractère et des mœurs allemands », incluant dans sa critique tant le prince impérial Rodolphe (à cause de ses liens avec « la presse juive ») que l'impératrice ; bien entendu il ne les nomma pas, mais on

savait assez clairement à qui il faisait allusion en parlant des
« éléments les plus considérables qui voudraient ériger un
monument au souvenir de ce Juif auteur d'écrits honteux et
immondes [73] ».

Le journal des pangermanistes, *Unverfälschten Deutschen
Worte* (« Véritables propos allemands »), s'en prit aussi à
Heine et à ses admirateurs : « Que les Juifs et leurs valets
s'enthousiasment pour ce Juif éhonté ; nous, Allemands,
nous nous détournons avec dégoût et en appelons à tous ceux
de notre souche : voyez comment pense le Juif, comment
toute la juiverie prend parti pour lui et bat le rappel et comment il se trouve aussi des Allemands pour accourir au son
de ce tambour juif. »

Le journal ne pouvait, en raison de la censure sur la presse,
s'attaquer directement à l'impératrice. Mais, dans une note
de la « direction de la rédaction », il accusait « la presse libérale juive » d'entraîner « dans son mouvement d'agitation
jusqu'à une femme de la plus haute position ». Ainsi Élisabeth se trouvait-elle, de façon certes allusive mais très claire,
classée parmi les « valets des Juifs [74] ». La phrase suivante,
sans le moindre nom pourtant, constituait une sévère critique, voire un blâme, à l'égard de l'impératrice : « N'avons-
nous pas à Vienne, en Autriche, suffisamment de misère et
de détresse, d'innocents qui meurent de faim et de froid,
dont notre premier devoir de citoyen serait de nous soucier [75] ? »

L'antisémite français Édouard Drumont lui-même s'en
prit, dans *la Fin d'un monde,* à la fois au prince impérial et à
l'impératrice en raison de leurs sympathies pour les Juifs. Il
critiquait violemment la visite d'Élisabeth à la sœur de
Heine à Hambourg, et citait largement le macabre poème
satirique de Heine sur Marie-Antoinette, une Habsbourg :

Souverains et grands seigneurs ont l'amour du Juif, [...] ils
ont bu le philtre mystérieux ; ils aiment ceux qui les raillent,
les diffament et les trahissent, et n'ont qu'indifférence pour
ceux qui les défendent. »

Les journaux libéraux de la monarchie (ou « feuilles juives », dans le jargon antisémite) se montraient satisfaits de l'attitude prétendument favorable aux Juifs de l'impératrice et allaient jusqu'à l'en louer sur tous les tons. Ainsi le *Wiener Tagblatt* (dont le rédacteur en chef était Moritz Szeps, un des plus proches amis du prince impérial Rodolphe, bien que l'impératrice l'ignorât) : « Cela est apparu comme un conte de fées, que l'on veuille à notre époque ériger un monument à Henri Heine, et ce fut une merveille digne des contes orientaux que de voir de grandes et nobles dames accorder leur sympathie à la mémoire du poète. Ainsi il a été lumineusement démontré que la croyance en l'idéal n'était pas éteinte. [...] Cette époque n'est pas assez généreuse, ni tolérante, pour honorer l'éternité en la personne d'un Henri Heine : il ne devrait pas, semble-t-il, avoir droit à un monument en Allemagne, car il n'était pas... ami de la Prusse [77]. »

Cependant, Élisabeth ne songeait nullement, contrairement à ce qu'imaginait Rodolphe, à s'impliquer activement dans la lutte quotidienne ni à lutter pour la cause de la tolérance. Elle se tenait à l'écart de toute prise de parti et accueillait avec autant d'indifférence les louanges des journaux que leurs invectives. Elle ne se souciait tout simplement pas de ce que l'opinion pensait du monument à Heine ou de la position qu'elle-même avait prise. Ses relations avec le poète lui semblaient une affaire rigoureusement personnelle : « Les journalistes me font un très grand mérite d'être une admiratrice de Heine, dit-elle à Christomanos, ils sont fiers de savoir que je l'aime ; mais ce que j'aime en lui, c'est son mépris sans bornes pour ses propres faiblesses humaines et la tristesse dont l'emplissaient les choses de ce monde [78]. »

Élisabeth se retira sans combattre. En 1889, elle renonça à soutenir l'érection du monument et, dégoûtée, se désintéressa de l'affaire.

Les journaux antisémites devaient écrire que cette reculade avait été provoquée par une énergique lettre de Bismarck au ministre autrichien des Affaires étrangères, dans laquelle, « de manière tout à fait aimable, mais cependant très claire », il aurait parlé de « l'impression désagréable que devait faire à la famille impériale la passion de l'impératrice Élisabeth pour un poète qui a constamment bafoué, insulté, ridiculisé la Maison des Hohenzollern et le peuple allemand [79] ». Ces mots ne sont pas confirmés par les archives diplomatiques, mais ils montrent à quel point l'engagement personnel d'Élisabeth avait été pris en considération à l'échelon politique. Le monument de Herter destiné au Hofgarten de Düsseldorf fut ultérieurement érigé à New York par des Américains d'origine allemande et existe toujours aujourd'hui, dans le parc qui se trouve à l'intersection de Mott Avenue et de la 161e rue [80].

L'impératrice se fit alors construire son propre monument en l'honneur de Heine à Corfou, devant l'Achilleion. Elle étudia minutieusement les portraits de son héros, invitant même le neveu du poète, Gustave Heine-Geldern, pour savoir lequel était le plus ressemblant. Finalement, elle opta pour une statue du sculpteur danois Hasselriis, qui représentait Heine malade et fatigué, dans les dernières années de son existence, la tête inclinée, tenant à la main une feuille portant les vers suivants :

> *Que veut le pleur solitaire*
> *Qui trouble ainsi mon regard ?*
> *C'est un pleur de jadis*
> *Dans mon œil attardé.*
> *Ô, ancienne larme solitaire,*
> *Coule donc*
> *Aujourd'hui aussi...*

Elle fit placer cette statue dans un petit temple, sur une hauteur des jardins de l'Achilleion.

Le baron Nopcsa lui-même en fut choqué, d'autant plus qu'il trouvait inconvenant « que le pauvre ne fût vêtu que d'une chemise (mais c'est là ce qui amuse Sa Majesté) », écrivait la comtesse Festetics, ajoutant : « Je trouve que cela vaut tout de même mieux que s'il était dans la tenue des dieux grecs, c'est-à-dire tout nu [81]. »

Lorsqu'elle alla voir la statue pour la première fois, l'impératrice dit au sculpteur : « Heine lui-même serait satisfait de cet emplacement. [...] Car on trouve ici tout ce qu'il aimait ! La beauté de la nature, un ciel riant, un merveilleux cadre de palmiers, de cyprès et de pins. Là-bas les montagnes et à nos pieds la mer qu'il aimait tant, le seul élément qui puisse vraiment nous apaiser, nous rafraîchir [82] ! » Cela signifiait sans doute avant tout que ce monument restait soustrait aux regards des hommes, que Heine appréciait aussi peu que sa disciple. Seule la nature, convenait à un monument à Heine tel que le souhaitait l'impératrice.

Le sort de ce monument après la mort d'Élisabeth est remarquable. Sa première fille, Gisèle, hérita de l'Achilleion et vendit ce château fort peu commode au Domaine de la famille impériale, lequel le céda en 1907, pour la même somme, à l'empereur d'Allemagne Guillaume II. Le premier acte de celui-ci fut de faire enlever le monument, pour la plus grande joie de la presse antisémite qui annonça sarcastiquement « au peuple d'Israël [...] que " l'homme au pleur solitaire " ne verrait pas plus longtemps le bleu de l'Adriatique [83] ».

La statue fut proposée en vain à la ville de Düsseldorf, puis à celle de Hambourg. Elle fut finalement acquise par un cafetier qui l'installa, à des fins publicitaires, entre les deux portes de son établissement, le Café Heine. Il a aujourd'hui retrouvé une place plus honorable, dans le jardin du Mourillon, à Toulon.

Quant au petit temple qu'Élisabeth avait fait édifier pour son « maître », il existe toujours à Corfou ; mais, au lieu de Heine, c'est l'impératrice elle-même qui a l'honneur d'y avoir une statue.

CHAPITRE XII

« L'AMIE » CATHERINE SCHRATT

C'est au cours d'une représentation de gala donnée au théâtre municipal de Vienne en 1873, à l'occasion du vingt-cinquième anniversaire de son règne, que l'empereur François-Joseph, accompagnée de l'impératrice, aperçut pour la première fois Catherine Schratt, alors âgée de vingt ans, qui tenait le rôle, fort applaudi, de « la petite » dans *la Mégère apprivoisée*. Il ne devait pas la revoir pendant dix ans, pendant lesquels elle eut des engagements à Berlin et à Saint-Pétersbourg, épousa un propriétaire terrien hongrois du nom de Nicolas Kiss von Ittebe qui devint plus tard consul, eut de lui un fils — Antoine —, puis se sépara de lui (sans demander le divorce) parce qu'il courait de dette en dette.

En 1883, Catherine Schratt, fille d'un boulanger de Baden, près de Vienne, parvint au faîte de sa carrière : elle fut engagée au Théâtre impérial et royal de la Hofburg. Ses débuts furent un grand succès. Elle jouait la jeune et naïve Lorle dans la pièce aujourd'hui oubliée de Birch-Pfeifer, *Village et ville*. L'archiduchesse Marie-Valérie notait le 27 novembre 1883 : « Une nouvelle, du nom de Schratt, jouait Lorle ; elle est superbe, mais moins charmante que la Wessely. »

La coutume voulait qu'un nouvel acteur du Burgtheater remerciât personnellement l'empereur de sa nomination. Le Burgtheater appartenait en effet à la Cour et vivait des subsides privés de la famille impériale. Plusieurs anecdotes nous sont parvenues sur cette rencontre entre l'empereur et la comédienne, âgés respectivement de cinquante-trois et de trente ans. Selon Heinrich Benedikt, Catherine Schratt, au comble de l'embarras et peu sûre d'elle, aurait, avant l'audience, consulté un ami, Paul Schulz, sur la façon dont elle devait se comporter. Au Bureau des brevets, dont Paul Schulz était président, elle aurait préparé dans le détail la manière de se présenter et, assise dans un fauteuil, de réciter son compliment appris par cœur : « Votre Majesté daigne-rait-elle... » Et Schulz de l'interrompre : « Tu ne dois pas croiser les jambes comme tu fais maintenant, tu ne dois pas même t'asseoir, mais rester debout et, après ta révérence, dire ton petit compliment. » Ainsi préparée, Catherine Schratt se rendit à l'audience :

Catherine. — Votre Majesté daignerait-elle...

L'empereur. — Madame, ne voulez-vous pas vous asseoir ?

Catherine. — Merci, Votre Majesté. Votre Majesté daigne-rait-elle...

L'empereur. — Mais pourquoi ne voulez-vous pas vous asseoir ?

Catherine. — C'est Paul Schulz qui me l'a interdit.

Le rire de l'empereur aurait, dit-on, retenti jusque dans l'antichambre, au grand étonnement des aides de camp, des laquais et des nombreuses personnes qui attendaient, dont aucune n'était accoutumée à entendre François-Joseph s'épancher de la sorte [1].

Que cette anecdote soit authentique ou non, le fait demeure que Catherine Schratt avait fait impression sur lui. Sa crainte disparue, elle sollicita, peu de temps après, une nouvelle audience, cette fois-ci mandatée par son mari pour une affaire financière. A cette première demande d'argent devaient en succéder d'innombrables dans les années et les décennies suivantes ; et celle-ci fut sans doute la seule que l'empereur n'exauça pas. Mme von Kiss, née Schratt, voulait obtenir de lui une indemnité pour les biens hongrois de la famille von Kiss, qui avaient été confisqués après la révolution de 1848 et restitués seulement en 1867. La famille souhaitait récupérer l'équivalent des revenus que cette confiscation lui avait fait perdre. François-Joseph ne pouvait accéder à cette demande, qui n'était pas la seule de cette nature, et renvoya Mme von Kiss au Premier ministre hongrois Tisza [2].

On s'aperçut bientôt que l'empereur se rendait plus souvent que d'habitude au Burgtheater, et surtout qu'il ne manquait aucune des pièces où jouait Catherine Schratt. Elle était pour ainsi dire devenue son actrice préférée. Les représentations du Burgtheater avaient toujours été l'un des rares plaisirs qu'il se permettait souvent plusieurs fois par semaine. Il n'avait pas à emprunter de carrosse, l'ancien Burgtheater étant directement relié à la Hofburg (il donnait sur l'actuelle Michaelerplatz). Aussi l'empereur pouvait-il s'y rendre à pied quand il éprouvait le besoin de se divertir ; et il n'avait pas même à observer des horaires fixes, pouvant à chaque instant entrer dans la loge impériale ou la quitter sans être remarqué du public.

L'empereur et la comédienne restèrent quelque temps sans se rencontrer. C'est seulement au bal des Industriels de 1885 que François-Joseph s'entretint à nouveau avec elle. L'inhabituelle durée de leur conversation signifiait qu'il lui avait adressé plus que des fleurs de rhétorique, ce qui fut aussitôt remarqué et donna lieu à divers commérages.

En août 1885, lors de l'importante entrevue politique de Kremsier, Catherine Schratt fut l'une des quatre comédiennes choisies pour montrer leurs talents devant l'empereur, le tsar et leurs épouses. Au mépris de toutes les habitudes de la Cour, les artistes furent retenues à souper après leur prestation, avec les deux couples souverains, les deux princes impériaux et les ministres. C'est aussi à cette occasion que Catherine Schratt fut présentée à l'impératrice. Il est d'ailleurs bien possible qu'Élisabeth ait pris l'initiative de cette invitation totalement hors des usages afin de faire sa connaissance. Le prince impérial Rodolphe, également présent, trouva en tout cas la situation plutôt inhabituelle et écrivit à son épouse avec prudence et incertitude : « A huit heures, théâtre, puis souper avec Wolter, Schratt et Mlle Wessely ; c'était étrange [3]. »

Une chose était certaine : l'empereur était amoureux. Bien loin d'être jalouse, l'impératrice favorisa cette liaison naissante. Il est même probable que son époux, qui avait dépassé la cinquantaine, n'aurait pas franchi avec cette femme mariée et de vingt ans plus jeune que lui les bornes d'une idylle platonique si Élisabeth ne l'y avait très vigoureusement poussé.

Elle aspirait de plus en plus à sortir de Vienne, et la solitude de François-Joseph était de plus en plus évidente. Son épouse, nous le savons par ses poèmes, se sentait coupable de ce quasi-abandon. De fait, le couple impérial s'était délabré, les époux n'avaient plus rien à se dire. Tous les témoins, aussi bien les dames d'honneur Festetics et Fürstenberg que l'archiduchesse Marie-Valérie, confirment le pesant ennui qui se dégageait des rencontres familiales. Élisabeth voulait vivre selon sa fantaisie, composer des poèmes, lire, étudier le grec, voyager de plus en plus loin. Mais elle voulait d'abord être assurée que les deux êtres qui lui étaient le plus proches — son époux et sa fille préférée, Marie-Valérie — seraient bien entourés. Aussi, de même qu'elle cherchait assidûment un époux pour Marie-Valérie, elle souhaitait que François-Joseph eût une compagne, une amie.

Des femmes de l'aristocratie, il n'était assurément pas question : elles auraient pu constituer pour l'impératrice un véritable danger, et, d'autre part, elles comptaient généralement tant de parents à la Cour que cela aurait vite entraîné des pressions d'ordre politique, ce que personne ne souhaitait, à commencer par l'empereur lui-même. C'est bien Élisabeth qui porta son choix sur Catherine Schratt, au terme d'une longue réflexion. Certes, François-Joseph était tombé amoureux. Mais ç'avait déjà été le cas dans le passé avec maintes autres femmes, sans que l'impératrice intervienne ainsi pour l'aider et lui frayer la voie. Or, cette fois-ci, elle prit l'initiative, et décida, en mai 1886, d'offrir à son époux un portrait de Catherine Schratt — geste rien moins qu'équivoque. Ce fut le peintre Angeli qui reçut commande, et l'impératrice organisa une rencontre dans son atelier.

« Avec l'accord de l'impératrice, écrivait François-Joseph à Angeli, je souhaiterais venir demain, à une heure, dans votre atelier, afin de voir le portrait de Mme Schratt que vous peignez pour moi, à la demande de l'impératrice [4]. » Élisabeth fit davantage encore : elle qui, en général, fuyait toutes les rencontres avec des étrangers, l'accompagna à l'atelier du peintre, où ils trouvèrent Catherine Schratt, qui ne s'y attendait pas et était justement en train de poser. Grâce à la présence d'Élisabeth, cette rencontre décisive n'eut rien de pénible : l'impératrice était ainsi devenue la protectrice des amours de son époux.

Deux jours plus tard, l'empereur envoyait à Catherine une bague d'émeraudes pour la remercier « de vous être donné la peine de poser pour le tableau d'Angeli. Je tiens à vous répéter encore que je ne me serais pas permis de vous demander ce sacrifice, et que ce précieux cadeau m'apporte une joie d'autant plus grande. Votre admirateur dévoué [5] ».

François-Joseph était un admirateur des plus timides, quelque peu emprunté, qui trouvait toujours motif à s'excuser de la moindre bagatelle. Catherine Schratt, au contraire, était une femme expérimentée, parfaitement à son aise avec les hommes, surtout ceux de la haute société, et elle trouva avec une étonnante rapidité l'attitude qu'il convenait d'avoir vis-à-vis de l'empereur : respectueuse, mais parfaitement naturelle. François-Joseph lui écrivit : « Lorsqu'on a autant de travail, de soucis et de préoccupations que moi, une conversation détendue, ouverte, gaie, apparaît comme une vraie joie, aussi les moments qu'il m'est donné de passer avec vous me sont-ils infiniment précieux [6]. »

C'est en juillet 1866 qu'il rendit pour la première fois visite à la jeune femme à « Frauenstein », une villa qu'elle possédait près de Saint-Wolfgang. Élisabeth était au courant. Huit jours plus tard à peine, elle se rendit elle-même sur les bords du lac Wolfgang, emmenant l'archiduchesse Marie-Valérie, qui ne se doutait de rien. Celle-ci raconte dans son Journal : « Elle nous a montré la jolie maison qu'elle avait louée. [...] Charmante et naturelle, elle parlait de façon terriblement viennoise, tout autrement qu'au Burgtheater *. C'est avec de l'argent que nous lui avions emprunté que nous avons pris le vapeur pour revenir [7]. »

Comme on voit, Élisabeth avait poussé la discrétion jusqu'à n'emmener avec elle aucune dame d'honneur, ce qui était si inhabituel qu'elle se trouva sans monnaie pour prendre le vapeur (car c'étaient en principe les dames d'honneur qui s'occupaient des questions d'argent, et Élisabeth n'en avait jamais sur elle).

Durant cet été-là, Catherine Schratt reçut encore plusieurs fois la visite de l'empereur, parfois accompagné de l'impératrice. C'est ainsi qu'elle fut officiellement promue « amie de l'impératrice ». Ces entrevues furent suivies de petites attentions. Ainsi Marie-Valérie offrit-elle à son père des photographies de Catherine Schratt, pour la villa de Lainz, et Élisabeth commanda un nouveau portrait à Franz Matsch , qui peignit la comédienne dans le rôle préféré de François-Joseph, celui de « Madame Vérité », héroïne d'une comédie facile alors en vogue [8]. Elle offrit le tableau, également destiné à ses appartements de la villa Hermès, à l'empereur pour Noël. Dans un de ses poèmes, elle raillait d'ailleurs l'ardeur amoureuse de son époux « Obéron », qui pourrait contempler ce portrait autant qu'il le voudrait.

> *Mais dans la plus lointaine pièce,*
> *Ornée de riches boiseries,*
> *Se tient à genoux Obéron,*
> *Toujours les yeux sur une image.*
>
> *Du cadre d'or lui faisant signe,*
> *Sourient deux étoiles bleues.*
> *Oh ! Il ne les aime que trop fort*
> *Et murmure tout bas leur nom.*

---

* Si l'accent viennois, d'ailleurs charmant, compte parmi les plus caractéristiques qui soient, en revanche le Burgtheater est depuis toujours réputé comme un des lieux où se parle l'allemand le plus pur. *(N.d.T.)*

Grande est la joie d'Obéron,
Et ressemblant est le portrait ;
Il est heureux ; mais, avouons-le,
Titania n'en est pas si réjouie.

Mais à quoi bon le clamer ?
Le bonheur ne vit que d'idées.
Que tous deux soient donc pardonnés,
Se dit dehors le tutélaire Hermès [9].

Catherine Schratt, pour sa part, offrit à l'empereur un trèfle à quatre feuilles et, le 1er mars 1887 (puis tous les ans à cette date), apporta à Schönbrunn pour l'impératrice et Marie-Valérie des violettes qui devaient leur porter bonheur. Marie-Valérie note dans son Journal : « Pour lui témoigner notre gratitude, nous avons assisté au premier acte du *Maître de forge* et, de notre banquette, nous avons fait des clins d'yeux à la belle Claire [10]. » « De notre banquette » signifie qu'Élisabeth, dans la loge impériale, avait pris place sur un banc supplémentaire, dans un recoin d'où elle pouvait suivre la représentation sans être vue du public. C'était généralement ainsi qu'elle fréquentait le Burgtheater, où elle n'assistait le plus souvent qu'à un seul acte. La raison de cet étrange comportement était, là aussi, sa timidité et sa crainte d'attirer les regards.

Pour la remercier de son envoi de violettes, l'empereur saisit toutes les occasions, si insignifiantes fussent-elles, d'adresser à sa chère Catherine Schratt des bijoux, qui finirent par constituer la base d'une des plus riches collections de la monarchie. Il la pria, avec une grande prudence, de lui faire la faveur d'accepter encore des dons en argent, pour les nouvelles toilettes et le train domestique qu'exigeait son amitié avec le couple impérial : « Je puis aussi vous dire, pour vous tranquilliser, que j'offre à mes enfants des sommes d'argent pour leurs fêtes et leurs anniversaires [11]. » Il lui fallut bientôt payer non seulement pour les nouvelles parures que désirait la comédienne mais aussi pour ses dettes de jeu à Monte-Carlo.

Leurs rencontres, en revanche, causèrent d'abord des difficultés ; chaque fois qu'ils se voyaient en public, leurs nerfs étaient mis à rude épreuve. Au « bal de la Concorde » de 1887, par exemple, l'empereur n'osa pas engager la conversation, et dut lui avouer, par écrit, s'en vouloir « parce que je n'ai pas eu le courage de vous parler pendant le bal. Seulement, j'aurais dû écarter les gens qui vous entouraient, alors que nous étions observés de tous côtés, avec ou sans jumelles de théâtre, et que les lieux étaient pleins de ces hyènes de journalistes qui happent chaque parole. Eh bien, je n'ai pas osé, malgré tout ce qui m'attirait vers vous [12] ».

Une fois encore, l'impératrice le tira d'embarras en invitant plusieurs fois Catherine à Schönbrunn. C'est elle aussi qui eut l'idée que le couple pourrait se retrouver chez Ida Ferenczy : celle-ci vivait à la Hofburg, mais avait au n° 6 de la Ballhausplatz une entrée particulière que ne gardait aucun laquais. De la sorte, Catherine Schratt pouvait rendre très officiellement visite à la « lectrice » et amie de l'impératrice, et y rencontrer en fait François-Joseph, qui la rejoignait à travers le dédale des couloirs de la Hofburg. Leurs rendez-vous passaient inaperçus, alors qu'une rencontre dans les appartements impériaux était à peu près impossible en raison du protocole et des nombreux laquais, et qu'une visite au domicile (encore très modeste) de la comédienne n'aurait pas manqué de faire sensation.

Pour pénétrer pour la première fois dans les appartements privés de l'empereur, Catherine Schratt eut besoin de l'intervention d'Élisabeth, qui conduisit elle-même son « amie ». « Comme je suis heureux de vous montrer mes salons et, de l'intérieur, une certaine fenêtre vers laquelle vous eûtes si souvent la bonté de diriger vos regards [13], écrivait François-Joseph à la jeune femme. » Le couple était en effet convenu que Catherine traverserait la Burgplatz à certaines heures déterminées et lèverait les yeux vers cette fenêtre, derrière laquelle l'empereur, debout, la saluerait galamment. Longtemps, ce fut pour l'empereur le seul moyen, en dehors des représentations du Burgtheater, de voir sa bien-aimée.

Si l'on songe à la jalousie et à la profonde déception avec lesquelles Élisabeth avait dans sa jeunesse accueilli les aventures de l'empereur, aux véritables crises d'hystérie auxquelles elle s'était abandonnée, à la manière dont elle avait alors fui loin de sa famille, on mesure combien les relations avaient évolué. Il y avait bien longtemps que les deux époux n'étaient plus attachés par les liens de l'amour. Élisabeth avait maintenant pitié de la solitude de cet homme avec lequel elle ne voulait ni ne pouvait plus vivre. Elle se comporta en camarade prévenante et généreuse, aux attentions pleines de tact. En novembre 1887, à l'occasion de l'anniversaire de Catherine, François-Joseph lui écrivait : « Dînant ce jour-là avec l'impératrice et Valérie, j'ai été très étonné de voir sur la table des coupes de champagne, car d'ordinaire nous ne nous offrons pas ce luxe. L'impératrice m'a expliqué qu'elle avait commandé ce vin pour que nous puissions boire à votre santé, ce que nous fîmes en toute cordialité. Ce fut une bonne et charmante surprise [14]. »

C'est de cette façon que put se poursuivre cette histoire. En février 1888, à la suite d'une mutuelle déclaration, l'empereur assurait à Catherine : « Vous dites que vous vous dominerez ; je ferai de même, cela dût-il m'en coûter, car je ne veux rien commettre d'injuste, j'aime ma femme et ne veux pas abuser de sa confiance ni de son amitié pour vous [15]. »

En toute bonne conscience, il s'employait à dissiper chez Catherine Schratt toute inquiétude quant aux griefs que l'impératrice pourrait nourrir contre elle : « L'impératrice [...] a parlé de vous à plusieurs reprises dans les termes les plus favorables et affectueux, et je puis vous donner l'assurance qu'elle vous aime beaucoup. Si vous connaissiez mieux cette femme extraordinaire, vous nourririez certainement des sentiments semblables [16]. »

Élisabeth manifestait sa sympathie dès que Catherine Schratt avait le moindre ennui. « L'impératrice se fait beaucoup de souci pour vous, plus que moi, prétend-elle même, mais c'est absolument faux, écrivait l'empereur à la comédienne. Chaque fois que j'entre dans sa chambre, elle me demande des nouvelles fraîches de vous ; et je ne puis toujours lui en fournir, car il serait tout de même indiscret et

importun d'en faire prendre continuellement chez vous [17]. »
De même : « L'impératrice aussi était épouvantée de votre
excursion d'hier, elle ne cesse de répéter que, si vous tombiez
gravement malade, j'en porterais seul la responsabilité [18]. »
Et encore : « L'impératrice vous fait prier de ne pas prendre
de bain de mer en cette saison, elle vous recommande bien
plutôt des bains d'eau de mer chaude suivis d'aspersions
froides [19]. »

Si Élisabeth soutenait activement cette liaison, cela ne
voulait pas dire que Catherine lui fût réellement aussi sympathique que le prétendait François-Joseph. Certains de ses
poèmes ont des accents tout à fait révélateurs : la passion de
l'empereur ne suscitait sans doute en elle aucune jalousie,
mais lui donnait motif à railleries.

Promenade du soir

Cinquante-huit hivers ont passé
Et ta tête en porte les traces,
Car ils t'ont dès longtemps volé
Ta profusion de blondes boucles.

Cinquante-huit années ont blanchi
La parure de tes favoris.
Dans la lumière du couchant,
Scintille leur vain argent.

Pourtant au soleil du soir, heureux,
Tu avances d'un bon pas. Qu'aujourd'hui,
Pour l'amour de toi, il retarde
Sa plongée dans les flots.

C'est que marche à tes côtés
Celle qui règne sur ton cœur ;
C'est la noble fille de Thalia,
Qui ensorcela tes sens.

Cinquante-huit hivers ont passé,
Et ton cœur n'en porte pas trace.
Comme un coucou amoureux il bat encore
Aujourd'hui, en ce joli mois de mai [20] !

François-Joseph, amoureux, demandait fréquemment où
se trouvait exactement « l'amie », ce qui finissait par agacer
Élisabeth. « L'impératrice, écrivait-il à Catherine, trouve
que c'est peut-être un honneur d'être mon amie, mais qu'il
est assommant de m'entendre constamment demander où
vous séjournez [21]. »

Le prince Albert de Thurn et Taxis, s'étant un jour rendu à
la villa Hermès pour rendre visite à la famille impériale, vit
dans l'appartement de François-Joseph un portrait de Catherine Schratt, qu'il ne connaisait pas. Élisabeth lui demanda
d'un ton léger : « Comment la trouves-tu ? — Elle paraît
terriblement commune. » Ce jugement déclencha chez
l'impératrice un éclat de rire et l'empereur lui-même dut,
bon gré mal gré, se déclarer d'accord [22].

Dans les textes d'Élisabeth, l'empereur fut désormais, en
plus du surnom d'Obéron (qui faisait pendant à « Titania »),
affublé du titre de « roi Wiswamitra », par allusion à une
légende indienne où ce personnage était tombé amoureux
d'une vache (« Sabala »), légende à laquelle se réfère également Heine. S'inspirant des vers ironiques de Heine, elle
composa pendant l'été 1888 un poème plein de nostalgie
pour les paysages de sa patrie bavaroise, mais dont l'atmosphère de paisible élégie se brisait abruptement à la fin :

> *Elle est troublée dans son repos*
> *Par un grand bruit dans la vallée ;*
> *C'est le roi Wiswamitra*
> *Qui rentre de chez sa vache.*
> *Ô, roi Wiswamitra,*
> *Ô, quel bœuf tu es donc* [23] *!*

(Les deux derniers vers sont empruntés au *Livre des chants*
de Heine.)

Marie Larisch rapporte, dans un de ses livres, une épi-
gramme d'Élisabeth sur Catherine Schratt et sa manie de
singer l'impératrice en toute chose. Ce poème est vraisemblablement authentique, bien qu'Élisabeth ne l'ait pas retenu
dans ses recueils :

Consolation *(Schönbrunn, 188...)*

Voilà qu'arrive ton ange joufflu
Avec les roses de l'été.
Prends patience, mon Obéron,
Et ne fais pas certaines choses...

Elle arrive avec sa baratte
Et se met à battre le beurre ;
Elle mouille ses cheveux de cognac
Puis apprend à monter à cheval.

Elle se serre le ventre dans son corset
Dont toutes les coutures éclatent,
Elle se tient droite comme une planche
Et singe encore bien des choses.

La maisonnette aux géraniums,
Tout y est fin et délicat :
Elle s'y prend pour Titania,
Cette pauvre grosse Schratt [24] !

Beaucoup plus lucidement, elle laissa ces lignes dans l'anthologie qu'elle destinait à la postérité :

Ce que fait Obéron, Titania n'en a cure ;
Ne point gêner autrui, telle est sa devise.
Qu'il se régale de chardons et de châtaignes,
Elle ira même volontiers les lui offrir [25].

François-Joseph fut sa vie durant reconnaissant à son épouse de lui avoir « offert » l'amitié de Catherine Schratt. Dès août 1888, celle-ci alla voir le couple impérial à Ischl. Marie-Valérie, alors âgée de vingt ans, nota avec désapprobation dans son Journal : « Cet après-midi, maman, papa et moi avons montré le jardin à Mme Schratt. [...] Elle est vraiment simple et sympathique, pourtant je lui en veux d'une certaine façon ; sans doute ne peut-elle rien au fait que papa lui porte cette amitié, mais les gens malintentionnés en parlent et ne peuvent croire que papa soit, en cette affaire, d'une candeur véritablement touchante. Or, il faudrait qu'on ne dise rien du tout à son sujet ; j'en suis peinée et je trouve que, pour cette raison, maman n'aurait pas dû encourager cette relation [26]. »

Marie-Valérie elle-même voyait cependant clairement tout le bien que faisaient à l'empereur ses rapports avec Catherine Schratt : « Elle est si douce qu'on ne peut finalement que se sentir à l'aise avec elle ; je conçois que son caractère tranquille et très naturel soit sympathique à papa [27]. »

Après la tragédie de Mayerling, l'amitié de François-Joseph pour Catherine fut une véritable bénédiction, surtout pour Élisabeth, qui voulut alors quitter complètement Vienne : Catherine Schratt, seul rayon d'espoir dans la triste existence d'un homme profondément abattu, lui permettait de ne pas trop s'inquiéter ni se sentir coupable. Ainsi écrivait-elle à sa belle-sœur Marie-José : « Il faut que je parte. Mais laisser François tout seul, c'est exclu. Cependant, il a Catherine Schratt, qui l'entoure mieux que personne et veille sur lui. » Et encore : « Il peut se délasser auprès de Catherine Schratt [28]. »

D'innocentes conversations dans le salon (sans cesse plus élégant) de Catherine, un peu de cette chaleur humaine qui lui avait tant manqué jusque-là, des sujets bien terre à terre, simples, reposants, dont ils s'entretenaient au petit déjeuner en prenant du café et des croissants, au lieu de discours philosophiques, de spiritisme et de poésie : voilà ce qui, pendant ces années apporta à l'empereur réconfort et distraction.

En 1889, Catherine Schratt s'établit à Vienne près du parc de Schönbrunn et fit l'acquisition d'une villa à Ischl, à côté de la résidence impériale. Comme l'écrivait François-Joseph, « l'avantage de cette proximité est de me permettre, avec votre autorisation, de venir vous voir beaucoup plus souvent ; l'impératrice vous donnera aussi la clé d'une petite porte par laquelle vous pourrez entrer dans notre jardin sans devoir sortir dans les rues d'Ischl [29] ».

Entre-temps, Marie-Valérie avait tout découvert. Elle en voulut beaucoup à sa mère : « Oh, pourquoi maman a-t-elle elle-même fait que les choses aillent si loin ? [...] Mais maintenant, on ne peut ni ne doit bien sûr rien changer à la situation ; il me faudra, bien que François [son fiancé] en souffre, continuer à la rencontrer sans avoir l'air de rien [30]. » La jeune archiduchesse, très pieuse et très austère, ne pouvait approuver que l'impératrice continuât d'inviter la comédienne et se montrât avec elle en public, accompagnée ou non de l'empereur, pour faire apparaître cette relation comme honnête et innocente.

Catherine Schratt vint même, en mainte occasion, prendre ses repas à la Hofburg dans la plus grande intimité, avec seulement l'empereur, l'impératrice et Marie-Valérie. L'impératrice s'exposait énormément en y consentant, elle qui fuyait plus que jamais les soupers officiels et accablait de son mépris la haute aristocratie qui pouvait présenter seize quartiers de noblesse. Une comédienne à la table familiale des Habsbourg, cela ne s'était encore jamais produit. Il faut aussi se souvenir que Catherine Schratt était mariée, ce qui, dans une Cour catholique, alimentait d'autant plus les commérages.

Lors de ces dîners, Marie-Valérie était véritablement au supplice : « Madame Schratt a dîné avec nous (à quatre), elle a fait la promenade avec nous et est restée jusqu'au soir. Je ne puis dire combien ces après-midi me sont pénibles, combien il me semble incompréhensible que maman les trouve plutôt agréables [31]. »

Si étonnant que cela puisse paraître, l'amour que son époux portait à Catherine Schratt était pour Élisabeth un motif d'apaisement et parfois même de joie. Ainsi écrivait-elle à Marie-Valérie, à la fin de 1890 : « On ne peut se réjouir de rien, ni rien attendre de bon. La vie est plutôt amère. Ce soir, pourtant, Poká [terme hongrois pour dire « le dindon », un des sobriquets de François-Joseph] est heureux. J'ai fait venir l'amie à six heures et demie chez Ida pour lui raconter quelques souvenirs de voyage, et nous nous sommes promenés aujourd'hui encore à Schönbrunn. Il est si bon, dans ce sombre château, triste et solitaire, de voir enfin un visage radieux ; Poká est gai comme un pinson, ce soir [32]. » Le couple impérial avait ainsi un sujet de conversation, ce qui permettait à Élisabeth de rassurer sa fille sur leur harmonie conjugale : « Cela va bien, car nous ne parlons guère que de l'amie ou de théâtre [33]. »

François-Joseph et Catherine Schratt parlaient également beaucoup d'Élisabeth. L'empereur se faisait en effet bien du souci pour elle, ne sachant souvent pas même où elle se trouvait lors de ses lointains voyages. « Comme je serais heureux de pouvoir parler avec vous de mes craintes relatives à l'impératrice et de trouver ainsi auprès de vous un réconfort [34] », écrivait-il à Catherine en 1890. Élisabeth envoyait d'ailleurs régulièrement ses salutations à Catherine. Alors qu'elle se trouvait à Arcachon, François-Joseph écrivit à Catherine : « [L'impératrice] souhaite que je vous fasse parvenir la carte ci-jointe, car elle pense qu'en la voyant vous aurez peut-être envie d'aller à Arcachon ; mais j'ajoute pour ma part : pas maintenant [35]. »

L'empereur avait en effet remarqué à quel point son amie imitait son épouse et il redoutait à juste titre qu'elle ne veuille à son tour voyager et qu'elle cesse presque totalement de vivre à Vienne.

L'amitié de François-Joseph pour Catherine Schratt n'allait pas sans difficultés. Il ne s'agissait nullement des dépenses considérables ni des grosses dettes de jeu de la comédienne : l'empereur payait de bon cœur, comme il avait l'habitude de le faire pour son épouse. Le problème était plutôt que les amis de Catherine ne cessaient de lui demander d'intervenir auprès de l'empereur et qu'elle le faisait la plupart du temps sans attendre. La direction du Burgtheater, notamment, était embarrassée, car le répertoire et la distribution étaient rarement arrêtés contre le gré de la comédienne.

Le prince Eulenburg, ambassadeur d'Allemagne (qui avait

intelligemment su nouer des rapports quasi amicaux avec Catherine Schratt, ce qui provoqua bientôt la jalousie de l'empereur), écrivait à Guillaume II en 1896 : « Au sein du théâtre, elle a naturellement un pouvoir illimité, et tout le monde, même l'intendant, rampe à quatre pattes quand elle arrive. » La célèbre actrice Stella Hohenfels et son mari Alfred Berger, directeur du Burgtheater, ayant, semble-t-il, voulu quitter Vienne à cause des constantes humiliations que leur infligeait Catherine Schratt, Eulenburg remarquait : « C'est une situation tout à fait étrange ! A ce que j'apprends, les anciens amis de Mme Kathi se poussent de plus en plus en avant, et cette influence est mal supportée par l'administration de la Cour. [...] Le baron Kiss, l'époux de Kathi, est gênant lui aussi. On l'a envoyé au Venezuela, où il s'ennuie affreusement. Il a un pressant désir de rentrer en Europe, ce qui est d'autant plus explicable qu'on lui a payé toutes ses dettes. Il aurait été plus sage de s'en abstenir [36]. »

En 1892, Toni Kiss, le fils de Catherine, alors âgé de 12 ans, reçut une lettre anonyme comportant des assertions diffamatoires sur les relations de sa mère et de l'empereur. La police ne parvint pas à trouver l'auteur de l'envoi, qui suscita beaucoup d'émoi. A nouveau, l'impératrice intervint en invitant le petit Toni dans la villa impériale d'Ischl ; elle se promena avec lui dans le jardin et lui parla « de la façon la plus affectueuse de sa mère, lui disant combien elle l'appréciait et lui était attachée, que lui aussi devait l'aimer et la révérer, et que seules de méchantes gens pouvaient inventer de tels mensonges ». Pendant des années, elle lui fit envoyer des gâteaux et des friandises par la pâtisserie de la Cour, pour témoigner sa sympathie à la mère et au fils et prévenir de nouveaux commérages [37].

Cependant, malgré la prudence et la bienveillance de l'impératrice, une telle liaison ne pouvait passer inaperçue. Le comte Hübner écrivait en 1889 : « Il semble que tous les malheurs, petits et grands, s'amassent sur la famille impériale et frappent aussi notre pauvre Autriche. L'empereur est toujours sous le charme d'une comédienne du Burgtheater : Catherine Schratt, belle et sotte, est censée partager honnêtement l'intimité de l'empereur. C'est l'impératrice qui, à ce qu'on dit, a arrangé cette liaison soi-disant platonique mais que le public ne croit nullement telle et qui est de toute façon ridicule. Et la jeune archiduchesse Valérie ! Cette histoire stupide nuit beaucoup à l'empereur dans l'esprit de la bourgeoisie et du peuple [38]. »

« Psychologiquement, écrivait aussi Eulenburg, cette famille impériale est assurément intéressante. Sans connaître chacune des personnalités en jeu, on ne saurait comprendre ces étranges rapports entre le couple impérial, la comédienne et les filles [de l'empereur] [39]. »

Marie-Valérie avoue dans son Journal qu'elle doit « surmonter une rancœur infondée contre Mme Schratt — serait-ce parce qu'elle est comédienne ? » et son fiancé d'ajouter : « Non, qu'elle soit comédienne, ballerine ou princesse X ou Y, cela ne change rien si c'est une personne convenable, — ce que je crois aussi — et il n'y a rien à redire à cela — mais, mais quand on m'en parle, je ne suis pas en mesure de répondre : non ! Et il ne faut pas qu'on parle de l'empereur [40]. »

La fille de l'empereur, d'ordinaire si gentille, se permettait de confier à son Journal : « Combien m'est pénible l'attitude souvent rude et contrariante de papa envers maman, ses réponses brusques. [...] Même si je sais bien qu'il n'y a pas là de méchanceté, je comprends que maman voie l'avenir en noir. » L'archiduchesse s'affligeait profondément de voir son père sans doute moins rude avec la comédienne du Burgtheater qu'avec l'impératrice : « Je voudrais ne plus jamais devoir rencontrer cette brave dame, et que papa ne l'eût jamais aperçue. » C'était une véritable humiliation pour elle de devoir embrasser Catherine Schratt quand elle la rencontrait ou la quittait, comme Élisabeth avait coutume de faire — « mais, disait-elle, je crains d'offenser papa si jamais je ne le fais pas [41] ». Ses plaintes se multipliaient : « Ce qui me rend le plus amère, c'est de ne plus pouvoir comme autrefois donner toujours raison à papa du plus profond de mon cœur, même si cette affaire est innocente. Oh, pourquoi maman a-t-elle favorisé cette relation, et comment peut-elle encore

dire qu'elle y trouve un apaisement ? [...] Que deux caractères aussi nobles que mes parents puissent ainsi se leurrer et
bien souvent se rendre mutuellement malheureux [42] ! »
Après un Noël désolant à la Hofburg, en 1899, elle écrivait :
« Mon Dieu, qu'elle est triste notre vie de famille (qui semble
si belle à ceux qui ne la connaissent pas) ! C'en est au point
que maman et moi sommes heureuses de pouvoir rester seules tranquillement. Je ne sais pourquoi, mais cela a pris cette
année des proportions effrayantes. Papa s'intéresse maintenant à si peu de choses et est devenu — dois-je le dire — si
pesant et pusillanime. [...] La vie commune de mes parents
est pleine de problèmes sans importance mais incroyablement épuisants. Maman ne cesse de me raconter ses chagrins. Et je ne vois plus papa avec enthousiasme [43]. »

Le prince Léopold, le mari de Gisèle, s'efforça de rassurer
sa jeune belle-sœur en lui expliquant qu'il trouvait l'affaire
Schratt « très naturelle » ; « François [l'archiduc François-
Salvator, fiancé de Marie-Valérie] est encore bien innocent », ajoutait-il [44].

Plus la liaison de l'empereur avec la comédienne se renforçait, plus l'impératrice se sentait dispensée de demeurer à
Vienne. Marie-Valérie note : « Maman toujours plus déprimée. Son sort lui pèse, surtout quand elle est avec papa. Le
sacrifice qu'elle fait en restant près de lui devient moins
nécessaire du fait que se renforce cette malheureuse amitié
avec Catherine Schratt [45]. » On imagine la réaction de
l'archiduchesse quand, en 1890, sa mère lui demanda « de
persuader papa d'épouser Catherine Schratt [...] si elle venait
à mourir [46] ».

C'est seulement à l'étranger qu'Élisabeth prêchait la retenue. Ainsi, alors que le couple impérial et Catherine Schratt
se trouvaient en même temps au Cap-Martin en 1894,
l'empereur écrivait à son amie : « Si l'impératrice a émis le
vœu de vous voir ici, ce n'était pas une phrase en l'air ou une
expression de pitié, comme vous le pensiez, mais un vrai
désir, qui l'a occupée pendant tout le voyage. Il n'est naturellement pas question ici d'incognito, on est constamment
observé par une foule de gens, l'endroit fourmille de curieux

et d'Altesses et nous craignons que nos relations avec vous puissent donner lieu à de méchantes critiques. Chez nous, presque tout le monde a fini par comprendre notre amitié ; ici, à l'étranger, dans cet endroit qui, hélas, est fréquenté et animé, les choses sont différentes. L'impératrice, qui a toujours le jugement le plus juste, trouve que tout cela ne saurait nous nuire, à nous qui sommes de vieilles gens, mais elle songe surtout à vous et à Toni [47]. »

D'autre part, Élisabeth pensait de plus en plus que ce devait être un sacrifice pour la comédienne que de rencontrer le couple impérial. Du Cap-Martin, François-Joseph écrivait en 1897 à Catherine, alors à Monte-Carlo : « J'ai suggéré à l'impératrice que vous pourriez encore une fois nous rendre visite, à quoi elle a dit : la pauvre ! C'est qu'elle pense toujours que ce doit vous être fort pesant et désagréable de laisser vos distractions de Monte-Carlo pour venir vous ennuyer ici avec les vieillards que nous sommes [48]. »

Des brouilles surgirent à plusieurs reprises entre François-Joseph et Catherine Schratt. Chaque fois ce fut l'impératrice qui arrangea les choses, apaisant Catherine en la tirant de sa bouderie. Ces différends accablaient tant l'empereur, et les rapports qu'on pouvait avoir avec lui dans ces moments-là étaient si difficiles, que son entourage souhaitait voir revenir son amie. Il se comportait alors exactement de la même manière qu'avec Élisabeth : c'est lui qui suppliait et cédait. Le prince Eulenburg en rapportait les détails à Guillaume II : « Le bavardage enjoué de Mme Kathi sur les grandes et petites misères des coulisses, les chiens, les oiseaux, les événements de sa vie privée, etc., lui manquait. [...] Il a également besoin, de la manière la plus innocente, de l'attraction qu'exerce sur lui la beauté de Mme Kathi. En deux mots, il ne pouvait plus supporter son absence. C'est aussi ce que semble avoir estimé l'impératrice, qui a déjà par deux fois arrangé des brouilles semblables à celle-ci [49]. »

Malgré tout, Élisabeth ne parvenait pas toujours à dissimuler qu'elle se sentait parfois négligée. Ainsi, lors d'une des dernières promenades qu'elle fit, peu avant sa mort, avec François-Joseph et « l'amie », elle le fit sentir avec l'humour macabre qui lui était propre. Alors qu'ils parlaient de la mort, comme souvent à cette époque, et plus spécialement de la sienne, Élisabeth s'écria : « Ah, personne ne serait plus content que le chevalier Barbe-Bleue ! » L'empereur s'irrita de l'allusion et répondit : « Allez, ne parle pas comme ça [50]. » L'incident fut relaté à Eulenburg par Catherine Schratt, après la mort d'Élisabeth.

Il demeure que la souveraine parvint pendant des années à limiter les médisances. Sa discrétion et sa protection furent si parfaites qu'aujourd'hui encore on n'a aucune preuve qu'il y ait eu une véritable liaison. Si l'on cherche à mesurer l'impact des relations de l'empereur et de Catherine sur la réputation de la famille impériale, il faut bien dire que, dans l'ensemble, elle n'en souffrit guère, et c'est à l'évidence à porter au crédit d'Élisabeth. Son rôle décisif n'apparut vraiment qu'après sa mort. Catherine Schratt, qui ne pouvait plus aller et venir à la Hofburg comme « amie de l'impératrice », se trouva placée dans une position presque intenable. Un mariage aurait certes permis de régulariser la situation, mais c'était impossible car elle était toujours mariée, et devant l'Église catholique. « Il n'arrivera plus jamais maintenant à se détacher d'elle, et il ne peut malheureusement pas non plus l'épouser, car elle est mariée tout à fait légalement [51] » écrivait Marie-Valérie, en 1899.

Deux ans après la mort d'Élisabeth, un grave désaccord, qui dura plusieurs mois, éclata dans le couple. « Presque en larmes, [l'empereur expliqua à sa fille] qu'elle préparait déjà cette décision [de rupture] depuis la mort de maman, car elle avait le sentiment de n'être plus soutenue et de se trouver en mauvaise posture [52]. »

Voyant le chagrin de François-Joseph, plusieurs intermédiaires s'employèrent à les réconcilier et à faire sortir Catherine Schratt de sa retraite en Suisse. Dans la *Neue Freie Presse* parut une petite annonce impertinente, qui fit grand bruit : « Kathy, tout est arrangé, reviens à ton petit Franzl malheureux et solitaire ». Berger, directeur du Burgtheater, écrivit à l'ambassadeur d'Allemagne que « depuis la mort d'une très grande dame [Élisabeth], il manquait [...] une certaine retenue qui jusque-là rendait les choses différentes et plus convenables [53] » — en quoi il avait parfaitement raison.

Après la mort d'Élisabeth, les incidents autour de Catherine Schratt prirent en effet une tournure considérable et nuisirent au prestige impérial. Par ailleurs, la comédienne s'était mise à réagir, lorsqu'elle était blessée, de la même manière que son grand modèle, l'impératrice défunte : elle quittait Vienne pour des périodes de plus en plus longues et se faisait longtemps prier avant de revenir se promener à Schönbrunn. François-Joseph ne mit fin à l'une de leurs dissensions profondes qu'en faisant appel « à l'amour pour [Élisabeth], la dernière chose qui nous unisse encore [54] ».

La tentative de Marie-Valérie pour convaincre son père d'épouser « tante Moineau » (la comtesse Mathilde Trani, sœur d'Élisabeth et qui était veuve), afin que Catherine Schratt pût redevenir « l'amie de la femme de papa [55] », montre combien la situation s'était compliquée depuis que la main tutélaire d'Élisabeth ne s'étendait plus sur cet amour.

Nicolas Kiss, le mari de Catherine Schratt, mourut en mai 1909, alors qu'elle avait presque cinquante-six ans, et l'empereur soixante-dix-neuf. Les rapports de ces derniers, bien qu'amicaux, étaient distendus depuis la mort d'Élisabeth, ainsi qu'il ressort des lettres de François-Joseph, dont on a maintenant le texte intégral.

La rumeur d'un mariage secret se répandit périodiquement à Vienne à partir de 1909. Mais on n'en possède aucune preuve, et les lettres et Journaux des proches ne fournissent aucun indice. En tout cas, Catherine et François-Joseph, jusqu'à la mort de celui-ci, continuaient de se vouvoyer comme ils l'avaient toujours fait, et se voyaient rarement. Du point de vue financier, François-Joseph avait, bien longtemps avant de mourir, assuré avec munificence des ressources à Catherine Schratt.

CHAPITRE XIII

RODOLPHE ET MARIE-VALÉRIE

« Si maman avait employé sa force et sa grandeur naturelles à lutter pour son bonheur avec un courage serein et une constante ténacité ; si elle n'était pas, par un orgueil mal compris, trop souvent restée muette au lieu d'ouvrir le cœur de papa en se montrant aimante et chaleureuse ; si elle ne s'était pas sentie, à la moindre offense, trompée par tant de gens qu'elle avait aimés, souvent à cause d'une simple légèreté, peut-être un vrai grand chagrin n'aurait-il pas eu sur elle un effet incommensurable [1] ! »

Ces lignes furent écrites dans son Journal par Marie-Valérie après la mort du prince impérial. L'archiduchesse soulignait ainsi que l'une des causes de la tragédie de Mayerling était l'union malheureuse de ses parents et que l'« amertume cent fois plus grande » ressentie par Élisabeth procédait également d'un sentiment de culpabilité.

Les deux premiers enfants du couple impérial, Gisèle et Rodolphe, avaient grandi quasiment sans leur mère. Élisabeth était si absorbée par ses soucis et ses chagrins qu'elle leur consacrait peu de temps et ne leur apportait ni chaleur ni sécurité. Elle les considérait comme adoptés par l'archiduchesse Sophie, ce qui suffit pour perturber durablement ses relations avec eux.

Certes, quand elle se montrait un peu à la Cour, sa forte

personnalité était si attirante, en dépit de son immense entêtement, que le prince impérial la contemplait avec adoration, et la voyait moins comme une mère que comme une fée qui tranchait sur la grisaille d'une existence exigeante.

Contrairement à ses deux sœurs, Rodolphe tenait beaucoup plus de sa mère que de son père. Tempérament, talent, imagination, subtilité, sensibilité, humour, vivacité d'esprit : il partageait toutes ces qualités avec elle. Marie Festetics écrit de lui, alors qu'il avait quinze ans : « Les yeux du prince impérial brillaient, il était aux anges d'être avec sa mère, qu'il adore. [...] Il tient beaucoup d'elle, en particulier son charme, en plus de ses yeux bruns [2]. »

Durant toute sa vie, Rodolphe resta reconnaissant à sa mère d'être intervenue si énergiquement en sa faveur en 1865, alors qu'il traversait une grave crise morale et physique. C'était Élisabeth qui l'avait délivré, quand il avait sept ans, du précepteur Gondrecourt, qu'il exécrait, et qui lui avait permis sous la direction d'un nouveau, Latour, de se rétablir. Tout petit, le prince avait compris qu'elle n'avait pu imposer ce changement qu'au prix de lourds conflits familiaux et contre la volonté de la Cour. Le nouveau précepteur fut pour l'enfant une figure paternelle tendrement aimée ; d'autre part, il entreprit de lui inculquer les conceptions libérales qu'il partageait avec Élisabeth. De cette façon, la mère et le fils restèrent très proches l'un de l'autre, malgré la rareté de leurs rencontres.

Cette éducation, résolument bourgeoise pour ne pas dire anti-aristocratique, éloigna le prince impérial de son entourage et suscita des antagonismes qui devaient plus tard se révéler insurmontables. Dès sa plus tendre enfance, Rodolphe dut porter le lourd fardeau d'être le fils d'Élisabeth et de lui être si semblable. Tous les adversaires de l'impératrice — et il y en avait beaucoup à la Cour — voyaient en lui un danger, essentiellement parce qu'il pouvait devenir un empereur « révolutionnaire », « bourgeois », « anticlérical », « ennemi de l'aristocratie » à l'image de sa mère. Le danger, qui en revanche nourrissait l'espoir de la plupart des couches de la population, était bien réel.

A l'âge de huit ans, au moment où sa mère se montra la plus active politiquement après la défaite de Sadowa, Rodolphe se trouvait à ses côtés à Budapest tandis qu'elle menait ses négociations. C'est en Hongrie aussi qu'il fit la connaissance de Gyula Andrássy, qu'il révéra sa vie durant et qui eut sur lui une influence politique aussi grande que sur sa mère. Ces quelques semaines passées à Budapest avec sa mère et Andrássy — François-Joseph était resté à Vienne — furent pour Rodolphe la plus belle période qu'il vécut jamais avec Élisabeth.

Pourtant, la prise de position de celle-ci en sa faveur et ces semaines hongroises ne furent que des épisodes sans lendemain : en 1868 naquit Marie-Valérie, « présent de couronnement » offert par l'impératrice à la Hongrie. Le prince impérial, âgé alors de dix ans, se trouva délaissé, Élisabeth nourrissant un amour confinant pour sa « chérie » nouveau-née à l'hystérie : elle prit elle-même en main son éducation et l'emmena désormais avec elle dans presque tous ses voyages.

L'aînée des filles, Gisèle, se maria à dix-sept ans et alla vivre en Bavière. Ses rapports avec sa mère restèrent toujours froids. Le prince impérial, lui, demeura à Vienne, presque totalement abandonné à ses maîtres et à ses précepteurs. La jolie maman qu'il adorait ne s'occupait pas de lui : ses pensées tournaient autour de la petite Valérie, envers qui Rodolphe conçut une profonde jalousie, la traitant de manière rude et maussade. Marie-Valérie, de son côté, craignait son frère, ce qui poussa leur mère à prendre entièrement le parti de la fillette et à rejeter son fils encore davantage.

La famille impériale était rarement réunie au complet. Élisabeth se trouvait la plupart du temps en voyage et, quand elle était là, participait moins que jamais aux repas familiaux. Les parents et leurs deux premiers enfants ne se rencontraient en fait que pour les fêtes importantes (Noël, l'anniversaire de l'empereur) et toujours parmi un grand nombre de dames d'honneur et autres courtisans. Chaque membre de la dynastie avait sa propre Maison, qui nourrissait à l'égard des autres toute sorte de petites jalousies et d'animosités. Un tel contexte ne favorisait guère l'intimité ; chacun se comportait comme un étranger et bien souvent avec embarras, notait l'archiduchesse Marie-Valérie. Il aurait fallu une initiative d'Élisabeth pour vraiment rencontrer son fils. Elle ne l'effectua jamais, pas plus que l'empereur. Rodolphe restait donc isolé non seulement à la Cour, mais jusque dans le cercle familial le plus intime. Personne ne connaissait ses problèmes ; il n'inspirait qu'une crainte respectueuse mêlée de méfiance. Marie-Valérie avoua un jour à un membre de sa famille maternelle que, quoique vivant sous le même toit que Rodolphe, elle passait souvent des mois sans le voir[3]. Et Gisèle, qui entretenait avec son frère des rapports plus chaleureux que quiconque, observa avec surprise lors d'une visite à Vienne que « toute la famille, à la vérité, ne le traitait que comme une personnalité de marque ». « Le pauvre ! C'est malheureusement la pure vérité[4] ! », remarque Marie-Valérie.

Le mariage de Rodolphe avec Stéphanie, fille du roi des Belges, ne fit que détériorer encore le climat familial. Élisabeth, en particulier, témoigna à sa belle-fille une aversion durable. Cependant, la jeune Stéphanie se montrait intéressée par les tâches de représentation et se sentait à l'aise en public, ce qui lui attirait la considération générale. Élisabeth vit l'occasion de se décharger sur elle — elle n'avait pourtant que dix-sept ans — d'une bonne part de ses devoirs. « Cet esclavage, rapporte Stéphanie dans ses Mémoires, ce martyre, comme elle appelait les devoirs de sa position, lui étaient odieux. [...] Elle était d'avis que la liberté était un droit pour tout être humain. Sa conception de la vie ressemblait à un beau conte de fées, où le monde n'aurait comporté ni chagrins ni contraintes[5]. »

Dans ses poèmes, Élisabeth manifeste une profonde antipathie pour cette belle-fille qui appréciait par-dessus tout l'aspect extérieur et formel des choses — ce qui d'ailleurs ne favorisait guère son entente avec le fort peu conformiste prince impérial —, et se gausse de « la grosse lourdaude » avec ses « longues fausses nattes » et ses yeux « matois à l'affût » :

Voyez ce dromadaire qui porte
L'orgueil répandu sur ses traits.
Elle goûte la clameur populaire,
Les vivats lui sont un régal.

Et de mener, de ville en foire,
Tout un train de cérémonies ;
Que passe devant le tambour !
Attention, la voilà ! Boum, boum [6] *!*

Il arriva plusieurs fois que la jeune Stéphanie, par ses fréquentes apparitions publiques, éclipsât l'impératrice, comme l'avait fait jadis sa tante Charlotte, épouse de l'empereur Maximilien du Mexique (qui végétait maintenant depuis de longues années dans un château de Belgique, plongée dans l'aliénation mentale). Quand elle voulait s'en prendre à Stéphanie, Élisabeth faisait allusion à cette belle-sœur qu'elle avait jadis tant détestée :

Rien de bon ne vient de cette race
Qui même ici s'est implantée ;
Où retentit son nom,
Règnent discorde et tourments[7].

Stéphanie, de son côté, était extrêmement favorable à la haute aristocratie et critiquait Élisabeth d'avoir si peu le sens du devoir : cela suffisait à rendre leurs relations glaciales.

L'empereur quant à lui était également réservé vis-à-vis du couple héritier. Entre les deux générations, la distance l'emportait sur l'esprit de famille. Marie-Valérie notait en 1884 : « Comme papa est différent [avec Rodolphe et Stéphanie] par rapport à moi ! Affectueux, mais gêné. C'est là certainement aussi la raison de la jalousie de Rodolphe[8]. »

Rodolphe recherchait ouvertement la faveur de sa mère, cultivait les mêmes goûts et les mêmes aversions et l'imitait jusque dans certains détails. Ainsi, Élisabeth aimait les grands chiens et les emmenait avec elle même dans les salons les plus luxueux, ce qui provoquait régulièrement l'irritation de l'empereur : le prince impérial s'entoura lui aussi de chiens, et même créa un élevage canin à Prague en 1880 — sa préférence allait surtout aux chiens-loups. L'amour d'Élisabeth pour les animaux le mena également à poursuivre des études zoologiques très poussées, spéciale-ment en ornithologie. Et c'est à ce dernier titre qu'il fit de longs voyages d'étude en mer, principalement avec Alfred Brehm, à la *Vie des animaux* auquel il avait du reste collaboré. Il témoignait une telle faveur à ce savant que les officiers du bateau s'en amusaient [9] — tout comme l'équipage du *Greif* s'était jadis moqué de voir l'impératrice combler de gratitude et de bienveillance Alexander von Warsberg pendant ses voyages en Grèce.

Si l'empereur s'était montré très libéral vis-à-vis des capri-ces de son épouse, il n'exauça pas le vœu ardent de son fils, de s'inscrire à l'université pour y étudier les sciences natu-relles en compagnie d'autres étudiants. A cette époque, il mpparaissait exclu qu'un Habsbourg suivît des études, car ce n'eût pas été conforme à son rang. Il n'en allait pas de même chez les Hohenzollern : le futur Guillaume II, du même âge que Rodolphe, fut même contraint par ses parents à suivre les cours de l'université de Bonn, ce qu'il fit sans grand enthousiasme et sans aller jamais jusqu'au bout. Les Wittels-bach non plus ne tenaient pas l'étude des sciences pour une aberration : le frère préféré d'Élisabeth, Charles-Théodore, chef de la famille ducale, fut un ophtalmologiste réputé dans les milieux médicaux. Mais l'empereur François-Joseph res-tait d'avis que son fils devait devenir soldat et considérait son penchant pour les sciences et la littérature comme des « esca-lades dans les nuages » — il disait la même chose de l'amour d'Élisabeth pour la littérature.

Rodolphe resta donc un ornithologue autodidacte, mais n'en produisit pas moins une œuvre étonnamment vaste, encore aujourd'hui reconnue des spécialistes [10]. Il se distin-gua beaucoup moins comme soldat, à la grande déception de l'empereur...

Le prince impérial travaillait aussi à des essais politiques, et écrivait des éditoriaux dans cet « organe démocratique » qu'était le *Neue Wiener Tagblatt* dirigé par son ami Maurice Szeps. Les itinéraires de Rodolphe et Élisabeth présentent un tel parallélisme que tous deux remirent (anonymement, et à l'insu l'un de l'autre) à peu près en même temps à l'Imprimerie nationale leurs écrits publiés à tirage limité. Une autre analogie entre la mère et le fils est étonnante : Rodolphe composa des *Reisebilder* (« Images de voyage », inachevées, dont le manuscrit existe toujours) explicitement inspirées de Heine, cependant qu'Élisabeth intitulait ses deux recueils, *Chansons de la mer du Nord* et *Chansons d'hiver*, d'après Heine également.

L'attitude anti-aristocratique d'Élisabeth se transmit, elle aussi, à Rodolphe, qui écrivit à dix-neuf ans un premier pamphlet anonyme, *la Noblesse autrichienne et sa mission constitutionnelle*, pour fustiger avec les mêmes arguments que sa mère des privilèges acquis ni par le travail ni par l'efficacité [11]. Élisabeth et l'empereur ne connaissaient pas ce texte de 48 pages : Rodolphe était si timide, voire craintif, avec ses parents qu'il n'osait leur montrer ses écrits. On retrouve également chez Rodolphe l'anticléricalisme d'Élisabeth et son mépris hautain des dogmes de l'Église catholique. Même sa prédilection pour le régime républicain s'était, à son insu, transmise au prince impérial. Quand Rodolphe avait vingt ans, écrit le prince Khevenhüller, « il se laissait souvent aller à tenir des propos incongrus sur la liberté et l'égalité, il s'en prenait à la noblesse comme à une réalité périmée, et n'imaginait pas pour lui-même de plus belle position que celle de président d'une République [12] ».

De même qu'Élisabeth envisageait de devoir un jour s'exiler en Suisse et tenait même cette retraite pour souhaitable, de même Rodolphe caressait volontiers l'éventualité d'une existence bourgeoise : « Si l'on me chasse d'ici, j'entrerai au service d'une République, probablement de la France », confessa-t-il un jour à son confident, le journaliste Berthold Frischauer [13].

Les idées politiques de l'impératrice furent tout entières transmises, par le truchement de tel ou tel, à son fils. Andrássy fut le grand modèle du prince impérial, qui ne le renia jamais. La mère et le fils voyaient en lui l'homme capable de tirer l'Autriche-Hongrie des calamités de l'ancien temps pour la faire entrer dans une ère nouvelle, moderne et libérale. A dix-neuf ans, Rodolphe déclara, par exemple, à Marie Festetics qu'il « remerciait tous les jours le Bon Dieu qu'Andrássy fût là ; car tant qu'il serait là, tout irait bien [14] » ; quant au premier essai politique écrit par le prince à vingt-deux ans, c'était de bout en bout un hymne à la louange d'Andrássy [15].

Soutenant la personne et la politique d'Andrássy, Élisabeth et Rodolphe condamnaient le Premier ministre Édouard Taaffe. Ami de l'empereur depuis sa jeunesse, il était arrivé au gouvernement après le fiasco des libéraux en 1879. Entre lui et Andrássy, l'entente était impossible : peu après la nomination de Taaffe, Andrássy présenta sa démission pour raisons de santé ; et elle lui fut immédiatement accordée, contrairement à ce qu'il escomptait. Il aurait en effet souhaité qu'on le priât de rester ministre des Affaires étrangères, ce qui eût renforcé sa position face à son ennemi mortel et lui eût donné une chance de gagner la bataille pour le pouvoir.

Chacun à la Cour s'attendait que l'impératrice sorte de sa réserve politique et intervienne en faveur d'Andrássy. Le frère cadet de l'empereur, l'archiduc Charles-Louis, déclara au comte Hübner en juin 1879 que « l'impératrice se désintéressait totalement de la politique et s'absorbait entièrement dans l'équitation. Néanmoins son entourage, complètement dévoué à Andrássy, continuait à le servir en faisant intervenir l'impératrice à l'occasion [16] ». Ainsi celle-ci manifesta-t-elle en 1879 son opposition à Taaffe en rendant visite, accompagnée de l'empereur, à Andrássy qui était alors souffrant. Hübner raconte : « Cette démonstration de l'impératrice décourage naturellement Taaffe. » Les médecins conseillaient à Andrássy une cure à Gleichenberg mais, notait Hübner, « l'impératrice (!!), son dernier mais puissant soutien, conseille plutôt Ischl, et c'est là qu'il ira [17] ». Elle avait une arrière-pensée : à Ischl, Andrássy pourrait rencontrer l'empereur dans une atmosphère détendue, et aurait une chance de faire annuler sa démission. Andrássy suivit le conseil d'Élisabeth, et obtint une entrevue avec l'empereur à Ischl ; mais il ne fut pas question de son retour et Andrássy cessa d'être ministre des Affaires étrangères de la Double monarchie à la fin de 1879.

Pour démontrer son attachement à Andrássy et signer le traité d'alliance austro-allemand qui était leur œuvre commune, Bismarck se rendit à Vienne à l'automne de 1879. Commentaire acerbe de Hübner sur ce brillant événement : « Voilà donc le grand feu d'artifice qu'Andrássy, pour conclure son passage aux affaires, a fait tirer dans le style d'un mélodrame ou, plutôt, du cirque Franconi. » La visite donna, en effet lieu à des manifestations germanophiles devant l'hôtel Impérial où résidait Bismarck, et Hübner note dans son Journal : « L'empereur s'est irrité des ovations publiques reçues par Bismarck [18]. »

Le successeur d'Andrássy, le baron Haymerle, mourut peu de temps après sa nomination. Comme la santé du Hongrois s'était améliorée, l'impératrice remit son nom sur le tapis. Bien entendu, il était trop tôt pour songer à lui confier le poste de nouveau. L'homme politique le plus puissant, et qui était assuré de la confiance de l'empereur, était plus que jamais Taaffe, qui ne pouvait admettre Andrássy dans son cabinet. L'époque libérale que ce dernier avait incarnée était révolue. Taaffe appuyait son autorité sur les paysans, les cléricaux et les Tchèques (ce que l'on appelait « l'anneau de fer ») et ne pouvait ni ne voulait tolérer un ministre libéral, par-dessus le marché hongrois et franc-maçon. Marie Festetics, qui restait une fervente admiratrice d'Andrássy, écrivait, pessimiste, dans son Journal : « Si Andrássy ne revient pas maintenant, je crois qu'il ne reviendra plus jamais ; et avant que tout aille réellement mal, Dieu sait... et alors quoi ? L'impératrice est du même sentiment que moi. Ils ne le laisseront plus entrer. Et cette fois Dieu ne nous a pas laissé le temps de préparer le terrain [19] ! »

Andrássy ne fut pas nommé aux Affaires étrangères, et le comte Kálnoky eut le poste ; c'était une défaite pour l'impératrice. La politique du comte Taaffe divisa la famille impériale : François-Joseph le soutenait avec toute l'autorité que lui conférait la couronne, tandis qu'Élisabeth et Rodolphe, tous deux libéraux convaincus, le récusaient.

Les textes politiques et les lettres du prince impérial abondent en jugements négatifs sur Taaffe et sa façon de gouverner. « Ce bon comte Taaffe continue d'être ce qu'il a toujours été : un charlatan sans cervelle qui peut encore causer de grands malheurs [20] », écrivait-il, par exemple, en octobre 1879, à son ancien précepteur Latour. Il ne cessait de déplorer « l'hostilité à la Constitution » et le retour sur des conquêtes libérales : « En Allemagne et chez nous, la réaction et l'ultramontanisme s'agitent pour de bon. [...] Ce qui est très largement acquis, la notion d'un État civilisé moderne, est chez nous menacé. » Il ne s'exprimait guère moins brutalement que sa mère : « Une tendance écœurante domine maintenant en Europe centrale, c'est une époque où les curés et les imbéciles illustres se vautrent dans le fumier de leur propre sottise [21] ! »

Élisabeth employait des expressions analogues, quoique dissimulées sous des allures poétiques, en reprochant à Taaffe de se servir sans scrupules de l'excessive bonhommie de l'empereur. François-Joseph, selon elle, voyait décroître sa popularité à cause de la politique de Taaffe. Elle déclarait à Marie Festetics : « L'empereur était populaire comme peu de monarques. [...] Il était intouchable ; il se tenait au-dessus de tous, dans une dignité majestueuse qui faisait partie de son " moi ". Et maintenant ? Maintenant, un abîme de difficultés s'ouvre devant lui, et il n'est qu'un instrument dans la main d'un acrobate écervelé, qui veut rester là-haut et use de lui comme d'un balancier d'équilibriste ! Si j'étais un homme, j'interviendrais et dirais la vérité. Il pourrait toujours ensuite agir à sa guise ; mais il serait forcé de savoir comme on se joue de sa haute position [22]. »

Ces phrases montrent clairement combien les temps avaient changé depuis 1867. C'en était au point qu'Élisabeth n'osait plus proclamer ouvertement ses opinions politiques. Si elle-même éprouvait une telle crainte de dire nettement des choses que d'évidence l'empereur n'était pas prêt à entendre, on imagine le mal que devait avoir le jeune prince à s'entretenir avec son père des problèmes politiques fondamentaux.

Élisabeth et Rodolphe ne trouvaient plus grand-chose de positif à la politique extérieure de l'Autriche-Hongrie depuis la démission d'Andrássy. « Jamais l'Autriche n'a été aussi forte, heureuse et respectée que pendant les années où Andrássy se trouvait à la pointe de sa politique, écrivait Rodolphe ; pourtant cet homme éminent devait tomber, car on ne peut combattre des adversaires invisibles, insaisissables [23]. »

A la même époque, sans pourtant connaître l'opinion de son fils, l'impératrice écrivait des choses plus dures encore sur « ce gros ânon » ministre des Affaires étrangères, le comte Gustave Kálnoky, qu'elle opposait au « fier coursier » Andrássy :

A mon époux

Dis, ô mon très cher époux,
Ce que vraiment tu te proposes.
Pour le malheur du monde entier,
Me semble ton chariot embourbé.

L'ânon que tu as attelé
Déjà ne peut plus avancer ;
Que n'est-il plus sage ! Dans l'ornière
Il s'est enfoncé trop profond.

Va donc prendre ce fier coursier
Là-bas sur la prairie sauvage,
Va lui serrer le mors en gueule,
Non pas demain, mais aujourd'hui.

Ton chariot arrêté, une fois déjà
Il l'a tiré de son ornière.
Chasse donc ce gros ânon
Avant qu'on ne se rie de toi [24].

L'opinion d'Élisabeth et de son fils sur la politique extérieure s'exprima encore en 1885, lors de l'entrevue cordiale
qui eut lieu à Kremsier entre François-Joseph et
Alexandre III pour parler des Balkans. Présents tous deux,
l'un et l'autre, reprirent à leur compte la russophobie
d'Andrássy et reçurent avec mépris cette démonstration
d'amitié austro-russe.

C'est de la façon la moins équivoque qu'Élisabeth exprime
son antipathie à l'égard de la Russie et spécialement de la
famille régnante, qu'elle décrit comme des singes :

Kremsier

Ô muse, que penses-tu de Kremsier ?
Mon Pégase devient ici bête à bosse.
Oui, il faut être chameau pour souffrir
Tous ces singes qui portent sa bosse ;
Un babouin trône dans toute sa majesté
En costume étranger, grave et sérieux ;
Un gros animal du fin fond de l'Asie,
Plein de lui-même comme toute sa bande.
La petite guenon, près de son époux,
Comme elle fait bien la révérence !

Deux petits singes semblables à leur père,
Deux jeunes, jouent aussi les militaires.
Toute une armée de singes décorés
S'évertuent à ricaner et caqueter.
Voici, en frac et en uniforme, les macaques,
Médailles et rubans, cordons et fouets.
Plus d'un ânon diplomate ravit cette troupe,
Mais ce n'est que honte pour l'aigle à deux têtes.
La pièce est finie, bravo ! Longue vie !
Une cuvette, vite, je vais vomir [25] *!*

L'impression de Rodolphe ne fut pas moins négative : il
écrivait, de Kremsier, à Stéphanie : « L'empereur de Russie
est devenu colossalement gros, le grand-duc Vladimir et sa
femme, tout comme la tsarine, paraissent vieux et décrépits.

Leurs suites, et surtout la domesticité, sont épouvantables ;
avec leurs nouveaux uniformes, ils sont redevenus totalement asiatiques. Au moins, du temps du tsar défunt [Alexan-
dre II], les Russes étaient-ils élégants, et certains des seigneurs de sa Cour avaient-ils un aspect très distingué.
Aujourd'hui, c'est une société terriblement vulgaire [26] ! »

L'impératrice et le prince impérial, contrairement à
l'empereur et à Kálnoky, se défiaient essentiellement des
solennelles protestations de paix et d'amitié de la Russie.
Rodolphe écrivait ainsi à Latour : « Les Balkans sont à nouveau en ébullition, des mouvements de grande ampleur se
préparent ; on ne sait guère cela à la Ballplatz, où l'on traite
les affaires avec une stupidité souveraine. La Russie exploite
la myopie ministérielle de Kálnoky et le prétendu rapprochement avec l'Autriche pour constituer sans entrave des
comités et envoyer de l'argent, des armes, etc., etc., en Bulgarie, en Roumélie, en Macédoine, en Serbie et même en
Bosnie [27]. » Élisabeth, de son côté, comparait l'Autriche-
Hongrie à un lièvre forcé pendant une chasse et elle composa
après l'entrevue de Kremsier un poème intitulé « Hal-
lali » :

> Pauvre lièvre, je suis fourbu,
> Que le repos me semble bon !
> Tant que ne sonne pas le cor,
> Peu me soucie de frontières...
>
> [...]
>
> Les chiens russes m'ont serré
> De près, bien méchamment ;
> Encore maintenant je me sens
> Comme bête forcée à mort.
>
> Il faut pourtant dresser les oreilles,
> Trois fois retentit : « Sortez les fusils ! »
> Au lieu de rester là tranquille,
> Il me faut m'enfuir à nouveau [28].

Le scepticisme de la mère et du fils sur les sentiments
pacifiques affichés par les Russes ne tarda pas à se révéler

plus que justifié. L'année suivante, lors de la crise bulgare, il n'était plus question de paix : la Russie et l'Autriche se faisaient face en ennemis. Dans un poème consacré cette fois à l'ambassadeur de Russie à Vienne, le prince Labanoff, Élisabeth écrivait sur le ton de la dérision :

> *Prince Labanoff, pensez-vous encore*
> *A ces jours où à Kremsier*
> *Nous vivions chez l'archevêque *,*
> *Dans la bombance et le plaisir ?*
>
> *Nous rampions devant votre tsar,*
> *Presque sous les trous de son nez.*
> *Pourtant voilà que contre nous,*
> *Il se conduit comme une bête* [29].

Élisabeth et Rodolphe reprochaient à Kálnoky de ne pas se montrer assez ferme, d'être pour ainsi dire soumis à la Russie comme à l'empire allemand, et de tomber ingénuement dans les pièges que lui tendaient Bismarck et le tsar. Le fait est que l'Allemagne, alliée de l'Autriche, avait conclu en 1887, dans le dos de cette dernière, un « traité de réassurance » rigoureusement secret avec l'empire des tsars ; la méfiance d'Élisabeth et de Rodolphe apparaît donc *a posteriori* fondée.

Élisabeth incluait entièrement aussi dans sa critique politique l'empereur, auquel elle prêtait ces paroles :

> *Bonne affaire pour les Russes, les Prussiens !*
> *C'était pour le bien de mon pays.*
> *Sur ma tête, oui, humblement,*
> *Je les ai laissés ch...* [30]

Ces vers étaient inconnus du prince impérial. Et sa mère ignorait les sarcasmes qu'il proférait sur Kálnoky : « Bismarck serre la main de ce Kálnoky, mais c'est avec la Russie

---

* La rencontre de Kremsier s'était tenue dans la résidence d'été de l'archevêque d'Olmütz.

qu'il traite : comme si notre ministère des Affaires étrangères portait ce nom pour être sis à Berlin, et non à Vienne [31]. » Gyula Andrássy lui-même, initiateur de l'alliance germano-autrichienne et réputé ami de Bismarck, se démarqua claire-ment de l'attitude du chancelier allemand lors des crises balkaniques et critiqua très sévèrement les concessions faites par l'Autriche-Hongrie à l'Allemagne.

Élisabeth et Rodolphe (ainsi qu'Andrássy) avaient égale-ment la même attitude vis-à-vis de l'Italie, dernier membre de la Triplice :

> *Au pays de la trahison,*
> *Où, classique, coule le Tibre,*
> *Où le cyprès rêveur salue*
> *Le ciel éternellement bleu,*
>
> *On guette sur les rivages*
> *De la Méditerranée,*
> *Et pour nous pincer les mollets,*
> *C'est la guerre avec la Russie* [32].

Et Rodolphe, sous le pseudonyme de « Julius Felix », écri-vait dans une « Lettre ouverte » à François-Joseph : « Vous savez que l'Italie est un ennemi déclaré, qu'elle parle du Tyrol du Sud, de Trieste et de la Dalmatie comme un voleur préparant un mauvais coup, ou encore un héritier joyeux attendant la mort d'un parent âgé ; et vous, Sire, vous vous alliez à elle ! L'Autriche devra-t-elle toujours jouer les dupes [33] ? »

Andrássy combattait avec véhémence la politique de son successeur et s'employait de toutes ses forces, avec le soutien de l'impératrice et du prince impérial, à revenir au ministère des Affaires étrangères. Il rédigea des mémoires politiques où il appelait de ses vœux une attitude plus lucide de l'Autri-che-Hongrie, spécialement vis-à-vis de son allié allemand : « Il ne conviendrait pas de courir aveuglément derrière l'Allemagne ; lui, le comte Andrássy, aurait mieux compris

cela ; si le chancelier du Reich a été avec lui sur un si bon
pied, c'est précisément parce qu'il lui aurait souvent dit la
vérité ; et, en matière de politique orientale, l'Allemagne
s'en serait remise à sa direction [celle d'Andrássy] ; etc. [...]
L'ancien ministre des Affaires étrangères a, par exemple,
soutenu que notre alliance se serait détériorée tant par la
faute de Kálnoky que du chancelier du Reich, et il affirme
que de son temps l'Allemagne avait pris parti pour l'Autriche beaucoup plus activement [34] », lit-on dans un rapport
adressé à Berlin par l'ambassadeur d'Allemagne.

L'impératrice abordait exactement le même sujet dans un
poème :

> *Il se fait rouler, Kálnoky,*
> *Kálnoky, le petit, le gros,*
> *A Berlin, pas du tout gêné.*
> *Et tous les traités importants*
> *Jadis signés par Andrássy,*
> *Bismarck les a secrètement,*
> *Si je devine bien, dénoncés* [35].

Tandis que François-Joseph et Kálnoky se fiaient aux protestations d'amitié de l'Allemagne, l'impératrice et le prince
impérial, influencés par Andrássy, s'indignaient de ce qui
leur apparaissait négatif et déloyal dans l'attitude allemande.

Ce différend fut également alimenté par le discours, d'un
nationalisme exacerbé, prononcé à la fin de janvier 1866 par
Bismarck contre les Polonais : il aggrava en Autriche-Hongrie même les problèmes de nationalités entre les germanophones et les Slaves. Le chancelier impliquait en effet la
Double monarchie : en déclarant la guerre aux Polonais
d'Allemagne, il proclamait la nécessité d'un vigoureux programme d'expulsions, et n'hésitait pas à conseiller à la
noblesse polonaise d'émigrer en Galicie, c'est-à-dire dans les
régions polonaises sous souveraineté autrichienne. Cela
sous-entendait que les Polonais n'étaient pas dignes de vivre
en Allemagne, mais tout juste assez bons pour l'Autriche-

Hongrie, que sa composante slave entraînait déjà vers le déclin. Ces subtilités furent très bien perçues en Autriche : avec colère par la population slave, avec jubilation par les pangermanistes; le Club allemand de la Chambre des députés alla jusqu'à adresser un hommage au chancelier du Reich.

Après le discours de Bismarck (qui comportait également quelques remarques peu aimables sur la situation de l'Autriche en 1866) Élisabeth — contrairement à l'empereur qui évitait ce pénible sujet — demanda des explications à l'ambassadeur d'Allemagne lors d'un dîner. Le prince Reuss rapporta à Berlin : « J'ai lutté très énergiquement contre l'inquiétude de Sa Majesté quant à ce qu'il aurait pu y avoir d'inamical vis-à-vis de l'Autriche dans ce discours. [...] Je l'ai priée, puisqu'elle s'intéressait à cette affaire, de vouloir bien se donner la peine de lire la teneur du discours tout entier : elle pourrait voir ainsi qu'il ne contenait pas de proclamation inamicale contre l'Autriche. » Mais la suite montre clairement combien la méfiance d'Élisabeth était justifiée. « Je tiens tout cet épisode pour utile, car nombre d'Autrichiens somnolents seront ainsi amenés à réfléchir. En définitive, s'ils ont poussé les hauts cris, c'est qu'ils se sentaient atteints [36]. » Malgré tous les démentis, les propos du chancelier s'en prenaient bel et bien à la politique autrichienne envers les nationalités.

L'Allemagne espérait vainement que l'impératrice, précisément, pourrait être gagnée à son point de vue et exercerait une influence favorable. A la fin des années 1880, quand des difficultés surgirent au sein de l'alliance austro-allemande, ce fut le frère d'Élisabeth en personne, le duc Louis en Bavière, qui offrit à Berlin de servir d'intermédiaire. Il fit savoir « que son illustre sœur était fidèlement dévouée à l'Allemagne » et qu'il était « persuadé qu'à l'instant du danger, Son Altesse saurait élever la voix dans notre intérêt et celui de la dynastie autrichienne ». Le duc se disait même disposé, « au moment voulu, à se rendre sur-le-champ à Vienne pour [...] décrire exactement à Sa Majesté les orientations contre lesquelles elle aurait à s'élever. Le prince Louis a ajouté que son illustre beau-frère [l'empereur François-Joseph] n'aimait pas, sans doute, que l'impératrice lui donne des conseils, mais qu'en règle générale il s'inclinait devant ceux-ci [37] ».

Le prince Reuss, consulté, se déclara lui aussi persuadé « que nous pouvons compter, si le cas est grave, sur la sympathie de l'impératrice. [...] Elle sait que j'en suis convaincu et m'a bien laissé entendre que je ne me trompais pas sur ce point. Le cas échéant, on pourrait utiliser à cette fin les services du duc Louis [38] ». On ignorait à Berlin que le jugement d'Élisabeth sur la politique allemande était de plus en plus négatif ; et Louis ne le savait pas non plus. Les poèmes de l'impératrice montrent qu'elle n'aurait guère été accessible à l'intervention d'un membre de sa famille en faveur de l'Allemagne. L'attitude d'Élisabeth lors de la visite officielle à Vienne du jeune empereur Guillaume II, à l'automne de 1888, explique ce malentendu. Le souverain allemand s'était cru obligé de critiquer la politique intérieure autrichienne en omettant de conférer au Premier ministre, le comte Taaffe, l'Ordre de l'Aigle Noir, ce qui constituait un affront public. Depuis toujours ennemie jurée de Taaffe, Élisabeth s'était laissé aller à exprimer sa reconnaissance à Herbert Bismarck, qui accompagnait l'empereur allemand, pour cette offense. Herbert Bismarck écrivait à son père, le chancelier du Reich : « J'ai été distingué de la façon la plus aimable par l'impératrice ; elle entend ainsi contrarier Taaffe, qu'elle tient pour dangereux. Aujourd'hui encore, après le petit déjeuner, elle m'a tendu la main, sans le faire à personne d'autre, et m'a prié à nouveau de te transmettre ses salutations [39]. »

Comme Berlin et les nationalistes allemands d'Autriche détestaient le Premier ministre en raison de sa slavophilie, on interpréta à tort la prise de position de l'impératrice comme un encouragement. En réalité, elle en voulait à Taaffe essentiellement parce qu'il était le principal adversaire d'Andrássy.

Nous savons, par une lettre ultérieure d'Herbert Bismarck, que pendant ces jours-là, Élisabeth était en contact avec Andrássy et lui avait exprimé « sa satisfaction que Taaffe n'ait pas été décoré ». Elle continuait, mandait le comte à

Berlin, de vouloir beaucoup de bien à Andrássy, à qui elle avait textuellement déclaré : « Voilà enfin que quelqu'un a le courage de s'élever contre Taaffe ; peut-être devra-t-il tout de même s'en aller, après cet affront. Malheureusement, répondit Andrássy, les choses n'en étaient pas encore là. L'empereur doit être quelque peu froissé qu'on ait ignoré Taaffe. Mais Andrássy était d'avis que cela n'importait guère : personne dans l'actuel ministère n'aurait le courage de dire la vérité à l'empereur, parce que ce sont tous des flagorneurs. Mais François-Joseph réfléchirait tout de même à l'attitude de notre empereur [Guillaume II] [40]. » Ces spéculations étaient loin du compte : l'empereur soutint plus fermement que jamais son Premier ministre, et ne songea nullement à céder à la pression allemande.

Rodolphe réagit lui aussi en patriote et prit parti pour Taaffe, son ennemi juré. L'impératrice fut la seule à faire passer son antipathie avant la solidarité autrichienne. Mais cela ne l'empêchait pas de demeurer fort éloignée du nationalisme allemand (auquel adhérait Marie-Valérie). Comme d'habitude, elle réagissait de façon purement individuelle. Ses idées libérales procédaient d'inclinations affectives plutôt que d'une doctrine mûrement réfléchie, ce qui n'était pas le cas chez le prince impérial.

Dans ce type de situation, Rodolphe émettait des critiques contre sa mère, à qui il reprochait surtout son inaction. Déjà en 1881, il écrivait à un fervent partisan de l'impératrice : « Il fut un temps où [elle] s'occupait souvent de politique — laissons de côté la question de savoir si c'est avec bonheur — et parlait avec l'empereur de choses sérieuses, guidée par des conceptions diamétralement opposées aux siennes. Cette époque est révolue : Sa Majesté ne se soucie plus que de sport et a cessé d'être le porte-parole d'opinions différentes, dans l'ensemble d'inspiration plutôt libérale [41]. »

L'enthousiasme abusif d'Élisabeth pour l'équitation suscitait chez le prince déception, colère et jalousie. Son irritation s'exprima à plusieurs reprises et provoqua de sérieux conflits, notamment au sujet de Bay Middleton. Rodolphe critiquait également les penchants de sa mère pour le spiritisme. Parmi les brochures anonymes qu'il publia, se trouve ainsi un pamphlet antispirite, *Quelques mots sur le spiritisme* (1882), réfutant avec éloquence les apparitions d'esprits, les tables tournantes, la voyance et autres activités très à la mode alors dans la société aristocratique. Influencé par son vénéré maître Menger, il se servait des méthodes des sciences naturelles. Deux ans plus tard, la presse autrichienne fit savoir que le prince impérial avait démasqué et ridiculisé, au cours d'une séance de spiritisme, Bastian, l'un des plus célèbres médiums de l'époque [42].

Cette opposition, du reste très prudente, qu'Élisabeth ne percevait sans doute absolument pas, trouvait son origine dans l'amour déçu de Rodolphe pour sa mère. De plus, dans les années 1880, quand Taaffe était au gouvernement et qu'on assistait à un retour du conservatisme, Rodolphe se trouva de plus en plus isolé à la fois sur le plan politique et personnel. François-Joseph s'entretenait avec son fils — dont les convictions allaient s'affermissant — de questions bien circonscrites : la chasse, l'armée, les affaires de famille ; de politique, il n'était pas question. Pas une fois Élisabeth ne s'entremit entre l'empereur (elle continuait pourtant d'avoir une grande influence sur lui) et l'héritier du trône, qui lui était politiquement si proche. Rien n'indique qu'elle ait jamais parlé avec Rodolphe de ses problèmes. Les tensions qui affectaient les rapports familiaux n'échappait pas aux milieux diplomatiques. Selon un rapport secret, « les relations personnelles entre le monarque et son fils sont dépourvues de la cordialité qui règne d'ordinaire dans les cercles familiaux de haut rang. Contre son habitude, Sa Majesté François-Joseph observe à l'égard du prince impérial une sévérité manifeste, pour lui remettre toujours à l'esprit certaines limites qu'[il] aurait tendance à franchir dans ses paroles et ses jugements. Il est significatif que les deux Majestés soient d'accord dans leur appréciation sur leur fils [43] ».

Ce n'est qu'avec Erzsi, la fille que Rodolphe eut en 1883, que l'empereur sortit de sa réserve — contrairement à Éli-

sabeth, qui ne s'occupa pour ainsi dire jamais de ses petits-
enfants et ne se montra en rien fière d'être grand-mère. Lors
d'une visite à Laxenburg, où demeuraient le prince impérial
et son épouse, François-Joseph se laissa tirer la barbe par la
petite et la laissa même jouer avec ses décorations, épisode
relaté avec admiration dans son Journal par Marie-Valérie [44].

Les rares rencontres familiales en public étaient assom-
bries par des querelles et des petites jalousies. Lors du cin-
quantième anniversaire d'Élisabeth, à la Noël de 1887,
Marie-Valérie déplorait le « pénible malaise » suscité par les
dissensions dont Rodolphe était, selon elle, le responsable au
sein de la famille [45].

Tout Vienne fut au courant dès que des difficultés surgirent en 1886 dans le ménage du prince impérial. Mais, précise la comtesse Festetics, « dans ces milieux, on n'apprend
un peu les choses importantes qu'en tout dernier lieu. C'est
là ce qu'il y a de triste dans la vie des personnes de haut
rang ». Même lorsque Élisabeth en fut enfin informée précisément par Marie Festetics, elle ne songea pas à intervenir,
invoquant une fois de plus l'attitude négative qu'avait jadis
eue sa belle-mère Sophie. « Je sens bien aussi que Rodolphe
n'est pas heureux, répondit-elle à la comtesse. J'ai plus d'une
fois réfléchi à ce que je pourrais faire. Mais je crains d'intervenir, car j'ai moi-même tant souffert du fait de ma belle-
mère que je ne voudrais pas encourir le reproche d'une telle
faute [46]. » Elle ne voyait pas que les choses se présentaient
tout autrement. Et la comtesse Festetics était si déférente et
prudente qu'elle n'osa pas insister.

La maladie de Rodolphe, au printemps 1887, ne causa
guère plus de souci à Élisabeth. Selon la version officielle, il
souffrait d'une affection de la vessie et de rhumatismes, mais
il s'agissait peut-être d'une grave blennorragie qui aurait
atteint aussi les articulations et les yeux, plongeant en outre
le prince dans une profonde mélancolie [47]. Personne n'osait
informer le couple impérial sur les mœurs de plus en plus
relâchées de leur fils. Ils n'étaient guère plus au courant des

détails de ses entreprises politiques au cours des deux dernières années *.

Le paradoxe était que ce fils dont Élisabeth se souciait si peu lui ressemblât tant sur des points essentiels, tandis que sa fille Marie-Valérie, qu'elle aimait avec excès, s'engageait sur de tout autres voies. Celle-ci avait plutôt hérité du caractère de son père ; posée, pieuse, raisonnable, elle considérait avec désarroi, comme son aînée Gisèle, les fantaisies de sa mère. Plus grave encore : cette enfant « hongroise », née au château d'Ofen et élevée par des maîtres hongrois, conçut dès son adolescence une grande aversion pour la Hongrie. A quinze ans, elle demanda timidement à son père de ne pas lui parler constamment en hongrois, comme le souhaitait Élisabeth, mais également à l'occasion en allemand ; elle fut extrêmement heureuse de constater que François-Joseph acquiesçait de bon cœur [48].

La haine de Marie-Valérie à l'encontre de la Hongrie trouvait son expression la plus forte dans son aversion pour Gyula Andrássy. Les médisances sur les rapports de ce dernier avec l'impératrice et les nombreuses remarques offensantes de la Cour sur « l'enfant hongroise » ne pouvaient que revenir à ses oreilles et laisser en elle des traces. A maintes reprises, elle laissa libre cours dans son Journal à cette haine cordiale contre Andrássy, ainsi en 1883 : « Dîner en l'honneur d'Andrássy, j'ai souffert de lui permettre de triompher en entendant que je parlais hongrois [49]. » Et en 1884 : « Je lui ai tendu la main avec beaucoup d'arrogance. [...] Sa répugnante familiarité m'écœure tant que j'adopte presque involontairement vis-à-vis de cet homme un ton froid, proche de l'ironie. Il me hait certainement autant que je le hais moi-même, du moins je l'espère [50]. »

Bien entendu, Marie-Valérie n'osait manifester cette haine de la Hongrie en présence de l'impératrice ; leurs conversations et leurs lettres se faisaient en hongrois. Cette

* *Cf.* la biographie du même auteur : *Rudolf, Kronprinz und Rebell*, Vienne, 1978.

aversion pour la Hongrie, mais aussi pour les Slaves, évolua peu à peu vers un nationalisme allemand proprement militant, qui, pour paradoxal que ce soit chez la fille d'un Habsbourg régnant, n'était pas exempt de traits anti-autrichiens.

On pourrait souvent croire, à la lecture du Journal de Marie-Valérie, qu'Élisabeth partageait ces conceptions. Mais les poèmes de l'impératrice infirment cette impression : elle considérait le problème allemand d'un point de vue bavarois et autrichien, et s'opposait aux « Prussiens ». Tout au plus peut-on la considérer comme attachée à la « cause allemande » (mais non prussienne) au sens de 1848, ce qui était tout autre chose que de désirer, comme le faisait Marie-Valérie, l'unification de toutes les populations allemandes sous l'égide de Berlin, au mépris de « l'idée autrichienne ». Les idées de Marie-Valérie ne différaient pas moins des conceptions du prince impérial, qui était nettement « autrichien » et antiprussien. Pour la jeune archiduchesse, les mots « prussien » et « allemand » étaient interchangeables, et elle voyait dans le jeune empire de Guillaume II le noyau d'un empire pangermanique.

Contrairement à son frère, Marie-Valérie était une catholique convaincue, qui se soumit sa vie durant avec zèle aux prescriptions et aux dogmes de l'Église jusque dans les moindres détails. Tenant en horreur toute forme de libéralisme, elle s'inquiétait grandement du salut éternel de sa mère, qui osait développer ses propres conceptions religieuses sans tenir compte des préceptes de l'Église — un point sur lequel elle fut aussi un modèle pour Rodolphe.

L'amour excessif, voire hystérique, que nourrissait Élisabeth pour Marie-Valérie ne provoquait pas seulement les railleries de la Cour et l'ardente jalousie du prince impérial, mais devenait parfois pesant à l'archiduchesse elle-même, surtout lorsqu'il conduisait la jeune femme à entrer en conflit avec François-Joseph, qu'elle aimait avec exaltation. Ainsi, après une pénible scène entre ses parents à son sujet, au terme de laquelle l'empereur avait encore cédé, Marie-Valérie notait : « J'aurais voulu tomber devant lui et baiser ses mains

de père et d'empereur, tandis qu'à l'égard de maman — Dieu
me pardonne ! — j'ai éprouvé une rancune passagère, parce
que son amour effréné et sa préoccupation excessive et
infondée me mettent dans des situations fausses et trop pénibles [51]. »

A l'âge de quinze ans, elle ne connaissait pas de plus grand
bonheur que d'être autorisée à s'asseoir aux côtés de son père
quand il étudiait ses dossiers : « Je suis restée assise une
bonne heure tout tranquillement près de lui, tandis qu'il
travaillait en fumant. Il devait s'agir de choses importantes,
car il n'a levé les yeux qu'une seule fois, pour observer :
" Mais tu dois t'ennuyer terriblement ! " A quoi j'ai bien sûr
répondu vivement : " Oh non, papa ! C'est si bon d'être
assise là... " " Beau plaisir ! " a-t-il répondu ; puis il a continué à travailler. Le pauvre ! Je le voyais si patient devant ce
tas de dossiers, sans un mot de plainte. [...] Chacun, dans cet
État, rejette quotidiennement les fatigues et les soucis, s'en
décharge plus haut, toujours plus haut, à la fin tout aboutit à
l'empereur. Et lui, qui ne peut les transmettre plus haut,
accepte tout et va patiemment au fond de chaque affaire, se
consacrant au bien de tous. C'est tellement beau d'avoir un
père pareil [52] ! »

Le retour de l'impératrice nuisit bientôt à ces affectueux
rapports : « L'intimité idéale de ces inoubliables journées à
Schönbrunn a disparu, maintenant que maman est là, je n'ose
plus le distraire et lui montrer, plus ou moins furtivement,
combien je l'aime [53]. »

Élisabeth n'avait jamais caché que seule Marie-Valérie la
liait encore à la Cour. Elle fit cependant preuve de compréhension lorsque sa fille fut en âge de se marier et que se
présentèrent des prétendants, Frédéric-Auguste, prince héritier de Saxe, le prince Miguel de Bragance et d'autres
encore. Parfaitement raisonnable, la jeune fille savait fort
bien distinguer entre les unions purement dynastiques,
qu'elle refusait énergiquement, et le mariage d'amour, qu'elle
souhaitait ardemment et que sa mère soutenait avec vigueur.
Marie-Valérie trouvait en elle une amie et une confidente.

C'est ensemble qu'elles jugeaient les prétendants. Lorsque le prince Alphonse de Bavière vint en visite à Vienne, Marie-Valérie eut immédiatement l'impression d'être observée « comme une vache sur le marché aux bestiaux ». Pour alimenter la conversation, Alphonse se lança dans un exposé sur les chevaux et les diverses manières de les harnacher et de les atteler, ce qui ennuya copieusement la mère et la fille. Élisabeth prit finalement l'initiative d'entraîner ce prince au fort accent bavarois sur un terrain glissant : « Sans doute ne vas-tu voir que des opérettes et t'endors-tu pendant les pièces classiques ? Mais au cirque, tu es toujours bien éveillé ? Et tu te trouves certainement mieux en ville qu'à la campagne, qui te paraît loin de tout et ennuyeuse, n'est-ce pas ? »

Valérie écoutait attentivement ; dans son Journal, elle se moque du soupirant dépourvu d'esprit de répartie face aux questions ironiques de l'impératrice : « Sans se douter de rien, il acquiesçait chaleureusement à toutes les questions, et il donna si complètement dans le panneau qu'Amélie [cousine et amie de Marie-Valérie, fille du duc Charles-Théodore en Bavière] et moi eûmes les plus grandes peines à ne pas éclater de rire. Il semble d'un naturel excellent, mais ne me fait aucune impression [54]. »

Lorsque les choses devinrent plus sérieuses et que Marie-Valérie tomba amoureuse, Élisabeth resta l'alliée de sa fille. L'élu était l'archiduc François-Salvator, de la branche toscane des Habsbourg ; ce choix déplut tout d'abord à l'empereur, en raison surtout du degré de parenté trop proche. Très jeune, François était sans expérience et extrêmement timide. C'est l'impératrice qui avait fait rencontrer les jeunes gens « par hasard » au Burgtheater. Marie-Valérie rapporte la scène dans son Journal : François étant trop intimidé le premier soir pour aller dans la loge impériale, la rencontre n'eut lieu que le lendemain du jour fixé. « Nous descendîmes à sept heures dix, maman et moi. Comme j'étais fébrile ! [...] Maman se glisse maintenant doucement vers la porte cintrée [de la loge impériale] et l'ouvre. François s'y trouve assis, seul, tassé dans un coin ; mais il ne reconnaît maman que lorsqu'elle lui fait un signe du doigt en disant à voix basse :

« Viens. » Il bondit au-dehors. Je suis là derrière maman. [...]
Il répond à toutes ses questions sans me jeter le moindre coup
d'œil. [...] Enfin, maman se tourne vers moi : " N'est-ce pas
que Valérie a grandi ? — Oui, elle a encore grandi ", et il me
tend la main avec tant de bonheur sur le visage que mon
cœur chavire et que je sens que tout va bien, terriblement
bien [55]. »

Deux années encore s'écoulèrent jusqu'aux fiançailles du
jeune couple, à Noël 1888. Élisabeth tenait à ce que Marie-
Valérie ne précipite rien : « Car un moment vient dans la vie
de la plupart des femmes où elles tombent amoureuses, écrit
Marie-Valérie. C'est pourquoi je dois à François comme à
moi-même de faire la connaissance d'autres hommes, afin de
ne pas rencontrer " le vrai " quand il sera déjà trop
tard [56]. »

L'opposition de l'empereur à cette union ne fut guère
difficile à lever, tant Élisabeth prenait fait et cause pour sa
fille. Le prince impérial, en revanche, garda longtemps des
préventions contre l'archiduc François-Salvator, qui ne lui
paraissait pas suffisamment consistant. On peut toutefois se
demander si Marie-Valérie ne surestimait pas les réserves de
son frère ; en tout cas les rapports entre le frère et la sœur
furent très tendus à cette époque.

La volonté d'Élisabeth de tenir sa fille cadette à l'abri de
tout souci et ses réactions hystériques, dès qu'une complication se présentait, dégradèrent tout à fait ses relations avec
son fils, qui n'avaient jamais été vraiment chaleureuses. Elle
le considérait comme un ennemi de Marie-Valérie, et c'était
bien ce qui pouvait arriver de pire à Rodolphe. Elle ignorait
qu'il avait alors d'autres problèmes que les affaires de cœur
de sa jeune sœur...

Lors des rares rencontres entre la mère et le fils, on parlait
de l'avenir de Marie-Valérie, par exemple lors de l'inauguration du monument à Marie-Thérèse, à Vienne, le 13 mai
1888. La veille au soir avaient eu lieu des échauffourées
dirigées contre les Habsbourg en faveur d'une annexion de
l'Autriche germanophone à l'empire allemand. Le prince
impérial, dont la voiture s'était trouvée par hasard près de la

manifestation, en était sorti profondément déprimé et ébranlé dans sa foi en l'avenir de l'Autriche [57]. L'impératrice s'aperçut bien de la mauvaise mine de Rodolphe, mais se borna à lui demander s'il était malade. Sans rien dire de ses préoccupations, il répondit : « Non, seulement fatigué et nerveux. » Le prince avait compris depuis longtemps que sa mère ne pouvait guère l'aider à résoudre ses problèmes, ni même les comprendre. Absorbée par autre chose et coupée de la réalité comme toujours, elle lui recommanda une nouvelle fois de prendre soin de sa jeune sœur : « Je suis une enfant du dimanche, en communication avec l'autre monde, et je puis apporter le bonheur et le malheur. [...] Aussi souviens-toi du 13 mai. » Rodolphe ne put que répondre : « Je ne ferai jamais aucun mal à Valérie, maman [58]. » A l'évidence, le malheur s'était déjà emparé du prince, qui allait bientôt ruminer des projets de suicide.

Ne se souciant de rien d'autre que du bien-être de sa fille préférée, Élisabeth croyait que le visage grave et fermé de son fils exprimait de l'hostilité envers sa pauvre petite. Mère et fille s'incitaient mutuellement à redouter le futur empereur et ce à l'époque où, précisément, celui-ci avait fini de perdre toute foi en la monarchie et en lui-même.

Des questions d'héritage étaient même déjà en discussion. Marie-Valérie confiait à son Journal combien lui était insupportable l'idée que « le cher Ischl » serait un jour à Rodolphe et à Stéphanie, perspective « si pénible, que je préférerais mettre le feu à cette villa que j'aime tant ». Élisabeth la rassura en lui indiquant que l'affaire avait depuis longtemps été débattue avec l'empereur et que ce serait elle, et non Rodolphe, qui hériterait de la villa impériale... [59]

L'impératrice faisait tout pour que sa fille bien-aimée ait une position assurée après la mort de François-Joseph. « Pendant une promenade à Schönbrunn, rapporte Valérie, maman et moi avons parlé de Rodolphe comme individu, comme futur empereur, et comme éventuel beau-frère de François. Maman pense qu'il risque de maltraiter François, de le gêner dans sa carrière militaire [...] : Élisabeth proposait : "Si [François] est un homme de caractère, comme je te le souhaite [...], il ne supportera pas de se laisser ainsi opprimer, mais développera ses capacités au service de l'Allemagne " [ce qui signifiait qu'il devrait quitter l'Autriche.] Maman voudrait donner à François l'idée de s'engager comme volontaire dans l'armée allemande, jusqu'à ce que le devoir le rappelle ici si la guerre entre l'Allemagne et la France éclate plus vite qu'entre la Russie et nous. Il en tirerait de la gloire. [...] On verra alors si c'est un homme ou seulement un archiduc [60]. »

Élisabeth, qui n'avait jamais de conversations politiques en tête-à-tête avec son fils — pourtant bon connaisseur — interrogeait l'élu de sa fille. Ainsi trouve-t-on dans le Journal de Marie-Valérie cette discussion entre l'impératrice et François-Salvator (qui n'avait que vingt ans) :

« " Contre qui [préférerais-tu] partir : les Allemands, les Russes, les Italiens ? — C'est égal. — Si c'était contre les Allemands, ce serait triste... Des frères... — Mais on ne peut pas compter sur leur amitié ; je ne puis souffrir les Prussiens, ils sont calculateurs, peu sûrs. — On ne peut leur en vouloir de chercher l'avantage de leur pays et d'être assez vaillants pour cela... Et tous les Allemands ne sont pas prussiens. " Maman exposa alors combien les Westphaliens étaient capables et pieux ; les Rhénans, les Badois et les Wurtembourgeois vifs et cultivés ; comment l'étude et la discussion avaient là-bas une tout autre place que chez nous, où règne l'indolence et où il n'y a ni unité ni ordre solide. [...] [Ce serait] une telle joie de combattre les Russes, que je déteste, tout comme les Italiens. [...] Les Italiens sont faux et lâches [61] » — remarque qui ne dut guère plaire à François, originaire de Toscane.

Élisabeth parla aussi au prince impérial de ses projets d'installer le jeune couple à l'étranger. Rodolphe s'indigna que le gendre de l'empereur d'Autriche pût se mettre au service de l'Allemagne, sous le prétexte que l'impératrice trouvait la situation dans son propre pays défavorable. « Papa, dit-il à Marie-Valérie, ne le permettrait pas, cela aurait l'effet le plus néfaste sur toute l'armée. » Si vraiment on estimait nécessaire un séjour de formation à l'étranger,

Rodolphe proposait l'École d'artillerie de Woolwich [62], ce qui acheva de désespérer le fiancé, car il ne parlait pas l'anglais.

Ce projet d'émigration devint pour Élisabeth une véritable idée fixe ; il est difficile aujourd'hui d'en saisir la logique, mais il révèle jusqu'où allait son antipathie pour l'Autriche. Le 5 mai 1888, Marie-Valérie notait une réaction caractéristique : « François a parlé de la dégradation de la situation chez nous. [...] Naturellement, ce jugement a fait très plaisir à maman. »

De plus en plus proche du courant nationaliste allemand, l'archiduchesse interprétait à sa façon les idées d'Élisabeth et plaidait pour l'émigration auprès de son fiancé avec des arguments plutôt surprenants dans la bouche de la fille de l'empereur d'Autriche : « Nous sommes d'abord allemands, ensuite autrichiens, et Habsbourg seulement en dernier lieu. C'est d'abord le bien de la patrie allemande qui doit nous tenir à cœur, et peu importe que ce soit au profit des Habsbourg ou des Hohenzollern. » Elle réfutait les objections de François : « Tu as tort de dire que tu serais au service de l'étranger sous l'empereur Guillaume. Ce qui est allemand est allemand, et la patrie passe avant la famille [63]. » De telles conceptions excluaient toute entente avec Rodolphe, Autrichien convaincu et même fanatique, qui voyait en Guillaume II son principal adversaire.

Malgré l'appui qu'elle lui avait tout d'abord apporté, l'impératrice ne facilita guère la vie de Marie-Valérie lorsque le mariage fut en vue. Elle se mit à se lamenter qu'elle « haïssait plus que jamais les humains en général et les hommes en particulier », selon Marie-Valérie : « Si je me marie, elle veut aller au désert. » Et un peu plus tard : « Maman dit que si jamais je me marie, elle ne se réjouira plus de me voir, et qu'elle est comme beaucoup de bêtes qui abandonnent leurs petits sitôt que quelqu'un les a touchés [64]. »

Quant à François-Joseph, « lorsque maman devient mélancolique, rapporte Marie-Valérie, cela l'impatiente [65] ». Au milieu des débordements sentimentaux de sa famille, l'empereur demeurait calme et pondéré, ce qui n'irritait que davantage l'impératrice. Celle-ci donnait libre cours à ses idées de mort, y compris avec son futur gendre : « Tu ne dois pas croire, comme beaucoup de gens, que je souhaite voir Valérie t'épouser parce qu'ainsi elle resterait près de moi. Une fois mariée, peu m'importe qu'elle parte pour la Chine ou qu'elle reste en Autriche. De toute façon, elle est perdue pour moi. Mais j'ai confiance en toi, en ton caractère, en ton amour pour elle et, si je mourais aujourd'hui, je ne pourrais qu'être rassurée de l'avoir laissée [66]. » Dans ses écrits personnels, elle se montrait toutefois beaucoup plus réservée :

A mon enfant

Amoureuse, amoureuse ! et donc sotte ;
Je ne sais guère que te plaindre.
J'ai longtemps hanté ici-bas,
Et l'amour m'emplit d'effroi.

[...]

De quoi sert-il d'avoir enfanté,
Et pour l'amour de toi renoncé
A une vie où, telle les fées,
J'allais libre de par le monde ?

Ce qui t'enlève loin de moi,
C'est l'amour d'un pâle garçon ;
Je te l'avoue, en vérité,
Pour moi je n'en voudrais pas.

Tu vois en esprit autour de toi
Déjà bouger une douzaine d'enfants.
Tu aimeras donc douze morveux
Plus que moi, qui t'avais dorlotée.

L'amour est bête, l'amour est aveugle !
Ainsi l'a voulu le livre du Destin
Et c'est, mon enfant, à ton tour
De ployer sous la malédiction.

Aussi, endeuillée je déploie
Mes grandes ailes blanches
Pour rentrer au pays des fées,
Et rien ne me ramènera [67].

Toutes ses craintes sur la prétendue hostilité de Rodolphe se trouvèrent dissipées en décembre 1888, lorsque Élisabeth lui annonça que Marie-Valérie allait effectivement se fiancer. « Mais il n'a pas été le moins du monde désagréable, et j'ai été amenée pour la première fois de ma vie à jeter mes bras autour de son cou, écrit l'intéressée. [...] Mon pauvre frère ! Lui aussi a le cœur tendre et besoin d'être aimé, car il m'a étreinte et embrassée avec toute la tendresse d'un véritable amour fraternel. Il m'a attirée encore et encore contre son cœur, on sentait tout le bien que lui faisait l'amour que je lui montrais, si longtemps étouffé par la crainte et la honte. Maman l'a prié de toujours être bon pour moi, pour nous, quand nous dépendrons de lui ; il l'a promis et juré avec simplicité et chaleur. Elle lui a alors fait un signe de croix sur le front, disant que le bon Dieu l'en bénirait et lui apporterait le bonheur ; elle l'a assuré de l'amour qu'elle lui porte, et il lui a baisé la main avec emportement, il était profondément ému. Je l'ai remercié et l'ai étreint en même temps que maman, en disant, presque sans m'en rendre compte : " C'est ainsi que nous devrions toujours être [68] ! " »

La comtesse Festetics décrit une autre scène qui eut lieu la nuit même de Noël : le prince impérial se jeta au cou de sa mère « et éclata en longs sanglots qu'il ne parvenait pas à apaiser, ce qui l'effraya profondément ». Les dames d'honneur et les aides de camp, qui avaient été appelés à venir devant l'arbre de Noël juste à cet instant, « trouvèrent les membres de la famille impériale encore tout émus, les yeux gonflés de larmes [69] ».

Lors de ce Noël, le dernier qu'il devait connaître, le prince impérial montra encore une fois combien il adorait sa mère. Pendant la controverse sur l'érection à Düsseldorf du monument à Heine, il s'était trouvé attaqué comme elle par les antisémites ; aussi pensait-il avoir trouvé en sa mère, qu'il aimait passionnément, une compagne aux côtés de laquelle il pourrait lutter pour la cause des libéraux, contre les nationalistes allemands et les antisémites. Il se trouvait aussi opposé au jeune Guillaume II, qu'il haïssait et qui s'était rangé du côté des adversaires de Heine. Pour exprimer sa vénération à l'égard de sa mère, publiquement attaquée à cause du monument, il acheta à un prix exorbitant onze textes autographes du poète, qu'il déposa pour elle sous l'arbre de Noël. Cependant, Élisabeth était si préoccupée par les fiançailles de sa fille qu'elle n'apprécia pas ce cadeau autant qu'il l'avait imaginé.

Personne ne prenait vraiment au sérieux le fait que le prince impérial, qui avait tout juste trente ans, parlât fréquemment de sa mort prochaine. Il est vrai qu'il n'exprimait pas cette pensée devant les membres de sa famille mais surtout — et c'est symptomatique — devant la comtesse Festetics. Cependant, celle-ci était trop soucieuse de l'hypersensibilité de l'impératrice pour même faire allusion à ce sujet en sa présence. Elle devait écrire plus tard : « De fait, on n'attachait pas à ses propos sur sa fin prochaine la signification que lui-même leur donnait, et ce n'est plus tard qu'on s'en souvint. »

Lorsque, en 1909, l'historien Henri Friedjung interrogea la comtesse, elle lui débita toute sorte d'excuses en faveur d'Élisabeth : « Je ne pus me retenir de dire à la comtesse Festetics que pour ma part, bien que ses informations m'eussent bouleversé et rempli de compassion pour l'impératrice, je ne pouvais comprendre comment une mère aussi profondément sensible qu'elle avait pu demeurer dans l'ignorance de ce qui agitait le prince impérial et ignorer dans quels égarements il était plongé. La comtesse me répondit, reprenant une observation qu'elle m'avait déjà répétée avec insistance : " n'oubliez pas que les personnes du plus haut rang vivent tout autrement que les autres humains, qu'elles ont moins d'expérience et qu'on peut même les dire très malheureuses, parce que la vérité ne leur parvient que rarement et jamais entière [70]. " »

Le 30 janvier 1889, la tragédie de Mayerling frappa la famille impériale à l'improviste. L'impératrice fut la première informée : le comte Hoyos, compagnon de chasse de Rodolphe, apporta la nouvelle au cours d'une leçon de grec où Élisabeth lisait Homère. Hoyos mentionna qu'il y avait un second cadavre, celui d'une jeune fille nommée Marie Vetsera, qui aurait empoisonné le prince avant de se donner elle-même la mort par le même moyen.

Le calme et la discipline avec lesquels l'impératrice, dont on sait l'extrême sensibilité, assuma la situation ne laissent pas de surprendre. Elle ne se déroba à aucun de ses devoirs. Ce fut elle qui informa l'empereur. « Il entre d'un pas souple, mais il quitte la pièce brisé, la tête basse », raconte Marie-Valérie. Élisabeth se rendit ensuite chez Ida Ferenczy, sachant que Catherine Schratt y attendait François-Joseph. Elle conduisit elle-même la comédienne chez celui-ci : elle seule pourrait consoler son profond chagrin.

Puis l'impératrice alla voir Marie-Valérie. Là, elle sursauta quand celle-ci émit d'emblée l'hypothèse que Rodolphe s'était suicidé. « Non, non, je ne veux pas croire cela, répondit-elle, il semble si vraisemblable, si assuré que c'est cette fille qui lui a donné du poison [71] ! »

Marie-Valérie alla alors chercher la veuve de Rodolphe, pour l'amener au couple impérial. Stéphanie raconte la scène dans ses Mémoires : « L'empereur était assis au milieu de la pièce ; l'impératrice, vêtue de noir et blanche comme la neige, le visage figé, était auprès de lui. Dans l'état où j'étais, défaite, bouleversée, je crus qu'on me regardait comme une criminelle. Un feu croisé de questions, auxquelles je ne pouvais répondre parce que j'en étais incapable ou parce que je n'en avais pas le droit, s'abattit sur moi [72]. »

Sur ces entrefaites, la baronne Hélène Vetsera, cherchant désespérément sa fille, avait pénétré jusque dans l'antichambre d'Ida Ferenczy et, voulant parler à l'impératrice, refusait de se laisser éconduire : « J'ai perdu mon enfant, elle seule peut me la rendre », sanglotait-elle, ignorant que sa fille était déjà morte. Ida demanda au baron Nopcsa, premier chambellan, d'informer la baronne, puis l'impératrice vint ensuite la voir. Elle l'avait connue en des temps meilleurs, lors des courses de chevaux en Hongrie, en Bohême et en Angleterre. Hélène Vetsera avait toujours attiré de nombreux soupirants, parfois les mêmes qu'Élisabeth, ainsi le comte Nicolas Esterházy. Après 1870, elle avait aussi fait des avances au prince impérial encore à peine adulte et, selon toute apparence, avec succès [73]. Sa réputation n'était pas des meilleures. Mais elle était maintenant là, debout devant l'impératrice, brisée par l'angoisse.

Ida Ferenczy, présente, décrivit plus tard la scène à Marie-Valérie, qui la rapporte à son tour dans son Journal : « Sa Majesté, pleine de noblesse, se tient devant cette femme agitée qui lui réclame son enfant, elle lui parle d'une voix douce. Elle lui dit que sa fille est morte. Alors Hélène Vetsera éclate en bruyantes lamentations : " mon enfant, ma belle enfant ! " Mais savez-vous, poursuit Sa Majesté en forçant la voix, que Rodolphe est mort lui aussi ? Hélène Vetsera chancelle, tombe aux pieds de Sa Majesté et lui enlace les genoux. Malheureuse enfant, qu'a-t-elle fait ? Elle a donc fait cela ! Elle aussi avait ainsi compris les choses et pensé, comme Sa Majesté, que c'était la jeune fille qui avait empoisonné le prince. Après quelques mots encore, Sa Majesté la laissa en disant : " Et maintenant, retenez bien que Rodolphe est mort d'une crise cardiaque [74] ! " »

C'est seulement le lendemain que le couple impérial apprit de la bouche du Dr Widerhofer, médecin ordinaire de la famille impériale, comment étaient réellement morts les deux amants. D'après Marie-Valérie, le Dr Widerhofer avait vu « la jeune fille étendue sur le lit, les cheveux épars sur les épaules, une rose dans ses mains jointes, et Rodolphe à demi assis, le revolver tombé sur le sol de sa main ouverte, dans son verre rien d'autre que du cognac. Il allonge le cadavre, depuis longtemps refroidi, le crâne est défoncé, la balle a pénétré par une tempe et est ressortie par l'autre. Mêmes blessures chez la jeune fille. Les deux balles se trouvaient dans la chambre [75] ». Commentaire d'Élisabeth : « Le grand Jéhovah est terrible, comme la tempête, quand il passe pour détruire [76]. »

Le corps du prince impérial fut exposé dans ses appartements de la Hofburg. Élisabeth se rendit auprès de son fils mort, au matin du 31 janvier, et lui donna un baiser sur la bouche. « Il était si beau et reposait si paisiblement, rapporte Marie-Valérie, le linceul blanc remonté jusqu'à la poitrine, des fleurs tout autour de lui. Le léger pansement autour de sa tête ne le défigurait pas ; ses joues et ses oreilles étaient encore colorées du bon rose de la jeunesse ; l'expression incertaine, souvent amère et ironique, qu'il avait de son vivant avait fait place à un paisible sourire ; jamais il ne m'était apparu aussi beau ; il semblait dormir et baigner dans le calme et le bonheur. »

Lors du repas pris en commun dans la même pièce où à Noël s'était déroulée une scène familiale exceptionnellement chaleureuse, l'impératrice perdit contenance (« pour la première fois », note Marie-Valérie) et se mit à pleurer amèrement. Stéphanie, et sa fille Erzsi, âgée de cinq ans, étaient également présentes. Les relations entre Élisabeth et sa bru ne furent nullement améliorées par leur chagrin commun, bien au contraire. Élisabeth et Marie-Valérie rendirent l'une et l'autre la princesse impériale en partie responsable du malheur de Rodolphe. Stéphanie « ne cessait de nous demander à tous pardon, sentant bien que son manque de dévouement avait contribué à pousser Rodolphe à cette horrible extrémité ».

L'impératrice laissa libre cours à la haine que lui inspirait sa bru, disant « qu'elle en avait honte devant les gens. Quand on connaît cette femme, on ne peut qu'excuser Rodolphe d'avoir cherché à se distraire et s'étourdir au-dehors, pour pallier le manque de chaleur dont il souffrait chez lui. Assurément, il ne serait pas devenu comme cela s'il avait eu une autre épouse, capable de le comprendre ».

Deux ans après Mayerling, l'impératrice lança au visage de Stéphanie : « Tu as haï ton père, tu n'as pas aimé ton mari, et tu n'aimes pas non plus ta fille [77] ! » Il se peut que ces reproches fussent justifiés, mais, comme d'habitude, Élisabeth ne voyait que les fautes des autres, jamais les siennes propres. En réglant ainsi ses comptes, elle oubliait que le malheureux

Rodolphe n'avait pas seulement manqué d'amour auprès de sa femme, mais aussi de sa mère.

Rodolphe avait laissé quelques lettres d'adieu, mais sans y expliquer son suicide. La plus longue était adressée à sa mère. Rodolphe s'y disait, selon les termes de Marie-Valérie, « indigne d'écrire à son père » ; il décrivait la jeune Marie Vetsera comme « un ange pur [...] qui l'accompagne là-bas » et exprimait le vœu d'être « enterré auprès d'elle à Heiligen-kreuz [78] » — vœu qui ne fut jamais exaucé.

Ida Ferenczy, l'une des rares personnes à avoir lu cette lettre, disait que Rodolphe « n'avait pris la jeune fille pour compagne sur cet affreux chemin que par crainte de l'atroce inconnu ; elle lui a donné le courage ; sans elle il n'aurait peut-être pas osé, mais ce n'est pas à cause d'elle [79] ». On n'a jamais su le contenu exact de la lettre : elle se trouvait parmi les papiers privés qu'Ida Ferenczy détruisit, selon le vœu d'Élisabeth, après la mort de celle-ci. Marie-Valérie n'en a pas non plus transmis le contenu littéral.

A cette dernière, Rodolphe avait laissé un bref billet avec ces lignes excessivement pessimistes : « Le jour où papa fermera les yeux, les choses deviendront très dangereuses en Autriche. Je sais trop bien ce qui adviendra et je vous conseille alors d'émigrer [80]. » Lui qui avait défendu si énergiquement l'Autriche-Hongrie face à sa mère et à sa sœur, se rangeait dans cette lettre d'adieu à leurs sombres pronostics. Marie-Valérie commente : « Il est étrange qu'il n'ait dit que tout récemment à maman que si jamais Franzi [François-Ferdinand] arrivait au pouvoir, rien n'irait plus. » Rodolphe avait donc abandonné, comme Élisabeth, l'espoir d'un avenir heureux pour la monarchie danubienne, et ce fut certainement là un des nombreux motifs de cette fin marquée par le désespoir et la culpabilité.

Élisabeth s'exprimait plus clairement encore, comme le note Marie-Valérie : « Maman pense d'ailleurs que l'Autriche ne pourra plus du tout se maintenir quand papa ne sera plus là ; c'est lui qui par la force de son caractère sans faille et de sa bonté pleine de dévouement unit les éléments les plus contradictoires. [...] Seul leur amour pour papa retient les peuples d'Autriche de reconnaître ouvertement combien ils aspirent à retourner à la grande patrie allemande, dont ils sont coupés [81]. »

Dans la famille impériale régnait une atmosphère de fin du monde. Il semblait qu'avec Rodolphe fût mort l'avenir de l'Autriche-Hongrie. Dans la nuit, après que l'on eut ramené le corps du prince impérial à la Hofburg, une violente tempête fit rage, qui secoua tant les fenêtres « que le vieux château craquait et gémissait dans toutes ses jointures » ; « Maman a raison, notait Marie-Valérie, elle a fait son temps » — ce qui ne s'appliquait pas seulement à la Hofburg, mais à toute la monarchie danubienne.

Élisabeth alla jusqu'à déconseiller à sa fille de jamais s'établir à Vienne : « Rien ne doit me lier à Vienne ; je n'ai de patrie qu'en papa. [...] Quand il ne sera plus là, je n'aurai plus ma patrie en Autriche, et je ne le veux pas non plus. » Elle ne pouvait accepter l'idée de vivre sous le règne de François-Ferdinand, de « passer notre vie sur le sol corrompu de Vienne, dans cette atmosphère étouffante et moralement malsaine [82] ». Opinion que la jeune archiduchesse ne tenait de personne d'autre que de sa mère.

La fille de l'empereur ne considérait donc plus l'Autriche-Hongrie comme sa patrie, mais bien l'Allemagne, l'empire dont elle rêvait qu'il rassemblât tous les Allemands. Amélie, l'amie de Marie-Valérie rapporte : « Valérie, qui jadis s'enthousiasmait tant pour l'Autriche, n'a plus guère de sentiment patriotique. Elle ne croit plus que son pays ait un grand avenir. Il n'y a plus qu'à l'empereur qu'elle porte un réel amour [83]. »

François-Joseph et Élisabeth réagirent fort différemment à la mort de Rodolphe, comme le consigne Marie-Valérie dans son Journal : « La pieuse résignation de papa, presque surnaturelle, sans plainte aucune, la souffrance figée de maman qui, croyant à la prédestination, se lamente que son sang bavarois et palatin soit monté à la tête de Rodolphe, je ne saurais dire combien tout cela est amer à contempler en même temps [84]. » Pour permettre que le suicidé fût enterré religieusement, il fallait une attestation médicale stipulant

qu'il était atteint d'aliénation mentale ; ce fut là une consolation pour François-Joseph, mais une nouvelle souffrance
pour Élisabeth. Car elle-même avait toujours senti trop proche le danger de la folie pour ne pas se sentir personnellement concernée, ou du moins penser que le sang des Wittelsbach était l'une des causes de la tragédie. Rencontrant
son frère préféré, Charles-Théodore, avant l'enterrement de
Rodolphe, elle s'accabla elle-même de reproches : « Si seulement l'empereur n'était jamais entré dans la maison de ses
parents, s'il ne l'avait jamais aperçue ! Que de choses lui
auraient été épargnées, ainsi qu'à tous les autres [85] ! »

En revanche, l'affirmation que Rodolphe ne jouissait pas
de toutes ses facultés en commettant son acte sanglant apaisa
l'empereur parce qu'elle limitait la culpabilité de son fils. Le
Dr Widerhofer, qui avait vu les deux cadavres à Mayerling,
fit tout pour accréditer cette version. Marie-Valérie nota :
« Widerhofer dit qu'il est en fait mort de folie, comme
d'autres meurent d'autres maladies. C'est cette pensée, je
crois, qui soutient papa. » Mais pour sa part, elle doutait de
cette explication un peu trop commode : « Mais je ne crois
pas que cet aspect apporte une entière vérité sur l'ensemble
de ce malheur [86]. »

La mort de Rodolphe fut suivie de graves querelles avec la
famille bavaroise. Il apparut en effet que la nièce préférée
d'Élisabeth, Marie Larisch, avait agi comme intermédiaire
entre le prince impérial et Marie Vetsera. Il y eut des scènes,
à Vienne, entre l'impératrice et ses frères, et Marie Larisch
fut bannie de la Cour. Elle implora ardemment d'être admise
à se justifier, mais ne fut plus jamais reçue.

Ce fut Andrássy, déjà très malade, qui, pendant ces jours-là
encore, assista l'impératrice en fidèle ami ; sur son ordre, il
alla voir la comtesse Larisch pour comprendre l'arrière-plan
de la tragédie. Élisabeth ne pouvait croire à une simple histoire d'amour ; on soupçonnait en fait des causes politiques
(et Andrássy sonda également la comtesse à ce sujet), mais
personne ne connaissait les détails [87]. Les activités politiques
du prince étaient restées extrêmement secrètes. Élisabeth
ne s'était jamais vraiment intéressée aux problèmes de son

fils adulte, et il régnait une complète confusion. Rodolphe avait été un étranger au sein de la famille, un solitaire, dont le désespoir restait complètement isolé. L'unique explication, et la plus simple, de sa mort désolante était cette déclaration des médecins selon laquelle, en état d'aliénation mentale, il avait tué la jeune fille avant de se donner lui-même la mort.

Élisabeth s'était comportée avec un courage remarquable pendant les premiers jours qui suivirent l'annonce de la mort de Rodolphe, mais son état se détériora au cours de l'année 1889. L'ambassadeur d'Allemagne mandait à Berlin : « [Élisabeth] s'abandonne à une constante rumination sur cet événement, elle s'adresse des reproches et attribue au sang qu'il avait hérité des Wittelsbach l'aliénation mentale de son malheureux fils [88]. » Elle s'en prenait à elle-même et au destin, se sentait née pour le malheur.

La fin tragique de Rodolphe passa cependant de plus en plus à l'arrière-plan. Ce suicide, dont elle ne connut jamais les raisons, constituait pour Élisabeth une occasion de méditer sur sa propre existence et de nourrir son désespoir.

C'était maintenant une autre lignée des Habsbourg qui héritait du trône. Élisabeth voyait là un nouveau triomphe, le plus grand, de cet entourage viennois qu'elle détestait. Elle dit à Marie-Valérie après l'enterrement de Rodolphe : « Maintenant, tous ces gens qui ont tant dit de mal de moi depuis la première heure de mon arrivée ici, peuvent songer tranquillement que je disparaîtrai sans avoir laissé aucune empreinte sur l'Autriche [89]. » Elle ne pouvait non plus ignorer que, tant dans les milieux de la Cour que chez les diplomates, les reproches à son encontre s'exprimaient ouvertement. L'épouse de l'ambassadeur de Belgique de Jonghe écrivait : « *Dans ce cas-ci, c'est la* Landesmutter [*la mère du peuple, l'impératrice*] *qui est la plus coupable. Si elle pensait moins à elle-même et plus à ses devoirs, nous n'aurions pas eu la catastrophe passée* [90]. »

De son côté, le comte Alexander Hübner, en accord avec l'atmosphère générale, écrivait dans son Journal : « Il ne fait pas le moindre doute que le public prend une très grande part à la douleur de l'empereur, se soucie peu des larmes de l'impératrice et pas du tout de celles de l'archiduchesse Stéphanie [91]. » Comme pour infirmer tous ces reproches, François-Joseph remercia publiquement Élisabeth de la façon la plus chevaleresque : « Je ne puis décrire ni exprimer assez chaleureusement combien je dois remercier en ces heures difficiles mon épouse tendrement aimée, l'impératrice, combien elle m'a soutenu. Je ne saurais suffisamment remercier le Ciel de m'avoir donné une telle compagne dans l'existence. Répétez donc cela, plus vous le répandrez et plus je vous serai reconnaissant », écrivait-il par exemple en réponse aux condoléances du Conseil d'empire [92]. Et à son amie Catherine Schratt, cinq jours après le drame : « Comment puis-je évoquer cette sublime martyr, cette vraie grande dame, autrement que par une action de grâces à Dieu qui m'a acordé un tel bonheur [93] ? »

L'attirance d'Élisabeth pour le spiritisme s'accentua encore après la mort de Rodolphe. Il était enterré depuis à peine quelques jours qu'elle tentait déjà d'entrer en contact avec lui ; un soir, elle se rendit en secret à la crypte des Capucins de Vienne, la nécropole des Habsbourg. « Cette crypte lui est antipathique, remarque Marie-Valérie, et elle n'avait certes aucune envie d'y descendre, mais il lui semblait qu'une voix intérieure l'y appelait, et elle espérait que Rodolphe pourrait lui apparaître et lui dire s'il supportait d'être enterré là. » (Dans sa lettre d'adieu, il avait demandé, on l'a vu, à être enterré avec Marie Vetsera au cimetière de Heiligenkreuz, mais l'empereur n'y avait pas consenti.) « C'est pour cette raison qu'elle renvoya aussi le capucin qui lui avait ouvert, puis ferma la porte de fer de la crypte, que seuls éclairaient quelques flambeaux près du cercueil de Rodolphe, et s'agenouilla auprès de lui. Le vent mugissait et les fleurs fanées qui tombaient des couronnes bruissaient comme des pas légers, de sorte qu'elle regarda souvent autour d'elle, mais rien ne vint. »

« Bien entendu, ils ne peuvent venir que si le grand Jéhovah le leur permet [94] », conclut l'impératrice.

Élisabeth ne cessa jamais d'essayer d'entrer en commerce spirite avec son fils défunt, pour apprendre de lui-même les motifs de son acte. La chose ne resta pas ignorée de la société viennoise et donna lieu à de nouveaux commérages. En 1896 encore, on racontait à Vienne, selon Bertha von Suttner, « diverses choses sur l'impératrice Élisabeth. Entre autres, on aurait su par des communications avec les esprits (vraisemblablement en séance de spiritisme) que le lieu où séjourne le prince impérial est pire que l'enfer et qu'aucune prière ne peut lui venir en aide ; l'impératrice en est désespérée [95]. »

La situation critique causée par la mort de Rodolphe montra combien l'impératrice s'était écartée de la foi catholique. Marie-Valérie se faisait beaucoup de souci à ce propos : « En fait, maman n'est que déiste. Elle adore le puissant Jéhovah dans sa puissance destructrice et sa grandeur ; mais elle ne croit pas qu'il exauce les prières de ses créatures car, dit-elle, tout est prédéterminé depuis le commencement des temps et l'homme est impuissant face à ce destin éternel, dont la cause n'est précisément que l'insondable volonté de Jehovah. Elle se sent devant Lui semblable à un minuscule moucheron : comment pourrait-Il se soucier de ce qui la concerne [96] ? »

Une nuit, l'impératrice se rendit avec sa fille à l'observatoire de Vienne, où elle philosopha sur la petitesse et la vanité de l'homme au regard de l'univers. « Je comprends la conception de maman, pour qui l'individu n'est rien aux yeux du Seigneur qui a créé ces mondes innombrables, écrit Marie-Valérie, [...], mais elle est trop désespérante et trop éloignée du christianisme [97]. » Élisabeth avoua à sa fille : « Rodolphe a tué ma foi [98]. »

Selon Marie-Valérie, l'impératrice avait « dès sa jeunesse ce sentiment, devenu maintenant certitude, que le grand Jéhovah voulait la conduire au désert pour qu'elle y passe ses vieux jours en ermite, entièrement vouée à lui, dans la contemplation et l'adoration de sa divine magnificence [99] ».

Élisabeth expliqua également à sa jeune nièce Amélie qu'elle ne pouvait « croire selon l'Église. Sinon, elle devrait penser que Rodolphe est damné. [...] L'homme le plus heu-

reux serait celui qui se fait le moins d'illusions ». A quoi
Amélie répondit que « le bonheur réside dans les actions qui
servent au prochain ». Élisabeth eut une réaction caractéristique : « Tante Sissi trouve cela beau, mais les humains l'inté-
ressent trop peu pour qu'elle trouve là son bonheur. Peut-
être est-ce là la clef de bien des choses qui sinon nous paraissent chez elle inexplicables [100]. »

L'opinion d'Élisabeth sur la mort de Rodolphe était fluc-
tuante. Elle dit un jour à Amélie qu'il « avait été finalement
le plus grand philosophe. Il a tout eu, jeunesse, richesse,
santé, et il a tout abandonné ». A d'autres moments, elle
considérait son suicide « comme une telle honte, qu'elle voudrait cacher son visage du regard de tous les humains [101] ».

Son humeur était de plus en plus morose, sa tension nerveuse de plus en plus grande. « Maman me cause maintenant
souvent beaucoup de souci, écrit Marie-Valérie. [...] Elle dit
que papa est loin de tout cela, que sa douleur croissante est
pour lui un fardeau, qu'il ne la comprend pas, et elle déplore
le jour où elle l'a vu, pour son malheur. Aucune puissance au
monde ne peut la détourner de ces idées [102]. »

Des étrangers remarquaient pourtant chez l'empereur un
entrain inhabituel : « *Tout le monde a été frappé de la gaieté de
l'empereur. L'œil animé, plein d'énergie, causant plus que jamais. Était-
ce forcé ? On serait tenté de le croire et surtout de l'espérer* [103]. » L'empereur retrouvait vie et équilibre dans son amour pour Cathe-
rine Schratt, il était parfois même plein d'humour ; sa liaison
tardive lui permettait de mieux se remettre de la catastrophe.

Élisabeth aspirait à quitter Vienne, mais avait mauvaise
conscience à l'idée de laisser son époux seul dans cette triste
situation. « Maman dit qu'elle se doit devant le monde,
raconte Marie-Valérie, [...] de ne pas laisser papa seul [...],
même si en restant elle doit devenir folle, tant papa l'agace,
ce que, malgré tout mon amour pour lui, j'admets, connaissant le caractère de maman et sachant qu'il ne le comprend
pas. J'ai souvent vraiment peur pour maman, quand elle se
met à rire par pure nervosité, quand elle parle d'asile, etc. Et
quand je la conjure de faire quelque chose pour se soigner,

elle répond : " Pourquoi faire ? Pour papa, ce serait un sou-lagement si je mourais, et toi, tu ne serais plus dérangée dans ton bonheur avec François par la pensée de ma triste exis-tence [104] ". »

Lors d'une visite du couple impérial à Munich, en 1889, on remarqua la mauvaise entente de l'empereur et de son épouse. Amélie : « Comme ce fut si souvent le cas jadis, j'ai observé que tante Sissi et François-Joseph, sans le vouloir, se blessent facilement l'un l'autre. Lui ne peut pas comprendre sa nature exceptionnelle, ardente, et elle ne comprend plus son caractère si simple et son pragmatisme. Et pourtant il l'aime tellement [105]. »

Marie-Valérie, qui avait alors vingt-deux ans, assistait impuissante à ces frictions quotidiennes. Toujours plus mon-tée contre son père du fait de la place croissante de Catherine Schratt, elle écrivait dans son Journal à l'automne de 1889 : « Il a toujours été difficile de tenir avec papa un semblant de conversation, mais depuis qu'il a souffert du lourd chagrin de cet hiver, c'est presque impossible. [...] Je comprends qu'une vie commune de cette sorte, sans rien d'autre à partager que la douleur — et encore n'est-ce pas du tout la même —, accable maman. Elle est encore plus triste [...] quand elle songe à l'avenir et imagine devant elle des années de cette vie-là [106]. »

Marie-Valérie aspirait à « sortir de ce triste climat et trou-ver une sphère d'activité plus saine [107] ». L'infortune conju-gale de ses parents lui pesait lourdement : « Je me dis avec beaucoup de peine que ce lourd chagrin, au lieu de [...] rap-procher mes parents, les a éloignés plus encore l'un de l'autre (parce qu'aucun ne comprend la douleur de l'autre) [108]. »

C'est en ces instants de profond désespoir que parvinrent d'inquiétantes nouvelles sur l'état de santé de Gyula Andrássy ; il mourut, après de longues souffrances, en février 1890. Élisabeth rendit visite à sa veuve à Budapest et dit à Marie-Valérie qu'« à présent seulement elle savait ce qu'avait été Andrássy pour elle ; pour la première fois elle se sentait totalement abandonnée, sans ce conseiller et ami [109] ».

Trois mois plus tard, en mai 1890, l'impératrice se rendit en hâte à Ratisbonne, cette fois au chevet de sa sœur Hélène de Thurn et Taxis. Marie-Valérie rapporte la dernière conversation des deux sœurs. « Tante Néné, qui ne se croyait pas du tout sur le point de mourir, se réjouit de voir maman et lui dit " *Old Sissi* " — elles parlaient presque toujours anglais ensemble. " *We two have hard puffs in our lives* ", dit maman. " *Yes, but we had hearts* ", répondit tante Néné [110]. »

Trente-sept ans s'étaient écoulés depuis cet été à Ischl qui avait été décisif pour l'une et l'autre. Les deux sœurs avaient vécu dans le luxe et la gloire, avec une immense richesse matérielle et un immense vide intérieur. Après un mariage heureux mais de courte durée, Hélène était restée veuve pendant plus de vingt ans. Son esprit était troublé par des accès de dépression et de mélancolie. Ses dernières paroles firent grande impression sur l'impératrice : « Oui, hélas, la vie n'est vraiment que misère et détresse.»

Élisabeth aspirait toujours davantage à la mort, ce qui affligeait tout le monde, sa famille comme les dames d'honneur. Marie-Valérie rapporte : « Maman ne sera sans doute plus jamais comme avant ; elle envie Rodolphe de ne plus être de ce monde et songe jour et nuit à la mort [111]. » Un mois plus tard : « Maman dit qu'elle est trop vieille et trop lasse pour lutter, que ses ailes sont brûlées et qu'elle ne souhaite que le repos. Il n'y aurait pas selon elle d'action plus noble pour des parents que de faire mourir aussitôt chaque nouveau-né [112]. »

En octobre 1889, une circulaire fut adressée à toutes les représentations autrichiennes à l'étranger, par laquelle l'impératrice demandait que l'on s'abstînt de lui adresser des vœux pour ses fêtes et anniversaires, « non seulement dans le proche avenir, mais définitivement ».

A la fin de cette année de deuil, l'impératrice fit présent à ses deux filles Gisèle et Marie-Valérie de tous ses vêtements, ombrelles, souliers, mouchoirs et sacs de couleur, ainsi que de tout ce qu'elle avait comme bijoux et parures. Elle ne garda que de très simples habits de deuil et, jusqu'à la fin de sa vie, ne se laissa jamais entraîner à porter de nouveau un vêtement de couleur [113]. Sa seule concession fut de mettre une robe gris perle, très sobre, pour les noces de Marie-Valérie puis pour le baptême du premier enfant de cette dernière, la petite Élisabeth (Ella).

Elle se défit de tous ses nombreux joyaux, diamants, perles et émeraudes. La plupart allèrent à ses deux filles et à sa petite-fille Erzsi. Mais d'autres parentes en furent également gratifiées, ainsi sa belle-sœur bavaroise Marie-José, qui reçut une broche avec cette réflexion : « C'est un souvenir du temps où je vivais [114]. » C'est en *mater dolorosa,* toute de noir vêtue, que l'impératrice entendait passer les années de vie qui lui restaient à vivre, loin de tout le faste de la Cour. L'ambassadeur d'Allemagne à Vienne commentait : « Ces regrettables bizarreries, l'empereur les supporte aussi avec beaucoup de résignation et de patience [115]. »

Élisabeth reçut le mariage de Marie-Valérie comme un nouveau coup du sort : « Maman est comme anesthésiée par une profonde mélancolie, d'autant plus qu'elle ne pourra jamais comprendre que l'on puisse souhaiter le mariage et en attendre du bien [116]. » Élisabeth ne cachait pas qu'elle trouvait le mariage « contre-nature », écrivait la jeune femme dans son Journal [117]. Pour Marie-Valérie, qui avait hérité du solide bon sens de son père et se réjouissait de convoler, cette mère mélancolique et exaltée était difficile à supporter : « L'amour excessif de maman me pèse souvent comme une insupportable faute ; je me reproche mon ingratitude [118]. »

De toute sa vie, jamais Élisabeth ne s'était autant occupée de quelqu'un que de sa dernière fille, sa « chérie ». Or, celle-ci en souffrait ; établissant des comparaisons entre son père et sa mère, elle donnait de plus en plus souvent raison au premier. Épuisée par l'agitation et le tourment que causait sans cesse Élisabeth autour d'elle, Marie-Valérie louait « la pureté d'âme touchante, presque enfantine [de François-Joseph] grâce à laquelle il trouve malgré tout paix et réconfort. Comme l'âme sombre et orageuse de maman aurait pu être comblée par ce grand cœur, comme elle aurait pu être heureuse, malgré tous les petits défauts et les faiblesses qu'il a par ailleurs ». Et, à l'heure où elle se préparait très consciencieusement au mariage, elle revenait à ce « sentiment premier, dont je n'ai douté que de temps à autre, que c'est maman elle-même qui a gâché son bonheur, du fait des circonstances certes, mais non par la faute de mon père bien-aimé. J'espère que ces pensées ne sont pas injustes ; c'est d'elle que je tire les plus profonds enseignements pour ma propre vie [119] ».

Les noces de Marie-Valérie et de l'archiduc François-Salvator eurent lieu à la fin de juillet 1890, en l'église paroissiale d'Ischl. Élisabeth et sa fille avaient renoncé à toutes les cérémonies officielles qui avaient marqué les mariages de Gisèle et de Rodolphe à Vienne. Il n'y eut pas même de grand-messe, mais seulement une messe basse, dans la plus stricte intimité, avant la bénédiction nuptiale. C'était là aussi un vœu formel de l'impératrice, qui trouvait « trop longue » l'habituelle messe solennelle. Parmi les demoiselles d'honneur figurait la petite Erzsi, fille du prince impérial, qui venait d'avoir sept ans. L'orgue était tenu par Anton Bruckner, que la jeune archiduchesse admirait beaucoup et qu'elle avait demandé.

Le bonheur de Marie-Valérie était immense. C'était le seul enfant du couple impérial à faire un mariage d'amour, loin de toute considération officielle. Cela n'eût pas été possible sans le concours d'Élisabeth. Celle-ci, qui ne pouvait se consoler de perdre sa fille chérie, demanda le jour même des noces à la belle-mère de Marie-Valérie, l'archiduchesse Marie-Immaculata, de ne pas rendre visite au jeune couple pendant sa lune de miel et « de ne se mêler de rien [120] ».

Lorsqu'elle était en voyage, Élisabeth envoya désormais de nombreuses et tendres lettres, comme d'habitude en hongrois, au château de Lichtenegg pour l'archiduchesse Marie-Valérie. Elle y implorait le grand Jéhovah : « Que Lui, le Très-Haut, le Tout-Puissant, prenne sous sa protection ma petite colombe avec celui qu'elle aime, et qu'Il leur donne aussi, le moment venu, de nouvelles petites colombes. Désormais, je prierai encore spécialement pour cela à la messe, bien que je n'y aille qu'à contrecœur [121]. »

Les visites de l'impératrice à sa fille, cependant, restèrent rares et brèves. Elle revenait toujours sur l'idée qu'une belle-mère ne pouvait que troubler le bonheur d'un jeune couple. Comme Marie-Valérie la pressait toujours de rester plus longtemps à Lichtenegg, elle répondait que « précisément parce qu'elle se trouvait si bien ici, elle n'avait pas le droit d'en prendre l'habitude. Le nid des hirondelles ne convient pas à la mouette marine, et une vie de famille heureuse et tranquille n'était pas pour elle [122] ».

L'impératrice s'enferma ainsi dans la pensée qu'elle avait désormais perdu tous ses enfants.

CHAPITRE XIV

L'ODYSSÉE

Le mariage de Marie-Valérie était un événement auquel Élisabeth s'était préparée à l'avance : « Quand je n'aurai plus d'obligations à l'égard de ma Valérie, qu'elle sera une épouse heureuse et protégée, avec beaucoup d'enfants comme ma " *kedvesem* " [" chérie " en hongrois] l'a toujours souhaité, alors je serai libre et commencera mon " vol de mouette ". » Et encore : « Je veux parcourir le monde entier, Ahasverus paraîtra casanier en comparaison. Je veux franchir les mers en bateau, comme un " Hollandais volant " au féminin, jusqu'au jour où je sombrerai et disparaitrai [1]. »

Son unique fils était mort. Son unique ami, Andrássy, était mort. L'empereur était comblé par Catherine Schratt. Marie-Valérie était une épouse bientôt mère de neuf enfants. Élisabeth, elle, avait dépassé la cinquantaine, et sa beauté n'était qu'un souvenir : « Dès que je me sentirai vieillir, je me retirerai complètement du monde. Rien n'est plus horrible que de devenir peu à peu une momie et de ne pas vouloir dire adieu à la jeunesse. S'il faut se promener comme une larve fardée, pouah ! Peut-être irai-je alors constamment voilée, de sorte que même mon proche entourage ne verra plus mon visage [2]. »

Elle mit bel et bien ces projets à exécution. Jamais plus elle ne se laissa prendre en portrait, ni par un peintre ni par un photographe. Et jamais plus elle ne sortit sans un éventail ou une ombrelle pour dissimuler son visage ridé, amaigri, tanné par le grand air. Éventail noir et ombrelle blanche devinrent, selon l'expression de Christomanos, « les fidèles compagnons de son existence publique [...], presque des éléments de son apparence physique. [...] Entre ses mains, ce ne sont pas les mêmes objets que chez les autres femmes, mais de purs emblèmes : armes et boucliers au service de son être véritable. [...] Ce qu'elle veut écarter ainsi n'est rien de moins que toute la vie extérieure des humains : elle ne veut pas s'y assujettir, ni se plier aux " lois grégaires des petits animaux supérieurs ", mais préserver son silence intérieur de toute profanation, demeurer dans les jardins clos du deuil qu'elle porte en elle-même [3] ».

Élisabeth quittait l'Autriche, aussi souvent et aussi long-temps que possible, pour des destinations de moins en moins précises. L'empereur n'osait émettre que de très prudentes réserves : « Si tu penses que cela est nécessaire à ta santé, je ne dirai rien, bien que cette année, depuis le printemps, nous n'ayons pas été ensemble plus de quelques jours [4] », lui écrivait-il en octobre 1887. Dans les années 1890, l'impératrice ne passait à Vienne que quelques semaines par an ; d'ailleurs elle ne s'y consacrait ni à la charité ni à la représentation, car elle s'isolait totalement dans la villa de Lainz.

Depuis des années déjà, elle ne se mêlait plus d'affaires politiques, et rien ne laissait supposer qu'elle se laisserait déranger pour de telles questions. En 1893, le Premier ministre Tisza ayant demandé au baron Nopcsa, son ami, d'obtenir une intervention en faveur de la Hongrie, celui-ci n'osa pas même soumettre la demande à l'impératrice. A Ida Ferenczy qui insistait elle aussi de toutes ses forces, il répondit : « J'ai bien reçu la seconde lettre de Tisza, et je ne sais pourquoi il m'a écrit. Comme vous le savez également, Sa Majesté ne se mêle pas de politique ; comment donc agirait-elle auprès de son mari pour qu'il ne mécontente pas les Hongrois ? Dans cette affaire, les Hongrois ne peuvent compter que sur eux-mêmes, et je ne réponds pas à Tisza, car je ne puis soumettre la requête à Sa Majesté [5]. »

Marie-Valérie espéra toujours voir sa mère reprendre une influence politique, par exemple au sujet de la réforme des lois matrimoniales en Hongrie : un régime civil lui paraissait en effet « directement opposé à la religion. Il ne se pouvait, tout de même, que la Constitution contraignît [l'empereur] à agir contre sa volonté et ses convictions [6] », écrivait-elle avec désespoir. Mais sa tentative pour amener l'impératrice à user de son influence — après que sa propre intervention eut échoué — demeura vaine. Il est surprenant que la fille d'Élisabeth n'eût pas compris que celle-ci, outre qu'elle ne voulait pas se mêler de politique, ne serait certainement pas intervenue dans un sens favorable à l'Église. Les observateurs étrangers, en revanche, connaissaient fort bien les vues libérales que nourrissait l'impératrice jusque dans les questions religieuses, et même ne manquaient pas d'être impressionnés par sa détermination. L'ambassadeur d'Allemagne à Rome, après un entretien avec elle, loua ainsi « la clarté de son jugement » comme il l'écrivait à Guillaume II : « Le fait est que sur les rapports entre l'Église catholique et l'État austro-hongrois, l'objectivité et la lucidité du jugement de l'impératrice ont surpris l'ambassadeur [à Vienne]. Il a déploré que Son Altesse ne fasse état à Vienne de ses conceptions que lorsqu'on l'interrogeait à ce sujet ; mais, alors, elle touchait toujours juste. » Le jeune Guillaume II nota à propos de ce rapport : « Elle est, en matière politique, une des princesses de ce siècle qui pensent de la façon la plus claire et objective [7]. » C'était aussi l'avis de quelques — rares — autres contemporains, tel Andrássy, ceux-là mêmes qui regrettaient de la voir se tenir complètement à l'écart de la politique, et sombrer dans une mélancolie et une misanthropie croissantes. Marie-Valérie se lamentait que « l'ensemble de son mode de vie puisse de moins en moins s'accorder avec celui des autres gens. [...] Quand viendra enfin le moment où maman comprendra qu'elle devrait vivre autrement, pour rendre compte un jour au Bon Dieu de ce qu'elle a fait de ses talents [8] ? »

Les serviteurs de François-Joseph avaient le sentiment qu'Élisabeth cherchait délibérément à le blesser. Ketterl, valet de chambre personnel de l'empereur, écrivait par exemple : « A Gödöllö, alors même qu'ils vivaient sous le même toit, l'empereur n'apercevait que rarement son épouse. Lorsque François-Joseph voulait lui rendre visite le matin et se rendait chez elle sans se faire annoncer, les bonnes âmes qui se trouvaient être de service déclaraient que Sa Majesté dormait encore. Souvent aussi elle était déjà partie dans les montagnes, d'où elle ne rentrait que le soir avec son infortunée dame d'honneur, et elle était alors si épuisée qu'elle ne pouvait pas davantage recevoir l'empereur. C'est ainsi qu'à maintes reprises, celui-ci passa dix jours de suite à tenter en vain de la voir. On imagine combien c'était gênant vis-à-vis du personnel ; Sa Majesté l'empereur m'a souvent inspiré la plus grande pitié [9]. » Nombreux étaient ceux qui considéraient avec bienveillance les relations de François-Joseph avec Catherine Schratt et se réjouissaient de savoir que ce vieux monsieur, toujours plus résigné, passait régulièrement une petite heure à causer avec « l'amie ».

En voyage également, le comportement de l'impératrice était de plus en plus étrange. Même la toujours loyale Marie Festetics écrivait de Corfou à Ida Ferenczy en novembre 1888, — avant même l'ébranlement provoqué par la tragédie de Mayerling — : « Je me sens oppressée, ma chère Ida, par ce que je vois et entends ici. Sans doute Sa Majesté se montre-t-elle toujours gentille quand nous sommes ensemble et me parle-t-elle comme par le passé. Mais elle n'est plus la même, une ombre flotte sur son âme. Je ne vois pas d'autre expression, car lorsqu'un être humain, par paresse ou par malice, réprime et refuse tout sentiment beau et noble, il ne peut s'agir que d'amertume ou de cynisme ! Crois-moi, mon cœur pleure des larmes de sang ! [...] Avec cela, elle fait des choses qui ne heurtent pas seulement le cœur, mais aussi la raison. Hier matin, il faisait mauvais, et pourtant elle est sortie en voilier. Vers neuf heures, il s'est mis à pleuvoir à verse, et cette bourrasque ponctuée de coups de tonnerre terrifiants a duré jusqu'à trois heures de l'après-midi. Pendant tout ce temps-là, elle n'a cessé de naviguer autour de nous, assise sur le pont, son parapluie ouvert et toute trempée. Après quoi, elle a débarqué je ne sais où, a demandé sa voiture et a voulu passer la nuit dans la villa de quelqu'un ; tu imagines à quel point nous en sommes arrivés. Dieu merci, le médecin l'accompagne partout, mais on peut s'attendre à des choses plus invraisemblables encore [10]. »

Cette habitude de se rendre sans façon chez les gens sans donner un mot d'explication ni même dire ce qu'elle voulait, tourna, après 1890, à la manie. L'empereur était au courant de cette bizarrerie ; en 1894, une vieille dame de Nice ayant chassé cette étrangère qui voulait pénétrer dans sa maison, il lui écrivit : « Je suis heureux que ton indigestion niçoise soit passée si rapidement, et aussi que tu n'aies pas reçu une volée de cette vieille sorcière ; mais cela finira un jour par arriver, car on n'entre pas ainsi chez les gens sans y être convié [11]. »

C'est également sans y avoir été invitée ni s'être annoncée qu'elle apparut dans plusieurs Cours européennes et qu'elle s'acquitta de ses devoirs de représentation de la façon la plus étrange et inconvenante. Ainsi à Athènes, en 1891, elle se rendit directement de la gare au palais royal et elle demanda en grec au premier serviteur venu si Leurs Majestés se trouvaient là. Elle avait gardé ses habits de voyage et n'était accompagnée que de Marie-Valérie. Le valet ne les reconnut pas et répondit qu'elles devaient s'adresser au grand chambellan. L'impératrice se fit alors connaître. « Cependant [le roi Georges Ier et son épouse], raconte Marie-Valérie, n'étaient effectivement pas au château, et nous nous rendîmes alors au palais du prince royal, où notre arrivée fut également une surprise. » Elles rencontrèrent là la pauvre princesse Sophie, qui ne connaissait pas la langue et ne put suivre la conversation en grec [12], car, pour lui infliger une leçon, Élisabeth ne passa pas à l'allemand.

D'autres têtes couronnées durent également subir de semblables surprises, ainsi le roi de Hollande ou encore l'impératrice Victoria, mère de Guillaume II, qui s'était retirée dans un château près de Bad Homburg. Élisabeth appréciait beaucoup la veuve de Frédéric III, « l'empereur de 88 jours », et voulut rendre visite à cette femme d'une haute intelligence, mais de caractère aigri. C'était par une chaude journée d'été ; l'impératrice d'Autriche ne s'était pas fait annoncer et n'était accompagnée d'aucune dame d'honneur. La sentinelle arrêta, bien entendu, cette étrangère qui se prétendait impératrice d'Autriche, et la veuve de Frédéric III reçut avec effroi l'inquiétante nouvelle qu'Élisabeth était retenue au poste de garde. L'incident parut pourtant amuser la visiteuse, car elle ne montra aucune colère quand le maréchal de la Cour, fort gêné, vint la libérer — elle devait même plus tard raconter l'épisode en riant [13].

En revanche, c'est dans les meilleures formes qu'elle alla porter ses respects à l'ex-impératrice des Français, Eugénie. Depuis la mort de Napoléon III, celle-ci vivait retirée au Cap-Martin, sur la Riviera. Élisabeth donna à sa suite la consigne de rendre à l'ex-impératrice tous les honneurs auxquels elle avait eu droit par le passé. Marie-Valérie, impressionnée, vante « le charme [d'Eugénie], bien qu'il ne reste plus grand-chose de son ancienne beauté. On imagine à peine ce que fut jadis son existence, si peu elle montre de douleur ou de sentiment de déchéance [14] ». Les deux femmes firent ensemble des promenades et randonnées dans la région du Cap-Martin. Eugénie écrit : « C'était comme si on avait voyagé avec un fantôme, car son esprit semblait résider dans un autre monde. Elle ne voyait que rarement ce qui se passait autour d'elle, et prêtait à peine attention à ceux qui la saluaient. Quant elle le faisait, elle ne leur rendait leur salut que par une singulière inclinaison de la tête, au lieu de la révérence d'usage [15]. »

En voyage, l'impératrice continuait de montrer combien elle exécrait toute forme d'étiquette. Marie Festetics écrivait de Gênes à Ida Ferenczy : « Soit dit entre nous, Sa Majesté a reçu hier un simple commandant d'un navire-école allemand, alors qu'elle avait jusqu'ici refusé la visite d'amiraux, de hauts dignitaires (militaires, civils et ecclésiastiques) d'Espagne, de France et d'Italie. Cela me contrarie, car j'ai peur de ce que diront les journaux [16]. » Les diplomates autrichiens — ansi au Caire en 1891 — se heurtaient à un refus quand ils lui proposaient de participer à des manifestations officielles : « L'impératrice m'a cependant fait l'honneur de m'autoriser [...] à pouvoir lui offrir une représentation de charmeurs de serpents, prestidigitateurs et chiromanciens arabes », écrivait le chargé d'affaires autrichien au Caire à son ministre, ajoutant qu'elle faisait « en moyenne quelque huit heures de marche à pied par jour [17] ».

En 1891, une tentative de reparaître à un bal se solda par un échec. « Il semble que de nombreuses femmes aient sangloté, raconte Marie-Valérie, et malgré les diamants et les plumes bariolées, tout cela ressemblait davantage à un enterrement qu'à un carnaval. Maman elle-même était en crêpe de grand deuil [18]. » Deux ans plus tard, l'impératrice reparut au bal à la Cour. Le jeune géologue Édouard Suess décrit la fête : « Toute l'ancienne splendeur impériale. On dirait que le moindre chandelier veut raconter ses souvenirs. Tout près de la porte donnant sur la salle centrale se tient le comte Hunyady, maître des cérémonies, en uniforme rouge des hussards, avec une longue canne blanche ; on dirait une borne devant laquelle s'écoule une véritable myriade de juvéniles beautés de la nouvelle génération de la noblesse, venues honorer leur impératrice, toutes en blanc et sans autre parure que leur propre grâce. Mais au milieu se trouvent deux personnages vêtus de noir : l'impératrice toujours en deuil et sa première dame d'honneur. C'est comme si tous les brillants étincelants des mères s'éteignaient face à cette douleur profonde, dépourvue de tout éclat ; comme si on montrait à chacune des jeunes créatures qui s'inclinent profondément devant elle combien la vie peut réunir de splendeur et aussi de chagrin [19]. »

La présence de l'impératrice aux bals de la Cour était importante pour la haute société, car avant d'y être admises, les jeunes filles devaient être présentées à l'impératrice. Telle était la tradition de la Cour de Vienne, de sorte que par son refus d'y participer, Élisabeth troublait sensiblement la rigoureuse ordonnance de la société viennoise.

Des jalousies et des querelles avaient surgi pour savoir laquelle des archiduchesses devait représenter l'impératrice dans ces occasions solennelles. Stéphanie, la veuve de Rodolphe, était fort impopulaire ; le plus jeune frère de François-Joseph, Charles-Joseph, émit alors la prétention que son épouse, la belle Marie-Thérèse, devînt officiellement (mais par procuration) la première dame de la Cour. On disposait donc, du vivant même de l'impératrice, de la place qui lui revenait. La Cour ne comptait plus sur elle. La réserve où elle avait choisi de se tenir nourrissait les discussions des courtisans, mais aussi des diplomates : « C'est l'empereur qui souffre le plus de l'isolement de son auguste épouse, écrivait l'ambassadeur d'Allemagne ; C'est à lui seul que revient tout le fardeau de la représentation. La notion même de Cour impériale disparaît, et les relations entre la Cour et la haute société se relâchent de plus en plus [20]. »

Bien des gens qui connaissaient la situation ne pouvaient se défendre de penser que la mort de Rodolphe n'était pas la véritable raison pour laquelle Élisabeth s'absentait de Vienne.

Ses vagabondages à travers l'Europe, dans son wagon-salon personnel ou sur les yachts impériaux — le *Greif* ou le *Miramar* — étaient pour ses dames d'honneur (surtout la comtesse Festetics, alors malade) un véritable martyre. Marie Festetics se plaignait souvent dans ses lettres : « Me voici, seule, dans ce bateau qui tangue et roule dans un monde étranger. Cela passera comme le reste, mais il est difficile de l'accepter joyeusement. J'ai le mal du pays [21]. » Elle n'aimait ni les intempéries (« tonnerre, tempête, pluies de Jugement Dernier ») ni les interminables excursions.

Pour ses randonnées, qui duraient de longues heures, l'impératrice ne tenait pas le moindre compte du temps qu'il faisait. Elle aimait la nature sous tous ses aspects et ne comprenait absolument pas la sensibilité des gens de sa suite. Des scènes grotesques se produisaient constamment. Lorsque la petite troupe dut embarquer sur le *Miramar* « par un puissant vent du nord-est, raconte Alexander von Warsberg, prises d'une frayeur mortelle », deux des femmes de chambre se réfugièrent dans un coin. Élisabeth, nullement impressionnée par la tempête et les hautes vagues, tint absolument à faire admirer aux deux domestiques « le magnifique coucher de soleil, les couleurs répandues sur les montagnes derrière Patras — jusqu'à ce que les pauvres créatures éclatent en sanglots, gémissant qu'elles ne voyaient rien d'autre que ces terribles vagues [22] ».

Marie Festetics, sujette au mal de mer, souffrait particulièrement de devoir déambuler par tous les temps sur le bateau avec une maîtresse qui ne pouvait tenir en place. Après un voyage en mer Égée au mois de novembre, elle écrivait : « Se promener deux semaines en haute mer, en cette saison, n'est pas vraiment un plaisir [23]. »

La même Élisabeth, qui se plaignait à Vienne du moindre courant d'air, restait en voyage parfaitement insensible au mauvais temps. « Sa Majesté a quitté Vienne parce qu'elle ne supporte pas le froid, raconte Marie Festetics, et ce sont précisément les six semaines les plus mauvaises que nous passons dans les lieux les plus froids. Elle est allée jusqu'à sortir par un temps tel que le vent a retourné par deux fois son parapluie et fait voler son chapeau [24]. »

Quand la mer était houleuse, Élisabeth se faisait même attacher à une chaise, sur le pont : « Je fais comme faisait Ulysse, parce que les vagues m'attirent [25] », expliqua-t-elle un jour à Christomanos.

Parfois, épargnant ses dames d'honneur, elle emmenait son lecteur grec du moment dans ses randonnées sous la tempête et la pluie battante. Christomanos, le petit bossu étudiant en philosophie, l'accompagna un jour dans le parc de Schönbrunn ; c'était au mois de décembre et il y avait une tourmente de neige fondue, ils devaient constamment sauter par-dessus de grandes flaques d'eau. « Nous courons comme des grenouilles dans les mares, lui expliqua-t-elle. Nous sommes comme deux damnés errant dans le monde d'en-bas. Pour bien des gens, ce serait l'enfer. [...] Pour moi, c'est le temps que je préfère. Car il n'est pas fait pour les autres humains. Je puis en jouir toute seule. Au fond, il n'existe que pour moi, comme ces pièces de théâtre que le pauvre roi Louis faisait représenter pour lui seul. Mais ici, au grand air, c'est encore plus grandiose. La tempête pourrait même se déchaîner plus encore, on se sentirait plus proche de toutes les créatures, comme en conversation avec elles [26]. »

Son intense désir d'exposer son âme inquiète aux puissances sauvages de la nature et de se sentir « telle un atome » dans l'univers marqua les dix dernières années de sa vie. Une « Prière », poème adressé à son Jéhovah, le montre bien :

> *Jéhovah ! De ta puissance tu créas les mers*
> *Et cet atome qu'est mon âme ;*
> *Tant que tu ne l'appelleras, entre mer et montagne,*
> *Entre rochers et vagues elle errera* [27].

Cependant, cette expérience religieuse de la Nature ne suffisait pas à lui apporter la paix. Où qu'elle se trouvât, elle aspirait à partir ailleurs, et elle expliquait à Christomanos : « La vie sur un bateau est beaucoup plus belle que sur n'importe quel rivage. Une destination n'est désirable que parce qu'elle suppose le voyage. Si, étant arrivée quelque part, je savais ne plus jamais devoir m'en éloigner, même un paradis me deviendrait un enfer. La pensée de devoir bientôt quitter un lieu m'émeut et me le fait aimer. Ainsi, chaque fois j'enterre un rêve, trop tôt évanoui, pour soupirer après un autre [28]. » Sa vie était devenue une fuite, moins devant un monde hostile ou perçu comme tel, que devant sa propre identité.

Lors d'une de ses visites en Bavière, Élisabeth se confia à sa nièce Amélie : « La seule chose qui lui restait, c'était de beaucoup étudier dans une belle contrée. [...] Ce qu'elle aurait aimé le plus, c'était que son bateau coule lors d'une forte tempête. S'étant avisée que tous ceux qui étaient à bord avaient fait leur temps et que leur mort ne représenteraient pas grand-chose pour leurs proches, elle avait prié " le grand Jéhovah " de faire sombrer le navire [29]. »

L'agitation d'Élisabeth avait aussi des incidences sur la construction de l'Achilleion à Corfou. La comtesse Festetics se lamentait : « Sa Majesté devient chaque jour plus capricieuse et nonchalante et ses prétentions sont de plus en plus excessives ; elle voudrait faire descendre pour elle le ciel sur la terre. [...] Sa Majesté s'imagine qu'avec de l'argent on peut se faire faire un jardin aussi facilement qu'un château. Elle se désespère que les arbres ne soient pas encore verts. Elle se rappelle le jardin de Miramar, qui cette année était vraiment superbe ; c'est cela qui la mécontente [30]. »

Cette propriété en Grèce ne parvint pourtant pas à fixer Élisabeth. A peine le château fut-il terminé qu'elle aspira à repartir ; il en était allé de même de la villa Hermès, qui ne lui plaisait plus guère. Elle avait voulu « un foyer », mais il lui répugnait de s'y installer :

> *Mais l'amour, il lui faut être libre,*
> *Pouvoir aller, pouvoir venir ;*
> *Un château serait comme une alliance,*
> *Tandis que l'amour n'est qu'errance.*
>
> *[...]*
>
> *Je suis mouette de nul pays,*
> *Nulle plage ne m'est patrie,*
> *A aucun site je ne m'attache,*
> *Je vole de vague en vague [31].*

Elle prétendit même soudain avoir besoin d'argent pour Marie-Valérie et devoir vendre l'Achilleion. « Je vendrai même mon argenterie personnelle, marquée d'un dauphin ; peut-être un Américain sera-t-il preneur. J'ai un agent en Amérique qui m'a donné ce conseil [32] », dit-elle à Christomanos, qui en fut surpris. L'empereur lui représenta les désagréments qui pourraient en découler : « Bien que j'aie remarqué depuis quelque temps que ta maison de Gasturi [à Corfou] ne te plaît plus depuis qu'elle est achevée, j'ai été quelque peu étonné par ta décision de la vendre dès maintenant ; je crois que tu devrais encore y réfléchir. Même sans cet argent, Marie-Valérie et ses enfants, même s'ils sont nombreux, ne mourront pas de faim. Cette vente paraîtra bizarre et donnera lieu à des rumeurs désagréables ; après avoir fait construire la villa avec tant de soins et à si grands frais, après y avoir fait transporter tant de choses, après avoir racheté encore tout récemment du terrain, tu voudrais soudain te défaire de toute la propriété ! N'oublie pas la complaisance du gouvernement grec à ton égard, rappelle-toi combien de tous côtés on s'est évertué à t'être agréable ; et tout cela pour rien ! » De toute manière, ajoutait l'empereur, elle ne pourrait en obtenir un prix satisfaisant, car il y avait déjà des réparations à faire. « De plus, ce projet est plutôt triste pour moi, poursuivait-il, j'avais secrètement l'espoir qu'après l'ardeur que tu avais mise à faire contruire Gasturi, tu lui consacrerais au moins la plus grande partie du temps qu'hélas tu passais jusqu'à présent dans le Sud. Et tout cela n'aura été que chimères, tu continuerais d'errer à travers le monde [33] ! »

Mais, une fois de plus, c'est la volonté d'Élisabeth qui l'emporta. L'Achilleion, à peine aménagé, fut vidé de son mobilier, les coûteuses copies furent transportées à Vienne et déposées dans divers endroits, car l'impératrice ne s'y intéressait plus.

Elle n'en conçut pas moins le projet de se faire construire une nouvelle maison, à San Remo cette fois, mais elle y renonça bientôt, car elle préférait habiter à l'hôtel, ce qui ne manquait pas de poser d'autres problèmes en raison de ses exigences. Le plus souvent, elle arrivait en pleine saison sans se faire annoncer, avec une suite importante, exigeait de nombreuses chambres — parfois même l'hôtel tout entier — avec une entrée particulière et toute sorte de mesures pour se protéger des curieux. Elle fut bientôt redoutée des hôteliers, ce que les dames d'honneur, notamment la comtesse Festetics, comprirent vite : « Sa Majesté est chaque année plus exigeante ; ici, avec la meilleure volonté du monde, on ne saurait tout lui procurer ; les gens se montrent si ébahis que j'en rougis de honte [34] », écrivait-elle d'Interlaken en 1892 à Ida Ferenczy qui était restée en Hongrie.

Cette dernière, on le sait, était la meilleure amie de l'impératrice et en principe sa lectrice, mais en raison de sa faible santé elle ne l'accompagnait pas en voyage. La comtesse Festetics, elle aussi, était malade et fatiguée : « Où nous serons dans deux ou trois jours, nous l'ignorons. Je comprends qu'on recherche la chaleur, mais passer en hiver trois mois sur un bateau relève assurément de goûts spéciaux. Sa Majesté elle-même ne sait pas où nous allons [35] ! » « Séville est belle et intéressante, écrit-elle aussi, mais quand je vois combien Sa Majesté est lasse de l'existence et épuisée, je n'en éprouve aucun plaisir. Je ne savais pas combien il peut être dur de remplir son devoir [36]. » Après plus de vingt années harassantes, Marie Festetics fut enfin remplacée par la comtesse Irma Sztáray, également hongroise, beaucoup plus jeune et plus sportive. Et c'est en compagnie d'Irma que l'impératrice parcourut l'Europe pendant ses dernières années. En 1890, elle alla à Ischl, Feldafing, Paris, Lisbonne, Alger, Florence et Corfou. Il n'était pas rare qu'elle modifiât sa destination, ce qui compliquait tout. Le courrier lui était adressé sous pseudonyme en poste restante dans les ports où elle devait théoriquement aborder : en octobre 1890, le comte Paar, aide de camp général de l'empereur, envoya les lettres de celui-ci à « Mrs Elisabetha Nicholson-Chazalie » (*Chazalie* était le nom du bateau de l'impératrice) en poste restante à « Arcachon, La Corogne, Porto, Oran, Alger, Toulon, Gibraltar, San Remo, Marseille, Monaco, Cannes, Menton et Livourne [...] et enfin aussi un petit colis [...] à Gibraltar ». Le baron Nopcsa dut demander à chacun des consulats autrichiens dans ces villes « si du courrier était resté à cet endroit en poste restante, car il devait être renvoyé [37] ». Et ce n'est là qu'un simple exemple des difficultés quotidiennes que provoquèrent, pendant des années, les voyages de l'impératrice.

Certes, la suite de celle-ci voyait du pays... L'un de ses lecteurs grecs, M.C. Marinaky, qui fut à son service pendant dix mois en 1895-1896, passa mai et juin à la villa Hermès, juillet à la station thermale de Bartfeld en Hongrie, août à Ischl, septembre à Aix-les-Bains et Territet, octobre a Gödöllö, novembre à Vienne, décembre, janvier et février au Cap-Martin, mars enfin à Cannes, Naples, Sorrente et Corfou.

C'est souvent sous l'empire d'une subite impulsion qu'elle fixait ses destinations, et celle-ci parfois s'accordaient mal avec la politique autrichienne. En 1890, l'ambassadeur d'Allemagne pouvait noter, à propos d'un voyage à Florence : « L'empereur François-Joseph ne souhaitait nullement que Sa Majesté pose le pied sur le sol italien. D'ailleurs, ce n'était pas prévu dans le projet de voyage, mais les décisions de l'impératrice ne sont pas toujours exactement connues à l'avance [38]. » Deux ans plus tard, après un entretien avec l'empereur : « Mais il ressortait de tous ses propos que lui-même était bien mal informé des projets de son auguste épouse, et n'influait que fort peu sur ses décisions en matière de voyages. [...] Je n'innoverai pas en observant, en toute humilité, que ces longues absences de l'impératrice loin de sa patrie ne réjouissent pas l'empereur et que dans le pays elles sont très mal perçues et sévèrement jugées [39]. »

Élisabeth revenait fréquemment à Munich, dans la région de son enfance : « Nous marchâmes dans la ville, rapporte la comtesse Sztáray, d'un pas tranquille ; nous ne recherchions rien de nouveau ni de surprenant ; cette visite n'était tournée que vers le passé et les souvenirs. Nous nous arrêtions tantôt devant un antique palais, tantôt devant un vieux bâtiment, ou encore auprès d'un groupe d'arbres dont les branches avaient pris de l'ampleur, d'un parterre de fleurs qui était déjà là autrefois. L'impératrice [...] pouvait parler de chaque chose et raconter des histoires du bon vieux temps. » Jamais Élisabeth ne quittait Munich sans s'être rendue à la brasserie de la Cour, bien entendu incognito, et s'y comportait d'une façon « bien bourgeoise », disait-elle, y commandant, pour elle et sa dame d'honneur, des chopes de bière d'une contenance d'un litre [40].

Elle refusait toute protection policière. Cependant, compte tenu de la multiplication des attentats anarchistes, de nombreux gouvernements tenaient à la faire suivre par leurs agents. L'un d'eux, Anton Hammer, de Carlsbad, raconte : « L'impératrice Élisabeth nous donnait un travail énorme. Elle voulait que personne ne la voie et tenait d'une main une ombrelle, de l'autre un éventail. Il y avait aussi ces promenades impromptues à trois heures du matin, ou encore l'après-midi en forêt. Nous devions rester postés en permanence. J'avais reçu les ordres les plus stricts pour surveiller chacun de ses mouvements sans qu'elle s'en doute. » Bien souvent, quant elle en repérait un, elle s'enfuyait par de petits sentiers, au mépris des clôtures, et les policiers qui n'avaient pas su s'acquitter de leur mission rencontraient des difficultés accrues. « Nous dûmes la pourchasser pendant cinq heures, raconte encore Hammer. Toujours à quelque deux cents mètres de distance, en nous cachant derrière des arbres et des rochers [41]. »

Partout on était curieux d'apercevoir cette femme qui jadis avait été la plus belle de toutes. De nombreux témoins ont souligné le décalage entre la légende et la réalité. Le prince Alphonse de Clary-Aldringen et sa sœur, alors enfants, la virent en 1897 à Territet, sur le lac de Genève, dans les montagnes situées derrière l'hôtel où elle était descendue ainsi que leur famille. Apercevant la fine silhouette noire, ils se mirent sur son chemin : « Et voilà, rapporte le prince que, comme il n'y avait pas d'adulte dans les parages, pour une fois l'impératrice n'ouvrit pas son éventail ! Ma sœur fit une révérence et moi ma plus belle courbette ; elle nous sourit aimablement ; mais je tombai pour ainsi dire des nues, car son visage était tout ridé et semblait affreusement vieux. » Quand ils racontèrent cette rencontre à leur grand-mère, celle-ci leur dit d'un ton solennel : « Mes enfants, n'oubliez jamais ce jour où vous avez vu la plus belle femme du monde ! » Alphonse de Clary conclut : « Comme je répondais avec impertinence : " Mais, mamie, elle a le visage plein de rides ! ", je reçus une bonne gifle [42]. »

Nous-mêmes, aujourd'hui, ignorons faute de documents quelle était l'apparence d'Élisabeth dans sa vieillesse. Elle demeurera pour la postérité comme déjà pour ses contemporains telle que la montrent tous les portraits : une femme jeune et belle. Cette réputation à laquelle elle avait tant travaillé assombrit cependant ses dernières années, car elle avait une nouvelle raison de craindre les gens : elle ne voulait pas qu'ils puissent voir son visage flétri.

Très, très rares furent les privilégiés qui la rencontrèrent à cette époque, et ceux qui l'aperçurent par hasard furent bien déçus, par exemple la comédienne Rose Albach-Retty, qui put l'observer en 1898 avec la comtesse Sztáray, dans une petite auberge de la campagne d'Ischl. Ne connaissant pas la véritable apparence d'Élisabeth, l'actrice n'identifia pas immédiatement deux femmes. L'une était « manifestement en deuil, car elle portait une robe noir à col haut, des bottines noires à lacets et un chapeau noir dont les larges rebords couvraient une épaisse voilette ». L'autre, plus jeune et habillée de clair, se leva un instant pour se rendre à l'office, laissant Élisabeth seule. « Élisabeth regarda quelques secondes devant elle, puis saisit son dentier de la main gauche, l'ôta, le posa sur le bord de la table et le rinça avec un verre d'eau. Elle le remit ensuite dans sa bouche. Elle avait fait tout cela avec beaucoup de grâce nonchalante et surtout si rapidement que je ne pus tout d'abord en croire mes yeux [43]. »

Des nombreux ragots sur l'agitation intérieure proprement pathologique d'Élisabeth, on ne citera qu'un exemple, rapporté par Berthe von Suttner qui le tenait de la comtesse Ernestine Crenneville : « Je me souviens encore qu'un jour, après un petit repas, nous étions assis près de l'impératrice, en tout petit comité : l'archiduchesse Valérie, le duc de Cumberland et moi, avec quelques dames d'honneur à l'écart. L'impératrice, très silencieuse, était triste. Soudain elle s'écria : " Ah, partons ! Dans la nature, loin d'ici... " L'archiduchesse Valérie se leva en sursaut : " Pour l'amour de Dieu, maman... " Le duc de Cumberland intervint d'un ton apaisant : " Vous avez raison, Majesté ! ", et dit à voix basse à Valérie : " Surtout ne jamais la laisser seule, jamais [44] ! " »

Deux mois à peine après la mort de Rodolphe, la presse européenne disait que l'impératrice d'Autriche était devenue folle. Dans un article étonnamment bien renseigné, le *Berliner Tageblatt* retraçait l'évolution de cette pathologie qu'il nommait pudiquement (mais aussi plus exactement que d'autres organes d'information qui parlaient tout bonnement de folie) « très grave maladie nerveuse » : « Pour ceux qui sont familiers de la Cour viennoise, cette nouvelle n'a rien de surprenant. Les extravagances de la malheureuse impératrice, sa répugnance toujours plus révélatrice à apparaître en public, sa misanthropie (qui rappelle tant celle du pauvre roi Louis de Bavière), tout cela laissait depuis longtemps craindre tôt ou tard une catastrophe. Il serait erroné de faire de l'affreuse fin du prince impérial la cause de cette maladie ; celle-ci couve depuis longtemps et a progressé lentement mais inexorablement [45]. »

Aux informations données par tous les grands journaux européens, la presse autrichienne publia d'énergiques démentis : l'impératrice ne souffrait, bien entendu, que de douleurs névralgiques ; quant au professeur Krafft-Ebing (le même neurologue qui avait traité la sœur d'Élisabeth, Sophie d'Alençon, et l'avait fait interner), il n'avait pas été consulté [46]... Après 1890, la presse internationale ne cessa pourtant de revenir, à partir du moindre incident, sur l'idée qu'Élisabeth avait l'esprit dérangé. Le *Secolo* de Milan écrivait en 1893 : « L'impératrice et reine Élisabeth souffre d'un début de folie. Elle a tous les soirs des hallucinations. Son idée fixe est touchante : elle croit que le prince impérial est toujours un enfant et se trouve auprès d'elle. Pour l'apaiser, on a dû lui faire confectionner une poupée de cire, qu'elle couvre sans arrêt de baisers et de larmes [47]. »

Ces articles à sensation étaient très exagérés. Au moment même où ils se répandaient, François-Joseph, allant la voir à Territet, constatait qu'elle allait bien. Marie Festetics écrit au sujet de cette rencontre : « Sa Majesté [Élisabeth] est particulièrement de bonne humeur, quant à lui il rayonne de bonheur. Sa Majesté s'est vraiment réjouie de la venue de son époux et ne cesse de répéter que ce monsieur est aux petits soins pour elle [48]. »

Le couple, pour se délasser, faisait de longues promenades et des emplettes, constamment assiégé par des journalistes. Le journal suisse *Der Bund* énumérait avec précision les achats effectués à Territet : « C'est ainsi que l'empereur a commandé une quantité considérable de vin de Villeneuve — qu'il a trouvé particulièrement à son goût — et 10 000 cigares de Grandson et de Vevey ; l'impératrice, quant à elle, a commandé des bretzels de Vevey et de Villeneuve [49]. » Les lettres envoyées en Bavière par Élisabeth pendant cette période dénotent également un excellent équilibre : « Je suis heureuse que l'empereur ait enfin pu se ménager de petites vacances, dont il n'aurait su mieux profiter que dans une république. Il est de bonne humeur, et jouit de sa liberté, du paysage et de la chère excellente [50]. » On peut noter en passant que Marie-Valérie, pour sa part, n'appréciait guère le séjour de son père « dans une république » ; elle écrivait dans son Journal : « Ce n'est pas sans inquiétude que nous l'avons vu partir presque sans aucune suite, et sans la moindre mesure de sécurité, dans ce pays connu pour être la terre d'accueil des nihilistes et des socialistes [51]. »

Les bruits sur la folie de l'impératrice n'étaient pourtant pas totalement dénués de fondement. Si étrange était son comportement en voyage et si grande était devenue sa misanthropie que des observateurs pouvaient aisément penser avoir affaire à une folle quand ils la voyaient se conduire comme une fugitive. « Chez nous, rien ne se fait de façon ordinaire, écrit la comtesse Festetics. Sa Majesté est d'une grande simplicité, seulement elle prend à l'envers ce que les autres prennent à l'endroit, et par la gauche ce qu'ils prennent par la droite. C'est de là que naissent les difficultés [52]. »

La famille bavaroise d'Élisabeth, consciente de ses comportements singuliers, ne combattait pas moins les rumeurs. Marie von Redwitz, l'une des dames d'honneur des Wittelsbach, illustre bien cette attitude en écrivant que l'impératrice « avait toujours été étrange et succombé à ses désirs et lubbies ; la misanthropie et la mélancolie sont venues s'y ajouter. Mais qui donc, parmi les gens doués qui en outre jouissent d'une liberté illimitée, est tout à fait normal ? L'impératrice est, comme tout un chacun, le produit d'une situation [53] ».

Le principal problème d'Élisabeth était de ne nourrir aucune sorte d'espoir. C'était un trait de caractère fréquent dans la lignée des ducs en Bavière. Son grand-père, le duc Pius, fuyant et redoutant les hommes, avait passé les dernières années de sa vie en ermite. Ses sœurs — Hélène surtout, mais aussi Sophie et les deux « Italiennes » — devinrent mélancoliques dans leur vieillesse. Dans les trois ou quatre dernières années de sa vie, Élisabeth perdit toute possibilité de communiquer avec autrui ; en 1895, Marie-Valérie elle-même s'en plaignait : « Le mode de vie de maman permet de moins en moins de proximité. [...] Atmosphère étouffante. [...] Souvent, nous savons à peine de quoi parler [54]. »

Quand l'impératrice disait quelques mots, c'était, dit encore Marie-Valérie, pour parler « des choses les plus tristes ». Elle se lamentait sur son affreux destin et laissait paraître une telle affliction que la pieuse Marie-Valérie, s'inquiétant de son salut, ne cessait de prier pour une « conversion » de sa mère [55]. Quand Marie-Valérie tomba enceinte, l'impératrice réagit avec amertume : « Elle soupire sur mon état, elle a du mal à partager un bonheur que curieusement, malgré son amour maternel, elle n'arrive pas du tout à comprendre. D'ailleurs, j'ai trouvé maman dans l'ensemble plus triste, plus renfermée et plus amère que jamais. [...] Elle m'a dit [...] que chaque naissance humaine lui paraissait un malheur, car on ne peut accomplir sa destinée que dans la souffrance. » Comme Marie-Valérie suggérait de consulter enfin un médecin, Élisabeth répondit : « Oh ! Les médecins et les prêtres sont de tels ânes ! » Ce qui choqua la piété de l'archiduchesse [56].

L'empereur aussi se plaignit à plusieurs reprises — par exemple devant le baron Beck, son chef d'état-major — de l'état de sa femme, « de son hyperexcitation nerveuse, de ses extravagances, de son agitation croissante, de ses graves problèmes affectifs ». Mais ces récriminations étaient toujours empreintes « des accents du plus profond souci [57] ».

« Si seulement elle voulait bien sortir de cette grande solitude, écrivait Marie-Valérie en 1897, s'intéresser à quelque chose, nourrir d'autres pensées, je suis persuadée que cela contribuerait beaucoup à améliorer son état. Mais elle ne sait que broyer du noir et, quand elle rencontre quelqu'un, ce n'est que pour lui parler encore de problèmes médicaux [58]. »

Élisabeth s'intéressait en effet principalement à sa santé déclinante. Elle suivait toujours des cures d'amaigrissement et s'inquiétait de la moindre augmentation de poids. Le Dr Victor Eisenmenger, qui l'examina à Territet, nota : « Chez cette femme par ailleurs en bonne santé, je constatai d'assez forts gonflements cutanés, particulièrement aux chevilles. C'est là un état que les médecins ne voyaient jadis que très rarement, et auquel seule la guerre conféra une triste renommée : l'œdème de dénutrition ! » Mais l'impératrice refusa absolument tous les conseils qu'on lui donna en matière d'alimentation [59].

Marianne Meissl, sa femme de chambre, écrivait à cette époque à Ida Ferenczy d'émouvantes lettres, qui mettent également l'œdème de dénutrition en évidence : « Sa Majesté ne reprend pas de forces, elle est au contraire hélas ! si gonflée — surtout le matin —, les yeux bouffis, comme l'ensemble du corps, que je suis tout à fait désespérée ; j'espère pourtant qu'une fois terminée la cure de Carlsbad tout ira mieux. Sa Majesté se sentira peut-être mieux après, ainsi que Sa Majesté le désire, mais pour l'instant je dois dire que Sa Majesté est bien à plaindre, et qu'elle s'en irrite passablement [60]. » Dans une autre lettre, Marianne Meissl écrivait : « Le Dr Kerzl dit toujours : " S'il n'y avait pas cette damnée balance ! Celui qui l'a conseillée à Sa Majesté, il faut que quelqu'un aille lui dire son fait ! " Il est tellement en colère contre cette balance, mais il n'y peut rien, elle est là et elle ne bouge pas [61] ! »

Une autre domestique, Marie Henike, énumère les tortures auxquelles l'impératrice se soumettait : « Bains de vapeur suivis d'un bain froid à sept degrés — cela ferait tomber bien des gens en syncope, ou les tuerait. Sa Majesté reconnaît d'ailleurs qu'elle a toujours ressenti, après, des bourdonnements dans les oreilles » ; « cure de transpiration : chaque soir, chaudement vêtue, grimper à vive allure sur la montagne... C'était contre l'embonpoint — mais Sa Majesté semblait toujours si épuisée ensuite ! ! » Élisabeth pesait alors 93,20 livres (soit 46,60 kg) : « Au Cap-Martin, il y a deux ans, après dégonflement des jambes, 87 [livres] ! ! » ; il faut noter qu'elle mesurait 1,72 m [62].

L'empereur trouvait pénibles ses constantes lamentations

sur son poids et s'en plaignit à Catherine Schratt (laquelle d'ailleurs ne cessait, à l'image de l'impératrice, de se mettre au régime sans parvenir pour autant à modifier sa silhouette rondelette). En 1894, par exemple, il déplorait que l'impératrice fût « préoccupée de regrossir, car depuis qu'elle boit de l'eau de Carlsbad et ne vit que de café noir, de viande froide et d'œufs, elle aurait sérieusement repris du poids. Si ce n'est pas ce qu'on appelle avoir un grain [63] ! » Sa « douce âme adorée » lui promit de ne pas parler de ses idées sur l'amaigrissement à « l'amie ». Vers 1897, n'avait-elle pas eu le projet « de faire construire à la villa Hermès deux cabines de bain, l'une pour toi et l'autre pour l'amie, où vous auriez été rôties ou réduites en cendres. Ce serait tout de même terrible qu'après les fâcheuses expériences que tu as eues des bains de vapeurs, tu entreprennes à nouveau une telle cure et que tu pervertisses aussi l'amie à commettre les mêmes absurdités médicales que toi [64] ! » Et, par précaution, François-Joseph écrivit à Catherine Schratt, avant une rencontre entre elle et Élisabeth : « Si vous deviez vous effrayer de son apparence, hélas ! bien mauvaise, je vous prie de n'en rien montrer, ni de trop parler de questions de santé avec elle ; si vous ne pouvez l'éviter, rendez-lui courage, et surtout ne lui conseillez aucune nouvelle cure, aucun nouveau traitement. Vous allez trouver l'impératrice très abattue, très souffrante, et surtout dans un état de grande dépression. Vous pouvez imaginer combien je me fais de souci [65] ! »

Non contente de manger fort peu, Élisabeth était très difficile sur ce qu'elle absorbait. Son alimentation lactée posait un problème, car même à Vienne il était difficile de trouver du bon lait. A plusieurs reprises, lors de ses voyages, elle fit même envoyer des vaches à Vienne. Ainsi, en avril 1896, en arrivèrent deux, l'une venant de Bretagne et l'autre de Corfou, ce qui fit beaucoup jaser sur ses activités en voyage [66]. Elle fit aussi installer à Schönbrunn et au parc zoologique de Lainz, des laiteries abritant les vaches qu'elle aimait le mieux, et elle en emmenait généralement — en tout cas quand elle allait en mer — deux (plus une chèvre) pour pouvoir toujours disposer de lait frais et sain. Le soin de ces animaux (peu faits pour supporter les traversées !) donnait beaucoup de mal au personnel : de leur bonne santé dépendait celle de la souveraine, qui ne se nourrissait plus guère que de lait et d'œufs.

Les principales destinations de l'impératrice — les îles grecques et le sud de l'Italie — ne possédaient pas d'installations touristiques ni d'hôtels confortables ; en outre elle préférait les endroits solitaires. L'essentiel du ravitaillement devait donc être apporté de Vienne. Si sa suite était beaucoup plus réduite que lors des chasses anglaises, elle se composait toujours d'au moins une vingtaine de personnes, sans compter un équipage important. Il fallait bien veiller à nourrir tout ce monde. Ce n'est que dans les deux dernières années que l'impératrice apprit à se contenter de voyages en chemin de fer et d'hôtels situés dans des régions équipées pour le tourisme, comme la Suisse et la Riviera.

Pendant ces dernières années, elle n'apparut qu'une seule fois en public : en 1896, lors des fêtes données pour le millénaire du royaume hongrois. C'est à peine si quelqu'un la reconnut encore, tant elle avait changé : « Une tête noire, un visage nouveau, inconnu, profondément triste, dont le sourire ne semblait répondre qu'à un vague réflexe. Elle saluait de façon aimable, mais mécanique. [...] Ce visage est pour ainsi dire totalement différent de tout autre », écrivait le journal hongrois *Magyar Hirlap* [67]. Comme d'habitude, elle ne cessa de dissimuler ses traits derrière un éventail noir. Eulenburg, ambassadeur d'Allemagne, décrivit tout l'éclat de cette fête, en particulier la messe solennelle en l'église Saint-Mathias — là même où, en 1867, Élisabeth avait vécu ses plus grandes heures lors du couronnement de son époux — et l'aspect de *mater dolorosa* qu'elle avait pris : « Par-dessus toutes les impressions enchanteresses de cette messe, qu'aucune image de beauté et de splendeur ne saurait guère jamais surpasser, persiste cependant la tragique image de cette auguste femme cachée sous son voile de grand deuil — l'impératrice Élisabeth. Au milieu des teintes si variées de la " Maison archiducale " rassemblée dans la loge haute, figurait cette silhouette assise, entièrement en noir. Pour le dire en terme crus, c'était comme une tache d'encre sur un très beau tableau aux riches couleurs [68]. »

En 1897, lors de la crise Badeni *, de sévères conflits entre les nationalités ébranlèrent la monarchie, sans susciter la moindre réaction de la part de l'impératrice. Au début de 1898, année du jubilé de l'avènement de François-Joseph, la loi martiale fut décrétée à Prague, tant ces conflits devenaient incontrôlables : elle ne se manifesta pas. La misère s'étendait dans les grandes villes comme dans les villages de l'empire : elle ne s'en préoccupa pas plus qu'à l'accoutumée. Marie-Valérie s'en inquiétait : « Combien maman considérait autrement la vie et la souffrance, si seulement elle pouvait comprendre la valeur du temps et de l'action [69] ! »

En 1897-1898, l'impératrice, alors sexagénaire, minée par la maladie et la mélancolie, passa son dernier hiver sur la Riviera française. François-Joseph lui rendit visite pendant deux semaines, mais confia par la suite à l'ambassadeur d'Allemagne que le souci que lui causait l'état de santé de sa femme avait « complètement gâché le séjour au Cap-Martin. [...] Il semble aussi que les relations avec Son Altesse aient été plus que jamais perturbées par sa grande nervosité [70] ». En février 1898, Élisabeth écrivit à son époux qu'« elle vivait et se sentait comme si elle avait quatre-vingts ans [71] ». Marie-Valérie la revit en mai 1898, à Bad Kissingen : « Maman a terriblement mauvaise mine. Pourtant, tout le monde dit qu'ici ça va mieux. [...] D'après tout ce que j'ai entendu dire, elle a passé l'hiver plus mal que nous le pensions. [...] Quelle détresse dans cette pauvre vie désolée, encore affligée maintenant par l'âge et la maladie, et toujours dépourvue de cette consolante lumière qui seule pourrait permettre de surmonter une telle misère [72] ! »

Élisabeth ne cessait de parler de sa mort, sans crainte et même avec attirance, alimentant encore la préoccupation de sa fille. Après une conversation, quatre mois avant son

---

* Le comte Casimir Badeni avait succédé au comte Taaffe au poste de Premier ministre. *(N.D.T.)*

décès, Marie-Valérie notait : « Elle a parlé de ce que serait l'avenir si elle mourait avant papa. Que Dieu nous garde d'un tel malheur et de ce que maman, dans la confusion de ses idées, souhaite pour papa ! (à nouveau, elle exprimait le désir qu'après sa mort François-Joseph épouse Catherine Schratt). Par ailleurs, son absence de crainte de la mort me donne l'assurance qu'elle n'est pas coupable devant Dieu de sa terrible incroyance, parce qu'elle ne soupçonne pas combien elle a tort, et ne l'offense pas sciemment. [...] Sinon elle devrait s'épouvanter des choses affreuses qu'elle profère. Comme elle répétait qu'après la mort tout était fini, je lui ai demandé si elle ne croyait plus même en l'existence de Dieu : " Oh si, je crois en Dieu, tant de malheur et de souffrance ne peuvent être dus au hasard. Il est puissant, terriblement puissant et cruel, mais je ne me plains plus [73]. " » Les objections de Marie-Valérie sur la miséricorde divine ne trouvèrent aucun écho : « La profonde tristesse qui jadis n'étreignait maman que par moments maintenant ne la quitte plus. Il n'y a plus pour elle de rayon de soleil, même fugitif ; tout est sombre et désolé. Ces deux mots : espoir et joie, elle les a rayés de sa vie pour toujours. Sa force physique était en fait sa plus grande joie, et cette force l'a abandonnée [74] ».

La démarche, autrefois si légère, d'Élisabeth était devenue lente et pesante. Elle ne pouvait plus faire de longues randonnées et s'en tenait à quelques promenades dans des lieux de cure comme Kissingen, Gastein, Carlsbad et Nauheim, ou à sortir pour faire quelques emplettes, surtout des jouets pour ses nombreux petits-enfants.

A l'été 1898, le couple impérial se retrouva à Ischl pendant deux semaines avec l'archiduchesse Marie-Valérie. Élisabeth était « déprimée comme d'habitude », et Marie-Valérie critiquait « l'effet de mélancolie que produit la Cour, cette impossibilité de tout rapport naturel, auxquels il faut sans cesse se réhabituer, même lorsqu'on a été élevé dans cette atmosphère. Que doit être le reste de l'existence de papa, pour trouver ce séjour délicieux [75] ? »

Après le départ d'Élisabeth pour Nauheim, Marie-Valérie resta encore quelques semaines à Ischl : « J'en suis bien triste, mais je ne peux rien changer au fait que la vie auprès de mon père m'apparaît contraignante, comme si c'était un étranger [76]. » Elle comprenait tout à fait que sa mère, si sensible, ne pût supporter longtemps de se trouver avec lui ; mais elle rejetait sur sa grand-mère, l'archiduchesse Sophie (pourtant morte vingt-six ans plus tôt), la responsabilité de tous les maux dont souffrait la famille : « Jamais la vie ossifiée de la Cour ne m'a paru plus étouffante que cette année. [...] On la sent qui vient entraver les rapports familiaux les plus intimes, transformer ce qui devrait être une joie toute naturelle en insupportable contrainte. Si c'est là l'effet du système de grand-mère Sophie, elle a dû se préparer une bonne période de purgatoire. [...] Cette épouvantable vie de Cour a ôté à papa toute capacité d'entretenir des relations simples et libres [77]. »

La cure d'Élisabeth à Bad Nauheim n'améliora en rien son état d'esprit : « Je suis de mauvaise humeur et triste, la famille peut s'estimer heureuse d'être loin de moi. J'ai le sentiment que je ne me retrouverai plus jamais [78] », écrivait-elle fin juin à sa fille.

De Nauheim, elle partit pour la Suisse. « Tout l'été, note Marie-Valérie, elle avait irrésistiblement aspiré à aller en Suisse, elle voulait encore profiter de ses chères montagnes, de la chaleur et du soleil ; et elle en a tiré le sentiment que sa santé s'améliorait [79]. » L'impératrice aimait le lac Léman (« il a tout à fait la couleur de la mer, il ressemble à la mer ») et de toutes les villes suisses, elle avait toujours préféré Genève : « C'est mon lieu de séjour favori, parce que je puis y marcher à ma guise parmi des gens cosmopolites : cela me donne l'illusion d'être vraiment telle que chacun devrait être [80] », dit-elle un jour à Christomanos.

Cette prédilection pour la Suisse (où elle disposait d'une fortune personnelle nullement négligeable et à laquelle elle légua ses écrits) ne se manifesta qu'au cours de ses dernières années. Vers 1880, elle écrivait des lignes nettement défavorables à ce pays, faisant allusion au droit d'asile qui permettait aux anarchistes d'y circuler librement :

Peuple suisse, tes montagnes sont superbes !
Tes montres marchent bien ;
Mais combien dangereuse est pour nous
Votre engeance de régicides [81] *!*

Mais, dans ses dernières années, elle n'avait plus de raison de craindre le danger anarchiste : elle aspirait à la mort, et le danger attirait désormais cette impératrice lasse de l'existence ; malgré les recommandations pressantes de la police helvétique, elle refusa d'être protégée par des agents [82].

Elle résidait, comme elle l'avait déjà fait à plusieurs reprises, à Territet, près de Montreux, pour y faire une cure d'un mois. Le 9 septembre 1898, elle se rendit avec la comtesse Sztáray à Pregny, pour y rencontrer la baronne Julie de Rothschild, épouse d'Adolphe, de la branche parisienne, et sœur des Rothschild viennois Nathanaël et Albert. Elle n'entretenait pas à proprement parler une amitié avec Julie de Rothschild, mais sa sœur, l'ex-reine Marie de Naples, ne devait son fastueux train de vie qu'à l'argent des Rothschild. Cette visite d'Élisabeth, la première depuis des décennies, était en fait un service qu'elle rendait à sa sœur. Toujours est-il que les trois femmes déjeunèrent ensemble, se promenèrent dans le splendide vieux parc, visitèrent la serre d'orchidées, tout en tenant en français une conversation fort animée. Au dire de la comtesse Sztáray, Élisabeth se sentait fort bien.

Bien entendu, l'impératrice garda l'incognito, voyageant sous le nom de comtesse Hohenembs. En effet, compte tenu de la considérable campagne antisémite provoquée à Paris à l'occasion du procès Dreyfus, la visite de l'impératrice et reine d'Autriche-Hongrie à un membre de la famille Rothschild aurait certainement donné aux journaux de quoi faire leur une.

Après trois heures Élisabeth repartit avec sa dame d'honneur pour Genève, où elle passa la nuit dans l'intention de repartir dès le lendemain pour Montreux. A Genève, qu'elle connaissait fort bien, l'impératrice se rendit à sa pâtisserie habituelle et acheta des jouets pour ses petits-enfants, après quoi elle rentra très tôt, comme à l'ordinaire. Elle s'était inscrite à l'hôtel sous le même nom de comtesse Hohenembs, mais comme elle avait déjà séjourné chez lui, l'hôtelier savait qui elle était.

Le lendemain matin, un journal de la ville annonça qu'Élisabeth, impératrice d'Autriche, était descendue à l'hôtel « Beau Rivage ». On n'a jamais su qui avait donné l'information. Mais la vie même de l'impératrice était en jeu. Un membre de « l'engeance régicide », un anarchiste italien de vingt-cinq ans du nom de Luigi Lucheni avait préparé une « grande action » et déjà acheté l'arme du crime : une lime qu'il avait lui-même aiguisée en tiers-point. Mais la victime qu'il avait désignée, Henri d'Orléans, prétendant au trône de France, n'était pas venu à Genève comme prévu. D'autre part, Lucheni n'avait pas assez d'argent pour se rendre en Italie pour poignarder le prince Humbert d'Italie, qu'il aurait voulu tuer par priorité. L'information donnée par le journal tombait donc au meilleur moment : il avait là une victime idéale, car Élisabeth remplissait parfaitement toutes les conditions nécessaires aux yeux de l'anarchiste. Aristocrate — il haïssait tous les aristocrates —, elle occupait une si éminente position que l'assassinat ne manquerait pas d'avoir un énorme retentissement.

Il se mit donc, le 10 septembre, à épier sa proie, la lime cachée dans sa manche droite, et observa devant l'hôtel ses allées et venues. Elle devait rentrer de Genève à Montreux par le bateau de ligne de 13 h 40. Son domestique était parti en avant avec les bagages, non sans être aperçu de Lucheni.

Vêtue de noir comme toujours, l'éventail dans une main et l'ombrelle dans l'autre, la « comtesse Hohenembs », accompagnée d'Irma Sztáray, sortit de l'hôtel pour gagner à pied l'embarcadère, situé à quelques centaines de mètres de là. Lorsque les deux femmes furent à sa hauteur, Lucheni bondit sur l'impératrice, jeta encore un rapide coup d'œil sous l'ombrelle pour s'assurer que c'était bien elle, et frappa. Il s'était, auparavant, exactement informé dans un manuel d'anatomie de l'emplacement du cœur : il toucha au but.

Élisabeth tomba à la renverse, mais la violence de la chute fut atténuée par son épaisse chevelure, qu'elle portait relevée sur la tête. Le coupable fut arrêté par les passants alors qu'il tentait de s'enfuir et remis à la police. On ignorait encore qu'il s'agissait d'un meurtre car la dame étrangère se releva tout de suite et remercia, en allemand, en français et en anglais, tous ceux qui étaient venus à son secours. On épousseta sa robe. Le portier de l'hôtel, qui avait assisté à la scène, proposa aux deux femmes de rentrer, mais Élisabeth refusa : elle voulait prendre le bateau.

D'un pas rapide — car le temps passait — elles poursuivirent vers l'embarcadère, distant d'une centaine de mètres. Élisabeth demanda en hongrois à la comtesse Sztáray : « Mais que voulait donc cet homme ? — Qui, le portier ? — Non, l'autre, cet homme effrayant ! — Je ne sais, Majesté, mais c'est à coup sûr un fieffé scélérat. — Peut-être voulait-il me voler ma montre ? », hasarda l'impératrice [83].

C'est seulement sur le bateau, qui appareilla aussitôt, qu'Élisabeth s'effondra. On pensa qu'elle s'était évanouie sous l'empire de la frayeur. Mais, en ouvrant son corset pour lui frictionner la poitrine, on découvrit sur sa chemise de batiste une minuscule tache brunâtre et un trou.

Le capitaine ignorait qu'il avait à son bord l'impératrice d'Autriche, mais fit en toute hâte revenir le bateau à l'embarcadère. On étendit la blessée sur un brancard improvisé, fait de rames et de coussins de velours, et on la ramena promptement à l'hôtel. Le médecin ne put que constater le décès...

Élisabeth était morte sans souffrir. Selon les cardiologues, la finesse de la blessure expliquait qu'elle n'eût pas senti le coup et marché encore cent mètres d'un bon pas : le sang ne filtrait que très lentement dans le péricarde, de sorte que le cœur cessa très progressivement de battre. Une seule goutte de sang était sortie de la plaie, ce qui amena plusieurs témoins à n'y voir qu'une morsure de sangsue.

Entre-temps, l'assassin avait subi un premier interrogatoire. Il était très exalté et si fier de son acte qu'il ne voulait en partager la responsabilité avec personne. Il avait agi seul, « la gloire » de cette action ne revenait qu'à lui. Son crime était pour lui l'apogée de son existence, il souhaitait être condamné à mort. Pour ce qui était de son mobile, il répétait : « Seuls ceux qui travaillent ont le droit de manger ! »

Il avait plusieurs fois été arrêté pour vagabondage au cours de son existence : abandonné à l'hospice par une mère célibataire, il avait erré de foyer d'enfants en famille nourricière. Il avait ensuite travaillé comme manœuvre sur les chantiers des chemins de fer, puis avait servi en Afrique du Nord dans la cavalerie italienne : cet épisode avait été le temps fort de sa vie. Il avait été domestique chez un duc italien ; congédié, il n'avait plus travaillé qu'occasionnellement, ici ou là. Il n'avait passé que quelques journées sur le territoire de la monarchie austro-hongroise, à Fiume, Trieste, Budapest et Vienne ; mais cela n'avait rien à voir avec ses idées politiques, car il ne s'intéressait pas aux problèmes des nationalités dans les provinces italiennes de l'empire : il était acquis aux idées de l'anarchisme international, auquel il s'était initié en Suisse. Il ne connaissait l'impératrice Élisabeth que par les journaux : elle n'était pour lui qu'une tête couronnée dont le meurtre ferait les gros titres et rendrait célèbre le nom de son auteur. Quand il passa en jugement, Lucheni fut condamné à la réclusion perpétuelle. Puis le silence se fit autour de lui et lorsque, onze ans plus tard, il se pendit dans sa cellule avec sa ceinture, personne ou presque ne l'apprit [84].

Finalement, cette mort brutale et sensationnelle à Genève fut presque une solution pour une femme malheureuse, malade mentalement et physiquement. Sa disparition ne laissa guère de vide. Certes, le choc fut rude pour sa famille la plus proche, mais Marie-Valérie, par exemple, se consolait : « Voilà, c'est arrivé comme elle le souhaitait, rapidement, sans souffrance, sans consultation de médecins, sans que les siens aient à subir de longues journées de souci et d'angoisse. » Elle se souvenait du vers de sa mère : « Et si je dois un jour mourir, donnez mon corps à la mer », et de la réflexion qu'elle avait maintes fois faite à la comtesse Sztáray : le lac de Genève, qui en avait la couleur, ressemblait tout à fait à la mer [85].

Carmen Sylva, « l'amie en poésie » de l'impératrice défunte, trouva les mots judicieux pour qualifier cette mort : elle était affreuse « pour le monde », mais pour Élisabeth, « belle et calme et grande, sans douleur, paisible, au milieu de la grande Nature qu'elle aimait tant. [...] Tout le monde ne souhaite pas rendre l'âme entouré d'innombrables personnes éplorées, ni se soumettre à l'instant suprême à toute sorte de cérémonies. S'il est bien des gens pour vouloir une mort belle aux yeux du monde, elle ne l'entendait pas ainsi. Dans la mort comme dans la vie, elle ne souhaitait rien être pour le monde. Elle voulait être seule et passer inaperçue, y compris pour quitter cette terre qu'elle avait tant parcourue en quête du repos et des choses les plus élevées [86] ».

La réaction de l'empereur à la mort subite de son épouse fut moins dramatique que les journaux ne le laissèrent entendre. Marie-Valérie écrit que lorsqu'elle vit son père peu après l'annonce du drame, il venait de pleurer : « Mais il ne perdit pas non plus contenance et retrouva bientôt son calme, comme après la mort de Rodolphe. Nous allâmes ensemble à la messe dominicale, après quoi je pus passer auprès de lui presque toute cette première journée, assise près de son bureau tandis qu'il travaillait comme à l'habitude, lisant avec lui les complément d'information qui arrivaient de Genève, l'aidant à recevoir les membres de la famille qui venaient lui faire leurs condoléances. » Et, trois jours plus tard : « Il travaille tous les jours sans interruption, comme il a toujours fait ; et il fixe lui-même ce qui devra se passer après les cérémonies. » L'empereur aurait aussi dit à plusieurs reprises : « Comment peut-on assassiner une femme qui n'a jamais fait de mal à personne [87] ? » Nul ne doutait de l'aveu qu'il fit au comte Paar : « Vous ne pouvez savoir combien j'ai aimé cette femme [88]. »

La dépouille mortelle arriva à la Hofburg le 15 septembre, avec toute la pompe impériale. Il n'était, bien entendu, pas question qu'Élisabeth fût, selon son vœu, « enterrée près de la mer, de préférence à Corfou ». Son corps, comme jadis celui de Rodolphe, fut exposé dans la chapelle du palais, mais cette fois le cercueil était fermé.

Cette exposition donna lieu à des contestations, car un écusson portait cette seule mention : « Élisabeth, impératrice d'Autriche », ce qui irrita les Hongrois ; pourquoi pas également « reine de Hongrie » ? N'était-ce point l'unique dignité à laquelle elle s'était montrée attachée ? Le soir même, le service du protocole fit ajouter la formule. Ce fut alors au tour de la Bohême de protester : même si elle n'avait pas été couronnée, la souveraine n'en avait pas moins été également reine de Bohême. Des complications du même ordre naquirent de l'insuffisance des sièges à l'église des Capucins ; la délégation de la Chambre hongroise, qui n'avait pu trouver place, y vit une mesure d'hostilité à l'égard de son pays.

L'émotion ressentie à Vienne fut infiniment moindre que pour la mort du prince impérial. « On versa peu de pleurs sur elle [89] », raconte le comte Éric Kielmannsegg. Si l'on s'affligeait, c'était moins pour l'impératrice elle-même que de voir un nouveau coup du sort frapper l'empereur, alors âgé de soixante-huit ans. Une vague de sympathie accueillit la publication, le 14 septembre, des remerciements de l'empereur intitulés « A mes peuples ! »

Les semaines suivantes, la succession fut liquidée. Personne — et l'empereur moins que quiconque — n'avait soupçonné que l'impératrice possédait une telle fortune : 10 millions de florins en titres sûrs, sans compter l'immobilier ; il apparut aussi que « chaque année, elle avait placé avec succès la plus grande part de sa rente et des sommes destinées aux dépenses courantes, laissant l'empereur régler le coût de ses extravagances [90] ».

Dans son testament, elle léguait à chacune de ses deux filles, Gisèle et Marie-Valérie, deux cinquièmes de ses biens, et un cinquième à sa petite-fille Élisabeth (la fille de Rodolphe) ; cela représentait un pactole inattendu, voire, comme l'écrivait Marie-Valérie dans son Journal, « d'une importance effrayante [91] ».

Sans même parler des importants dons d'argent que lui

avait faits sa mère de son vivant, Marie-Valérie se trouvait beaucoup mieux traitée que son aînée. Elle reçut en effet une donation supplémentaire d'un million de florins, et hérita de la villa Hermès, tandis que Gisèle devait se contenter de l'Achilleion, entièrement vidé de ses meubles. La villa Hermès fut estimée à 185 000 florins (bien qu'elle eût coûté plusieurs millions). C'était une demeure habitable et proche de la capitale. L'Achilleion, en revanche, était très éloigné ; inhabitable en l'état, il nécessitait des réparations. Sa valeur fut fixée à 60 000 florins seulement, alors que sa construction était revenue à deux millions — à lui seul, son entretien exigeait 50 000 florins par an [92].

Les journaux de l'époque parlèrent beaucoup de la fabuleuse collection de bijoux de l'impératrice. Ces biens personnels (cadeaux de l'empereur, mais aussi de maint souverain étranger, tels le sultan de Turquie ou le shah de Perse) étaient évalués à 4 ou 5 millions de florins. Mais les inventaires font apparaître qu'elle en avait depuis longtemps fait présent et qu'il ne lui en restait pour ainsi dire rien. La valeur des bijoux retrouvés à sa mort n'était que de 45 950 florins [93].

On ne retrouva ni les précieux cadeaux qu'elle avait reçus à son mariage (à l'exception de trois diadèmes de diamant), ni la fameuse chaîne de perles à trois rangs que lui avait offerte l'empereur pour la naissance de Rodolphe. Elle avait tout donné, y compris ses célèbres émeraudes et les étoiles de diamants qu'elle portait jadis sur ses tresses et que le portrait de Winterhalter avait largement fait connaître. La plus belle pièce demeurée en sa possession était la décoration de la Croix étoilée, d'une valeur de 12 000 florins, mais qui devait être restituée ; venait ensuite un diadème de perles noires — d'ailleurs le seul diadème qui restât — estimé à 4 500 florins. Extrêmement superstitieuse, l'impératrice avait tenu les perles noires pour un symbole néfaste. Pour le reste, on trouvait 184 petites pièces d'orfèvrerie : peignes, bijoux de deuil, broches bon marché en grand nombre, boutons, croix, montres. L'examen de son coffret révèle bien sa résignation et son mépris pour les choses de ce monde.

Assez peu de lettes furent retrouvées : « La plupart des lettres, maman les a brûlées ou, comme malheureusement la dernière lettre de Rodolphe, a ordonné qu'elles soient brûlées » — par Ida Ferenczy, sa plus intime confidente depuis de longues années. Des lettres que lui avaient écrites François-Joseph depuis qu'ils vivaient séparés, il en restait remontant aux années 1860 et toutes celles d'après 1880. Marie-Valérie put ainsi découvrir « avec émotion [...] que les rapports entre [ses] parents n'avaient fait dans les dernières années que s'améliorer et devenir plus intimes, voyant disparaître toute discorde même passagère [94] ». A la vérité, le couple impérial n'était parvenu à vivre en bonne intelligence qu'après sa séparation, une fois les relations de François-Joseph et Catherine Schratt solidement établies avec l'assentiment d'Élisabeth.

Peu de jour après l'enterrement de son épouse, François-Joseph reprit ses promenades habituelles avec Catherine Schratt. Marie-Valérie, embarrassée, écrit dans son Journal : « Chaque matin, papa fait sa promenade avec Catherine Schratt, qu'il m'a fallu à nouveau rencontrer et embrasser — le cœur n'y était pas. Cependant, en elle-même (je veux dire indépendamment des gens qui s'accrochent à elle), je la considère comme un cœur fidèle et dénué de méchanceté. C'est avec anxiété que je me rappelle le vœu que maman a si souvent exprimé devant moi : que papa épouse Catherine Schratt quand elle ne serait plus. Mais j'entends garder une attitude passive ; compte tenu de la véritable amitié que lui porte papa, je ne puis me comporter froidement à son égard, cela serait injuste et cruel de lui causer cette peine. Toutefois je ne considère pas comme de mon devoir de favoriser leurs relations [95]. » L'antipathie de la fille de l'empereur à l'égard de « l'amie » fut bientôt connue de la Cour.

Le fait est aussi que, dans le cercle familial de Marie-Valérie, l'empereur ne trouvait ni réconfort ni détente. Pendant ses visites régnait une gêne dont sa fille souffrait très profondément : « Ne pas savoir s'il faut parler de notre malheur ou de choses distrayantes, se donner inutilement du mal pour trouver de nouveaux sujets de conversation, espérer que les enfants se comportent avec naturel [...] tout en tremblant que leurs cris puissent irriter papa, le voir tantôt plongé dans une morne tristesse, tantôt énervé... [...] Comme je comprends maintenant que maman ait été accablée par ses rapports avec papa. Oui, il est difficile de se trouver avec lui : il n'a jamais su ce qu'était un véritable échange de pensées. Je sais combien sa peine et sa souffrance sont profondes, mais je reste impuissante devant cette douleur, sans autre remède que la plus ancienne routine [96]. »

Le comte Paar se lamentait lui aussi au sujet de l'atmosphère de Walsee : « Là-bas l'ennui n'est guère supportable, car personne n'ose se dire un mot ; la conversation, à table et le soir, dépérit presque entièrement [97]. » Même avec ses petits-enfants, François-Joseph restait une Majesté inaccessible et redoutable. Jamais encore il n'avait trouvé le moyen ni le besoin de mener une conversation tranquille et familière.

Par le passé, Marie-Valérie avait à plusieurs reprises reproché à sa mère (mais seulement en son for intérieur) de ne pas traiter l'empereur assez bien et de négliger ses devoirs d'épouse. Mais elle éprouvait maintenant un profond remords, car elle-même trouvait les relations avec François-Joseph rien moins qu'aisées : « L'épreuve que sont maintenant pour moi mes rapports avec papa est la punition de ma rudesse d'autrefois [98] », écrivait-elle dans son journal.

« L'ennui de la Cour » lui portait désormais autant sur les nerfs que jadis à sa mère. Elle était exaspérée par la vie familiale des Habsbourg, ponctuée de rivalités liées aux prérogatives des nombreux archiducs et archiduchesses. Il lui était « à nouveau très clair qu'une nature comme celle de maman ne pouvait ressentir ce genre de vie que comme une insupportable contrainte, une comédie vide de sens [99] ».

De même qu'après la mort de Rodolphe ses plus proches amis avaient été mis au ban de la Cour, les quelques intimes de l'impératrice se virent fort mal traités. Marie-Valérie elle-même, qui avait toujours été jalouse des dames d'honneur de sa mère, en particulier d'Ida Ferenczy, en était indignée et plaignait « la pauvre Ida Ferenczy, brisée par la façon dont la

Cour la traite, elle et tous ceux qui furent fidèles à maman. De papa, naturellement, on parle tout autrement. [...] C'est ainsi que la Cour se venge de ceux qu'elle a haïs en silence et en vain pendant des années et qui doivent maintenant expier les fautes qu'elle-même avait commises, fautes inconscientes mais lourdes. [...] Ces deux camps, dressés l'un contre l'autre, sont ce qui forme " la Cour ". Comment ne ferais-je pas tout mon possible pour tenir les enfants éloignés d'un tel milieu [100] » !

Il faut dire que le parti de l'impératrice ne rendait pas non plus les choses bien faciles à la dynastie. Ainsi Barker, ancien maître de grec d'Élisabeth, rapporta à Marie-Valérie « qu'il avait eu avec maman, par le moyen de tables tournantes, etc., des rapports spirites, mais qui n'avaient pas été agréables du tout ». Marie-Valérie consulta un prêtre qui lui dit que tout cela n'était que « manifestations diaboliques [101] ».

En décembre 1898 fut fêté le jubilé de l'avènement de François-Joseph ; mais l'éclat en fut atténué par le deuil et assombri par de graves conflits entre les nationalités. « Et avec tout cela il tient toujours bien debout, *vir simplex et justus* [homme simple et droit], seulement soucieux de remplir son lourd devoir jour après jour, fidèle, infatigable, oublieux de lui-même et ne songeant qu'aux autres [102] », écrivait Marie-Valérie.

Cette dernière n'était plus aussi confiante en l'avenir de la monarchie. Élisabeth et le prince Rodolphe s'étaient faits « républicains ». Et maintenant, Marie-Valérie prenait sa défunte mère en exemple : « Eh bien oui, je doute maintenant, peut-être est-ce tout à fait coupable, de la pérennité de l'Autriche et du salut que peut lui apporter la Maison de Habsbourg. Telle est la véritable raison pour laquelle je ne puis m'enflammer pour une cause qu'en fait j'estime perdue. J'admets que ce sont des idées qui me viennent de maman, mais chaque expérience nouvelle me confirme davantage leur justesse. [...] Après lui [François-Joseph], puisse advenir ce qui sera le plus propice à créer d'autres conditions meilleures [103]. » Discours réellement surprenant, venant de la fille de François-Joseph, petite-fille de Sophie, arrière-petite-fille de François Ier, « le Bon » ; discours que seul explique l'exemple de cet élément étranger au sein de la Cour viennoise : l'impératrice Élisabeth.

Pendant presque un demi-siècle — de 1854 à 1898 —, Élisabeth avait été la souveraine d'un empire assailli de difficultés et entré en déclin, un déclin qu'elle ne fit rien pour retarder. Contrairement à Zita qui lui succéda et dut assister à l'effondrement définitif, ce n'était pas une femme d'action. Résignation, retraite dans l'univers privé, la poésie, la solitude : c'est ainsi qu'elle avait répondu aux exigences que faisaient peser sur elle ses devoirs, alors que son époux se donnait infatigablement à ses sujets.

Folie ? Sagesse ? Intuition d'un destin inexorable, ou seulement paresse et caprice ? Élisabeth est proprement l'incarnation de la « fin de siècle » dans la monarchie danubienne, elle qui refusa de vivre en impératrice et préféra s'imaginer en reine des fées :

> *Non, Titania ne doit point se mêler aux humains*
> *Ni descendre en ce monde où nul ne la comprend,*
> *Où l'assiègent mille et cent mille curieux*
> *Chuchotant, avides : « Voyez cette folle, voyez-là ! »*
> *Où règnent constamment la jalousie et l'envie*
> *Propres à altérer chacune de ses actions.*
> *Non, qu'elle revienne donc vers ces régions*
> *Où vivent des âmes plus belles, proches de la sienne.*

NOTES

Les principales sources sont désignées sous les abréviations suivantes :

Albert
: Archives de l'État hongrois, Budapest. Legs de l'archiduc Albert. La numérotation renvoie aux registres microfilmés des Archives de Vienne (archives de la Maison de Habsbourg, de la Cour et d'État).

Amélie
: Legs Sexau.Journal de la princesse Amélie von Urach. Copie partielle.

Amélie sv.
: Legs Sexau. Souvenirs de la princesse Amélie von Urach adressés à sa grand-mère Ludovika. Copie.

Berne
: Archives fédérales suisses, Berne. Rapports politiques des ambassadeurs suisses à Vienne — « E 2300 Wien ».

Bourgoing
: Jean de Bourgoing (publ. par) : *Lettres de l'empereur François-Joseph à Mme Catherine Schratt*, Vienne, 1949.

Braun
: Archives de Vienne. Legs du baron Adolphe von Braun, conseiller d'État.

Crenneville
: Archives de Vienne. Legs du comte François Folliot de Crenneville.

Élisabeth
: Archives fédérales suisses, Berne. Œuvres littéraires posthumes de l'impératrice Élisabeth d'Autriche — « J I. 64 ».

Festetics
: Bibliothèque Széchényi, Budapest, Collection des manuscrits. Journal de la comtesse Marie Festetics.

Fürstenberg
: Archives familiales Fürstenberg, Weitra/Waldviertel. Lettres de la landgrave Thérèse à sa famille.

Grünne
: Archives familiales Grünne, Dobersberg/Waldviertel. Lettres de l'impératrice Élisabeth au comte Charles Grünne.

Hübner
: Institut d'Histoire de l'université de Padoue. Journal du comte Alexander von Hübner.

Khevenhüller
: Archives de Vienne. Dépôt Khevenhüller. Journal du prince Charles Khevenhüller-Metsch.

Legs Corti
: Archives de Vienne. Legs du comte Egon César Corti, documents pour sa biographie d'Élisabeth.

Legs Sexau
: Bibliothèque du Land de Bavière, collection des manuscrits. Legs Richard Sexau, documents pour sa biographie du prince en Bavière Charles-Théodore.

Nostitz
: Georg Nostitz-Rieneck (publ. par) : *Lettres de l'empereur François-Joseph à l'impératrice Élisabeth*, 2 vol., Vienne, 1966.

Rodolphe
: Archives de Vienne. Archives familiales, legs du prince impérial Rodolphe.

Scharding
: Carlo Scharding, *la Tragédie d'Élisabeth*, Aubange, 1979 (avec des lettres de la comtesse de Jonghe à sa famille).

Schnürer
: Franz Schnürer (publ. par) : *Lettres de l'empereur François-Joseph Ier à sa mère, 1838-1872*, Munich, 1930.

| Sophie | Archives de Vienne. Legs de l'archiduchesse Sophie. Journal. |
| Valérie | Legs Sexau. Journal de l'archiduchesse Marie-Valérie. Copie partielle. |

AA	Archives des Affaires étrangères, Bonn.
BAB	Archives fédérales Suisses, Berne.
BStB	Bibliothèque d'État bavaroise, Munich.
DStB	Bibliothèque d'État allemande, Berlin.
FA	Archives familiales.
GHA	Archives secrètes des Wittelsbach, Munich.
I.B.	Bureau d'information.
OMeA	Intendance supérieure de la Hofburg.
SStA	Archives d'État saxonnes, Dresde.
StbW	Bibliothèque de la Ville de Vienne.

Chapitre 1.

1. Legs Sexau. Ludovika à Marie de Saxe, 7-4-1853.

2. Correspondance du général Léopold von Gerlach avec l'envoyé de la Diète germanique Otto von Bismarck, Berlin 1893, 35 (Ofen, 25-5-1892).

3. Ad. Schmidl, W.F. Warhanek, *Das Kaiserthum Österreich*, Vienne, 1857, VI.

4. *Österreichische Rundschau*, 15-9-1910.

5. Legs Corti. A la princesse Metternich.

6. Sophie. A l'archiduc Louis. Vienne, 9-12-1849.

7. GHA Munich. Maximilien II. Schönbrunn, 12-7-1849.

8. Heinrich Friedjung, *Österreich von 1848 bis 1860*, II, Berlin 1912, p. 257.

9. Comte Egon César Corti, *Mensch und Herrscher*, Vienne, 1952, p. 102.

10.*Ibid.*, p. 103.

11. Amélie sv.

12. Aloys Dreyer, *Herzog Maximilian in Bayern*, Munich, 1909, p. 32. Les autres informations sur Maximilien proviennent du même ouvrage.

13. Legs Sexau. Entretien avec le prince de Thurn et Taxis, le 27-7-1938 ; la citation suivante provient de la même source.

14. Amélie sv.

15. Comte Egon César Corti, *Élisabeth d'Autriche*, trad. fr. Payot, 1936, p. 20. (Pour les poèmes d'Élisabeth, nous nous sommes souvent écartés de la version de Mme Marguerite Diehl. Nous citons d'après la pagination de l'édition autrichienne (Vienne, 1934) (N.d.T.)

16. Schnürer, p. 207.

17. La lettre de Sophie a été publiée intégralement dans la *Reichspost* du 22-4-1934. Les citations suivantes proviennent également de la *Reichspost*.

18. Corti, *Mensch...*, p. 121.

19. Amélie sv.

20. Marie-Thérèse à François-Joseph. 2ᵉ partie : autobiographie du baron Hugo de Weckbecker, feld-maréchal adjoint, Berlin, 1929, p. 195.

21. Amélie sv. De la même source proviennent les informations données plus bas sur Ludovica et Sophie.

22. Hans Flesch-Brunningen (sous la direction de), *Die letzten Habsburger in Augenzeugenberichten*, Düsseldorf, 1967, p. 33.

23. Legs Sexau. Ludovica à Auguste de Bavière. Ischl, 19-8-1853.

24. Valérie, 21-8-1889.

25. Hübner. Résumé pour 1853.

26. Corti, *Élisabeth d'Autriche*, p. 30.

27. Weckbecker, p. 196.

28. Sophie, 19-8-1853.

29. *Ibid.*, 21-8-1853.

30. *Ibid.*

31. Legs Sexau. Ludovica à Auguste de Bavière. Ischl, 26-8-1853.

32. GHA Munich, legs Maximilien II. Ischl, 22-8-1853.

33. Corti, *Mensch...*, p. 126.

34. Hermann von Witzleben et Ilka von Wignau, *Die Herzöge in Bayern*, Munich, 1976, p. 197 s.

35. Festetics. Possenhofen, 19 et 17-9-1872.

36. Schnürer, p. 208 s.

37. Legs Sexau. Ludovica à Marie de Saxe. 10-12-1853.

38. *Ibid.*, 3-12-1853.

39. Max Falk, souvenirs, *Pester Lloyd*, 12-9-1898.

40. Corti, *Élisabeth d'Autriche*, p. 42.

41. Scharding, p. 467. Rapport du 9-9-1853.

42. Schnürer, p. 213. Vienne, 20-9-1853.

43. *Ibid.* Schönbrunn, 15-9-1853.

44. *Ibid.*, p. 210. Schönbrunn, 15-9-1853.

45. GHA Munich. Legs Thérèse de Bavière. A Auguste de Bavière, 8-10-1853.

46. Schnürer, p. 215 s. Munich, 17-10-1853.

47. *Ibid.*, p. 216.

48. Amélie sv.

49. Scharding, p. 81.

50. Sophie, 14-12-1853.

51. Schnürer, p. 219. Munich, 27-12-1853.

52. *Ibid.*, p. 220 s.

53. Legs Sexau, 29-12-1853.

54. Schnürer, p. 221. Munich, 13-3-1854.

55. Richard Kühn (publ. par) *Hofdamen-Briefe um Habsburg und Wittelsbach*, Berlin, 1942, p. 341 s.

56. Friedrich Walter (par les soins de) *Aus dem Nachlass des Freiherrn Carl Friedrich Kübeck von Kübau*, Graz, 1960, p. 134. 18-1-1854.

57. Archives de Vienne, FA. 4-3-1854.

58. Archives de Vienne, OMeA. François-Joseph à Liechtenstein, 21-4-1854.

59. Schnürer, p. 222.

60. *Ibid.*, p. 223. Munich, 16-3-1854.

61. Sophie. 8-4-1854.

62. Archives de Vienne, OMeA 134/8.

63. SStA Dresde. Lettres de la reine Marie de Saxe à Fanny von Ow. Dresde, 1-10-1853.

64. Richard Sexau, *Fürst und Arzt*, Graz, 1963, p. 54.

65. Schnürer, p. 217. Munich, 17-10-1853.

66. Élisabeth. *Winterlieder*, p. 243.

Chapitre 2.

1. Anton Langer, *Dies Buch gehört der Kaiserin. Eine Volksstimme aus Österreich*, Vienne, 1854, p. 1.

2. *Ibid.*, pp. 8 et 11.

3. *Ibid.*, p. 21.

4. Tschudy von Glarus, *Illustrirtes Gedenkbuch*, Vienne, 1854, p. 28. On trouvera également là une description détaillée des festivités.

5. Archives de Vienne, OMeA 1854, 140/24.

6. Weckbecker, p. 204.

7. Tschudy, p. 43.

8. Konstantin von Wurzbach.

9. *Österreichs Jubeltage*, Vienne, 1854, 3ᵉ cahier, p. 9.

10. Scharding, p. 44. Rapport du 25-4-1854.

11. Eugen d'Albon, *Unsere Kaiserin*, Vienne, 1890, pp. 36-39.

12. Tschudy, p. 51.

13. Jean de Bourgoing, *Élisabeth*, p. 6.

14. Amélie sv.

15. *Österreichs Jubeltage*, p. 12.

16. Friedrich Walter (par les soins de) *Aus dem Nachlass des Freiherrn Carl Friedrich Kübeck von Kübau*, Graz, 1960, p. 141.

17. Sophie. 24-4-1854 (en français).

18. Hellmuth Kretzschmer, *Lebenserinnerungen des Königs Johann von Sachsen*, Göttingen, 1858, p. 71.

19. Sophie. 27-4-1854.

20. Festetics. Ischl, 15-10-1872.

21. Sophie. 27-4-1854.

22. Legs Sexau. De Ludovica à Auguste de Bavière. Vienne, 27-4-1854.

23. Hübner. 27-4-1854.
24. Legs Sexau. Possenhofen, 18-6-(1854).
25. Corti, *Élisabeth d'Autriche,* p. 53.
26. *Ibid.*
27. Legs Corti.
28. Festetics. 15-10-1872.
29. Sophie. 5-5, 11-5. et autres.
30. Amélie sv.
31. Festetics. 15-10-1872.
32. SStA Dresde. Marie de Saxe à Fanny von Ow. 6-5-1854.
33. GHA Munich. Legs Max II. Schönbrunn, 22-5-1854.
34. Valérie. 30-5-1881.
35. Festetics. 14-6-1873 (en hongrois).
36. Weckbecker, p. 204.
37. *Wiener Zeitung,* 19-6-1854.
38. *Ibid.,* 8-6-1854.
39. *Ibid.,* 11-6-1854.
40. Fürstenberg. Journal de Thérèse Fürstenberg.
41. *Wiener Zeitung,* 17-6-1854.
42. Récits du chapelain de la Cour, le Dr. Hasel, dans le *Wiener Tagblatt,* 15-9-1898.
43. Sophie. 15-6-1854.
44. Legs Sexau. Possenhofen, 25-6-(1854).
45. Valérie. 3-6-1898.
46. Heinrich Laube, *Nachträge zu den Erinnerungen,* « Œuvres choisies », t. IX, Leipzig, 1909, p. 434.
47. Corti.
48. Schnürer, p. 227 s. Laxenburg, 17-7-1854.
49. L. Sexau.
50. *Ibid.* Possenhofen, 30-6-1854.
51. Richard Sexau, *Furst und Arzt. Dr. med. Herzog Carl Theodor in Bayern,* Vienne, 1963, p. 61.
52. Legs Sexau. A Marie de Saxe.
53. *Ibid.* A Auguste de Bavière. Ischl, 8-9-1854.
54. Corti, *Mensch und Herrscher,* Vienne, 1952, p. 149.
55. Festetics. 14-6-1873 (original hongrois).
56. Schnürer, p. 232. 8-10-1854.
57. *Ibid.*
58. Walter, *Kübeck,* pp. 155 et 153.
59. Richard Charmatz, *Minister Freiherr von Bruck,* Leipzig, 1916, p. 113.
60. Référence de base sur ses transactions financières : Harm-Hinrich Brandt, *Der österreichische Neoabsolutismus, Staatsfinanzen und Politik,* Göttingen, 1978.
61. Valérie. 26-12-1887.
62. Schnürer, p. 232. Schönbrunn, 8-10-1854.

63. *Ibid.*, p. 233.
64. Weckbecker, p. 204.
65. Legs Corti.
66. Correspondance de John Lothrop Motley, Berlin, 1890, vol. I, pp. 168, 142 et 133.

Chapitre 3.

1. Richard Kühn (par les soins de), *Hofdamen-Briefe um Habsburg und Wittelsbach,* Berlin, 1942, p. 351, 6-3-1855.
2. Sophie. 5-3-1855 (en français).
3. Legs Sexau. A Thérèse de Bavière. Vienne, 22-3-1855.
4. Festetics. 26-6-1872 (en hongrois).
5. Eugen d'Albon, *Unsere Kaiserin,* Vienne, 1890, p. 176.
6. *Wiener Tagblatt,* 15-9-1898.
7. Schnürer, p. 256. 18-9-1856.
8. Festetics. 2-6-1872.
9. Ernest II de Saxe-Cobourg-Gotha, *Aus meinem Leben und aus meiner Zeit,* II, Berlin, 1888, p. 174.
10. Berne. 21-12-1860.
11. Corti, *Élisabeth d'Autriche,* p. 74.
12. Corti, *Unter Zaren und gekrönonten Frauen,* Vienne, 1936, p. 111.
13. Corti, *Élisabeth d'Autriche,* p. 68.
14. Schnürer, p. 259, 4-12-1856.
15. Baron Daniel von Salis-Soglio, *Mein Leben,* Stuttgart, 1908, I, p. 79.
16. Corti, *Élisabeth d'Autriche,* p. 70.
17. Schnürer, p. 259. 4-12-1856.
18. *Ibid.*, p. 264. 2-3-1857.
19. Richard Sexau, *Fürst und Arzt,* Graz, 1963, p. 79 s.
20. Schnürer, p. 267. Ofen, 19-5-1857.
21. Crenneville. Ofen, 9-5-1857.
22. Schnürer, p. 267. Ofen, 19-5-1857.
23. *Ibid.*, p. 270.
24. Legs Sexau. A Auguste de Bavière, 23-7-1857.
25. Schnürer, p. 280. Vienne, 3-11-1857.
26. Sophie. 4-8-1857 (en français).
27. Legs Sexau. Munich, 30 et 31-12-1857.
28. *Ibid.* 27-7-1858.
29. *Ibid.* A Marie de Saxe, 21-11-1857.
30. *Ibid.* Possenhoffen, 5-8-1857.
31. *Ibid.* A Sophie, 15-5-1858.
32. *Wiener Zeitung,* 23-8-1858.
33. *Ibid.*, 26-8-1858.

34. Legs Sexau. Munich, 12-3-1859.
35. Sophie. 13-1-1859 (en français).
36. Legs Sexau. 23-1-1859.
37. Marie Louise von Wallersee, *Die Heldin von Gaeta*, Leipzig, 1936, p. 16.
38. Legs Sexau. A Marie de Saxe, 27-1-1859.
39. Selon Wallersee, p. 17 s.
40. Legs Sexau. A Marie de Saxe, 2-3-1860.
41. *Wiener Zeitung*, 29-4-1859.
42. Berne. 19-5-1859.
43. *Ibid.* supplément au rapport précédent.
44. Sophie. 9-5-1859 (en français).
45. Schnürer, p. 292. 16-6-1859.
46. Sophie. 28-5-1859 (en français).
47. Résumé de Khevenhüller, 1859.
48. Schnürer, p. 292. Vérone, 16-6-1859.
49. Joseph Redlich, *Kaiser Franz Joseph von Österreich*, Berlin, 1929, p. 243.
50. FA. Nischer-Falkenhof. Journal de Leopoldine Nischer.
51. Grünne, non daté, 1859.
52. Legs Sexau. A Marie de Saxe, 3-6-1859.
53. Nostitz, vol. I, p. 10 sq. Vérone, 2-6-1859.
54. *Ibid.*, p. 11.
55. Legs Sexau.
56. Joseph Karl Mayr (publ. par), *Das Tagebuch des Polizeiministers Kempen von 1848 bis 1859*, Vienne, 1931, p. 515, 6-6-1859.
57. *Ibid.*, 4-9-1859, p. 532 s.
58. Roger Fulford (éd.), *Dearest Child*, Londres, 1964, p. 286.
59. Nostitz, t. I, p. 14. Vérone, 7-6-1859.
60. *Ibid.*, p. 16. Vérone, 7-6-1859.
61. Redlich, p. 245.
62. Ernest II de Cobourg, t. II, p. 499.
63. Heinrich Laube, *Nachträge zu den Erinnerungen*, « Œuvres choisies », t. IX, Leipzig, 1909, p. 433.
64. *Das Volk*, 25-6-1859. La bataille de Solférino.
65. Nostitz, I. Vérone, 26-6-1859.
66. Ernest II de Cobourg, t. II, p. 500 s.
67. Legs Sexau. Possenhofen, 1-7-1859.
68. Nostitz, t. I., p. 33. Vérone, 5-7-1859.
69. Nostitz, T. I, p. 30.
70. *Ibid.*, p. 28. Vérone, 27-6-1859.
71. *Ibid.*, p. 25. Villafranca, 23-6-1859.
72. *Ibid.*, p. 35. Vérone, 8-7-1859.
73. Legs Sexau. 20-10-1859.
74. Nostitz, t. I, p. 35. Vérone, 8-7-1859.
75. Berne. 13-7-1859.

576 ÉLISABETH D'AUTRICHE

76. Joseph-Karl Mayr, « Das Tagebuch des Polizeiministers Kempen (September bis Dezember 1859) », in : *Historische Blätter,* 1931, 4ᵉ fascicule, p. 88.
77. *Ibid.,* p. 106. 22-12-1859.
78. Legs Sexau. Possenhofen, 11-11-1859.
79. Schnürer, p. 294 sq. Laxenburg, 1-9-1859.
80. Legs Sexau, Possenhofen, 11-11-1859.
81. *Neues Wiener Tagblatt,* 6-11-1875.
82. Grünne. Schönbrunn, 2-11-1859.
83. BStB Munich. Ms. A Amalie von Thiersch, 1-3-1860.

Chapitre 4

1. Crenneville. 29-1-1860.
2. Fürstenberg. Journal.
3. Grünne. Possenhofen, 3.8.1860.
4. Corti, *Anonyme Briefe an drei Kaiser,* Salzbourg, 1939, p. 132.
5. Schnürer, p. 300. Schönbrunn, 2-10-1860.
6. *Ibid.*
7. Sophie. 31-12-1860 (en français).
8. La distance est d'environ 20 km.
9. Albert, rouleau 32. Vienne, 11-11-(1860).
10. *Ibid.,* 4-11-1860.
11. *Ibid.,* 6-11-1860.
12. Sophie. 31-10-1860 (en français).
13. Legs Sexau. Possenhofen, 11-11-1860.
14. Albert, rouleau 32. Vienne, 18-11-1860.
15. Legs Sexau. A Marie de Saxe, 19-11-1860.
16. Legs Corti.
17. legs Sexau 5-1, 17 et 16-3-1861.
18. Crenneville. Funchal, 2-1-1861.
19. Corti, *Élisabeth d'Autriche,* p. 101.
20. Legs Corti.
21. Legs Sexau. A Marie de Saxe, 12-4-1861.
22. FA. Nischer-Falkenhof, Vienne.
23. Crenneville. Funchal, 21-12-1860.
24. Grünne. Funchal, 19-12-1860.
25. Albert, rouleau 32. 21-2-1861.
26. Grünne. Funchal, 19-12-1860.
27. *Ibid.* Funchal, 25-2-1861.
28. *Ibid.* Funchal, 1-4-1861.
29. Sophie. 15-2-1861 (en français).
30. Legs Sexau. 21-5-1861.
31. Legs Corti. Vienne, 21-6-1861.

32. Legs Sexau. 17-6-1861.
33. *Ibid.* Possenhofen, 24-6-1861.
34. Sophie. 18, 21 et 22-6-1861 (en français).
35. Albert, rouleau 32. 24-6-1861.
36. Crenneville. 25-6-1861.
37. Albert, rouleau 32. Weilburg, 31-7-1861.
38. Festetics. 3-11-1872.
39. *Ibid.*, 15-10-1872 (en hongrois).
40. L. Sexau. Possenhofen, 10-8-1861.
41. Grünne. Corfou, 22-8-1861.
42. Legs Sexau. A Marie de Saxe, 10-8-1861.
43. *Ibid.*
44. *Ibid.* Possenhofen, 13-9-1861.
45. Schnürer, p. 206. Laxenburg, 30-9-1861.
46. Albert, rouleau 32. Weilburg, 3-9-1861.
47. Legs Sexau. Possenhofen, 22-8-1861.
48. Schnürer, p. 305. Laxenburg, 30-9-1861.
49. *Ibid.*, p. 308 s. Corfou, 16-10-1861.
50. Crenneville. 17-10-1861.
51. Sophie. 27-10-1861.
52. *Ibid.* 27-1-1862.
53. Legs Sexau. Munich, 27-2-1862.
54. Legs Corti. Rapport du 28-1-1862.
55. Legs Corti.
56. Legs Sexau. A l'archiduchesse Sophie, Venise, 25-4-1862.
57. *Ibid.* Venise, 3-5-1862.
58. La collection de photographies de Sissi a été partiellement publiée dans *Sisis Familienalbum* (« Bibliophile Taschenbücher », n° 199) et *Sisis Schönheitsalbum* (n° 206), Dortmund, 1981, choix et présentation de Brigitte Hamann.
59. *Die Presse*, 26-6-1862.
60. Otto Ernst (par les soins de), *Franz Joseph I. in seinen Briefen,* Vienne, 1924, p. 120 s., 6-9-1862.
61. *Morgen-Post*, 29-7-1862, p. 2.
62. *Ibid.*, 29-1-1863.
63. *Die Presse*, 1-7-1862.
64. *Ibid.*, 10-7-1862.
65. Fürstenberg. 30-8 et 1-9-1867.
66. *Ibid.*, 8-12-1865.
67. SStA Dresde. A Fanny von Ow, 7-2-1863.
68. L. Sexau. A Auguste de Bavière, Possenhofen, 5-9-1862.
69. Marie-Louise von Wallersee, *Die Heldin von Gaeta,* Leipzig, 1863, pp. 88 et 93.
70. *Morgen-Post*, 14-10-1862.
71. Crenneville. 14-7-1862.
72. SStA Dresde. A Fanny von Ow, 31-12-1862.

73. Crenneville. Possenhofen, 18-7-1862.
74. Schnürer, p. 313. 25-8-1862.
75. *Morgen-Post*, 15-8-1862.
76. Corti, *Élisabeth d'Autriche*, p. 113.
77. Albert, rouleau 32. Weilburg, 16-8-1862.
78. Corti, *Élisabeth d'Autriche*, p. 114.
79. *Morgen-Post*, 12-8-1862.
80. Sophie. 27-8-1862.
81. Fürstenberg. 30-8-1867.
82. Crenneville, *Grande correspondance*, 3. (sans autre mention de date).
83. Legs Sexau. Ludovica à Sophie, 6-3-1863.
84. Corti, *Élisabeth d'Autriche*, p. 115.
85. Legs Corti. 28-9-1862.
86. Comte Egon César Corti, *Wenn*, Vienne, 1954, p. 160.
87. Crenneville. 2-4-1864.
88. Valérie. 31-10-1889.
89. Sophie. 24-3-1864.
90. Schnürer, p. 333 s. Schönbrunn, 2-8-1864.
91. Crenneville. A sa femme, 26-8-1864.
92. Dr. Constantin Christomanos, *Aufzeichnungen über die Kaiserin*, in : *Die Wage*, 17-9-1898.
93. Brigitte Hamann, *Rudolf, Kronprinz und Rebell*, Vienne, 1978, p. 27.
94. Festetics. 30-6-1882.
95. Legs Sexau (cité un peu différemment par Corti, *Élisabeth d'Autriche*, p.).
96. Sophie. 22-4-1865 (en français).
97. StBW. Collection des manuscrits. Legs Friedjung. Conversation avec Marie Festetics le 29-12-1910.
98. Crenneville. Salzbourg, 5-8-1865.
99. *Ibid.* Vienne, 9-10-1865.
100. Rodolphe, carton 18. Ofen, 16-12-1865.
101. AA Bonn, Österreich. Vienne, 28-12-1865.
102. Valérie. 25-10-1889.

Chapitre 5

1. Communication personnelle de la princesse Ghislaine Windisch-grätz.
2. Sophie. 1-4-1855 (en français).
3. *Ibid.* 6-4-1860 (en français).
4. Joseph Karl Mayr (publ. par), *Das Tagebuch des Polizeiministers Kempen von 1848 bis 1859*, Vienne, 1931.
5. Crenneville. 17-10-1861.

6. Rodolphe, carton 18. Zurich, 1-9-1867 (en hongrois).

7. *Die Presse*, 11-6-1868.

8. Corti, *Élisabeth d'Autriche*, p. 111.

9. Brigitte Hamann, Introduction à *Sissis Schönheitsalbum*, Dortmund, 1980, p.7.

10. *Ibid.*, p. 8.

11. Princesse Pauline de Metternich-Sandor, *Éclairs du passé*, Vienne, 1922, p. 7.

12. Sophie. Dresde, 10 et 11-2-1864.

13. SStA Dresde. De Marie de Saxe à Fanny von Ow, 18-3-1865.

14. *Correspondance de John Lothrop Motley*, Berlin, 1890, t. I, p. 174.

15. *Ibid.*, p. 227 s.

16. Corti, *Wenn*, Graz, 1954, p. 159 s.

17. Comte Helmut Moltke, *Gesammelte Schriften*, vol. VI, Berlin, 1892, pp. 435 et 439.

18. Roger Fulford (éd.), *Dearest Mama*, Londres, 1968, p. 266. Berlin, 8-9-1863.

19. Scharding, p. 77.

20. Festetics, 5 et 25-3-1874.

21. *Wiener Tagblatt*, 14 et 17-9-1898.

22. *Morgen-Post*, 27-4-1863.

23. Sophie, 28-4-1863.

24. Constantin Christomanos, *Tagebuchblätter*, Vienne, 1899, p. 84.

25. Corti, *Élisabeth d'Autriche*, p. 356.

26. Comtesse Irma Sztáray, *Aus den letzten Jahren der Kaiserin Elisabeth*, Vienne, 1909, p. 40 s.

27. Christomanos, pp. 58-62.

28. Baronne Maria von Wallersee, *Meine Vergangenheit*, Berlin, 1913, p. 27.

29. Fürstenberg. Vienne, 18-1-1866.

30. Wallersee, p. 53.

31. *Fremden-Blatt*, 8-12-1864.

32. Crenneville. François-Joseph à Crenneville, 8-12-1864.

33. Christomanos, p. 90 s. et p. 108.

34. Marie-Louise von Wallersee, *Kaiserin Elisabeth und ich*, Leipzig, 1935, p. 204.

35. Hübner. 31-10-1881.

36. Valérie. 15-10-1882.

37. Guillaume II, *Aus meinem Leben 1859-1888*, Berlin, 1929, p. 27.

38. Festetics. Ischl, 21-6-1872.

39. Carmen Sylva, « Die Kaiserin Elisabeth in Sinaia », in : *Neue Freie Presse*, 25-12-1908.

40. Festetics. 14-9-1879.

Chapitre 6

1. Amélie sv.
2. Schnürer, p. 328. Schönbrunn, 20-10-1863.
3. Max Falk, « Erinnerungen », in : *Pester Lloyd,* 12-9-1898.
4. Corti, *Élisabeth d'Autriche,* p. 125.
6. *Ibid.*
6. Legs Corti. 1511-1864.
7. Crenneville. 27-10-1864.
8. Legs Corti. Vienne, 3-6-1866.
9. Kákay Aranyos II, *Graf Julius Andrássy,* Leipzig, 1879, p. 74.
10. *Ibid.,* p. 109.
11. Hübner. 21-8-1878.
12. *Morgen-Post,* 9-1-1866.
13. Eduard von Wertheimer, *Graf Julius Andrássy, Sein Leben und seine Zeit,* t. I, Stuttgart, 1910, p. 214 *passim.*
14. *Morgen-Post,* 10-1-1866.
15. Crenneville. A sa femme, 4-2-1866.
16. *Ibid.,* 31-1-1866.
17. Schnürer, p. 351. Ofen, 17-2-1866.
18. Archives de Vienne, legs Braun. Journal, 2-2-1866.
19. Schnürer, p. 350. Ofen, 17-2-1866.
20. Crenneville. Vienne, 9-2-1866.
21. *Ibid.,* Ofen, 15-2-1866.
22. *Ibid.,* Ofen, 27-2-1866.
23. *Országos Leveltar,* Budapest, non daté.
24. *Ibid.*
25. Legs Corti. Vienne, 13-4-1866.
26. Schnürer, p. 352. Schönbrunn, 3-5-1866.
27. Legs Corti. Schönbrunn, 2-6-1866.
28. Schnürer, p. 351.
29. Corti *Élisabeth d'Autriche.*
30. *Ibid.*
31. Rodolphe, carton 18. 29-6-1866.
32. *Ibid.*
33. *Ibid.*
34. Legs Corti. Vienne, 1-7-1866.
35. Rodolphe, carton 1. 1-7-1866.
36. *Ibid.,* 4-7-1866.
37. Fürstenberg. 6-7-1866.
38. Gordon A. Craig, *Königgrätz,* Vienne, 1966, p. 11.
39. Sophie. 6-7-1866.
40. Legs Sexau. Ludovica à Sophie, 13-9-1866.
41. Sophie. 6-7-1866.

42. Fürstenberg. 8-7-1866.
43. Cité d'après le journal hongrois, par Nolston, p. 13.
44. *Erinnerungen an Dr. Max Friedländer,* Vienne, 1883. p. 165. 15-7-1866.
45. Berne. Rapport de Vienne, 20-7-1866.
46. Sophie. 11-7-1866.
47. Fritz Reinöhl, *Die Panik nach Königgrätz,* in : *Neues Wiener Tagblatt,* 4-3-1933 (édition du week-end).
48. Manr. Konyi, *Die Reden des Franz Deak,* VIII, p. 763.
49. Corti, *Élisabeth d'Autriche,* p. 154.
50. *Ibid,* p. 155.
51. Nostitz, I, p. 38. Vienne, 15-7-1866.
52. Wertheimer, I, p. 217. 16-7-1866.
53. Nostitz, I, p. 39. 17-7-1866.
54. *Ibid.,* p. 41. Vienne, 18-7-1866.
55. *Ibid.,* p. 44 s. Vienne, 20-7-1866.
56. Sophie. 11-7-1866.
57. *Ibid.,* 14-7-1866.
58. Fürstenberg. Ischl, 23-7-1866.
59. Nostitz, I, p. 45 s. Vienne, 21-7-1866.
60. *Ibid.,* 25-7-1866.
61. *Ibid.,* Vienne, 23-7-1866.
62. Sophie. 29-7-1866.
63. Nostitz, I, p. 53. Vienne, 27-7-1866.
64. *Ibid.,* p. 54. Schönbrunn, 28-7-1866.
65. Fürstenberg. Schönbrunn, Ischl, 27-7-1866.
66. Nostitz, I, p. 53. 28-7-1866.
67. Wertheimer, I, p. 222.
68. *Ibid.,* p. 223.
69. Nostitz, I, p. 55. Schönbrunn, 4-8-1866.
70. *Ibid.,* p. 56. Schönbrunn, 6-8-1866.
71. *Ibid.,* p. 57 s. Schönbrunn, 7-8-1866.
72. *Ibid.,* p. 54. Schönbrunn, 28-7-1866.
73. *Ibid.,* p. 58. Schönbrunn, 9-8-1866.
74. *Ibid.,* p. 60. Schönbrunn, 10-8-1866.
75. *Ibid.*
76. Fürstenberg. Ischl, 18-8-1866.
77. Nostitz I, p. 61. Schönbrunn, 20-8-1866.
78. *Ibid.,* p. 63. Schönbrunn, 22-8-1866.
79. Wertheimer, I, p. 245.
80. *Pester Lloyd,* 12-9-1898.
81. Voir aussi la *Morgen-Post,* 2 et 6-12-1862.
82. On trouve cela, ainsi que ce qui suit, dans les souvenirs de Max Falk in : *Pester Lloyd,* 12-9-1898.
83. Legs Corti. 21-3-1867.

84. Bibliothèque Széchényi de Budapest, collection des manuscrits. Ischl, 4-8-1867 (en hongrois).

85. *Ibid.*, Buda, 19-4-1869 (en hongrois).

86. Corti, *Élisabeth d'Autriche*, p. 173.

87. Nostitz, I, p. 428. Ofen, 31-12-1894.

88. Sophie. 12-1-1867.

89. Fürstenberg. Ischl, 1-11-1866.

90. Sophie, en octobre 1866.

91. Wallersee, *Elisabeth*, p. 256.

92. Archives de Vienne I.B.1867. Référence : Archiduc Albert, n°s 443, 1016, 1080, 1755, 1831, 2350. Sur l'archiduc Albert, *cf.* Brigitte Hamann, « Erzherzog Albrecht — die graue Eminenz des Habsburgerhofes », in : *Festschrift für Rudolf Neck*, Vienne, 1981, p. 32-43.

93. Wertheimer, I, p. 271.

94. Sophie. 7-2-1867.

95. Corti, *Élisabeth d'Autriche*, p. 171.

96. *Ibid.*, 21-3-1867.

97. Archives de Vienne, Kab. A. Geh. Akten, 17. 1-2-1867.

98. Fragments des papiers laissés par le comte Richard Belcredi, alors ministre d'État. *Die Kultur,* 1905, p. 413.

99. Wertheimer, I, p. 273.

100. Sophie. 6-2-1867.

101. Hübner. 10-7-1878 et 5-1-1888.

102. Sophie. 11-3-1867.

103. Crenneville. A sa femme, 13-3-1867.

104. Souvenirs de Falk.

105. Juliana Zsigray, *Königin Elisabeth*, Budapest, 1908 (en hongrois).

106. Legs Corti. 16-5-1867.

107. *Pester Lloyd*, 23-5-1867.

108. Ludwig Ritter von Przibram, *Erinnerungen eines alten Österreichers*, Stuttgart, 1910, I, p. 185 s.

109. *Pester Lloyd*, 7-6-1867.

110. Legs Corti. 29-5-1867.

111. Crenneville. A sa femme, 7-6-1867.

112. Hélène Erdödy, *Lebenserinnerungen*, Vienne, 1929, p. 154.

113. *Pester Lloyd*, 8-6-1867.

114. *Ibid.*, 13-6-1867.

115. Przibram, p. 187.

116. *Ibid.*, p. 180.

117. Berne. 9-6-1867.

118. Przibram, p. 187 s.

119. Scharding, p. 118.

120 Przibram, p. 184 s.

121. Berne. Rapport du 14-6-1867.

122. Crenneville. A sa femme, 11-6-1867.

123. *Pester Lloyd*, 8-6-1867.

124. Berne. Rapport du 22-4-1868.
125. *Ibid.*
126. Wallersee, *Kaiserin Elisabeth,* p. 255.
127. Sophie. 22-4-1868.
128. Festetics. 8-3-1874.
129. *Pester Lloyd,* 28-4-1868.
130. Albert, rouleau 33. Vienne, 28-4-1868.
131. Crenneville. 6-1868.
132. *Neues Wiener Tagblatt,* 18-6-1868.
133. Crenneville. A sa femme, Vienne, 14-6-1868.
134. *Neues Wiener Tagblatt,* 10-6-1868.
135. Fürstenberg. Ischl, 29-7-1868.
136. Crenneville. A sa femme, Vienne, 20-6-1868.
137. Festetics. 2-6-1872.
138. *Ibid.,* 30-4-1874.
139. Fürstenberg. Ischl, 20-8-1869.
140. Legs Corti. 30-4-1869.
141. *Orszagos Leveltár,* Budapest, non daté.
142. *Neues Wiener Tablatt,* 3-3-1870.
143. Legs Corti. 31-7-1869 (en hongrois).
144. Festetics. 15-10-1872.
145. Archives de Vienne. Legs Braun. Lettre du 3-10-1876.
146. De la vaste littérature existante, citons seulement ici trois recueils portant le même titre : *Der österreichisch-ungarische Ausgleich von 1867.* 1) publié par les Forschungsinstitut für den Donauraum, Vienne, 1967. 2) t. XX de la série de la *Süddeutsche Historische Kommission,* Munich, 1968. 3) par Ludovit Holotik, Bratislava, 1971.

Chapitre 7

1. Fürstenberg. 3-7-1867.
2. BStB Munich, collection des manucrits. Sophie à Oscar von Redwitz, Vienne, 15-2-1869.
3. Fürstenberg. 30-8-1867.
4. *Ibid.,* Possenhofen, 30-8-1867.
5. Sophie. 2-9-1867.
6. Fürstenberg. Possenhofen, 2-9-1867.
7. Sophie. 29-8-1867.
8. Corti, *Élisabeth d'Autriche,* p. 184.
9. Fürstenberg. Ischl, 19-8-1978.
10. *Hans Wilczek erzählt seinen Enkeln Erinnerungem aus seinem Leben,* Vienne, 1933, p. 76.
11. *Ibid.,* p. 74.
12. Prince Kraft zu Hohenlohe-Ingelfingen, *Aus meinem Leben,* t. I, Berlin, 1906, p. 369.

13. Fürstenberg. Possenhofen, 30-8-1867.
14. Rodolphe, carton 18. 31-3-1865.
15. *Ibid.*
16. Festetics. 13-3-1872.
17. *Ibid.*, 19-9-1872.
18. Fürstenberg. Ischl, 23-8-1867.
19. *Ibid.*, Vienne, 9-3-1868.
20. *Ibid.*, Ischl, 1-8-1869.
21. Festetics. 14-2-1872 (en français).
22. *Ibid.*, 17 et 19-9-1872.
23. Crenneville. 25-3-1869.
24. Hans Christoph Hoffmann, Walter Krause, Werner Kitlischka, *Das Wiener Opernhaus*, Wiesbaden, 1972, p. 410 sq. Le salon de l'impératrice brûla en 1945 et ne put être restauré.
25. Scharding, p. 88 s.
26. Festetics. 2-2-1883.
27. *Ibid.*, 13-1-1874.
28. Legs Corti. Méran, 18-11-1871.
29. William Unger, *Aus meinem Leben*, Vienne, 1929, p. 152.
30. Baronne Maria von Wallersee, *Meine Vergangenheit*, Berlin, 1913, p. 59 sq.
31. Khevenhüller. 3-5-1888.
32. Élisabeth, *Winterlieder*, p. 20 sq.
33. Sophie. 27-7-1870 (en français).
34. *Ibid.*, 5-8-1870.
35. *Ibid.*, 25-8-1870.
36. Legs Corti. Ischl, 16-7-1870.
37. *Ibid.*, Neuberg, 10-8-1870.
38. Élisabeth, *Nordseelieder*, p. 124.
39. Sophie. 25-9-1870.
40. *Ibid.*, 5-10-1870.
41. Festetics. 4-7-1871.
42. *Ibid.*, 2-2-1872.
43. *Meraner Zeitung*, 12-4-1903.
44. Festetics. 23-2-1872 (en hongrois).
45. *Ibid.*, 17-3-1872.
46. *Ibid.*, 21-4-1873.
47. *Ibid.*, 27-9-1878.
48. Élisabeth, ms.
49. Voir encore Heinrich Lutz, *Österreich-Ungarn und die Gründung des Deutschen Reiches*, Francfort, 1979.
50. Sophie. 31-12-1871.
51. Legs Corti. Vienne, 12-3-1874.
52. *Ibid.* Vienne, 24-4-1872.
53. GHA Munich. Legs Léopold de Bavière. Méran, 17-2-(1872).
54. Festetics. 8-4-1872.

55. Schnürer, p. 385. Ofen, 8-4-1872.
56. Sophie. 7-4-1872.
57. Legs Léopold. Ofen, 7-4-1872.
58. Sophie. 23-4-1872.
59. Festetics. 25-5-1875.
60. Richard Sexau, *Fürst und Arzt*, Graz, 1963, 242.
61. Festetics. 17-4-1872.
62. *Ibid.*, 28-5-1872.
63. Berne. 29-5-1872.
64. Hübner. 28-5-1872.
65. Festetics. 2-6-1872.
66. Sexau. 19-3-1862.
67. Festetics. 2-6-1872.
68. *Ibid.*, 15-10-1872.
69. *Ibid.*, 9-12-1872.
70. *Ibid.*, 28-12-1873.
71. Valérie. 24-12-1890.
72. Fürstenberg. Ischl, 20-7-1874.
73. *Ibid.*, 3-5-1882.
74. Festetics. 21-4-1873.
75. *Ibid.*, 21-4-1873.
76. *Ibid.*, 23-4-1873.
77. *Neues Wiener Tagblatt*, 21-4-1873.
78. Legs Corti. Munich, 12-1-1874.
79. Rodolphe, carton 18. Ischl, 24.
80. GHA Munich. Legs Léopold de Bavière. Ofen, 9-1-1874.
81. Festetics. 21-5-1873.
82. *Ibid.*, 4-5-1873.
83. *Ibid.*, 21-5-1873.
84. *Ibid.*, 29-5-1873.
85. *Ibid.*, 4-6-1873.
86. Crenneville. 3-6-1873.
87. Crenneville. A sa femme, 5, 4 et 7-6-1873.
88. *Ibid.*, 9-5-1873.
89. *Ibid.*, 25-6-1873.
90. *Ibid.*, 26-6-1873.
91. *Ibid.*, 6-7-1873.
92. Festetics. 14-7-1873.
93. *Ibid.*, 8-6-1873.
94. Corti, *Élisabeth d'Autriche,* p.   .
95. Crenneville. 28-7-1873.
96. *Neues Wiener Tagblatt*, 3 et 2-8-1873.
97. *Ibid.*, 31-7-1873.
98. *Ibid.*, 8-8-1873.
99. *Ibid.*, 9-8-1873.
100. Festetics. 9-8-1873.

101. *Neues Wiener Tagblatt*, 9-8-1873.
102. Crenneville. 21-9-1873.
103. Festetics. 23-9-1873.
104. Berne. 7-12-1873.
105. *Fremden-Blatt*, 30-11-1873.
106. Festetics. 3-12-1873.
107. *Fremden-Blatt*, 2-12-1873.
108. *Neues Wiener Tagblatt*, 3-12-1873.
109. Festetics. 3-3-1874.
110. *Ibid.*, 4-3-1875.
111. *Ibid.*, 14-8-1873.

Chapitre 8

1. Legs Corti.
2. Scharding, p. 115.
3. Baronne Maria von Wallersee, *Meine Vergangenheit*, Berlin, 1913, pp. 43, 49 et 50.
4. Legs Sexau. Conversation avec le conseiller secret Von Müller, le 23-9-1938.
5. Ketterl, p. 39.
6. Legs Corti. Gödöllö, 26-1-1875.
7. Les deux lettres figurent *in* : Roger Fulford (éd.), *Darling Child*, Londres 1876, p. 145. Osborne, 2-8-1874 et Sandown, 3-8-1874.
8. Legs Corti. Ventnor, 2-8-1874.
9. *Ibid.*, Steephill Castle, 15-8-1874.
10. *Ibid.*, Claridge Hotel, 22-8-1874.
11. *Ibid.*, Ce qui suit est daté de Steephill Castle, 28-8-1874.
12. Corti, *Élisabeth d'Autriche*, p. 270. Ventnor, 13-9-1874.
13. Legs Corti. Isle of Wight, 18-8-1874.
14. Festetics. 26-8-1874.
15. *Ibid.*, 15-1-1874.
16. *Ibid.*, 18-1-1874.
17. *Ibid.*, 15-12-1872.
18. Crenneville. 3-7-1875.
19. Archives de Vienne. Direction générale impériale et royale du fonds familial, ah. Documents réservés de 1892.
20. Legs Corti. Sassetôt, 4-8-1875.
21. *Ibid.*, 27-8-1875.
22. Corti, *Élisabeth d'Autriche*, p. 279.
23. Festetics. 8-8-1875.
24. Legs Corti. 16 et 22-9-1875. Une certaine comtesse Zanardi Landi (*the Secret of an Empress*, Londres, 1914) exploita cet accident de l'impératrice en prétendant qu'Élisabeth avait secrètement mis au monde un enfant à Sassetôt. La comtesse Marie Larisch (qui n'était pas présente à Sassetôt)

n'ignorait pas cette histoire : *cf.* Marie-Louise von Wallersee, ancienne comtesse Larisch, *Kaiserin Elisabeth und ich,* Leipzig, 1935, p. 303 sq. Des journaux détaillés tenus par la comtesse Festetics et l'archiduchesse Marie-Valérie, ainsi que des souvenirs de l'évêque Hyacinthe Ronay, également présent à Sassetôt, il ressort sans conteste que ce n'est là qu'une fable. L'emploi du temps quotidien de l'impératrice peut être vérifié en détail par la consultation des journaux français de l'époque. Des milliers de personnes la voyaient chaque jour se baigner dans l'océan et assistaient à ses exercices d'équitation. Comment donc aurait-elle pu être enceinte de neuf mois ? Si le médecin impérial, le Dr Widerhofer, l'accompagna en France, c'était dû à un souhait exprès de l'empereur : la témérité d'Élisabeth faisait constamment craindre un accident, et l'on ne voulait pas s'en remettre à des médecins étrangers. La chute de cheval est hors de question. *Cf.* également Corti, *Élisabeth d'Autriche,* p. 282.

25. Communication particulière du Dr Michael Habsburg-Salvator, Persenbeug.

26. *Neues Wiener Tagblatt,* 14-9-1875.

27. Crenneville. Kwassnitz, 20-9-1875.

28. Festetics. 29-9-1875.

29. *Ibid.,* 15-10-1875.

30. *Ibid.,* 15-7-1872.

31. Legs Corti. 5-3-1876.

32. Festetics. 8-10-1876.

33. Legs Corti. A Ida Ferenczy, 16-3-1876.

34. *Ibid.,* Easton Neston, 20-3-1876.

35. John Welcome, *Die Kaiserin hinter der Meute,* Vienne, 1975, p. 99.

36. Festetics. 15-3-1876.

37. Scharding, p. 134.

38. Wallersee, *Vergangenheit,* p. 47 s.

39. Corti, *Élisabeth d'Autriche,* p. .

40. Rodolphe, carton 16. A Latour, 3-12-1877.

41. Khevenhüller. 4-12-1881.

42. Reproduit in : Brigitte Hamann, *Kronprinz Rudolf, Majestät ich warne Sie,* Vienne, 1979, pp. 19-52 ; citation p.33.

43. Festetics. février 1878.

44. *Ibid.,* 4-1-1878.

45. *Ibid.,* février 1878.

46. Corti, *Élisabeth d'Autriche,* p. .

47. Legs Sexau. Cottesbrook, 3-2-(1878).

48. Legs Corti. 26-7-1869.

49. DStB Berlin. Collection du Domaine culturel prussien. Collection Darmstaedter Lc 18. 7-7-1878.

50. Fürstenberg. Ischl, 13-8-(1877).

51. Festetics. 1-7-1880.

52. Legs Corti. Schönbrunn, 26-5-1878.

53. Corti, *Élisabeth d'Autriche,* p. 301.

54. Festetics. 18-9-1878.
55. *Ibid.,* 20-9-1878.
56. Hübner. 8.1-1879.
57. *Ibid.,* 24-7-1878.
58. Coronini à Crenneville, 26-4-1876.
59. *Ibid.,* 25-11-1878 et 22-1-1879.
60. Festetics. 14-2-1880.
61. Corti, *Élisabeth d'Auriche,* p. 290. 29-5-1876.
62. Legs Corti. Summerhill, 11-2-(1880).
63. Welcome 190. Summerhill, 22-2-1879.
64. Festetics. 20-3-1879.
65. Legs Corti. Summerhill, 16-3-1879.
66. Festetics. 22-3-1879.
67. Corti, *Élisabeth d'Autriche,* p. 307.
68. *Wiener Zeitung,* 24 et 25-4-1879.
69. Wallersee, *Élisabeth,* p. 170.
70. *Die Grosse Politik der europäischen Kabinette 1871-1914,* vol. III, Berlin, 1927, p. 42. (5-9-1879).
71. Festetics. 28-12-1880.
72. Corti, *Élisabeth d'Autriche,* p. 312.
73. Wallersee, *Élisabeth,* p. 64. Idem pour la citation suivante.
74. Festetics. 21-7-1880.
75. Legs Corti. Summerhill, 29-2-1880.
76. Corti, *Élisabeth d'Autriche,* p. .
77. Festetics. 13-3-1880.
78. Welcome, p. 285.
79. Legs Corti. A Ida Ferenczy, 1881.
80. Festetics. 19-4-1882.
81. *Ibid.,* 6-1-1874.
82. *Ibid.,* 11-4-1882.
83. Élisabeth, *Winterlieder,* p. 20.
84. *Ibid.,* p. 1 sq.
85. Valérie. 15-9-1882.
86. Festetics. 18-9-1882.
87. Valérie. 20-9-1882.
88. *Neue Freie Presse,* 28-6-1882.
89. Hübner. 1-1-1882.
90. Festetics. 24-4-1882.
91. Valérie. 9-8-1885.
92. Festetics. 20-9-1882.
93. Baron Robert Lucius von Ballhausen, *Bismarck-Erinnerungen,* Stuttgart, 1920, p. 398. 24-10-1887.
94. Wallersee, *Élisabeth,* op. 210.
95. legs Corti. Amsterdam, 6-6-1884. A Ida Ferenczy.

Chapitre 9.

1. Festetics. 15-10-1872.
2. *Ibid.*, 6-2-1872.
3. *Ibid.*, 21-6-1878.
4. *Ibid.*, 21-1-1875.
5. *Ibid.*, 6-2-1874.
6. Legs Corti. Ofen, 14-4-1869.
7. *Ibid.*, Gödöllö, 30-4-1869.
8. *Ibid.*, 31-1-1867.
9. *Ibid.*, 18-12-1868.
10. *Ibid.*, 6-9-1868.
11. *Ibid.*, janvier 1870.
12. *Ibid.*, 8-7-1868 et 22-6-1867.
13. StBW. Collection des manuscrits. Legs Friedjung. Entretien avec Marie Festetics, le 6-3-1913.
14. Valérie. A sa nièce Amélie, 3-9-1908.
15. Wallersee, *Meine Vergangenheit,* Berlin, 1913, p. 93 s.
16. Cité d'après les rapports de Pachter figurant au legs Corti : légèrement différent de Corti, *Élisabeth d'Autriche,* p. .
17. Élisabeth, *Nordseelieder,* p. 96.
18. Corti, *Élisabeth d'Autriche,* p. 233.
19. Élisabeth, *Nordseelieder,* p. 96.
20. Corti, *Élisabeth d'Autriche,* p. 350 et suiv.
21. Élisabeth, *Nordseelieder,* p. 61.
22. Élisabeth, manuscrit ; déjà in Corti, *Élisabeth d'Autriche,* p. 384 et suiv.
23. Festetics. 9-1-1874.
24. Marie-Louise von Wallersee, ancienne comtesse Larisch, *Kaiserin Elisabeth und ich,* Leipzig, 1935, p. 60 sq.
25. *Ibid.*, p. 59. Une version plus longue et moins bonne de ce poème figure dans les *Winterlieder,* pp. 206-209.
26. Hübner. 23-5-1876.
27. Wallersee, *Elisabeth,* p. 202.
28. Constantin Christomanos, *Tagebuchblätter,* Vienne, 1899, p. 98 s.
29. Elisabeth, *Nordseelieder,* p. 24 s. « La plainte de Titania ».
30. *Ibid.*, p. 60 s.
31. Wallersee, *Elisabeth,* p. 307.
32. Élisabeth, *Winterlieder,* p. 91.
33. *Ibid.*, p. 86.
34. Élisabeth, *Nordseelieder,* p. 59.
35. Valérie. 4-9-1891.
36. Élisabeth, *Winterlieder,* p. 59. A Sophie, I.
37. *Ibid.*, A Sophie, II.
38. Amélie. 22-8-1888.

39. Bourgoing, p. 251. Ofen, 6-3-1892.
40. *Ibid.,* p. 254.
41. Christomanos, p. 75 s.
42. Ces vers et l'ensemble « Titiana et Alfred » se trouvent dans la partie manuscrite, non numérotée, du fonds de Berne.
43. Legs Corti. Barcelone, 6-2-1893.

Chapitre 10.

1. Richard Sexau, *Fürst und Arzt,* Graz, 1963, p. 131.
2. *Aus fünfzig Jahren,* Souvenirs du duc Philipp zu Eulenburg-Hertefeld, Berlin, 1925, p. 130.
3. Luise von Kobell, *Unter den ersten vier Königen Bayerns,* Munich, 1894, p. 241.
4. Scharding, *Das Schicksal der Kaiserin Elisabeth,* s.l.n.d., p. 191. Louis au comte Dürckheim, 8-1-1877.
5. Marie-Louise von Wallersee, ancienne comtesse Larisch, *Kaiserin Elisabeth und ich,* Leipzig, 1935, p. 74 sq.
6. Duc Philipp zu Eulenburg-Hertefeld, *Das Ende Ludwigs II und andere Erlebnisse,* t. I, Leipzig, 1934, p. 96.
7. Baron Oskar von Mitis, *Das Leben des Kronprinzen Rudolf,* nouvelle édition par les soins d'Adam Wandruszka, Vienne, 1971, p. 225. 9-3-1878.
8. Legs Sexau. Louis à sa fiancée Sophie, Munich, 28-4-1867.
9. Legs Sexau. Louis à von der Pfordten, 19-7-1865.
10. GHA Munich. Schönbrunn, 11-12 (sans indication d'année).
11. Rodolphe, carton 18. 31-3-1865.
12. Legs Sexau. Ludovica à Sophie, 18.4.1866.
13. Sexau, p. 170 s. 3-7-1867.
14. *Ibid.,* p. 174.
15. Gottfried von Böhm, *Ludwig II, König von Bayern,* t. II, Berlin, 1924, p. 402.
16. Legs Corti.
17. Festetics. 21-9-1872.
18. Otto Gerold, *Die Letzten Tage Ludwigs II,* Zurich, 1903.
19. Legs Corti. Steephill Castle, 26-9-1874.
20. Festetics. 18-1-1874.
21. Rodolphe, carton 18. Berg, 28-8-1873.
22. *Ibid.,* Hohenschwangau, 28-11-1875.
23. Élisabeth, *Nordseelieder,* p. 99.
24. Ms. d'Élisabeth, comportant le poème et la lettre.
25. Élisabeth, *Nordseelieder,* p. 108.
26. Festetics. 18-1-1874.
27. Valérie. 4-6-1885.
28. Élisabeth, *Nordseelieder,* p. 109.

29. Constantin Christomanos, *Tagebuchblätter*, Vienne, 1899, p. 92 sq.
30. Valérie. Entretien avec le comte Dürckheim, 13-12-1902. Il convient de préférer cette source à la lettre adressée le 5-8-1886 par le duc Philippe Eulenburg au comte Herbert Bismarck, où il s'appuie sur la rumeur munichoise pour mentionner un prétendu plan de fuite d'Élisabeth avec Louis II : « Elle voulait aller voir Gudden et lui demander de pouvoir se promener seule avec le roi pendant un quart d'heure — ce qu'il aurait certainement autorisé. Elle entendait ensuite s'enfuir avec le roi. — Ç'aurait été une belle cochonnerie ! » On connaissait à Munich l'état psychique déplorable dans lequel la mort de Louis avait mis Élisabeth. Selon Eulenburg, « l'impératrice se trouvait plongée dans un désespoir qui confinait à la folie ». *Cf.* la *Correspondance politique* de Philipp Eulenburg, publ. par John C.G. Röhl : t. I, Boppard, 1976, p. 191.
31. Valérie. 16-6-1886.
32. *Berliner Tageblatt*, 21-4-1889.
33. Legs Corti. Feldafing, 10-6-1886.
34. Amélie. 14-6-1886 et 23-5-1887.
35. Valérie. 20-6-1886.
36. Élisabeth, *Nordseelieder*, p. 108 s.
37. AA Bonn, *Österreich 86*, n° 1, secret. 20-5-1891.
38. Valérie. 10-6-1886.
39. *Ibid.*, 19-6-1886.
40. Amélie. 23-8-1888.
41. Valérie. 19-8-1888.
42. Amélie. 21-3-1889.
43. Élisabeth, 1888, ms. « A l'aigle mort. »
44. Valérie. 18-5-1887.
45. *Ibid.*, 18-6-1887.
46. AA Bonn, *Österreich 86*, n° 1, vol. 2. Munich, 2-5-1888.
47. Valérie. 21-6-1884.
48. Wallersee, *Elisabeth*, p. 252.
49. Baronne Maria von Wallersee, *Meine Vergangenheit*, Berlin, 1913, p. 82.
50. Wallersee, *Elisabeth*, p. 164.
51. Wallersee, *Vergangenheit*, p. 123 s.
52. Élisabeth, ms.
53. Élisabeth, *Nordseelieder*, p. 132 s.
54. Valérie. 20-12-1885.

Chapitre 11.

1. Wertheimer, III, p. 338.
2. Festetics. 6-1-1883.
3. Karl Hasenauer in : *Neues Wiener Journal*, 6-4-1930.
4. Valérie. 25-5-1887.

5. *Ibid.,* 24-5-1886.

6. Élisabeth, *Winterlieder,* p. 99 s.

7. Wallersee, *Elisabeth,* p. 5 s. Et aussi Valérie, 10-12-1887.

8. Élisabeth, pièce jointe aux poèmes.

9. *Ibid.*

10. *Valérie. 4-4-1887.*

11. *Ibid.,* 23-8-1887.

12. *Ibid.,* 3-7-1884.

13. Festetics. 19-8-1882.

14. Wertheimer, III, p. 338. 7-7-1889.

15. Valérie. 23-8-1887.

17. *Allgemeine Deutsche Biographie :* Maximilien en Bavière.

18. Legs Corti. Gödöllö, 11-11-1886.

19. Élisabeth, *Winterlieder,* p. 12 s.

20. Valérie. 26-8-1889 (avec l'observation : « il y a trois ans »).

21. Élisabeth, *Winterlieder,* p. 39.

22. *Wiener Tagblatt,* 27-12-1888.

23. *Vossische Zeitung,* 5-6-1907.

24. *Wiener Tagblatt,* 15-9-1898.

25. Legs Corti. A Valérie, Corfou, 29-10-1888.

26. Marie von Redwitz, *Hofkronik 1888-1921,* Munich, 1924, p. 69.

27. Dr M.C. Marinaky, *Ein Lebensbild der Kaiserin Elisabeth,* pub. par Carlo Scharding, s.l.n.d., p. 47.

28. Redwitz, p. 108 s.

29. Legs Braun. Corfou, 4-11-(1885).

30. Legs Corti. 1-12-1888.

31. Legs Brau. Corfou, 22-10 (sans mention d'année).

32. *Ibid.,* Corfou, 22-10-(1888).

33. Legs Corti. A Ida Ferenczy. Corfou, 18-10-1888.

34. *Ibid.,* 30-10-1887.

35. Nostitz, t. I, p. 190 (1-11-1887), 192 (6-11-1887) et 194 (9-11-1887).

36. Valérie. 3-12-1888.

37. *Ibid.,* 11-11-1884.

38. Élizabeth, *Winterlieder,* p. 83.

39. Eugen Wolbe, *Carmen Sylva,* Leipzig, 1933, p. 137.

40. Carmen Sylva, « Die Kaiserin Elizabeth in Sinaia », in *Neue Freie Presse,* 25-12-1908.

41. Amélie. 11-11-1884.

42. Legs Corti. Mehadia, 2-5-1887.

43. Élisabeth, *Winterlieder,* p. 84.

44. Bourgoing, p. 186. Gödöllö, 29-11-1889.

45. *Ibid.,* Ofen, 1-10-1897.

46. Comte Hugo Lerchenfeld-Kœfering, *Erinnerungen und Denkwürdigkeiten 1843-1925,* Berlin, 1935, p. 134 s.

47. Nostitz, t. I, p. 267. Vienne, 6-1-1893.

48. Élisabeth, *Winterlieder*, p. 124 s.
49. *Ibid.*, p. 23 s.
50. *Ibid.*, p. 161 s.
51. Élisabeth, ms. « La fête du 30 mai 1888 ».
52. Wallersee, *Elisabeth*, p. 253.
53. Valérie. 27-11-1888.
54. Élisabeth, *Winterlieder*, pp. 1-4.
55. Élisabeth, *Nordseelieder*, p. 142 s.
56. Élisabeth, *Winterlieder*, p. 173.
57. Marinaky, p. 55.
58. Christomanos, p. 71 s.
59. Élisabeth, ms. « La fête du 30 mai 1888 ».
60. Christomanos, p. 109.
61. *Ibid.*, p. 134.
62. Valérie. 6-9-1885.
63. Élisabeth, ms.
64. Christomanos, p. 157 s.
65. *Ibid.*, p. 154.
66. *Neue Freie Presse*, 29-4-1934.
67. Comtesse Irma Sztáray, *Aus den letzten Jahre der Kaiserin Elisabeth*, Vienne, 1909. p. 83.
68. Eduard Leisching, *Ein Leben für Kunst - und Volksbildung*, publ. par Robert A. Kann et Peter Leisching, Vienne, 1978, p. 130 s.
69. Christomanos, p. 221 s.
70. Valérie. 18-3-1891.
71. Marinaky, p. 38.
72. Index des noms dans les éditions d'Élisabeth, dans les actes réservés du fonds de l'auguste famille. Archives de Vienne.
73. Brigitte Hamann, *Rudolf, Kronprinz und Rebell*, Vienne, 1978, p. 406.
74. 6ᵉ année, n° 9, p. 115.
75. *Ibid.*, n° 4, p. 44.
76. Édouard Drumont, *la Fin d'un monde*, Paris 1889, p. XII.
77. *Wiener Tagblatt*, 15-9-1888.
78. Christomanos, p. 238.
79. *Deutsches Volksblatt*, 2-8-1907 : *Kaiser Wilhelm und Heine*.
80. Gerhart Söhn, *Heinrich Heine in seiner Vaterstadt Düsseldorf*, Düsseldorf, 1966, p. 53.
81. Legs Corti. A Ida Ferenczy, Corfou, 11-10-1891.
82. *Neues Wiener Tagblatt*, 9-5-1926 : Julius Kornried, *Kaiserin Elisabeth und Heinrich Heine*.
83. *Deutsches Volksblatt*, 2-8-1907.

Chapitre 12.

1. Heinrich Benedikt, *Damals im alten Österreich,* Vienne, 1979, p. 90 sq.
2. Bourgoing, p. 43.
3. Princesse Stéphanie de Belgique, duchesse de Lonyay, *Ich sollte Kaiserin werden,* Leipzig, 1935, p. 152.
4. Bourgoing, p. 44.
5. *Ibid.,* p. 45. 23-5-1886.
6. *Ibid.,* p. 60. Vienne, 21-4-1887.
7. Valérie. 14-7-1886.
8. *Neue Freie Presse,* 29-4-1934 : Franz von Matsch, *Als Maler bei Kaiserin Elisabeth.*
9. Élisabeth, *Winterlieder,* p. 88 s.
10. Valérie. 1-3-1887.
11. Bourgoing, p. 56. 17-2-1887.
13. *Ibid.,* p. 121. Vienne, 6-12-1888.
14. *Ibid.,* p. 75. Gödöllö, 29-11-1887.
15. *Ibid.,* p. 85. Ofen, 14-2-1888.
16. *Ibid.,* p. 101. Villa de Lainz, 1-6-1888.
17. *Ibid.,* p. 225. Vienne, 30-12-1890.
18. *Ibid.,* p. 250. Vienne, 13-2-1892.
19. *Ibid.,* p. 273. 4-3-1893.
20. Élisabeth, ms.
21. Bourgoing, p. 274. 5-3-1893.
22. Legs Sexau. Entretien avec le prince Taxis, le 27-7-1938.
23. Élisabeth, *Nordseelieder,* p. 112.
25. Élisabeth, ms.
26. Valérie. 4-8-1888.
27. *Ibid.,* 9-6-1890.
28. Legs Sexau. Entretien avec la duchesse Marie-Josée en Bavière, le 27-8-1938.
29. Bourgoing, p. 143. Ofen, 16-2-1889.
30. Valérie. Juin 1889.
31. *Ibid.,* 7-5-1890.
32. Legs Corti. Vienne, 6-12-1890.
33. *Ibid.,* Vienne, 17-12-1880.
34. Bourgoing, p. 218. Mürzsteg, 4-10-1890.
35. *Ibid.,* p. 215. Teschen, 5-9-1890.
36. Duc Philipp zu Eulenburg-Hertefeld, *Erlebnisse an deustschen und fremden Höfen,* Leipzig, 1934, II, p. 205.
37. Bourgoing, p. 263.
38. Hübner. 28-10-1889.

39. Eulenburg, II, p. 200.
40. Valérie. 2-6-1889.
41. *Ibid.*, 21-7-1889.
42. *Ibid.*, 4-11-1889.
43. *Ibid.*, 26-12-1889.
44. *Ibid.*, 18-11-1889.
45. *Ibid.*, 5-12-1889.
46. *Ibid.*, 28-5-1890.
47. Bourgoing, p. 289. Cap Martin, 2-3-1894.
48. *Ibid.*, p. 345. Cap Martin, 10-3-1897.
49. Eulenburg, II, p. 213.
50. *Ibid.*, p. 199.
51. Valérie, 11-7-1899.
52. *Ibid.*, 28-8-1890.
53. Eulenburg, II, p. 226.
54. Bourgoing, p. 426. Juin 1901.
55. Valérie. 6-7-1899.

Chapitre 13.

1. Valérie. 4-2-1890.
2. Festetics. 13-5-1874.
3. Richard Sexau, *Fürst und Arzt,* Graz, 1963, p. 346.
4. Valérie. 4-5-1886.
5. Princesse Stéphanie de Belgique, duchesse de Lonyay, *Ich sollte Kaiserin werden,* Leipzig, 1935, p. 95 sq.
6. Élisabeth, *Winterlieder,* p. 169.
7. *Ibid.*, p. 30 s.
8. Valérie. 29-5-1884.
9. On trouvera la liste des écrits du prince impérial Rodolphe *in :* Brigitte Hamann, *Rudolf, Kronprinz und Rebell,* Vienne, 1978, pp. 523-526.
10. Brigitte Hamann, *Das Leben des Kronprinzen Rudolf nach neuen Quellen,* Vienne, 1978, pp. 224-264.
11. Le texte sur l'aristocratie est publié intégralement *in :* Brigitte Hamann (sous la direction de), *Rudolf. Majestät ich warne Sie. Geheime und private Schriften,* Vienne, 1979, pp. 19-52.
12. Hamann, *Rudolf,* p. 103.
13. *Ibid.*
14. Festetics. 21-10-1877.
15. Publié *in :* Hamann, *Majestät,* pp. 55-78.
16. Hübner. 12-6-1879.
17. *Ibid.*, 18 et 19-6-1879.
18. *Ibid.*, 24 et 25-9-1879.
19. Festetics. 3-11-1881.

20. Archives de Vienne. Rodolphe, carton 16. Prague, 28-10-1879.
21. Hamann, *Rudolf*, p. 139 s. Prague, 16-1-1881.
22. Festetics. 3-1-1882.
23. Hamann, *Rudolf*, p. 303.
24. Élisabeth, ms.
25. Élisabeth, *Nordseelieder*, p. 53.
26. Stéphanie, *Ich sollte Kaiserin werden*, p. 152. Kremsier, 25-8-1885.
27. Hamann, *Rudolf*, p. 295. Prague, 16-1-1881.
28. Élisabeth, *Nordseelieder*, p. 4 s.
29. Élisabeth, *Winterlieder*, p. 20.
30. *Ibid.*, pp. 1-4.
31. Hamann, *Rudolf*, p. 353.
32. Élisabeth, *Winterlieder*, p. 20.
33. Hamann, *Rudolf*, p. 351. La brochure est reproduite intégralement *in :* Hamann, *Majestät*, pp. 191-227.
34. AA Bonn, *Österreich 91*, vol. I. Vienne, 23-10-1886. Sur Andrássy, cf. Hamann, *Rudolf*, p. 301 s.
35. Élisabeth, Winterlieder, p. 20.
36. AA Bonn, *Österreich 70*, secret. Vienne, 5-2-1886.
37. *Ibid, Österreich 86*, n° 1, vol. I, secret. 8-3-1887.
38. *Die geheimen Papiere Friedrich von Holsteins*, t. III, Göttingen, 1961, p. 189. 30-3-1887. La note 7 doit être corrigée : il faut lire « le prince Louis en Bavière ».
39. Walter Bussmann (sous la direction de), *Staatsekretär Graf Herbert von Bismarck*, Göttingen, 1964, p. 524. Vienne, 5-10-1888.
40. *Ibid.*, p. 528. 9-10-1888.
41. Baron Oskar von Mitis, *Das Leben des Kronprinzen Rudolf*, nouvelle édition par Adam Wandruszka, Vienne, 1971. Prague, 2-12-1881.
42. Hamann, *Rudolf*, p. 173 s.
43. AA Bonn, *Österreich 88*, n° 1, vol. I, secret. 8-3-1883.
44. Valérie. 3-6-1884.
45. *Ibid,* 24-12-1887.
46. BStW, collection des manuscrits. Legs Friedjung. Entretien avec la comtesse Marie Festetics, le 23-3-1909.
47. Fritz Judtmann, *Mayerling ohne Mythos*, Vienne, 1968, p. 18 s.
48. Valérie. 18-8-1883 et autres dates.
49. Legs Corti. Valérie, 17-11-1883.
50. Valérie, 11-11-1884.
51. *Ibid.*, 17-8-1884.
52. *Ibid.*, 30-5-1884.
53. *Ibid.*, 13-6-1884.
54. *Ibid.*, 24.6.1886.
55. *Ibid.*, 6-12-1886.
56. *Ibid.*, 25-5-1887.
57. Hamann, *Rudolf*, p. 408 s.
58. Corti, *Élisabeth d'Autriche*, p. 140.

59. Valérie. 23-5-1887.
60. *Ibid.*, 6 et 7-2-1887.
61. *Ibid.*, 22-5-1887.
62. *Ibid.*, 13-5-1888.
63. *Ibid.*, 4-3-1889.
64. *Ibid.*, 6-8 et 6-9-1888.
65. *Ibid.*, 23-12-1888.
66. *Ibid.*, 16-9-1887.
67. Élisabeth, ms.
68. Valérie. 16-12-1888.
69. Legs Friedjung. Entretien avec Marie Festetics, le 23-3-1909.
70. *Ibid.*
71. Toutes les citations de Marie-Valérie sur Mayerling sont du 8-2-1889.
72. Stéphanie, p. 203.
73. Hamann, *Rudolf,* p. 109 s.
74. Corti, *Élisabeth d'Autriche,* p. 419 sq.
75. Legs Corti. Copie du Journal de Marie-Valérie.
76. Valérie. 8-2-1889.
77. Legs Friedjung. Entretien avec Marie Festetics, le 23-3-1909.
78. Sexau, p. 352.
79. Valérie (selon le legs Corti).
80. Valérie. 29-6-1890.
81. *Ibid.*, 18-2-1889.
82. *Ibid.*, 17-2-1889.
83. Amélie. 30-11-1889.
84. Valérie. 8-2-1889.
85. Sexau, p. 351.
86. Valérie. 21-8-1889.
87. Baronne Maria von Wallersee, *Meine Vergangenheit,* Berlin, 1913, p. 234 s.
88. AA Bonn, *Österreich 86*, secret. 6-3-1889.
89. Legs Corti. Valérie 18-2-1889.
90. Scharding, p. 171. 23-6-1890.
91. Hübner. 3-2-1889.
92. *Wiener Zeitung,* 6-2-1889.
93. Bourgoing, p. 133. Vienne, 5-2-1889.
94. Valérie. 10-2-1889.
95. Bertha von Suttner, *Lebenserinnerungen,* Berlin, 1979, p. 376.
96. Valérie. 24-5-1889.
97. *Ibid.*, 17-6-1890.
98. *Ibid.*, 8-12-1889.
99. *Ibid.*, 15-2-1889.
100. Amélie. 30-7-1890.
101. *Ibid.*, 4-12-1890.
102. Valérie. 24-2-1889.

103. Scharding, p. 173. 24-2-1889.
104. Valérie. 12-3-1889.
105. Amélie. 4-12-1889.
106. Valérie. 25-10-1889.
107. *Ibid.,* 1-2-1890.
108. *Ibid.,* 4-2-1890.
109. *Ibid.,* 21-2-1890.
110. *Ibid.,* 19-5-1890.
111. *Ibid.,* 30-4-1889.
112. *Ibid.,* 24-5-1889.
113. *Ibid.,* 9-12-1889.
114. Amélie. 4-2-1891.
115. AA Bonn, *Österreich 86.* 28-1-1890.
116. Valérie. 23-7-1890.
117. *Ibid.,* 28-5-1890.
118. *Ibid.,* 14-7-1890.
119. *Ibid.,* 5-7-1890.
120. *Ibid.,* 31-7-1890.
121. Legs Corti. Élisabeth à Valérie Gasturi, 22-4-1891.
122. Valérie. 26-1-1891.

Chapitre 14.

1. Wallersee, *Elisabeth,* p. 46.
2. *Ibid.,* p. 45 s.
3. Constantin Christomanos, *Tagebuchblätter,* Vienne, 1899, p. 104 s.
4. Nostitz, t. I, p. 188. Vienne, 29-10-1887.
5. Legs Corti. Villefranche, 14-2-1893.
6. Valérie. 14-9-1894.
7. AA Bonn *Österreich 86,* n° 1, t. III. Rome, 21-11-1890.
8. Valérie. 4-8-1894.
9. Cissy von Klatersky, *Der alte Kaiser, wie nur einer ihn sah,* Vienne, 1929, p. 41.
10. Legs Corti. Corfou, 11-11-1888.
11. Nostitz, I, p. 391. 10-4-1894.
12. Valérie. 23-3-1891.
13. *Neues Wiener Tagblatt,* 3-7-1932 : article de F. Pagin.
14. Valérie. 23-4-1892.
15. Harold Kurtz, *Eugénie,* Tübingen, 1964, p. 423.
16. Legs Corti. Gênes, 29-3-1893.
17. Archives de Vienne, PA. Le Caire, 23-11-1891.
18. Valérie. 14-1-1891.
19. Eduard Suess, *Erinnerungen,* Leipzig, 1916, p. 411.
20. AA Bonn, *Österreich 86,* n° 1. Vienne, 12-5-1890.

21. Legs Corti. Corfou, 18-10-1888.
22. Archives de Vienne. Legs Braun. Corfou, 22-10 (sans mention d'année).
23. Legs Corti. Corfou, 20-11-(1888).
24. Legs Corti. Gênes, 29-3-1893.
25. Christomanos, p. 129.
26. *Ibid.,* p. 65 s.
27. Élisabeth, *Winterlieder,* p. 120.
28. Christomanos, p. 133.
29. Amélie. 4-12-1890.
30. Legs Corti. A Ida Ferenczy, Corfou, 11-10-1891.
31. Élisabeth, *Nordseelieder,* pp. 5 et 7.
32. Christomanos, p. 165.
33. Nostitz, t. I, p. 307 s. Vienne, 6-4-1893.
34. Legs Corti. 13-9-1892.
35. Legs Corti. A Ida Ferenczy, Messine, 4-12-1892.
36. Legs Corti. 18-1-1893.
37. Archives de Vienne Adm. Reg. F1/57. Vienne, 24-10-1890.
38. AA Bonn, *Österreich 86,* n° 1. Reuss à Guillaume II, 29-10-1890.
39. *Ibid.,* n° 1, t. VI. Vienne, 2-1-1893.
40. Comtesse Irma Sztáray, *Aus den letzten Jahren der Kaiserin Elisabeth,* Vienne, 1909, p. 203.
41. Legs Corti. Coupure de presse : Fritz Seemann, *Der Mann, der Könige überwachte.*
42. Alfons Clary-Aldringen, *Geschichten eines alten Österreichers,* non daté, p. 114.
43. Rosa Albach-Retty, *So kurz sind hundert Jahre,* Munich, 1979, p. 123 s.
44. Suttner, *Erinnerungen,* p. 343.
45. *Berliner Tageblatt,* 21-4-1889. Cf. aussi *Le Matin* des 12 et 17, et *Le Gaulois* du 13-4-1889.
46. *Wiener Tagblatt,* 26-4-1889.
47. Traduit et démenti dans le *Magyar Hirlap* du 11.3.1893.
48. Legs Corti. A Ida Ferenczy, 14-3-1893.
49. *Der Bund,* 22.3.1893.
50. Legs Sexau. A Marie-Josée en Bavière, Territet, 2-3-1893.
51. Valérie. 21-2-1893.
52. Legs Corti. A Ida Ferenczy, 14-4-1893.
53. Redwitz, p. 68 s.
54. Valérie. 27-7-1895.
55. *Ibid.,* 25-2-1897.
56. *Ibid.,* 15-8-1891.
57. Edmund von Glaise-Horstenau, *Franz Josephs Weggefährte,* Vienne, 1930, p. 400.
58. Legs Corti. Cap Martin, 24-2-1897.

59. Viktor Eisenmenger, *Erzherzog Franz Ferdinand*, Zurich, non daté, p. 77.

60. Legs Corti. Cap Martin, 20-12-1895.

61. *Ibid.*, Biarritz, 2-1-1897.

62. *Ibid.*, Biarritz, 22-12-1896.

63. Bourgoing, p. 304. Ofen, 29-12-1894.

64. Nostitz, t. II, p. 307. Schönbrunn, 8-9-1897.

65. Bourgoing, p. 344. Cap Martin, 3-3-1897.

66. Legs Corti. Sztáray à Ida Ferenczy, Corfou, 7-4-1896.

67. *Magyar Hirlap*, 3-5-1896.

68. Philipp zu Eulenburg-Hertefeld, *Erlebnisse an deutschen und fremden Höfen*, Leipzig, 1934, p. 80.

69. Valérie. 16-12-1897.

70. AA Bonn, *Österreich 86*, n° 1, t. IX. Vienne, 26-3-1897.

71. Bourgoing, p. 359. Ofen, 28-2-1898.

72. Valérie. 8-5-1898.

73. *Ibid.*, 11 et 12-5-1898.

74. *Ibid.*, 13-5-1898.

75. *Ibid.*, 2-7-1898.

76. *Ibid.*, 22-7-1898.

77. *Ibid.*, 25-8-1898.

78. Legs Corti. Nauheim, 25-7-1898.

79. Valérie. 7-9-1898.

80. Christomanos, p. 209 s.

81. Élisabeth, *Winterlieder*, p. 21.

82. BB Berne, Polit. Department 2001/801. Zurich, 4-5-1898.

83. Sztáray, p. 245.

84. On trouvera plus de détails sur l'attentat dans Brigitte Hamann, « Der Mord an Kaiserin Elisabeth », in : Leopold Spira (sous la direction de), *Attentate, die Österreich erschütterten*, Vienne, 1981, pp. 21-33 ; ainsi que dans : Maria Matray et Answald Krüger, *Der Tod der Kaiserin Elisabeth von Österreich*, Munich, 1970.

85. Valérie. 7-9-1898.

86. Carmen Sylva, « Die Kaiserin Elisabeth » in *Sinaia*, in : *Neue Freie Presse*, 25-12-1908.

87. Valérie. 10 et 13-9-1898.

88. Glaise-Horstenau, p. 400.

89. Comte Erich Kielmannsegg, *Kaiserhaus, Staatsmänner und Politiker*, Vienne, 1966, p. 106.

90. *Ibid.*, p. 105.

91. Valérie. 20-9-1898.

92. Archives de Vienne. Actes réservés de la direction du fonds familial, 1898.

93. *Ibid.*

94. Valérie. 3-10-1898.

95. *Ibid.*, 20-9-1898.

96. *Ibid.*, 27-9-1898.
97. Kielmannsegg, p. 93.
98. Valérie. 9-4-1899.
99. *Ibid.*, 25-7-1900.
100. *Ibid.*, 7-10-1898.
101. *Ibid.*, 16-1-1899.
102. *Ibid.*, 2-12-1898.
103. *Ibid.*, 18-1-1900.

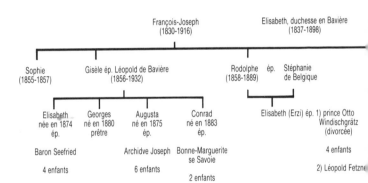

François-Joseph
(1830-1916)　　　　Elisabeth, duchesse en Bavière
(1837-1898)

Sophie
(1855-1857)　　Gisèle ép. Léopold de Bavière
(1856-1932)　　　　　Rodolphe　ép.　Stéphanie
(1858-1889)　　de Belgique

Elisabeth
née en 1874
ép.　　　Georges
né en 1880
prêtre　　　Augusta
né en 1875
ép.　　　Conrad
né en 1883
ép.　　　Elisabeth (Erzi) ép. 1) prince Otto
Windischgrätz
(divorcée)

Baron Seefried　　　　Archidve Joseph　Bonne-Marguerite
se Savoie　　　　　4 enfants

4 enfants　　　　6 enfants　　　　2 enfants　　　　2) Léopold Fetzne

...is-Joseph et d'Elisabeth

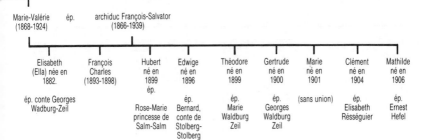

Marie-Valérie   ép.   archiduc François-Salvator
(1868-1924)   (1866-1939)

Elisabeth (Ella) née en 1882.	François Charles (1893-1898)	Hubert né en 1899 ép.	Edwige né en 1896	Théodore né en 1899	Gertrude né en 1900	Marie né en 1901	Clément né en 1904	Mathilde né en 1906
ép. conte Georges Wadburg-Zeil		Rose-Marie princesse de Salm-Salm	ép. Bernard, conte de Stolberg-Stolberg	ép. Marie Waldburg Zeil	ép. Georges Waldburg Zeil	(sans union)	ép. Elisabeth Résséguier	ép. Ernest Hefel

La branche ducale des Wittelsbach

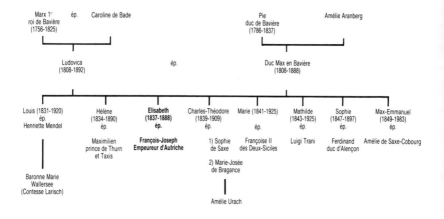

Marx 1ᵉʳ
roi de Bavière
(1756-1825)　　ép.　　Caroline de Bade

Pie
duc de Bavière
(1786-1837)　　Amélie Aranberg

Ludovica
(1808-1892)　　ép.　　Duc Max en Bavière
(1808-1888)

Louis (1831-1920)
ép.
Henriette Mendel

Hélène
(1834-1890)
ép.

Elisabeth
(1837-1888)
ép.

Charles-Théodore
(1839-1909)
ép.

Marie (1841-1925)
ép.

Mathilde
(1843-1925)
ép.

Sophie
(1847-1897)
ép.

Max-Emmanuel
(1849-1983)
ép.

Maximilien
prince de Thurn
et Taxis

François-Joseph
Empeureur d'Autriche

1) Sophie
de Saxe

2) Marie-Josée
de Bragance

Françoise II
des Deux-Siciles

Luigi Trani

Ferdinand
duc d'Alençon

Amélie de Saxe-Cobourg

Baronne Marie
Wallersee
(Contesse Larisch)

Amélie Urach

INDEX

TABLE DES MATIÈRES

DANS LA MÊME COLLECTION

Georges-Henri DUMONT	*Marie de Bourgogne*
	Léopold II
Jacques DUSQUESNE	*Saint Éloi*
Jean-Baptiste DUROSELLE	*Clemenceau*
Danielle ELISSEEF	*Hideyoshi*
Jean ELLEINSTEIN	*Staline*
Paul FAURE	*Ulysse le Crétois*
	Alexandre
Jean FAVIER	*Philippe le Bel*
	François Villon
	La Guerre de Cent Ans
	Les Grandes découvertes,
	d'Alexandre à Magellan
Marc FERRO	*Pétain*
Jean-Michel GAILLARD	*Jules Ferry*
Lothar GALL	*Bismark*
Max GALLO	*Garibaldi*
Louis GIRARD	*Napoléon III*
Pierre GOUBERT	*Mazarin*
Pauline GREGG	*Charles Ier*
Pierre GRIMAL	*Cicéron*
	Tacite
Pierre GUIRAL	*Adolphe Thiers*
Mireille HADAS-LEBEL	*Flavius Josèphe. Le Juif de Rome*
Léon E. HALKIN	*Érasme*
Brigitte HAMANN	*Élisabeth d'Autriche*
Jacques HARMAND	*Vercingétorix*
Jacques HEERS	*Marco Polo*
	Machiavel
François HINARD	*Sylla*
Michel HOÀNG	*Gengis Khan*
Eberhard HORST	*César*
Gérard ISRAËL	*Cyrus le Grand*
Jean JACQUART	*François Ier*
	Bayard
André KASPI	*Franklin Roosevelt*
Paul Murray KENDALL	*Louis XI*
	Richard III
	Warwick, le faiseur de rois
Yvonne LABANDE-MAILFERT	*Charles VIII*

ACHEVÉ D'IMPRIMER
EN OCTOBRE 1994
SUR LES PRESSES DE
L'IMPRIMERIE HÉRISSEY
À ÉVREUX (EURE)

Imprimé en France

Nᵒ d'éditeur : 9837
Nᵒ d'imprimeur : 66737
Dépôt légal : octobre 1994
ISBN 2-213-01293-8
35-14-7070-03/2